Barbara Wood

Szamanka z nawiedzonego kanionu

przełożyła Justyna Niedzielska

Warszawskie Wydawnictwo Literackie MUZA SA

Tytuł oryginału: *Sacred Ground*
Projekt okładki: *Anna Kawecka*
Redakcja: *Ewa Woźniakowska*
Redakcja techniczna: *Zbigniew Katafiasz*
Korekta: *Jolanta Urban*

ISBN 83-7319-342-1

Warszawskie Wydawnictwo Literackie
MUZA SA
Warszawa 2003

Dla mojego męża George'a
z wyrazami miłości

Rozdział pierwszy

Erica mocno ściskała kierownicę, gdy jej samochód z napędem na cztery koła gnał po bitej drodze, klucząc między głazami i podskakując na wybojach. Obok, blady i niespokojny, siedział jej asystent Luke, który właśnie pisał pracę doktorską. Miał dwadzieścia kilka lat, długie, jasne włosy związane w koński ogon, a na jego koszulce widniał napis: „Archeolodzy lecą na starsze babki".

– Słyszałem, że straszny tam bałagan, doktor Tyler – powiedział, gdy Erica skręciła w drogę przeciwpożarową. – Podobno basen zapadł się pod ziemię, ot tak... – pstryknął palcami. – Mówili w wiadomościach, że lej rozciąga się na całą długość płaskowyżu i biegnie pod domami gwiazd filmowych, tego piosenkarza rockowego, który był w telewizji, baseballisty, co miał taki świetny sezon w zeszłym roku, no i jakiegoś słynnego chirurga plastycznego. Pod domami t a k i c h ludzi. Domyśla się więc pani, co to może oznaczać.

Erica nie była pewna, co to może oznaczać. Teraz potrafiła myśleć tylko o jednym: o zdumiewających odkryciach, jakich dokonano.

W chwili katastrofy pracowała na północy nad pewnym rządowym projektem. Trzęsienie ziemi sprzed dwóch dni, o sile 7,4 stopnia w skali Richtera, dało się odczuć aż w San Luis Obispo na północy, w San Diego na południu oraz Phoenix na wschodzie, i wyrwało ze snu miliony mieszkańców południowej Kalifornii.

Był to największy od niepamiętnych czasów wstrząs i przypuszczano, że to właśnie on spowodował zadziwiające zapadnięcie się basenu wraz z trampoliną i zjeżdżalnią wodną.

Niemal natychmiast potem nastąpiło kolejne zdumiewające wydarzenie: kiedy zapadł się basen, zasypały go zwały ziemi, odsłaniając ludzkie kości i otwór, który prowadził do nieznanej dotąd jaskini.

– To może być znalezisko stulecia! – stwierdził Luke, na chwilę odrywając oczy od drogi, by zerknąć na swą przełożoną. Wciąż jeszcze panowały ciemności, a ponieważ górski trakt nie był oświetlony, Erica włączyła światło wewnątrz samochodu. Wydobyło ono z mroku jej lśniące orzechowe włosy, które lekką falą opadały na ramiona, i skórę ogorzałą przez lata pracy w pełnym słońcu. Z doktor Ericą Tyler Luke pracował od sześciu miesięcy. Była po trzydziestce i choć nie mógł nazwać jej piękną, uważał, że jest atrakcyjna w sposób, który mężczyzna rejestruje bardziej instynktem niż zmysłem wzroku. – Niezły kąsek dla jakiegoś archeologa szczęściarza – dodał.

Erica spojrzała na niego.

– A jak myślisz, dlaczego jadąc tam, łamiemy wszystkie możliwe przepisy? – spytała z uśmiechem, po czym znów skupiła uwagę na drodze, akurat w porę, by nie przejechać przerażonego zająca.

Dotarli na szczyt wzniesienia, skąd widać było w oddali światła Malibu. Resztę, czyli Los Angeles na wschodzie i Pacyfik na południu, zasłaniały drzewa, wysokie wzgórza i wille milionerów. Erica zaczęła manewrować samochodem pośród stłoczonych wozów strażackich i policyjnych, ciężarówek należących do władz lokalnych, furgonetek dziennikarzy i całej flotylli aut zaparkowanych wzdłuż żółtej taśmy odgradzającej miejsce zdarzenia. Ciekawscy gapie usadowieni na bagażnikach i dachach aut, by lepiej widzieć, pili piwo oraz snuli rozważania na temat katastrof i ich znaczenia; a może była to dla nich tylko okazja do rozrywki, pomimo nieustannie wykrzykiwanych przez megafon ostrzeżeń, że obszar ten jest niebezpieczny.

– Słyszałem, że w latach dwudziestych cały płaskowyż zajmowało coś w rodzaju azylu prowadzonego przez jakąś stukniętą spirytystkę – powiedział Luke, kiedy się zatrzymali. – Ludzie przychodzili tu rozmawiać z duchami.

Erica przypomniała sobie, że kiedyś oglądała nieme kroniki filmowe o siostrze Sarah, jednej z barwniejszych postaci w Los Angeles, która urządzała seanse spirytystyczne dla takich osobistości hollywoodzkich, jak Rudolf Valentino czy Charlie Chaplin. Sarah prowadziła też seanse masowe w teatrach i salach widowiskowych, a kiedy jej zwolenników liczono już na setki tysięcy, przybyła w te góry, by założyć azyl o nazwie Kościół Duchów.

– A wie pani, jak to miejsce nazywało się na początku? – ciągnął Luke, gdy odpinali pasy. – To znaczy, zanim kupiła je spirytystka? Kiedyś był to – powiedział, a słowo „kiedyś" przywołało Erice na myśl zwoje pergaminu opatrzone woskowymi pieczęciami i mężczyzn pojedynkujących się o świcie – Cañon de Fantasmas – zanucił, smakując na języku przykurzone słowa. – Nawiedzony Kanion. Brzmi trochę strasznie! – Wzdrygnął się.

Erica odpowiedziała śmiechem.

– Luke, jeśli chcesz zostać archeologiem, kiedy dorośniesz, to nie możesz bać się duchów.

Sama na co dzień obcowała z wszelkimi duchami, duszkami i zjawami. Zaludniały zarówno jej sny, jak i archeologiczne wykopki, i nawet jeśli niekiedy ją zwodziły, deprymowały, drażniły i frustrowały, to nigdy nie zdołały jej przestraszyć.

Wysiadła z samochodu i poczuła na twarzy powiew wiatru. Zaczęła wpatrywać się jak zaczarowana w potworny obraz. Widziała już zdjęcia w telewizji i słyszała zeznania naocznych świadków katastrofy o tym, jak trzęsienie ziemi naruszyło grunt pod terenem zamieszkanym przez zamkniętą społeczność dzielnicy Emerald Hills i pod ekskluzywną enklawą w górach Santa Monica, sprawiając, że jeden basen zapadł się pod ziemię, a teraz to samo zagrażało

9

innym posiadłościom. Nie była jednak przygotowana na widok, który właśnie rozpościerał się przed jej oczami.

Chociaż niebo na wschodzie zaczynało już blednąć, ciemna noc uparcie wisiała nad Los Angeles mroczną kopułą, trzeba więc było przynieść reflektory, które, niczym stworzone przez człowieka słońca, rozmieszczono w równych odstępach wokół miejsca katastrofy. Oświetliły one cały kwartał niezwykle snobistycznej dzielnicy, gdzie domy, podobne marmurowym świątyniom, stały skąpane w mlecznym, księżycowym blasku. Pośrodku tego surrealistycznego krajobrazu zionął czarny krater – diabelska gardziel, która pochłonęła basen producenta filmowego Harmona Zimmermana. W górze warkotały helikoptery, omiatając oślepiającymi snopami światła mierniczych rozstawiających swój sprzęt, geologów znoszących wiertarki i mapy, mężczyzn w kaskach, ogrzewających dłonie o kubki z kawą w oczekiwaniu na nadejście świtu, oraz policjantów usiłujących ewakuować mieszkańców, którzy nie chcieli opuścić domów.

Machnięcie identyfikatorem informującym, że Erica jest antropologiem zatrudnionym w Stanowym Urzędzie Archeologicznym, pozwoliło jej i Luke'owi ominąć policyjną taśmę zagradzającą drogę tłumowi gapiów. Podbiegli do krateru, gdzie strażacy okręgu Los Angeles badali krawędź zapadliska. Erica pospiesznie szukała wejścia do jaskini.

– To chyba tam – odezwał się Luke, wskazując chudą ręką drugą stronę krateru. Na głębokości około dwudziestu pięciu metrów Erica z trudem dojrzała w ścianie klifu jakiś otwór. – Wygląda niebezpiecznie, doktor Tyler. Ma pani zamiar tam wejść?

– Jaskinie to dla mnie nie pierwszyzna.

– A co t y u licha tutaj robisz?

Erica obróciła się i ujrzała zmierzającego ku niej wielkimi krokami rosłego mężczyznę z lwią grzywą siwych włosów i gniewnym wyrazem twarzy. Był to Sam Carter, starszy archeolog stanowy z Kalifornijskiego Urzędu Ochrony Zabytków, mężczyzna, który nosił kolorowe szelki, mówił tubalnym głosem i najwyraźniej wcale nie był zachwycony tym spotkaniem.

– Wiesz, dlaczego tu jestem, Sam – odparła i odgarnęła włosy z twarzy, lustrując wzrokiem pełną zamętu scenę wydarzeń. Mieszkańcy zagrożonych domów kłócili się z policją i odmawiali opuszczenia swych posiadłości. – Powiedz mi coś o tej jaskini. Byłeś już w środku?

Sam zauważył dwie rzeczy: po pierwsze oczy Eriki błyszczały z rozgorączkowania, a po drugie miała źle zapięty sweter. Pewnie rzuciła wszystko i pognała jak na skrzydłach do Santa Barbara.

– Jeszcze nie. Są tam geolog i dwaj grotołazi, którzy w tej chwili badają strukturalną wytrzymałość jaskini. Kiedy tylko stwierdzą, że można wejść, zajrzę tam. – Potarł szczękę. Nie będzie łatwo pozbyć się Eriki, skoro już się tu znalazła. Ta kobieta potrafiła przylgnąć jak rzep, jeśli raz wbiła sobie coś do głowy. – A co z Projektem Gaviota? Zakładam, że zostawiłaś go w dobrych rękach?

Erica nie słuchała. Patrzyła na dziurę ziejącą w zboczu wzgórza i myślała o ciężkich buciorach, które właśnie deptały delikatny ekosystem jaskini. Modliła się, żeby przez nieuwagę nie zniszczono cennych historycznych śladów. Okolica była już i tak wystarczająco uboga w zabytki archeologiczne, mimo że ludzie żyli tu od dziesięciu tysięcy lat. W kilku odkrytych jaskiniach nie znaleziono prawie nic, ponieważ na początku dwudziestego wieku w te dzikie góry wtargnęły buldożery oraz dynamit, by zrobić miejsce dla szos i mostów i utorować drogę postępowi ludzkości. Stare cmentarze zostały zaorane, kurhany zburzone, wszelkie ślady dawniejszej obecności człowieka zmiecione z powierzchni ziemi.

– Erico? – Sam czekał na odpowiedź.

– Muszę tam wejść – oznajmiła.

Wiedział, że ma na myśli jaskinię.

– Ty nawet nie powinnaś tutaj być.

– Przydziel mi to zadanie, Sam. Przecież będziecie prowadzić prace wykopaliskowe. A w wiadomościach mówili, że znaleziono tu jakieś kości.

– Erico…

– Proszę.

Zrezygnowany Sam obrócił się na pięcie i ruszył z powrotem przez zdeptany ogród Zimmermana w drugi koniec ulicy, gdzie powstało prowizoryczne centrum dowodzenia. Ludzie z notatnikami i telefonami komórkowymi w rękach dreptali wokół, rozkładając metalowe stoły i krzesła w pobliżu zamontowanych już odbiorników i nadajników radiowych, monitorów kontrolnych i tablicy na ogłoszenia. Nieopodal parkowała ciężarówka z zaopatrzeniem, oblegana przez ludzi noszących różne oficjalne mundury z odznakami Gazownictwa Południowej Kalifornii, Wydziału Zaopatrzenia w Wodę i Energię, Policji Los Angeles, Okręgowego Urzędu do Spraw Nagłych Wypadków. Był nawet przedstawiciel Towarzystwa Opieki nad Zwierzętami, który usiłował wyprowadzić z ewakuowanego obszaru biegające samopas zwierzęta.

Erica dogoniła swego szefa.

– Co tu się stało, Sam? Dlaczego basen nagle zapadł się pod ziemię?

– Inżynierowie z tego okręgu i geologowie stanowi pracują przez całą dobę, żeby określić przyczynę. Tamci – wskazał na mężczyzn ustawiających sprzęt wiertniczy w jaskrawym świetle reflektorów – przeprowadzą testy gleby i sprawdzą, co dokładnie znajduje się pod tymi domami. – Sam zamachał potężną dłonią nad mapami topograficznymi i mapami przekrojów geologicznych, które rozłożono na stołach i przyciśnięto w rogach kamieniami. – Przynieśli je kilka godzin temu z urzędu miasta. Oto przekrój geologiczny z 1908 roku. A ten pochodzi z 1956, kiedy zgłoszono teren pod budowę osiedla mieszkaniowego, choć nigdy ono nie powstało.

Erica obejrzała obie mapy.

– Różnią się – stwierdziła.

– Wygląda na to, że konstruktor nie zbadał gleby pod każdą działką, nie miał zresztą takiego obowiązku. Testy, jakie przeprowadził, wykazały stabilny grunt i podłoże skalne. Tak jest

12

jednak tylko w części płaskowyżu, na krańcach północnym i południowym, które, jak się okazuje, stanowią dwa grzbiety okalające kanion. Pamiętasz siostrę Sarah z lat dwudziestych? Miała tu coś w rodzaju azylu religijnego i jak powiadają, kazała zasypać ten kanion, ani nie pytając o pozwolenie urzędu miasta, ani go o tym nie informując. Zrobiono to zapewne bez standardowego zagęszczenia gruntu i materiał wypełniający w dużej części składał się z substancji organicznych – drewna, roślin, śmieci, które w końcu zgniły. – Zaspanym wzrokiem Sam rozejrzał się dookoła: fontanny i sprowadzone z zagranicy drzewa zdobiły eleganckie trawniki. – Ci ludzie siedzą na bombie zegarowej. Nie zdziwiłbym się, gdyby to wszystko miało się za chwilę zapaść.

Mówiąc to, obserwował Ericę. Stała z dłońmi opartymi na biodrach, przestępując z nogi na nogę jak biegacz, który nie może się doczekać rozpoczęcia wyścigu. Zawsze widywał ją taką w chwilach, gdy wyznaczała sobie jakiś cel. Erica Tyler była jednym z najbardziej zapalonych naukowców, jakich znał, choć entuzjazm ten czasami działał na jej zgubę.

– Wiem, dlaczego tu jesteś, Erico – powiedział ze znużeniem. – I nie mogę dać ci tej pracy.

Podskoczyła ku niemu z płonącymi policzkami.

– Sam, na litość boską, przecież ty mi każesz liczyć muszle ślimaków!

Doskonale wiedział, że zlecenie jej badań nad śmietniskiem pełnym mięczaków jest marnotrawstwem inteligencji i talentu Eriki. Ale po jej wpadce z wrakiem statku w zeszłym roku uważał, że najlepiej będzie dla niej, jeśli ochłonie trochę, pracując przy jakimś mniej ważnym projekcie. Spędziła więc ostatnie sześć miesięcy na prowadzeniu wykopalisk w niedawno odkrytym kurhanie, który okazał się wysypiskiem śmieci Indian zamieszkujących tereny na północ od Santa Barbara przed czterema tysiącami lat. Zadanie Eriki polegało na sortowaniu, klasyfikowaniu i określaniu wieku tysięcy znalezionych tam muszli uchowców.

– Sam – nalegała niecierpliwie, kładąc dłoń na jego ramieniu. – Potrzebuję tego. Muszę ratować swoją karierę. Muszę sprawić, żeby ludzie zapomnieli o Chadwicku…

– Erico, to właśnie incydent z Chadwickiem jest powodem, dla którego nie mogę zlecić ci tej pracy. Po prostu nie wykazujesz zdyscyplinowania. Jesteś impulsywna i brakuje ci chłodnego spojrzenia oraz obiektywizmu, niezbędnych naukowcowi.

– Dostałam już nauczkę, Sam… – Miała ochotę krzyczeć. W kręgach zawodowych klęskę sprawy Chadwicka nazwano „Wrakiem Eriki Tyler". Czy ma za to płacić przez resztę życia? – Będę przesadnie ostrożna.

Zmarszczył brwi.

– Erico, zrobiłaś z mojego urzędu pośmiewisko.

– Przepraszałam już tysiące razy! Sam, pomyśl tylko logicznie. Wiesz przecież, że zbadałam każdy okaz sztuki naskalnej po tej stronie Rio Grande. Nie ma lepszego specjalisty ode mnie. Kiedy zobaczyłam w telewizji to malowidło z jaskini, w i e d z i a ł a m, że ta praca jest dla mnie.

Sam przeczesał palcami swoją bujną czuprynę. To było bardzo w stylu Eriki – tak po prostu nagle wszystko rzucić. Czy w ogóle zatroszczyła się o przekazanie Projektu Gaviota komuś innemu?

– Sam, proszę… Pozwól mi robić to, do czego zostałam stworzona.

Spojrzał w jej bursztynowe oczy i dostrzegł w nich rozpacz. Nie rozumiał, co to znaczy być skompromitowanym w swoim zawodzie i wyśmiewanym przez kolegów. Mógł się jedynie domyślać, czym dla Eriki był ostatni rok.

– Posłuchaj… – odparł. – Członek ekipy ratowniczej wrócił tam na ochotnika, żeby zrobić zdjęcia. Za chwilę powinny być gotowe. Możesz je obejrzeć i sprawdzić, czy te piktogramy coś ci mówią.

– A co tu robi ekipa ratownicza?

– Po zapadnięciu się basenu wyszło na jaw, że zniknęła córka Zimmermana. Szeryf zarządził poszukiwania w tym całym bałaganie. I dzięki temu odkryto malowidło w jaskini.

14

– A dziewczyna?

– Zjawiła się później. W czasie trzęsienia ziemi była chyba w Vegas ze swoim chłopakiem. Słuchaj, nie ma sensu, żebyś się tutaj kręciła. Nie dostaniesz tej pracy. Wracaj do Gavioty… – Jeszcze nie skończył mówić, a już wiedział, że Erica nie spełni jego polecenia.

Kiedy doktor Tyler wbiła sobie coś do głowy, nie dało się jej od tego odwieść. Tak właśnie było przed rokiem, kiedy Irving Chadwick odkrył zatopiony wrak statku i oznajmił, że jest to starożytna chińska łódź, która przybiła do wybrzeża Kalifornii. Miała być dowodem potwierdzającym jego teorię, że ludy z Azji nie tylko przywędrowały do Ameryki przez Cieśninę Beringa, lecz także przypłynęły statkami. Erica od dawna była zakochana w hipotezie Chadwicka, więc już w chwili gdy ją zaprosił, by poświadczyła autentyczność ceramiki pochodzącej z wraku, święcie wierzyła, iż dowód jest niezbity.

Sam próbował ją wtedy przestrzec przed wyciąganiem pochopnych wniosków oraz skłonić, by działała wolniej i ostrożniej. Ale popędliwość okazała się główną cechą charakteru Eriki, która bez wahania obwieściła publicznie, że ceramika jest autentyczna, a potem przez pewien czas wraz z Chadwickiem znalazła się w centrum zainteresowania mediów. Kiedy wydało się, że wrak jest mistyfikacją, a Chadwick przyznał się do oszustwa, było już za późno. Reputacja Eriki Tyler legła w gruzach.

– W wiadomościach podali, że natrafiono tu na jakieś kości – powiedziała. – Dowiedziałeś się czegoś na ten temat?

Sam podsunął jej swój notatnik, wiedząc, że Erica gra teraz na zwłokę.

– Mamy tylko małe fragmenty, ale znaleziono przy nich groty strzał, a to już wystarczyło, żeby powiadomić o tym moje biuro. Oto sprawozdanie koronera.

Kiedy Erica przeglądała dokument, dodał:

– Jak widzisz, według testu Kjeldahla zawartość składników azotowych w kości nie przekracza czterech gramów. A test benzydynowo-octowy nie wykazał obecności białka.

– To znaczy, że kości mają więcej niż sto lat. Czy zdołano oszacować, o ile są starsze?

– Niestety nie. I nie możemy wykazać tego za pomocą analizy gleby, ponieważ nie jesteśmy w stanie określić dokładnie, w jakiej warstwie spoczywały kości. Ten kanion zasypano przed siedemdziesięciu laty, a w zeszłym roku przy kopaniu basenu podłoże znów zostało naruszone. Gdy warstwa gruntu na dnie przeszła w stan ciekły i ustąpiła na skutek trzęsienia ziemi, powodując zapadnięcie basenu, ziemia ze ścian kanionu osypała się do środka. Wszystko się przemieszało, Erico. Tak czy inaczej, znaleźliśmy tam groty strzał i prymitywne narzędzia z krzemienia.

– To wskazuje na indiańskie miejsce pochówku. – Zwróciła mu notatnik. – Domyślam się, że zawiadomiono już komisję? – zapytała, rozglądając się za kimś, kto mógł być przedstawicielem Kalifornijskiej Komisji do Spraw Dziedzictwa Rdzennych Amerykanów.

– Oczywiście, że ich powiadomiono – oświadczył cierpkim tonem. – Już nawet tutaj są. A właściwie o n jest.

Przyjrzała mu się badawczo.

– Jared Black?

– Twój stary wróg.

Erica i Black już kiedyś starli się na gruncie kwestii prawnych dotyczących rdzennych Amerykanów, a wynik tej potyczki był dla niej zdecydowanie nieprzyjemny.

Nagle podbiegł do nich młody mężczyzna z pobrudzoną twarzą i przekrzywionym kaskiem grotołaza na głowie. Wręczył im zdjęcia wnętrza jaskini zrobione polaroidem, przepraszając za ich słabą jakość. Sam podziękował mu, podzielił odbitki i połowę dał Erice.

– Mój Boże – szepnęła, oglądając je uważnie. – Ależ one są... p i ę k n e. A te symbole... – Zabrakło jej tchu.

– Co o tym myślisz? – mruknął Sam, gdy wciąż przyglądała się zdjęciom spod przymrużonych powiek. – Potrafisz zidentyfikować plemię?

16

Erica nie odpowiedziała, więc spojrzał na nią. Patrzyła na odbitki nieruchomym wzrokiem, z lekko rozchylonymi ustami. Przez moment wydało mu się, że strasznie pobladła, ale zaraz uświadomił sobie, że jej twarz wygląda tak za sprawą fluorescencyjnego oświetlenia, które rozmieszczono na miejscu katastrofy.

– Erico?

Zamrugała oczami, jak ktoś wyrwany z transu. Kiedy podniosła na niego wzrok, Sam miał przez chwilę dziwne wrażenie, że Erica go nie poznaje. Naturalny kolor zaczął powoli wracać na jej policzki.

– Mamy w rękach znalezisko stulecia, Sam. Malowidło jest ogromne i lepiej zachowane niż wszystko, co do tej pory widziałam. Pomyśl tylko, ile luk w historii Indian będzie można uzupełnić, kiedy rozszyfrujemy te piktogramy. Proszę, nie odsyłaj mnie z powrotem do tych muszli.

Sam westchnął ciężko.

– Dobrze, możesz pokręcić się tu dzień albo dwa i dokonać wstępnej analizy, ale... – uniósł palec – potem wracasz do Gavioty. Nie mogę zlecić ci tego projektu, Erico. Przykro mi. Taka jest polityka międzyresortowa.

– Ale przecież to ty jesteś szefem... – Zamilkła nagle, usilnie się w coś wpatrując.

Podążył za jej wzrokiem i dostrzegł to, co przykuło jej uwagę. O tej chłodnej porze tuż przed świtem, gdy wszyscy, nieogoleni i z przekrwionymi oczami, marzyli tylko o filiżance kawy, odrobinie snu i świeżym ubraniu, nienagannie uczesany komisarz Jared Black miał na sobie szyty na miarę trzyczęściowy garnitur, jedwabny krawat, eleganckie spinki do mankietów oraz wypolerowane mokasyny i wyglądał, jakby przybywał prosto z sali rozpraw. Zbliżył się ku nim z pochmurnym obliczem.

– Witam, doktor Tyler. Doktorze Carter.

– Dzień dobry, komisarzu.

Jared Black, zdeklarowany obrońca praw Indian, był czystej krwi Anglosasem. Utrzymywał też, że właśnie irlandzkie pochodzenie uczyniło go wrażliwym na niedolę uciskanych ludów.

– Jak pan sądzi, kiedy malowidło z jaskini zostanie zidentyfikowane? – zwrócił się do Sama Cartera. Sądząc z tonu jego głosu, oczekiwał, że nastąpi to jak najszybciej.

– Wszystko zależy od ludzi, którym powierzyłem to zadanie.

Jared nie patrzył na Ericę.

– Oczywiście zamierzam sprowadzić tu własnych ekspertów.

– Ale dopiero po dokonaniu przez nas wstępnej analizy – powiedział Carter. – Chyba nie muszę panu przypominać, że taka jest standardowa procedura.

W oczach Jareda Blacka pojawił się błysk. On i starszy archeolog stanowy serdecznie się nienawidzili. Carter otwarcie sprzeciwił się mianowaniu Blacka na stanowisko komisarza, uzasadniając to jego wyjątkowym uprzedzeniem do środowisk naukowych i akademickich.

Erica zaś stoczyła swą własną bitwę z Jaredem Blackiem przed czterema laty, kiedy zmarł zamożny odludek o nazwisku Reddman, który pozostawił zdumiewającą kolekcję dzieł sztuki indiańskiej. W testamencie wyraził wolę, by zbiór został w jego willi, gdzie powstałoby muzeum noszące imię właściciela. Sprowadzono Ericę, aby zidentyfikowała i skatalogowała tę bezcenną kolekcję, a gdy udało jej się dotrzeć do małego, lokalnego plemienia, ono z kolei wynajęło Jareda Blacka, specjalistę od prawa ziemi i własności, który miał wnieść pozew o nielegalne posiadanie zbioru. Erica poprosiła władze stanowe o podważenie pozwu ze względu na to, że plemię miało zamiar z powrotem zakopać owe przedmioty bez uprzedniej analizy historycznej. „Te szczątki ludzkie i dzieła sztuki, – argumentowała – stanowią nie tylko dziedzictwo Indian, lecz wszystkich Amerykanów". Sprawa wzbudziła wielkie emocje, a gmach sądu pikietowały tłumy – rdzenni Amerykanie domagali się zwrotu całej swojej ziemi i dóbr kulturowych, natomiast nauczyciele, historycy i archeolodzy upierali się przy stworzeniu Muzeum Reddmana. Żona Jareda Blacka, członkini plemienia Maidu i zaciekła bojowniczka o prawa Indian – kobieta, która rzuciła się przed buldożer, chcąc powstrzymać budowę nowej autostrady przebiegającej przez indiańską ziemię – znalazła się wtedy pośród osób najgłośniej żądających „wydarcia kolekcji z rąk białego człowieka".

Sprawa ciągnęła się miesiącami, aż wreszcie Jared ujawnił nieznany wcześniej fakt: bez wiedzy władz stanowych i lokalnych Reddman wykopał przedmioty na terenie swojej posiadłości o powierzchni pięciuset akrów, a następnie trzymał je u siebie bez pozwolenia. Skoro więc znaleziska pochodzą z indiańskiej osady, dowodził Jared Black – a Erica, choć reprezentowała przeciwną stronę, musiała przyznać, że posiadłość zbudowano najprawdopodobniej na terenie prastarej wioski – to nieruchomość ta w świetle prawa nie należała do pana Reddmana, lecz do potomków dawnych mieszkańców osady. A zatem pięćset akrów ziemi oraz ponad tysiąc zabytków indiańskiego rękodzieła, w tym rzadkie okazy ceramiki i wikliniarstwa, łuki i strzały, przekazano plemieniu, które liczyło dokładnie szesnastu członków. Muzeum Reddmana nigdy nie powstało, a owych przedmiotów nikt już więcej nie zobaczył.

Erica przypomniała sobie, jak media rozdmuchiwały wówczas jej walkę z Jaredem w sali sądowej i poza nią. Słynną już fotografię, na której sprzeczają się na schodach budynku sądu, wykupiły różne brukowce i opatrzyły podpisem: „Sekretni kochankowie?". Na skutek bowiem jakiegoś kaprysu światła oraz niefortunnego momentu, w którym fotoreporter nacisnął spust migawki, Erica i Jared zostali utrwaleni w jednej z tych dziwacznych, trwających ułamek sekundy póz, sugerujących coś zupełnie innego, niż naprawdę przedstawiają. Na zdjęciu Erica podnosi na niego szeroko otwarte oczy, językiem dotykając warg, a jej ciało dwuznacznie nachyla się w stronę Blacka. Ten zaś stoi o stopień wyżej i góruje nad nią

19

z rozpostartymi ramionami, jakby miał ją za chwilę porwać w objęcia. Oboje byli oburzeni tą fotografią i fałszem, jaki przekazywała, postanowili jednak to zignorować, nie chcąc dolewać jeszcze oliwy do ognia plotek.

– Ja natomiast chyba nie muszę przypominać p a n u, doktorze Carter – Black zwrócił się do Sama – iż jestem tu po to, żeby ograniczyć profanację do minimum. Z chwilą, gdy znaleziony zostanie NPP spoczywającej w jaskini osoby, osobiście i z ogromną satysfakcją wyprowadzę stąd pana i pańskie hieny cmentarne.

Patrzyli za nim, gdy odchodził, a Sam wepchnął ręce do kieszeni i mruknął:

– Zdecydowanie nie lubię tego człowieka.

– W takim razie – zauważyła Erica – chyba dobrze się stało, że nie zamierzasz przydzielić mi tej sprawy, bo to na pewno rozjuszyłoby Jareda Blacka.

Sam spojrzał na nią i dostrzegł na jej twarzy cień uśmiechu.

– Bardzo zależy ci na tej pracy, prawda?

– Czy wyrażam się jeszcze zbyt subtelnie?

– No dobra – powiedział w końcu, pocierając kark. – To wbrew rozsądkowi, ale chyba mogę wysłać kogoś innego do Gavioty.

– Sam! – W porywie emocji zarzuciła mu ramiona na szyję. – Nie będziesz tego żałował, obiecuję! Luke… – złapała swojego asystenta za rękę, wytrącając mu z dłoni niedojedzonego rogala. – Bierzmy się do roboty!

☆

– Jestem zdumiony, że Sam Carter wyznaczył panią do tego projektu, doktor Tyler – oznajmił chłodno Jared Black, kiedy spotkali się znów na krawędzi klifu.

– Znam się trochę na sztuce naskalnej.

– Jeśli dobrze pamiętam, to zna się pani też trochę na chińskich wrakach. – Zanim Erica zdążyła odpowiedzieć, kontynuował: – Ufam, że zapoznała się pani z najnowszą wersją Karty Repatriacji i Ochrony Grobów Rdzennych Amerykanów, która stwierdza, że jeśli nawet wskazane są przenoszenie oraz analiza naukowa obiektów historycznych, to wspomniane badanie ma być n i e n i s z - c z ą c e i...

Celowo go zignorowała, rozpoznając zaczepny ton w jego głosie i wiedząc, że chce ją sprowokować do kłótni. Była oburzona tą insynuacją. Jared Black wiedział doskonale, że pod względem obchodzenia się ze znaleziskami Erica ma opinię jednego z najostrożniejszych antropologów, a jej testy z a w s z e są nieniszczące.

Starała się jednak utrzymać nerwy na wodzy. Nie było innego wyjścia, jak tylko pozwolić Jaredowi Blackowi na nadzorowanie każdego jej posunięcia. Podczas gdy jej rola polegała na określeniu, do członka jakiego plemienia należały szkielet i malowidło w jaskini, do Jareda należało znalezienie jego NPP – najbardziej prawdopodobnego potomka – i przejęcie wszystkiego, co odkryje Erica.

Poczuła na sobie wzrok Jareda i zaczęła się zastanawiać, czy i on myśli teraz o dniu, w którym się poznali. Było to w budynku sądu okręgowego, a Erica przyszła tam na pierwsze przesłuchanie w sprawie Reddmana. Jeszcze się wówczas nie znali z widzenia, byli po prostu dwojgiem nieznajomych ludzi jadących razem windą. Kiedy dźwig przystanął po raz pierwszy, drzwi rozsunęły się i do środka weszła kobieta w ciążowym ubraniu. Na następnym piętrze wsiadła matka z pięcioletnim chłopcem i gdy winda ruszyła w górę, dziecko jęło gapić się na ciężarną kobietę. Ta, widząc jego zaciekawienie, cierpliwie wytłumaczyła: „Spodziewam się dzidziusia. Będę miała dziewczynkę albo chłopczyka takiego jak ty". Chłopiec zmarszczył czoło, pomyślał przez chwilę i zapytał: „A pozwolą pani wymienić go na osiołka?". Kobieta uśmiechnęła się pobłażliwie, a matka chłopca poczerwieniała. Potem cała trójka wysiadła i drzwi windy zasunęły się z powrotem. Erica i nieznajomy milczeli przez parę sekund, a potem razem zaczęli się śmiać. Pamiętała, że jej uwagę zwróciły głębokie dołeczki w jego policzkach i że uznała go za atrakcyjnego. On z kolei obrzucił ją pełnym uznania spojrzeniem, które mówiło, że podoba mu się to, co widzi. Wtedy drzwi otworzyły się, a za nimi czekała już na nich grupa ludzi. Erica stanęła jak wryta, słysząc, że zwracają się do niego „panie Black". Kiedy zaś pełnomocnik do spraw nieruchomości Reddmana nazwał ją Ericą, Jared także gwałtownie przystanął. Spojrzeli na siebie, jednocześnie uświadamiając sobie, jak okropną popełnili gafę. Byli wrogami, wodzami dwóch nieprzyjacielskich wojsk. A przecież, gdy pozostawali w nieświadomości, połączyła ich zabawna sytuacja, wspólny śmiech, a nawet cień flirtu.

Na myśl o tym, że choćby przez trzy minuty czuła pociąg do tego człowieka, Ericę ogarnęło wzburzenie i zakłopotanie.

Otwór jaskini znajdował się dwadzieścia pięć metrów poniżej grzbietu zapadliska, za posiadłością Zimmermana. Gdy na wschodzie, nad górami, właśnie budził się dzień, zalewając Los Angeles przejrzystą, wolną od smogu poświatą, Erica zapinała pod brodą pasek kasku. Obok niej sposobił się Luke. Wyglądał na podnieconego, w oczach miał dziki błysk. To był jego pierwszy kontakt ze świeżo odkrytym wykopaliskiem, mocował więc linę asekuracyjną i zamykał karabinek z zapałem godnym starożytnego wojownika gotującego się do boju.

Jared Black także zakładał na siebie uprząż i Erica zauważyła, że przebrał się w bardziej nieformalny strój – miał na sobie wypożyczony kombinezon z napisem „Southern California Edison" na plecach. Jego twarz nie wyrażała żadnych emocji, malował się na niej jedynie ponury wyraz, który sprawił, że Erica pomyślała: „Jest wściekły". Ale dlaczego? Czyżby nie chciał podjąć się tego zadania? Czy został do tego zmuszony? Byłaby raczej skłonna przypuszczać, że Jared Black z radością powita tak doskonałą okazję do zwrócenia powszechnej uwagi na działalność swej komisji oraz na własną, prywatną krucjatę w obronie praw rdzennych Amerykanów.

A może był wściekły z powodów osobistych? Możliwe, że ciągle jeszcze nie wybaczył jej słów, które wypowiedziała w dniu, gdy wraz ze swymi ludźmi przegrała proces w sprawie Reddmana: „Słowa pana Blacka trącą hipokryzją, kiedy ogłasza się orędownikiem ochrony dóbr kultury, a jednocześnie każe zakopywać materialne obiekty historyczne pod ziemią, tym samym skazując je na zapomnienie".

– Czy jest pani gotowa, doktor Tyler? – zapytał przewodnik, upewniając się, że Erica jest mocno przypięta do liny asekuracyjnej, i ponownie sprawdzając jej uprząż oraz wszystkie łączenia.

– Bardziej już nie można – odparła, śmiejąc się nerwowo. Nigdy jeszcze nie opuszczała się na linie z dużej wysokości.

– W porządku, proszę robić to, co ja, a wszystko będzie dobrze.

Przewodnik stanął na krawędzi klifu tyłem do przepaści i pokazał im, jak się należy pochylić i rozpocząć kontrolowane zejście. Zademonstrował sposób, w jaki lina powinna przechodzić przez pętlę w kształcie ósemki, stopniowo popuszczając sznur w prawej dłoni, podczas gdy lewe ramię trzymał wyciągnięte do tyłu i powoli, ostrożnie opuszczał się po zboczu. Kiedy dotarł do wejścia jaskini, pomógł zjechać Erice, a następnie Luke'owi i Jaredowi.

Cała czwórka odwiązała liny i stanęła naprzeciw ciemnej, nieprzeniknionej otchłani. Grota mogła być niewielka, lecz mrok czynił ją przepastną. Przytłaczającą czerń łagodziły tylko słabe światełka na ich kaskach. Gdy zaszurali stopami, dźwięk ten odbił się wątłym echem od ścian z piaskowca i zamarł w mrocznej oddali.

Pomimo nagłej chęci, by wbiec do środka i obejrzeć malowidło, Erica pozostała blisko wejścia i zaczęła metodycznie omiatać światłem latarki podłoże, ściany i sufit. Upewniła się, że nie ma tam śladów powierzchniowego materiału archeologicznego, który mogliby niechcący zniszczyć.

– W porządku, panowie – stwierdziła. – Możemy wejść. Tylko stąpajcie ostrożnie. – Oświetliła kamienne ściany, a potem sklepiony sufit. – W miarę posuwania się w głąb, cofajmy się w czasie i próbujmy sobie wyobrazić, co ludzie mogliby tutaj robić i jakie ślady pozostawiłaby ich działalność.

Ruszyli powoli przed siebie, ostrożnie stawiając stopy w ciężkim obuwiu, a osiem krążków światła tańczyło niczym ćmy po zagłębieniach piaskowca.

– Mamy szczęście, że grota znajduje się po północnej stronie gór, ponieważ jest ona bardziej sucha niż zbocze południowe, całkowicie wystawione na sztormy na Pacyfiku. Właśnie dzięki osłonie przed wodą ocalało to malowidło, a możliwe, że inne obiekty też – odezwała się cicho Erica.

Rozglądali się w milczeniu. Snopy światła muskały gładkie zarysy skały, wydobywając z mroku sczerniałe powierzchnie i połacie porostów, podczas gdy czwórka intruzów czujnie, uważnie, z wyostrzonymi zmysłami posuwała się do przodu, by wreszcie dotrzeć do przeciwległego końca groty.

– Tam – powiedział przewodnik, mając na myśli malowidło.

Erica przysunęła się trwożnie do ściany, z niezwykłą uwagą stawiając kroki. Gdy tylko blask umieszczonej na kasku lampy karbidowej padł na piktogramy, zaparło jej dech w piersiach. Te kręgi intensywnych barw, czerwienie i żółcie podobne płonącym słońcom! Były takie piękne, fantastyczne, żywe! Były też...

– Czy pani wie, co oznaczają te symbole, doktor Tyler? – spytał przewodnik, przechylając głowę na wszystkie strony i usiłując doszukać się jakiegoś znaczenia w tym, co wyglądało jak bezsensowna zbitka linii, kręgów, form i kolorów.

Erica nie odpowiedziała. Stała przed malowidłem porażona, z otwartymi szeroko oczami, jakby zahipnotyzowana przez jaskrawe słońca i księżyce na skale.

– Doktor Tyler? – powtórzył.

Jared i Luke wymienili spojrzenia.

– Doktor Tyler... Dobrze się pani czuje? – Luke poklepał ją po ramieniu, aż podskoczyła.

– Co? – Spojrzała na niego, skonsternowana. Wreszcie zaczęła dochodzić do siebie. – Ja po prostu... nie spodziewałam się znaleźć malowidła w tak doskonałym stanie. Czegoś tak... – Nadal od-

24

dychała z trudem. – A jeśli chodzi o pańskie pytanie na temat tych symboli... – powiedziała głosem już nieco silniejszym, lecz z pewnym wysiłkiem, jak gdyby usiłowała przypomnieć sobie, gdzie jest – to najważniejszą religią na tym obszarze był szamanizm, czyli forma kultu oparta na osobistej interakcji między szamanem a siłami nadprzyrodzonymi. Szaman spożywał liście rośliny o nazwie bieluń, lub w inny sposób wprowadzał się w trans, i wkraczał do świata duchów. Było to tak zwane poszukiwanie wizji. Kiedy wychodził z transu, utrwalał swoje wizje na skale. Nazywamy to sztuką transową. Tak przynajmniej mówi jedna z teorii dotyczących sztuki naskalnej Południowego Wschodu.

Przewodnik przysunął się bliżej.

– Z czego pani wnosi, że to dzieło szamana? – dopytywał. – Czy to nie może być po prostu malunek zupełnie pozbawiony znaczenia?

Erica wpatrywała się w największy, krwistoczerwony krąg, z którego na wszystkie strony rozchodziły się dziwne punkty. „To musi coś znaczyć, nie ma wątpliwości".

– Tego rodzaju zjawiskami zajmuje się nauka zwana neuropsychologią odmiennych stanów świadomości. Przeprowadzone badania laboratoryjne wykazały, że istnieją pewne uniwersalne obrazy opisywane przez przedstawicieli różnych kultur – Indian, Aborygenów, Afrykanów. Są to prawdopodobnie jaskrawe figury odruchowo wytwarzane przez nasz system wzrokowy. Może pan to sprawdzić. Proszę przez chwilę patrzeć prosto w światło, a potem szybko zamknąć oczy. Ujrzy pan te same wzory – kropki, linie równoległe, zygzaki, spirale, czyli coś, co nazywamy metaforami transu.

– Ale to niczego nie przedstawia – odrzekł z powątpiewaniem.

– Nie musi. Symbole te obrazują uczucia oraz stany duchowe, a więc coś pozbawionego postaci materialnej, i tym samym niemożliwego do przedstawienia. A jednak... – Umilkła, gdy światło jej latarki padło na jakiś nieokreślony kształt, przedłużony o coś, co wyglądało jak wyciągnięte ramiona albo czułki. – Niektóre szczegóły rysunku są zastanawiające.

Luke odwrócił się do Eriki, oślepiając ją przez chwilę blaskiem lampy na kasku.

– Zastanawiające? A co na przykład?

– Zwróć uwagę, że niektóre elementy odbiegają wyraźnie od tego, co najczęściej spotyka się w obrazowaniu stanów transowych. Choćby ten symbol. Nie spotkałam go nigdy wcześniej, na żadnym badanym przeze mnie rysunku naskalnym. Większość z owych symboli, takich jak te odciski dłoni, znajdziesz na innych piktogramach i petroglifach rozsianych po całym Południowym Zachodzie. Odcisk dłoni w sztuce naskalnej ma charakter uniwersalny i występuje na całym świecie. Odzwierciedla wierzenie, że powierzchnia skały jest przenikalną granicą między światem rzeczywistym a nadprzyrodzonym. Stanowi ona drzwi, przez które szaman przechodzi, by złożyć wizytę duchom. Ale inne symbole – wskazała je ostrożnie, by nie dotknąć skały – są dla mnie zupełnie nowe... – Umilkła, a jej lekki oddech niczym powiew wiatru zmącił ciszę panującą w jaskini. – W tym malowidle jest jeszcze coś innego, co mnie zastanawia.

Jej towarzysze czekali w milczeniu.

– Zawiera ono piktogramy charakterystyczne dla kultur pochodzących z tego obszaru, a jednocześnie są na nim motywy typowe dla sztuki naskalnej Indian Pueblo. Tak naprawdę, odzwierciedla mieszankę kultur. Być może Pajutów południowych albo Szoszonów. W każdym razie jakiegoś plemienia z południa Nevady.

– Czy potrafi pani oszacować wiek malowidła, doktor Tyler? – zapytał Luke pełnym podziwu tonem.

– W przybliżeniu możemy stwierdzić, że pochodzi ono sprzed pięćsetnego roku naszej ery, ponieważ ukazano na nim włócznie, zamiast łuków i strzał. Te ostatnie weszły do użytku w Nowym Świecie około roku pięćsetnego. Żeby bardziej precyzyjnie określić wiek obrazu, musielibyśmy przeprowadzić analizę mikrosondą elektronową i zastosować datowanie radiowęglowe. Na razie jednak powiedziałabym, że malowidło ma około dwóch tysięcy lat.

Wtedy Jared Black odezwał się po raz pierwszy.

– Jeśli artysta pochodził z południowej Nevady, to przebył niezły kawał drogi, zwłaszcza że musiał przejść przez Dolinę Śmierci.

– Zasadnicze pytanie brzmi: d l a c z e g o to zrobił? Szoszoni i Pajuci nigdy nie wypuszczali się poza swoje tereny plemienne. Chociaż przenosili się z miejsca na miejsce w poszukiwaniu żywności, mieli silny instynkt terytorialny i nie wychodzili poza granice ziem swoich przodków. Co mogło skłonić tego człowieka do zerwania z własnym klanem i odbycia tak dalekiej i bez wątpienia bardzo ryzykownej podróży?

Oczy Jareda ocieniał kask, ale Erica poczuła na sobie jego świdrujące spojrzenie.

– A więc możliwe, że to Szoszon? – spytał.

– Ja tylko zgaduję. Z badań nad cyklami suszy wynika, że około tysiąca pięciuset lat temu zmiany klimatyczne na pustynnych obszarach wschodniej Kalifornii przygnały na teren dzisiejszego Los Angeles grupę przodków Indian Gabrielino, która mówiła językiem Szoszonów. Jeśli jednak ci ludzie posiadali własną nazwę plemienną, z czasem musiała ona ulec zapomnieniu.

– A więc malowidło na pewno wykonał jeden z tych przodków? – naciskał Jared.

Erica próbowała utrzymać nerwy na wodzy. Jared Black był człowiekiem, który żądał natychmiastowych odpowiedzi.

– Nie mogę stwierdzić tego z pewnością, bo uważam, że ma ono więcej niż tysiąc pięćset lat. I proszę nie zapominać, że „Gabrielino" to uniwersalna nazwa nadawana przez franciszkanów różnym plemionom zamieszkującym te rejony. – Rzuciła mu znaczące spojrzenie. – Dlatego musimy być bardzo ostrożni w posługiwaniu się terminami.

– I na pewno nie może pani określić plemienia?

Jej rozdrażnienie powoli zamieniało się w gniew. Wiedziała, do czego zmierza Black, ponieważ taką samą insynuację rzucił pod jej adresem podczas sprawy Reddmana, kiedy powiedziała, że potrzebuje więcej czasu na zidentyfikowanie plemiennej przynależności

27

szczątków ludzkich oraz przedmiotów sztuki. W tamtym wypadku Jared Black nie mylił się: rzeczywiście grała wówczas na zwłokę. Teraz jednak mówiła prawdę. Nie miała pojęcia, któremu plemieniu przypisać autorstwo malowidła.

Odsunąwszy się od ściany, Erica zauważyła, że bezpośrednio pod freskiem podłoże różni się od tego w pozostałej części jaskini. Wznosiło się nieco pod kątem, który nie wydał jej się naturalny. Spojrzała na sufit. Najmniejszych śladów oberwania. Potem kucnęła i w kilku miejscach roztarła w palcach grudki ziemi. Była wszędzie taka sama, ponieważ wiatry wiejące w grocie rozpraszały ją równomiernie.

– Skoro samo malowidło nie naprowadziło nas na żadne konkretne plemię – powiedziała – proponuję, żebyśmy poszukali wskazówek gdzie indziej. Na przykład w tym dziwnym kopcu.

Luke uniósł wysoko jasne brwi, a w jego oczach pojawił się błysk nadziei.

– Myśli pani, że tu jest coś zakopane, doktor Tyler?

– Możliwe. Ściany są okopcone, a więc palono tu ogniska albo pochodnie, co może oznaczać, że kopiec ten kryje ślady ludzkiej działalności na przestrzeni wielu stuleci. Chciałabym zbadać to wzniesienie.

– I oto zstąpiła szarańcza – mruknął Jared.

– Żadna szarańcza, panie Black. Tylko ja. Będę jedyną osobą prowadzącą tu prace, żeby kopiec uległ możliwie najmniejszemu zniszczeniu.

– Prace wykopaliskowe z a w s z e niszczą, doktor Tyler.

– Może mi pan wierzyć albo nie, panie Black, ale naprawdę istnieją archeolodzy, którzy wcale nie uważają, że trzeba kopać wszędzie tam, gdzie dokona się odkrycia. Prace można rozpocząć, jeśli stanowisko archeologiczne jest zagrożone, lub gdy – jak w tym wypadku – zachodzi potrzeba określenia przynależności plemiennej naszego artysty. Niewykluczone, że natknęliśmy się na wspaniałą skarbnicę wiedzy historycznej.

28

– Albo na groby, które należy zostawić w spokoju.

Erica spojrzała na Jareda, na jego twarz poprzecinaną ostrymi smugami światła i cienia, po czym zwróciła się do Luke'a:

– Najpierw przeprowadzimy analizę geochemiczną gleby i określimy poziom fosforanów. Dowiemy się przynajmniej, czy miejsce to było zamieszkane. A na razie, jak sądzę, dobrze będzie, jeśli oczyścisz trochę tę ścianę. Pod sadzą może być więcej piktogramów.

Chciała jeszcze powiedzieć coś do Jareda Blacka, ale ze zdumieniem stwierdziła, że odszedł i stał przy wejściu jaskini. Zarys jego wysokiej, barczystej sylwetki odcinał się na tle porannego brzasku; jedną dłoń oparł o ścianę, a w drugiej trzymał zdjęty z głowy kask. Wydawało się, że Jared Black stoi tak upozowany na krawędzi klifu, by zerwać się do lotu.

W chwili tej było coś surrealistycznego: ciemność jaskini połączona z poczuciem przytłaczającego ogromu góry, bliskość piaskowcowych ścian, kojąca cisza, choć przez otwór wpadał jasny słoneczny blask znad Pacyfiku wraz z hałasem pracujących ekip, policjantów i warkoczących w górze helikopterów. „Dlaczego tam stoi? Czemu się przygląda?".

Ericę zastanawiało, z jakiego powodu Jared Black przyszedł tu tak bardzo rozdrażniony. Prawdopodobnie był gotów iść na ustępstwa w takim samym stopniu, jak niedźwiedzica grizzly broniąca swych małych. Gdyby tylko istniał sposób, by go przekonać, że mogą ze sobą współpracować, że nie muszą wciąż walczyć. Lecz on z jakichś niewyjaśnionych przyczyn najwyraźniej się uparł, żeby zrobić sobie z niej wroga. Sprawa Reddmana rozegrała się przed czterema laty, a jednak Erica nie mogła oprzeć się wrażeniu, że bitewny zapał oraz późniejsze upojenie zwycięstwem nadal zagrzewają go do walki. Jared Black bez wątpienia gotował się do wojny, a ona nie miała pojęcia dlaczego.

Dalej przeszukiwała grotę, aż w końcu snop światła latarki zatrzymał się w pewnym punkcie podłoża.

– Jak sądzisz, Luke, co to może być?

Luke spojrzał w dół i stwierdził, że ziemia w tym miejscu jest naruszona, a spod niej wyłania się jakiś szarawobiały kształt.

– To jest zupełnie świeże. Gleba osypała się pewnie na skutek wstrząsów.

Erica uklękła i delikatnie odgarnęła pędzelkiem sypką ziemię.

– Mój Boże... – powiedział Luke, wybałuszając oczy.

Jared wrócił do nich i patrzył w milczeniu, jak Erica oczyszcza swoją miotełką jakiś przedmiot, który przypominał kamień z dziurą w środku. Potem pojawiła się następna dziura. A wreszcie... zęby.

Była to ludzka czaszka.

– To jest grobowiec! – wyszeptał nabożnie Luke.

– Czyj? – zapytał nerwowo przewodnik.

Erica, czując nagły przypływ emocji i podniecenia, nie odpowiedziała. Ale odpowiedź nasunęła jej się sama. W jakiś dziwny sposób, mimo że nie zaczęto jeszcze prac wykopaliskowych i nie było na to żadnego dowodu, Erica wiedziała już, że przed nimi leżą szczątki twórcy słonecznego malowidła.

Rozdział drugi

MARIMI
Dwa tysiące lat temu

Marimi patrzyła na tańczących w środku kręgu mężczyzn i wiedziała, że oto nadchodzi czarodziejska noc.

Już teraz czuła tę magię w swoich palcach, gdy z wprawą krzyżując giętkie wierzbowe gałązki, wyplatała owalną kołyskę, w której miało spocząć jej nienarodzone jeszcze dziecko. Dno zostanie później wyścielone koźlęcą skórą, a nad główką maleństwa przymocuje się plecioną osłonę przed słońcem. Marimi czuła także magię w swoim łonie, kiedy poruszało się w nim nowe życie – jej pierwsze dziecko, które miało się narodzić na wiosnę. Dostrzegała magię w gibkich kończynach swego młodego męża, gdy ten tańczył, świętując doroczne zbiory szyszek sosnowych – przystojny, jurny myśliwy, dzięki któremu poznała uniesienia cielesnej miłości między kobietą i mężczyzną. Marimi słyszała magię w śmiechu mężczyzn, gdy tańczyli, uprawiali hazard lub snuli opowieści, paląc gliniane fajki; słyszała ją w muzyce grajków, którzy dmuchali w gwizdki z wydrążonych ptasich kości i we flety wystrugane z drewna dzikiego bzu. Magia pobrzmiewała w wesołych pogaduszkach kobiet, wyplatających lśniące koszyki w blasku licznych ognisk, w piskach dzieci, które grały w kółko i patyk albo siłowały się na wilgotnej leśnej trawie. Magia kryła się także w twarzach

31

młodych, zakochanych ludzi, gdy zza osłony dłoni posyłali uśmiechy swoim wybrankom i przyszłym małżonkom. Była to, jak mawiała jej matka, „noc duchów", jedna z tych nocy, kiedy dusze drzew, skał i rzek przyzywają cienie przodków, by wspólnie świętować Jedność Wszystkich Rzeczy. To pora wielkiej radości, dobra, wyjątkowa noc.

A jednak radość dziewczyny zupełnie niespodziewanie podszyta była lękiem.

Z drugiej strony wielkiego kręgu utworzonego przez rodziny podziwiające tancerzy wpatrywała się w nią uporczywie para zimnych, czarnych oczu – były to oczy starej Opaki, szamanki klanu, która wyglądała wspaniale, przyodziana w koźle skóry, sznury paciorków i cenne orle pióra. Marimi zadrżała pod jej przeszywającym spojrzeniem i poczuła, że ze strachu pokrywa się gęsią skórką. Opaki bali się wszyscy, nawet wodzowie i myśliwi, przerażała ich bowiem jej rozległa i tajemnicza wiedza na temat magii, jej rozmowy z duchami i to, że tylko ona jedna potrafiła porozumiewać się ze słońcem, księżycem i wszystkimi duchami na ziemi oraz prosić o ich wstawiennictwo.

Zwykli ludzie nie umieli rozmawiać z bóstwami. Jeśli członek klanu chciał je poprosić o przysługę, konieczne było pośrednictwo szamana: bezpłodna kobieta pragnąca dziecka, brzydka dziewica rozpaczliwie szukająca męża, stary myśliwy, którego umiejętności pogorszyły się z wiekiem, staruszka o palcach niezdolnych już do wyplatania koszyków, ciężarna kobieta potrzebująca ochrony przed złym spojrzeniem, ojciec, który się bał, że korytem strumyka obok szałasu jego rodziny nigdy już nie popłynie woda – wszyscy oni, trwożliwie i z wielkim szacunkiem, udawali się do szamana i pokornie przedstawiali swoje sprawy. Każdej petycji towarzyszyła zapłata i to dlatego właśnie szamani byli bardzo zamożni, ich chaty najpiękniej ozdobione, skóry koźle najmiększe, paciorki najwspanialsze. Biedne rodziny ofiarowywały tylko nasiona, podczas gdy najbogatsi przynosili owcze rogi lub skóry łosiów. Każdy mógł podejść do szamana i otrzymać za jego pośrednictwem odpowiedź od bogów. Taką rolę pełniła Opaka, najpotężniejsza postać w klanie Marimi. Dziewczyna widziała kiedyś, jak jeden z mężczyzn choruje i umiera jedynie dlatego, że stara wskazała go palcem – taką moc posiadała Opaka.

Ale dlaczego teraz przyglądała się właśnie Marimi, a oczy płonęły jej niczym czarne ogniste punkciki?

Próbując ukryć strach, młoda żona ponownie skupiła uwagę na wyplataniu kołyski i pomyślała, że ta noc jest przecież wyjątkowa.

Była to pora dorocznego zgromadzenia, kiedy wszystkie rodziny Ludzi, którzy nazywali siebie Topaa, przybywały z czterech stron świata, z odległych miejsc, gdzie ziemia podpiera niebo. Topaa opuszczali swe letnie siedziby, żeby spotkać się w górach podczas zbiorów szyszek – był to zjazd około pięciuset rodzin, a każda przywoziła ze sobą własną okrągłą chatę z trawy oraz ogień. Za pomocą długich kijów zdejmowali szyszki z drzew, a wydobyte nasiona piekli i jedli lub mełli na mąkę, którą potem mieszali z mięsem jeleni i z sosem, a to, co zostało, gromadzili na nadchodzącą zimę. Gdy kobiety zbierały szyszki, mężczyźni polowali wspólnie na króliki, zapędzając je w sieci i tłukąc kijami w takich ilościach, jakich wymagały zimowe zapasy.

W tym czasie kojarzono także małżeństwa, a nie była to prosta sprawa, ponieważ zasady łączenia młodych okazywały się bardzo złożone – należało sprawdzić i zbadać ich rodowody, zapytać bogów, odczytać znaki. Chociaż wszyscy Topaa pochodzili z tego samego plemienia, byli wśród nich członkowie różnych klanów, które z kolei dzieliły się na rodziny, pierwsze i drugie. Każdy klan miał swój totem zwierzęcy: Kuguara, Jastrzębia czy Żółwia. Druga rodzina, złożona z dziadków oraz ciotek, wujów i kuzynów, nosiła nazwisko rodowe: Ludzie znad Zimnej Rzeki, Ludzie ze Słonej Pustyni. Pierwsza rodzina zaś składała się z matki, ojca i potomstwa, a jej nazwisko pochodziło od lokalnego źródła pożywienia, zajęcia albo jakiejś cechy geograficznej: Ci, Którzy Jedzą Bawole

33

Jagody, Mieszkańcy Potoku czy Białe Noże, ponieważ sporządzali narzędzia z miejscowego białego kamienia. Marimi wywodziła się z klanu Jastrzębia o Czerwonym Ogonie, jej drugą rodziną byli Ludzie z Czarnego Płaskowyżu, a pierwsza rodzina nosiła miano Polujących na Króliki. Młody mężczyzna, który wybrał ją na swą żonę, pochodził z klanu Żółwia, Ludzi z Doliny Pyłu, oraz Wytwarzających Fajki. W czasie zeszłorocznych zbiorów zachwyciły Marimi jego szaleństwa, kiedy paradował przed jej chatą: pysznił się jak paw, grał na flecie, pokazywał na migi swoje umiejętności w rzucaniu oszczepem, lecz nie wypowiedział do niej ani słowa, ponieważ to było tabu. A gdy wystawiła przed chatę koszyk słodkich korzonków na znak, że jest zainteresowana, doprowadził do spotkania ich ojców. Obaj mężczyźni odbyli narady z przywódcami swoich klanów, ażeby omówić przebieg skomplikowanych negocjacji, uzgodnić prezenty i zdecydować, czy panna młoda powinna przenieść się do rodziny pana młodego, czy też odwrotnie. Jeśli mąż pochodził z rodziny, w której było niewiele kobiet, żona szła za nim. Jeśli zaś w jej rodzinie było wiele wdów i niezamężnych sióstr, mąż przenosił się do niej. W przypadku Marimi jej ojciec był jedynym mężczyzną wśród ośmiu kobiet i z radością przyjął męża córki jako syna.

Podczas zbiorów ludzie utrwalali sobie też w pamięci granice swego terytorium plemiennego, a dzieciom kazano uczyć się nazw wszystkich rzek, lasów, łańcuchów górskich, które oddzielały ziemie Topaa od terenów sąsiadujących plemion – Szoszonów na północy i Pajutów na południu, z którymi Topaa nie handlowali, nie zawierali małżeństw ani nie prowadzili wojen – dzieci miały również pamiętać, że polowanie, zbieranie nasion lub czerpanie wody na ziemiach należących do innych plemion jest ścisłym tabu.

Co roku w czasie zbiorów każda rodzina ustawiała chatę na swej rodowej parceli, tam gdzie jej przodkowie spotykali się i zbierali szyszki od zarania dziejów. W miejscu, w którym Marimi rozłożyła swoją matę i plotła teraz koszyk dla niemowlęcia, jej matka, babka i wszystkie prababki od niepamiętnych czasów także rozkładały maty i plotły kołyski dla swych dzieci. I pewnego dnia również jej pierworodna córka miała tutaj usiąść i pleść koszyk z wikliny, patrząc na te same tańce, te same gry. Dlatego właśnie coroczne zbiory szyszek służyły czemuś więcej niż tylko gromadzeniu zapasów na zimę. To tutaj ludzie poznawali historie swych przodków, a ponieważ życie Topaa było nierozerwalnie związane z przeszłością, istniała pewność, że dzisiaj wszystko odbywa się dokładnie tak jak kiedyś i tak jak będzie się odbywało jutro i do końca świata. W czasie dorocznego spotkania człowiek uczył się, gdzie jest jego miejsce pośród Stworzenia. Mężczyzna lub kobieta pojmowali, że są częścią Wielkiego Planu, że Topaa i ziemia, zwierzęta i rośliny, wiatr i woda są z sobą połączone i splecione niczym gałązki wikliny w misternych koszykach wyrabianych przez kobiety.

Po zakończeniu zbiorów klany zostawały w górach na zimę, a kiedy tylko zaczynały wschodzić pierwsze zielone pędy, ogromna osada rozwiązywała się i rodziny wracały do swych odwiecznych siedzib, pozostając tam aż do czasu następnych zbiorów. Marimi z mężem, jej matka, ojciec i sześć sióstr wędrowali z powrotem na swoje ziemie, gdzie polowali na króliki i gdzie rodzina mieszkała od czasów Stworzenia. Tam miała urodzić swe pierwsze dziecko i zostać matką, wzmacniając swoją pozycję w klanie, dzięki czemu w przyszłym roku, kiedy znów przybędą do sosnowego lasu, ludzie zaczną zwracać się do niej z większym szacunkiem i czcią.

O tej szczęśliwej przyszłości Marimi próbowała myśleć teraz, gdy chłód zagadkowego spojrzenia Opaki napawał ją śmiertelnym strachem. Dlaczego szamanka tak się w nią wpatrywała?

Praktyki szamanów klanowych były tajemnicze i niezgłębione – rozmyślanie, a tym bardziej mówienie o nich było tabu. Jedynie szamani posiadali zdolność poruszania się między światem rzeczywistym a nadprzyrodzonym. Zawsze, jeszcze przed rozpoczęciem zbiorów i zanim pierwsza rodzina postawiła tu sobie szałas, wznoszono boską chatę dla szamana. W budowie uczestniczyli wszyscy, nawet dzieci i starcy; wyszukiwano najlepsze konary i gałązki, znoszono najładniejsze skóry i przybory do krzesania ognia po to, by bogowie zechcieli zagościć w boskiej chacie i za pośrednictwem wizji szamana pobłogosławić zbiorom oraz ludziom. W świecie, który był wówczas tak zagadkowy i przerażający, nigdy nie dało się przewidzieć obfitych plonów, zatem konieczne było, aby przed zerwaniem z drzewa pierwszej szyszki szaman wszedł do boskiej chaty i tam porozumiał się z siłami nadprzyrodzonymi, otrzymując od nich wskazówki, proroctwa, a czasem nowe prawa dla klanu.

Dlatego właśnie Marimi tak przelękła się zimnych oczu szamanki. Opaka posiadała boską moc, a Marimi z całą pewnością dostrzegła wrogość w jej spojrzeniu. Ale dlaczego? Dziewczyna nie przypominała sobie, aby jakimś swym uczynkiem mogła wywołać złość starej. Gdyby to inny członek plemienia patrzył na nią nienawistnie, poszłaby do szamanki i błagałaby o boską ochronę przed tą osobą. Tylko że teraz to sama szamanka patrzyła na Marimi złym okiem!

Wtem przypomniała sobie Tikę i przepełnił ją paniczny strach.

Tika, pierwsza córka siostry jej matki, od najwcześniejszego dzieciństwa była dla Marimi jak siostra. Kiedy razem przechodziły przez święte rytuały dojrzałości i wraz z dwunastoma innymi dziewczętami wzięły udział w wyścigu, który wygrała Marimi, jako pierwsza dobiegając do chaty szamana – tylko Tika wiwatowała na jej cześć. I to właśnie ona podczas ostatnich zbiorów przekazywała sekretne wiadomości między Marimi i jej młodym myśliwym, ponieważ w czasie trwania negocjacji małżeńskich rozmowa pomiędzy nimi stanowiła tabu. I nie kto inny jak Tika podarowała Marimi i jej mężowi w prezencie ślubnym koszyk tak niezwykłej urody, że mówił o nim cały klan.

Potem zaś na Tikę spadło nieszczęście. Zakochała się w chłopcu, którego Opaka upatrzyła na męża dla wnuczki swojej siostry. Gdyby Tika poszła z każdym innym, nie stałaby się wyrzutkiem – tego Marimi była pewna. Kiedy nakryto ich razem w szałasie jednego z wujów, wszyscy szamani i szamanki zasiedli do narady, i wypaliwszy fajki mądrości, uchwalili, że wyrzutkiem powinna zostać dziewczyna, a nie chłopak, gdyż to ona go uwiodła i zmusiła do złamania prawa plemiennego. Ponieważ z obawy przed zemstą bogów plemię nie stosowało wobec swoich członków kary śmierci, winni skazywani byli na śmierć za życia. Zabierano im cały majątek, imię i pożywienie oraz wypędzano z opiekuńczego kręgu. Jeśli ktoś raz został ogłoszony wyrzutkiem, nie mógł już nigdy wrócić do społeczności. Nie wolno było z nim rozmawiać, patrzeć na niego, dostarczać żywności, wody ani udzielać schronienia. Członkowie jego rodziny obcinali sobie włosy i opłakiwali go, jak gdyby rzeczywiście utracili bliską osobę. Gdy Tika znalazła się wśród bezimiennych, serce Marimi płakało po niej. Wciąż jeszcze miała przed oczami widok swej przyjaciółki błąkającej się na skraju lasu niczym potępiona dusza. Marimi pragnęła pójść do Tiki, przekroczyć granice opiekuńczego kręgu, zanieść jej jedzenie oraz ciepłe futra i skóry. Wówczas jednak ona również zostałaby wyrzutkiem. Stając się „martwymi", wypędzeni nigdy nie żyli długo. I nie tylko dlatego, że musieli sami zdobywać pożywienie czy walczyć z żywiołami. Z chwilą gdy człowieka ogłaszano wyrzutkiem, umierała w nim dusza. A kiedy zanika wola życia, śmierć nadchodzi bardzo szybko. Po kilku dniach Tika zniknęła ze skraju obozowiska.

– Matko... – powiedziała cicho Marimi do kobiety, która siedziała obok niej ze skrzyżowanymi nogami i śpiewała, wyplatając kunsztowny koszyk. Śpiew napełniał go życiem, a zatem dawał mu duszę. Dzięki pieśni jej palce wplatały we wzór koszyka mit lub magiczną opowieść. Za pomocą wzoru w romby matka wypełniała koszyk opowieścią o tym, jak dawno temu zostały stworzone gwiazdy. – Matko... – powtórzyła Marimi trochę głośniej – Opaka na mnie patrzy.

– Wiem, córko! Bądź ostrożna. Odwróć oczy.

Marimi zaczęła nerwowo błądzić wzrokiem po gwarnym obozowisku, z którego unosił się ku niebu dym z pięciuset ognisk. Jej letni dom znajdował się na pustyni, gdzie jedyną roślinność stanowiły krzaki bylicy, góry zaś porośnięte były sosną i jałowcem. Ich bujna, zielona gęstwina, pośród której gromadziły się duchy, przerażałaby Marimi, gdyby dziewczyna nie przebywała wraz z innymi wewnątrz opiekuńczego kręgu. W nocy, gdy rodziny kładły się na futrzanych pledach, wsłuchane lękliwie w głosy zawodzących wśród drzew duchów, każdy miał nadzieję, że talizmany, jakie szaman rozmieścił wokół obozowiska, mają wystarczająco silną moc, by odpędzić zjawy. Nikt więc nie skąpił zapłaty szamanowi, ponieważ potężny szaman zapewniał klanowi bezpieczeństwo i opiekę bogów. Wszyscy przecież pamiętali okropny los, jaki spotkał klan Sowy, którego szaman zabił się, spadając ze stromego urwiska, i pozostawił trzydzieści sześć rodzin bez nikogo, kto mógłby je reprezentować w świecie duchów i w ich imieniu przemawiać do bogów. Nie minął jeden cykl księżyca, a wszyscy mężczyźni, kobiety i dzieci zachorowali i umarli, tak że klan Sowy przestał istnieć.

Przerażenie Marimi wciąż rosło, toteż całym wysiłkiem woli usiłowała skupić się na koszyku dla niemowlęcia. Jednak jej palce poruszały się teraz sztywno i niezgrabnie, gdy ze zgrozą uświadomiła sobie, że magia, którą czuła tej nocy, wcale nie musiała być d o b r ą magią...

☆

Przypatrując się Marimi poprzez krąg tancerzy, Opaka przypominała sobie czasy, gdy i na nią przyjemnie było popatrzeć. Usadowiona na swej cennej, bawolej skórze, pośród jedzenia, paciorków i piór, które przynieśli jej w darze ludzie potrzebujący pomocy i błogosławieństwa bogów, Opaka myślała z goryczą, że kiedyś, zanim nie zniszczyły jej wiek i zbyt liczne wędrówki poza ciało, ona również miała krągłą twarz, roześmiane oczy, zmysłowe usta i włosy niczym czarny, lśniący wodospad – które teraz, u Marimi, przyciągały uwagę nie tylko jej młodego męża. Dziś Opaka była zgarbiona, siwa i bezzębna.

Ale nie to było powodem jej nienawiści do dziewczyny.

Trucizna ta zaczęła płynąć w jej sędziwych żyłach sześć zim temu, podczas Roku bez Szyszek, kiedy rodziny po przybyciu do lasu odkryły, że szyszki sosnowe już opadły i gniją na ziemi. Ludzie, widząc, że bogowie kazali porze zbiorów nadejść wcześniej i tym samym sprowadzili na nich głód, wszczęli wielki lament, szamani zaś pochowali się w swoich boskich chatach, gdzie rozpaliwszy ogień ze świętego jadłoszynu, pościli, spożywali bieluń, śpiewali i zawodzili, wznosząc modły do bogów o wizje, które pokazałyby, gdzie rosną szyszki. Bogowie nie wysłuchali jednak modlitw szamanów i wydawało się, że nad Topaa zawisła klęska strasznego głodu.

I wtedy matka Marimi przyszła do Opaki z niezwykłą opowieścią.

Jej córka, wówczas dziewięcioletnia, padła ofiarą okropnej przypadłości, która wypełniała jej głowę bólem, odbierała wzrok i słuch. Matka zmoczyła głowę dziecka zimną wodą i położyła dziewczynkę w cieniu drzewa, a kiedy choroba ustąpiła, Marimi powiedziała jej o sosnowym lesie po drugiej stronie rzeki. Matka odparła, że to tylko sen wywołany głodem i dziwną chorobą głowy. Nakazała córce nikomu nie mówić o swoim widzeniu, bo jedynie Opaka mogła wskazywać klanowi, gdzie należy szukać pożywienia. Ale Marimi upierała się przy wizji sosnowego lasu rosnącego poza granicami Topaa, na bezludnych ziemiach, których nie zamieszkiwali ich przodkowie – a zatem przenosząc się tam i zbierając obfity plon szyszek, plemię naruszyłoby tabu.

Kiedy szamani wyłonili się ze swojej chaty, oznajmiając, że tego roku nie będzie szyszek ani królików, które całkowicie zniknęły z lasu, oraz że powodem nieurodzaju jest niechęć bogów do ludzi – matka Marimi uznała, że nadszedł czas, by zasięgnąć rady Opaki w sprawie wizji córki. Według jej dziecka las leżał w kierunku wschodzącego słońca, po drugiej stronie rzeki, na szczycie żyznego wzgórza.

Opaka oznajmiła, że ziemia ta leży daleko poza granicami terenów plemiennych. Idąc tam, plemię naruszyłoby tabu. Lecz dziewczynka uparcie twierdziła, że nie jest to tabu, ponieważ tak powiedział jej we śnie duch. Opaka zabroniła kobiecie wspominać o tym komukolwiek, sama zaś wybrała się tam potajemnie i niewątpliwie znalazła las pełen szyszek, gdyż po powrocie do wioski poszła prosto do boskiej chaty, udała się w podróż duchową, po czym obwieściła, że bogowie zesłali jej wizję niezamieszkanej przez przodków krainy, obfitującej w szyszki.

Wybrano czterech młodych, odważnych mężczyzn, którzy otrzymali włócznie oraz polecenie, by biec w stronę słońca. Gdyby jednak wkroczyli na ziemię objętą tabu, mieli nie wracać.

Po ich odejściu ludzie tańczyli i żywili się larwami pszczół, miodem i szyszkami, które udało się wygrzebać spod warstwy zgnilizny. Powróciwszy, myśliwi opowiedzieli o urodzajnym lesie na drugim brzegu rzeki, niezamieszkanym przez ludzi ani przodków.

A zatem Rok bez Szyszek okazał się dobrym rokiem, tak że potem, podczas następnych zgromadzeń, rozmawiano o nim przy ogniskach. Plemię zebrało obfity plon i wróciło do swych letnich siedzib z koszami pełnymi szyszek. O dziewczynce nikt nie wspominał. Wizję przypisano szamance, która potrafi rozmawiać z bogami – tak oto potwierdziła się moc i potęga Opaki.

Od tamtej pory stara bacznie obserwowała dziewczynę, wypatrując chwil, gdy ta cierpiała na bóle głowy i mówiła o wizjach. Przed dwoma laty, kiedy Marimi stała się kobietą i wygrała wyścig podczas rytuału dojrzałości, dzięki czemu bardzo zyskała w oczach plemienia, zdobywając pozycję, której Opaka pragnęła dla wnuczki swojej siostry, gdyż nie miała własnej – staruszka wzmogła jeszcze swą czujność. Po ostatnim obrzędzie inicjacyjnym, podczas którego dziewczęta w specjalnych chatach czekały na dostąpienie wizji i zgodnie oznajmiały, że ich zwierzęciem przewodnim jest grzechotnik – wąż bowiem symbolizował męskość i przynosił szczęście dziewicom pragnącym zostać płodnymi matkami – Marimi sprzeniewierzyła się tradycji, twierdząc, że jej duchem przewodnim jest k r u k.

Najbardziej jednak niepokoiło Opakę to, że dziewczyna przeżywała wizje bez pomocy bielunia, którego potrzebowali szamani.

Cóż by się stało ze strukturą społeczną klanu, gdyby każdy mógł rozmawiać z bogami? Zapanowałyby chaos, barbarzyństwo i bez- prawie. Jedynie wybrańcy, ci, którzy poznali tajemnicę szamańskich obrzędów, mogli komunikować się z tamtym światem. Dzięki temu we wszechświecie panowały równowaga i niezmienny po- rządek. Opaka dostrzegała w dziewczynie przyszłe zagrożenie dla trwałości plemienia. Zwłaszcza teraz, gdy Marimi była w ciąży i wkrótce miała zyskać nowy, wyższy status matki.

A tego przywileju Opaka nigdy nie dostąpiła.

Wybór padł na nią, gdy jeszcze była niemowlęciem – odebrano ją matce i powierzono szamance klanu, z którą zamieszkała w odosob- nieniu. Stara kobieta wychowywała Opakę i przekazywała jej najrozmaitsze tajemnice, uczyła magii i uzdrawiania oraz prowa- dzenia rozmów z bogami. Była to nauka wytrzymałości i czas próby, długie, uciążliwe miesiące samotności i poświęcenia, gdy w ciężkich warunkach i bez miłości wpajano w nią, by nie myślała o sobie, lecz o plemieniu, przygotowywano do życia bez męża i dzieci, pozostawania w dziewictwie aż do starości. Obce jej było uczucie zawiści, gdyż wychowano ją na najbogatszą i najpotężniejszą osobę w klanie – jakże więc mogła być o cokolwiek zawistna? Nie znała także pojęcia zazdrości, mogła zatem odczuwać ją tylko podświadomie. Opaka nie uwierzyłaby również w zarzut, że boi się zwykłej dziewczyny. Ludzie, którzy rozmawiają bezpośrednio z bo- gami, są odporni na drobne ludzkie przywary. Dlatego też, nie- świadoma własnej frustracji i rozgoryczenia oraz głębokiego lęku przed grożącą jej pewnego dnia ze strony Marimi konkurencją o boską władzę, Opaka powiedziała sobie w duchu, że tajemny spisek, który uknuła przeciw dziewczynie, ma na celu dobro plemienia.

☆

Kilka młodych kobiet, jej niezamężnych przyjaciółek, podeszło do Marimi, by się z nią podroczyć. Nie zmarznie ona dziś w nocy, gdy zimowy chłód przeniknie do ich szałasów. O n e miały tylko futra i skóry, aby się ogrzać, podczas gdy na szczęśliwą Marimi czekało ciepło ciała mężczyzny.

– Czy jeśli usłyszymy twoje krzyki – rzekła jedna z dziewcząt, która wkrótce miała poślubić myśliwego z klanu Sokoła – mamy przybiec ci na ratunek?

– A jeśli to będą j e g o krzyki? – dokuczała inna. – Czy mamy przyjść i zabrać twojego męża?

Marimi zarumieniła się, roześmiała i skarciła swoje przyjaciółki za to, że zachowują się jak głupiutkie dziewice, ale ich zainteresowanie bardzo jej pochlebiało; i rzeczywiście nie mogła się już doczekać nocy, gdy legnie w namiętnym uścisku swego męża.

Miała właśnie podarować przyjaciółkom koszyk jagód, które zebrała tego popołudnia, gdy jakaś kobieta nagle wdarła się do środka kręgu, z krzykiem odpychając tancerzy. Na rękach niosła nieprzytomne dziecko. Rzuciła się Opace do stóp, błagając ją o uzdrowienie syna.

W całym obozowisku zapadła cisza. Słychać było tylko trzaskanie drewna w ogniskach i zawodzenie niemowląt w odległych chatach.

Marimi rozpoznała chłopca. Był to Payat z klanu Górskiego Lwa; jego drugą rodziną byli Ludzie z Czerwonego Wąwozu, pierwszą zaś Mieszkańcy Słonej Równiny. Obóz trwał w posępnym milczeniu, gdy Opaka dźwignęła się na nogi, podeszła i pochyliła nad chłopcem, który jęczał z bólu. Dotknęła kilku miejsc na jego ciele, położyła mu rękę na czole, a sama zamknęła oczy, wyciągając przed siebie ręce, wnętrzem dłoni do dołu, nad wijącym się ciałkiem dziecka. Przez cały czas mruczała jakąś magiczną pieśń, której nikt nie rozumiał.

Wreszcie otworzyła oczy, wyprostowała się, w miarę swych możliwości, i oznajmiła, że chłopak naruszył tabu i został nawiedzony przez złego ducha.

Tłum wydał z siebie zbiorowe westchnienie zgrozy. Ludzie zaczęli kręcić się niespokojnie, a niektórzy nawet odeszli. Miesiączkujące i karmiące piersią kobiety szukały schronienia w swych chatach, mężczyźni zaś nerwowo ściskali włócznie. Człowiek opętany przez złego ducha budził lęk, ponieważ duch mógł w każdej chwili opuścić jego ciało i zamieszkać w każdym, kto stał w pobliżu.

Opaka ogłosiła chłopca nietykalnym, oświadczając, że jest już właściwie martwy i nawet bogowie mu nie pomogą, następnie zaczęła się naradzać z głównym wodzem i pomniejszymi przywódcami na temat tego, co należy z nim uczynić – jego pozostanie wśród ludzi było oczywiście wykluczone. Tymczasem Marimi przysunęła się bliżej miejsca zdarzenia.

Matka Payata pochylała się nad synem, szlochając i błagając złego ducha, by opuścił ciało dziecka. Dwóm myśliwym kazano odciągnąć ją od chłopca, gdyż Opaka uznała, że dotykanie go stanowi tabu. Podczas gdy uwaga wszystkich skupiła się na rozpaczającej kobiecie, Marimi podeszła jeszcze bliżej, bardzo zaciekawiona tym, co się stało. Wprawdzie powinna trzymać się jak najdalej, oczekiwała bowiem dziecka i nie wolno jej było przebywać w obecności osoby otoczonej tabu, ale nigdy jeszcze nie widziała opętanego człowieka. Kiedy się jednak zbliżyła, ujrzała tylko chłopca, trupio bladego i wykrzywionego z bólu. „Jaką to straszliwą zbrodnię mogło popełnić małe dziecko – rozmyślała – aby zasłużyć na karę ze strony złych mocy?".

Wtedy dostrzegła coś, czego inni chyba nie zauważyli – zmięte żółte kwiaty w dłoniach chłopca. I nagle pojęła: dziecko najadło się liści jaskra. To w ten sposób zły duch wszedł w ciało Payata! Wszyscy wiedzieli, że jaskier jest siedzibą złego ducha, a zjedzenie go powoduje chorobę i śmierć. „Jeśli liście zalegają jeszcze w jego żołądku – zastanawiała się w nagłym olśnieniu Marimi – to może uda się jakoś wypędzić ducha?".

Niewiele myśląc, przypadła do chłopca i zanim ktokolwiek zdążył zareagować, podniosła go, obróciła i włożyła mu palec do ust. Natychmiast zaczął wymiotować.

Gapie wrzasnęli, gdy struga zielonego płynu trysnęła z ust Payata, a kiedy rozlała się w kałużę na ziemi, wszyscy zgodnie krzyknęli, że przybrała kształt zwierzęcia. Zły duch opuścił ciało chłopca!

Mężczyźni pospiesznie rzucili się do kałuży i zaczęli zasypywać zielonego diabła popiołem, aby go zadusić, nim znajdzie sobie nowego gospodarza.

Kiedy Marimi delikatnie położyła chłopca na ziemi, ten jęknął i zawołał matkę. Kobieta szybko chwyciła syna w ramiona, szlochając i śmiejąc się na przemian. Przyciskała go mocno do piersi, a gapie wokół zaczęli mruczeć coś o cudzie. Jak pamięcią sięgnąć, nic takiego wcześniej się nie wydarzyło. I spojrzeli na Marimi inaczej, część z podziwem, inni z zadziwieniem, kilku z lękiem.

Payat zakaszlał i otworzył oczy, i gdy stało się widoczne, że jego bladość ustępuje, wszyscy zaczęli mówić jednocześnie, wynosząc pod niebiosa imię Marimi.

– Cisza! – wrzasnęła nagle Opaka, unosząc swą szamańską laskę, zdobną w pióra i koraliki.

Tłum rozstąpił się. Wszystkie oczy skierowane były na białowłosą staruchę, która choć mała i wątła, przedstawiała imponujący widok. I podczas strasznej chwili ciszy, jaka potem zapadła, członkowie plemienia zrozumieli, że na ich oczach popełniono najgorszą zbrodnię, jakiej mógł dopuścić się Topaa: zwykła dziewczyna podważyła wyrok szamanki.

☆

Szamani wszystkich klanów zebrali się w boskiej chacie, a święty dym ich fajek wirującymi pasmami unosił się z otworu w dachu. W całej wiosce zapanowało przygnębienie. Oczekując na werdykt, Marimi płakała ze strachu, przytulona do kolan matki, a jej młody mąż przechadzał się gniewnie przed chatą.

Szamani wyłonili się wreszcie, a Opaka z powagą ogłosiła Marimi oraz chłopca wyrzutkami. Oboje byli martwi.

– Nie! – krzyknęła Marimi. – Nie zrobiliśmy nic złego!

Jej mąż splunął na nią i odwrócił się plecami.

Rzuciła się do stóp matki, błagając o pomoc. Ta jednak odwróciła się i rozpoczęła żałobne zawodzenie, które miało trwać przez pięć dni i pięć nocy.

Całe plemię ustawiło się w kręgu, plecami do Marimi i chłopca, a Opaka uroczyście i z namaszczeniem pozbawiła ich imion, odzienia oraz majątku. Od tej pory nie mogli posiadać włóczni, żeby polować, kosza, by nosić nasiona, futer, żeby odpędzić chłód. Mieli żyć poza wioską, poza kręgiem, zupełnie sami, niczym widma w ludzkich ciałach; nikomu nie wolno było na nich patrzeć ani z nimi rozmawiać. Ich ziemskie losy spoczywały w rękach bogów.

☆

Byli bliscy śmierci.

Marimi i chłopiec siedzieli skuleni na skraju obozowiska, poza granicą, którą Opaka wyznaczyła za pomocą talizmanów i świętych symboli wyrytych na pniach drzew. W otępieniu przyglądali się tańcom na polanie, kobietom wyplatającym koszyki i mężczyznom zaabsorbowanym grami losowymi. Pierwsze i drugie rodziny Marimi i Payata były w żałobie. Ich członkowie obcięli sobie włosy, posmarowali błotem piersi oraz twarze i mieli powstrzymać się od jedzenia mięsa przez jeden pełny cykl księżyca. Ciotkom i kuzynkom nie wolno było pleść koszyków, wujom i kuzynom tańczyć, a braci Payata i owdowiałego męża Marimi obowiązywał miesięczny zakaz polowania. Nikt z obu rodzin nie powinien odbywać stosunków płciowych, spożywać posiłków z obcymi, stąpać po cieniu Opaki lub innego szamana.

Przez siedem nocy para wyrzutków walczyła o przetrwanie, a głód skręcał im wnętrzności. Marimi i chłopcu udało się jakoś znaleźć schronienie na noc – dół w ziemi, który dziewczyna wysłała liśćmi. Przytuliła do siebie Payata, żeby było im cieplej, lecz oboje przez całą noc trzęśli się z zimna, a dziecko płakało przez sen. Podczas tej pierwszej, długiej nocy Marimi leżała wpatrzona w gwiazdy i czuła dziwne odrętwienie ogarniające jej kończyny. To nie utrata własnego życia napełniała ją rozpaczą, lecz niechybna śmierć nienarodzonego dziecka. Przyłożyła dłonie do brzucha i poczuła poruszające się w nim życie. Jak zdoła wyżywić siebie i dziecko w swym łonie? Jeśli drżała z zimna, to czyż i ono nie marzło? A kiedy wiosną nadejdzie jego czas, czy klątwa Opaki sprawi, że urodzi się martwe?

Bez spódnicy z koźlej skóry i narzutki z króliczego futra, pozbawiona ciepła ogniska i futrzanych pledów w chacie, Marimi znalazła się w szponach najstraszliwszego zimna, jakie mogła sobie wyobrazić. Palce jej rąk i nóg zgrabiały i miała wrażenie, że krew zamienia się w lód. Jeszcze nigdy nie dygotała tak gwałtownie jak teraz, gdy leżała przytulona do małego Payata, któremu na policzkach zamarzały łzy tęsknoty za matką.

Marimi nie wiedziała jednak, co jest gorsze: zimno czy obezwładniający lęk.

Każdego ranka o wschodzie słońca szamani wszystkich klanów odmawiali stosowne modlitwy i wypuszczali ku niebu święty dym, rozsypując nasiona na cztery strony świata, żeby zjednać przychylność bogów, okazać im szacunek i wdzięczność. W wejściach do szałasów wisiały potężne, pobłogosławione przez szamanów talizmany, które miały odpędzać zło i choroby. Chaty wzniesione na planie okręgu, najświętszego z symboli, ustawione były również na obwodzie ogromnego koła, wewnątrz którego odbywały się tańce. Całe obozowisko złożone z setek rodzin tworzyło rozległy, jak okiem sięgnąć, krąg wyznaczający granice bezpieczeństwa.

Marimi i chłopiec zostali wypędzeni z owego kręgu i zmuszeni radzić sobie we wrogiej i niebezpiecznej krainie, której nie obejmowała opieka szamanów.

Obca i przerażająca głusza pełna była duchów – żyły one w gliniastej ziemi i pośród złowrogich cieni, czyhały w krzewach jeżyn i dzikiej róży, przyglądając się bezbronnym istotom ludzkim, gotowe spaść nagle i opętać ich ciała. Marimi nigdy nie przebywała w lesie

46

sama, lecz zawsze w towarzystwie rodziny i szamanów, którzy szli przodem i odpędzali niebezpieczeństwo za pomocą świętego dymu i grzechotek. Teraz jednak, wyrzucona poza krąg, była naga i samotna w ciemności rozbrzmiewającej szelestem i szeptami przeróżnych duchów, które się o nią ocierały, dokuczały jej, urągały, groziły.

Ale najgorsze było to, że zostali pozbawieni opowieści. Przecież właśnie historie snute przy ognisku były spoiwem plemienia Topaa; to mity i legendy, które opowiadano nocą, stanowiły ogniwo łączące pokolenia od niepamiętnych czasów, od stworzenia świata. Ojciec Marimi, podobnie jak wszyscy ojcowie z plemienia Topaa, przekazał dzieciom opowieści, których nauczył się od swych przodków: i tak było zawsze, począwszy od pierwszej opowieści i pierwszego przodka. Tymczasem Marimi i Payat zostali oderwani od tych legend, a więc również od swoich klanów i rodzin, aby nigdy już nie powrócić na łono plemienia. Błądzili po obrzeżach wioski, żywiąc się jagodami jałowca i szyszkami, które przeoczyli zbieracze. To jednak im nie wystarczało, zaczęli więc powoli słabnąć z głodu. Mijały dni i noce, aż w końcu nie mieli już sił szukać jagód. Marimi wiedziała, że oto stoi wraz z Payatem w obliczu śmierci, lecz nie ma szamana, którego mogliby poprosić o wstawiennictwo u bogów.

☆

Patrzyła na księżyc poprzez gałęzie drzew. Przyglądanie się księżycowi było zakazane, ponieważ przywilej ten należał do szamanów. W jej klanie wciąż krążyła opowieść o kuzynie, który tak długo wpatrywał się w księżyc, że spotkała go kara w postaci ataków, podczas których piana występowała mu na usta, a on bił o ziemię rękami i nogami. Jednak księżyc bywał także łaskawy. Kiedy siostra Tiki nie mogła zajść w ciążę, złożyła w darze Opace rzadko spotykane pióra pustułki. Szamanka weszła do boskiej chaty i poprosiła księżyc o dziecko dla kobiety. Następnej wiosny siostra powiła chłopca.

Marimi wiedziała, że powinna odwrócić oczy od boskiego okręgu na niebie, ale nie potrafiła tego uczynić. Słaba i wychudzona, z duszą niczym ostatni tlący się węgielek pośród zimnych popiołów, była już poza zasięgiem wszelkich lęków i trosk. Gdy tak leżała w zagłębieniu, a kościste ciałko nienaturalnie mocno uśpionego Payata kuliło się obok niej, nie mogła oderwać oczu od połyskującej w górze tarczy. Oddychała coraz wolniej, a serce kołatało jej w piersi. Myśli pojawiały się jakby same, i zanim to sobie uświadomiła, zaczęła cicho przemawiać do księżyca: „To ja popełniłam zbrodnię. Chłopiec jest niewinny, podobnie jak dziecko w moim łonie. Ukarz tylko mnie, a im pozwól żyć. Jeśli mnie wysłuchasz, zrobię wszystko, czego zażądasz".

Zdało się, że nagle księżyc zaświecił mocniej. Marimi nie zmrużyła nawet oczu. Wciąż wpatrywała się w miesięczną poświatę, która była coraz bielsza i jaskrawsza, aż w końcu pokryła całe niebo. Wtem ostry ból przeszył jej czaszkę i Marimi z przerażeniem stwierdziła, że nawet w tym nierzeczywistym stanie musi cierpieć na przypadłość, która nękała ją od dzieciństwa. To księżyc wymierzał jej karę. Miała czelność przemawiać do bogów, więc teraz ból nie opuści jej aż do śmierci. „Niech się tak zatem stanie". I poddając się cierpieniu całkowicie, zapadła w głębszy niż kiedykolwiek sen. Gdy resztki świadomości odpływały niesione falą bólu, Marimi pomyślała tylko: „Umieram".

Nie umarła jednak, a kiedy spała, nawiedził ją we śnie kruk, jej duch przewodni. Przywoływał ją i leciał przed siebie, a ona podążała za nim, aż dotarła do małej polanki w lesie, gdzie rosła kępa mleczy.

Kiedy obudziła się o świcie – ledwie żywa, lecz pełna nowej, dziwnej chęci działania – z trudem wypełzła z usłanego liśćmi legowiska i poszła tam, dokąd zawiódł ją w sennej wizji kruk. Znalazłszy polankę porośniętą mleczami, zaczęła jeść łapczywie ich łykowate, gorzkie korzenie, które okazały się pożywne. Potem wzięła ich trochę dla Payata i nakłoniła chłopca do jedzenia.

48

Od tej pory żywili się mleczami, a gdy przybyło im sił, mogli już sporządzać małe pułapki na zwierzęta i papkę z korzonków urozmaicać mięsem wiewiórek i królików. Marimi wyszukała patyki odpowiednie do skrzesania ognia, a po pewnym czasie postawiła okrągły szałas z gałęzi i liści. I w ten sposób radzili sobie jakoś z dala od osady, sami pośród duchów i zjaw nieprzyjaznego lasu, lecz Marimi nie bała się już tak jak przedtem, ponieważ w chwili najgłębszej rozpaczy, kiedy została odrzucona przez swych bliskich i wiedziała, że stoją z chłopcem o krok od śmierci, nadeszło objawienie: pomodliła się wprost do księżyca, bez pomocy szamana, i księżyc jej wysłuchał.

☆

Pewnej nocy choroba znowu nawiedziła Marimi podczas snu, wypełniając jej czaszkę bólem tak ostrym, jakby duchy przeszywały ją włóczniami. Miotana paroksyzmami cierpienia, dziewczyna usłyszała głos swego przewodnika, kruka, który nakazał jej obserwować Opakę. Marimi najpierw się przestraszyła, czuła jednak, że jej obowiązkiem jest wypełniać polecenia przewodnika, i nagle uświadomiła sobie, że przecież nie ma się czego bać. Była duchem, a duchy mają prawo chodzić, gdzie chcą. Mogła zatem do woli przyglądać się codziennej krzątaninie Opaki.

Marimi stanęła oblana mieniącym się blaskiem słońca, doskonale widoczna dla staruszki, która właśnie zbierała maliny. Całe plemię wiedziało, że szamani używają owoców i liści malin do wyrobu środków uspokajających, pobudzających i wzmacniających, dodają je do naparów i syropów, lecząc nimi biegunkę i dyzenterię, odciski i ból gardła. Chociaż każdy mógł zrywać maliny, ludzie nie wiedzieli, j a k należy to robić, nie znali sprzyjających pór i odpowiednich modlitw, które trzeba odmawiać przy zbieraniu. Bez tych rytuałów bowiem roślina była zupełnie bezużyteczna.

Marimi jawnie i bez lęku obserwowała, w jaki sposób Opaka podchodzi do krzaka malin, zanim zacznie zrywać owoce, podsłuchiwała wypowiadane przez szamankę pełne szacunku słowa, podglądała święte znaki, które stara kreśliła w powietrzu swymi paciorkami i piórami. Kiedy Opaka wyrzuciła roślinę, wyrwawszy ją z ziemi, Marimi spostrzegła, że jej korzeń jest złamany, co oznaczało, że straciła swą duchową moc. Ponieważ Opaka najczęściej wyruszała po maliny w nocy, dziewczyna zawsze zwracała uwagę na fazę księżyca, układ gwiazd i grubość warstwy rosy na liściach.

Marimi przysłuchiwała się także wskazówkom, których Opaka udzielała wnuczce swej siostry na temat stosowania różnych ziół i leków. Dowiedziała się, że przed ugotowaniem należy poczekać, aż kora olchy zestarzeje się, bo wywar ze świeżej olszyny powoduje wymioty i ból brzucha, oraz że trzeba potem odczekać trzy dni, dopóki żółta mikstura nie sczernieje. Napar z olchy podany przy pełni księżyca, jak mówiła wnuczce swej siostry Opaka, wzmacnia żołądek i pobudza apetyt. Jagody zaś stanowią doskonały środek odrobaczający dla dzieci.

Zdarzało się, że gdy Opaka opuszczała swą stojącą na uboczu chatę, oddaloną nieco od obozowiska, Marimi wchodziła do środka, żeby sprawdzić, jaki użytek szamanka robi z zebranych roślin. W ten oto sposób dziewczyna poznała tajemnicę łyka wiązu, które Opaka zbierała i suszyła na słońcu. Leżało ono teraz na koźlej skórze, obok stał moździerz, a w nim trochę utartego już na drobny proszek łyka. Na sznurku schły czopki z drewna wiązu, które, jak Marimi wiedziała, stosowało się dopochwowo jako środek na wszelkie dolegliwości kobiece i odbytniczo przeciw chorobom jelit.

Przez całą długą zimę, gdy dziecko rosło pod jej sercem, Marimi gromadziła w pamięci wszystko, co zaobserwowała i usłyszała. Leśne strachy otaczały ją nadal, grożąc i czając się wszędzie, tak że bez przerwy musiała mieć się na baczności przed złośliwymi duchami, jeśli chciała uchronić siebie i Payata od opętania przez złe moce. Była jednak coraz silniejsza wewnętrznie, pewna swego celu i nagromadzonej wiedzy. Przecież księżyc ocalił ją nie bez powodu, postanowiła więc dotrzymać umowy z bóstwem. Kiedy tylko napotykała zaśmiecony liśćmi staw, w którym nie widać było odbicia księżyca, oczyszczała taflę wody, dzięki czemu księżycowa tarcza mogła na niej dumnie i pięknie rozbłysnąć. A gdy w lesie znajdowała kwitnące nocą kwiaty wiesiołka, odsuwała gałęzie, żeby księżyc mógł bez przeszkód podziwiać śliczne, otwierające się przed nim kielichy.

Tak przetrwali razem, silna dziewczyna i ufny chłopiec, błąkając się wokół wioski, lecz nigdy nie ośmieliwszy się przestąpić granicy kręgu. Marimi nie zastanawiała się nad przyszłością, gdyż Topaa nie mieli tego w zwyczaju. Istniał dzień dzisiejszy i przeszłość, jutro zaś było pojęciem niejasnym i zagadkowym, ponieważ zawsze zamieniało się w dziś. Żałowała, że nie może poradzić się szamanki, co ma zrobić, gdy nadejdzie wiosna – pozostać z Payatem w lesie czy podążyć za rodzinami do letnich siedzib? Co zwykli czynić ci, którzy umarli za życia? Skąd wiedzieli, jak być duchami? Kiedy Marimi i Payat zostali wypędzeni, nie znaleźli po tej stronie nikogo, kto mógłby ich tego nauczyć. Powinni byli umrzeć, ale ona pomodliła się do księżyca, który im doradził, jak przetrwać. Czyżby złamali kolejne plemienne tabu przez to, że nie umarli?

Marimi była jednak zbyt młoda, by długo rozmyślać o tym, co ją nękało. Odsuwała więc od siebie wszelkie pytania i codziennie o świcie podejmowała przyziemny trud przetrwania kolejnego dnia, tajemnice życia i śmierci zostawiając szamanom.

Aż nadszedł dzień, gdy zrozumiała, jak wielką posiada moc. Po kilku tygodniach szpiegowania przez Marimi Opaka zaczęła popadać w coraz większą nerwowość i niepokój, ostrożnie wychodziła ze swej chaty, trwożliwie zagłębiała się w las, rozglądając się na wszystkie strony za dziewczyną. Jej starcze dłonie wyraźnie drżały, stawała się porywcza i z każdym dniem coraz bardziej nieszczęśliwa. Nie wolno jej było zwracać uwagi na tę istotę, choć stworzenie to wciąż chodziło za nią niczym cień, szarpiąc jej stare, skołatane nerwy.

51

Opaka nie mogła już tego dłużej znieść, więc pewnego dnia zaskoczyła Marimi przy strumieniu, wirując, krzycząc, grzechocząc swymi świętymi kijami i zawodząc w nieznanym dziewczynie języku.

Marimi nie ustąpiła – stała wysoka, dumna, z wydętym brzuchem, dowodem swej siły życiowej i niezłomnej woli, która ocaliła ją od śmierci. Stara kobieta umilkła, ich oczy spotkały się. Ucichły nawet leśne odgłosy, jakby wszystkie duchy i zjawy, ptaki i małe zwierzęta były świadome tej doniosłej, przełomowej chwili. W końcu Opaka opuściła wzrok i odwróciwszy się od dziewczyny, która nie chciała umrzeć, zniknęła między drzewami.

☆

I wreszcie nadszedł świt, gdy oślepiający promień słońca przeszył gwałtownie oczy Marimi niczym ostrze noża. Leżała bez ruchu, targana paroksyzmami bólu, lecz pośród tej męczarni dostąpiła wizji – jej przewodnik, kruk, siedział na gałęzi i mrugał do niej chytrym czarnym okiem. Tym razem usłyszała jego szept: „Idź za mną".

Zgromadziła wszystkie zioła i rośliny, jakie nazbierała podczas swego pobytu w krainie umarłych, oraz własnoręcznie wykonane woreczki z króliczej skóry, które napełniła nasionami, liśćmi i korzonkami.

– Odchodzimy stąd – powiedziała, ujmując rękę Payata.

Pełna nowej, nieznanej jej dotąd determinacji, nie lękając się już praw plemiennych ani żadnych tabu, poszła do chaty swej rodziny. Wszyscy tam jeszcze spali i Marimi zabrała swoje rzeczy, których matka nie zdążyła pogrzebać. Dziewczyna kucnęła przy śpiącej matce, z przerażeniem patrząc na jej postarzałą i zniszczoną przez długą żałobę twarz, nachyliła się ku niej i szepnęła: „Przestań mnie opłakiwać. Zamierzam podążyć za mym krukiem. Mój los nie wiąże się już z tą rodziną. Nie wrócę tu nigdy, matko, ale zawsze będę cię nosić w sercu. Kiedy tylko ujrzysz kruka, zatrzymaj się i posłuchaj, co on mówi, bo może być moim posłańcem. Jego wiadomość będzie brzmiała tak: jestem bezpieczna, jestem szczęśliwa, znalazłam swe przeznaczenie".

Potem odeszła, ubrana w swe najlepsze stroje: długą spódnicę z koźlej skóry i narzutkę z króliczego futerka, na stopach zaś miała plecione z trawy sandały. Na plecach niosła zwiniętą matę do spania, utkaną własnoręcznie z wierzbowych witek, pled z króliczej skóry i kołyskę, którą zaczęła pleść dla dziecka oczekiwanego wiosną. Wzięła też kosz na nasiona, włócznię, narzędzia do krzesania ognia i woreczki z leczniczymi ziołami. Teraz zrozumiała, dlaczego kruk nakazał jej śledzić Opakę i słuchać nauk szamanki. Miało to przygotować Marimi do wielkiej podróży.

Chociaż Topaa w ciągłym poszukiwaniu pożywienia odbywali dalekie wędrówki, istniały granice, których nie wolno im było przekraczać, gdyż od najwcześniejszych lat uczono ich, że „tamte ziemie" należą do przodków innego plemienia, a więc ludzie Topaa nie mają prawa po nich stąpać. Jednak podążając za krukiem, który leciał przodem, Marimi miała przeczucie, że niebawem, jako pierwsza w historii swego ludu, wkroczy na zakazane terytorium.

Szli przez cały dzień i gdy dotarli do najdalej na zachód wysuniętego krańca terenów Topaa, Marimi ostrożnie i trwożliwie zbliżyła się do skarpy, za nią bowiem leżała nieznana ziemia, nietknięta stopą żadnego Topaa, pełna obcych skał i roślin, a zatem także nieznajomych duchów. Dziewczyna spojrzała na rozciągającą się aż po horyzont pustynną dolinę. Nie znała tutejszych praw ani tabu. Wiedziała, że musi uważać na każdym kroku, żeby przypadkiem nie obrazić jakiegoś ducha. Zanim więc odważyła się zejść w dół zbocza, rzekła głośno:

— Duchy tej krainy, nie chcemy was skrzywdzić, nie chcemy was obrazić. Przychodzimy z pokojem w sercach.

I chwyciwszy mocno dłoń chłopca, Marimi uniosła prawą stopę i zdecydowanie postawiła ją na zakazanej ziemi. Payat rozpłakał się. Pociągnął Marimi za rękę i wskazując kierunek, z którego przyszli, przywoływał matkę. Ujęła go za ramiona, spojrzała głęboko w jego dziecinne oczy i powiedziała:

– Nie możemy tam wrócić, mój mały. Już nigdy tam nie wrócimy. Teraz ja jestem twoją matką. Ja jestem twoją matką.

Połykając łzy, Payat wsunął swą małą piąstkę w dłoń Marimi.

– Dokąd idziemy? – spytał.

Wskazała słońce, ogromną czerwoną kulę na zachodnim nieboskłonie, na którym ostro odcinała się sylwetka jej przewodnika – kruka.

☆

Payat pierwszy zauważył sępy krążące nad ich głowami.

– Dlaczego kruk nie prowadzi nas do wody? – zapytał. Miał spieczone, popękane wargi.

– Nie wiem – odparła Marimi, dysząc ciężko z wysiłku, ponieważ musiała nieść chłopca na plecach. Był zbyt słaby, żeby iść samodzielnie. – Może jej szuka.

– Te ptaki chcą nas zjeść – oznajmił Payat, mając na myśli sępy.

– Są po prostu ciekawe. Jesteśmy przecież obcymi na ich ziemi. Nie chcą zrobić nam krzywdy. – To małe kłamstwo wystarczyło, by uspokoić chłopca.

Marimi i Payat wędrowali długo, przez wiele dni i nocy – wzdłuż nagich, skalistych grani, poprzez głębokie wąwozy, kamieniste pola i rozległe piaszczyste równiny, gdzie widzieli kaktusy wyższe od człowieka – zawsze za krukiem, który leciał na zachód, wciąż na zachód.

Co dzień o zmroku kruk przysiadał na skale lub kaktusie i odpoczywał, a oni rozbijali obóz, by nazajutrz rano znów pójść za lecącym na zachód ptakiem. Dokąd prowadził ich kruk? Czy mieli dołączyć do innych ludzi? Marimi niepokoiła się, ponieważ w niedługim czasie miała wydać na świat dziecko, a było nie do pomyślenia, żeby narodziło się bez pomocy szamana, który poprosiłby o błogosławieństwo bogów. Jak niemowlę zdobędzie ich łaskę i zapewni sobie ich opiekę bez pośrednictwa szamana?

Podczas długiej wędrówki Marimi i Payat żywili się ziarnami jadłoszynu, dzikimi śliwkami, daktylami i pąkami kaktusa. Jeśli udało im się upolować królika, przyrządzali potrawkę z mięsa, dzikiej cebuli i orzeszków pistacjowych. Gdy w pobliżu nie było żadnego strumienia ani źródła, gasili pragnienie, ssąc wodniste owoce opuncji.

Gdziekolwiek się znaleźli, zawsze przestrzegali praw należnych ziemi, traktując z szacunkiem i odpowiednim ceremoniałem wszystko, co napotkali na swej drodze. Złamanie gałęzi, zabicie zwierzęcia, nabranie wody ze źródła, wejście do jaskini – każda czynność poprzedzona była najprostszym choćby obrządkiem, który przybierał formę prośby lub dziękczynienia. „Duchu tego źródła – mówiła Marimi – wybacz, że zabieram twą wodę. Pozwól, byśmy wspólnie zamknęli cykl życia, którym obdarzył nas Stwórca Wszystkich Rzeczy". Umieściwszy przynętę w pułapce, kryła się z chłopcem za skałą i całowała wierzch swojej dłoni, a odgłos cmokania przywabiał ptaki. Łowiąc drobną zwierzynę, przepraszała każde zwierzę i prosiła jego ducha, aby nie mścił się na myśliwych.

Pewnego dnia, gdy grunt pod stopami zaczął dudnić i tak potężnie drżeć, że oboje nie mogli ustać na nogach, przerażona Marimi wróciła po własnych śladach i odkryła przyczynę trzęsienia ziemi. Okazało się, że nieumyślnie zasypała norę żółwia. Poprosiła o przebaczenie Dziadka Żółwia i oczyściła wejście do kryjówki zwierzęcia.

Nie zapominała też o swym długu wobec księżyca. Spożywając posiłek, zawsze zostawiali trochę strawy w ofierze dla bóstwa, które ocaliło im życie.

Czasami napotykali ślady pobytu człowieka – osmalone kamienie, kości zwierząt, łupiny orzechów. Niekiedy ślady te były bardzo stare, jak wówczas, gdy znaleźli petroglify wyglądające tak, jakby je ktoś wyrył na skale u zarania dziejów. Marimi wszędzie czuła obecność duchów pradawnych ludzi, kiedy przemierzała wraz z Payatem obce krainy, stąpając po gorących piaskach pustyni i w cieniu strzelistych palm daktylowych. Zastanawiała się, co też duchy mogą sobie myśleć o intruzach wędrujących po ziemiach ich przodków, zawsze więc prosiła je o przebaczenie i zapewniała, że ani ona, ani Payat nie mają złych zamiarów.

Księżyc umarł i odnowił się pięć razy od owej nocy, gdy Marimi zanosiła doń modły: przez cały ten czas dziewczyna patrzyła na niego i podziwiała jego moc. Tylko księżyc potrafił umierać i odradzać się w wiecznym cyklu narodzin i śmierci, tylko księżyc dawał światło w nocy, kiedy było ono potrzebne, słońce zaś świeciło za dnia, gdy i tak było przecież jasno. Wędrując przy blasku księżyca, pomimo ciężaru, który niosła na plecach i w brzuchu, Marimi czuła, że stawia dłuższe kroki, a moc księżyca zaczyna krążyć w jej żyłach. Z każdym stąpnięciem nabierała sił.

I gdy tak szli wciąż na zachód przez bezkresne równiny, pozwalała swoim myślom ulatywać do gwiazd, gdzie błądziły i skąd powracały, wzbogacone o nową mądrość. Marimi wiedziała teraz coś, o czym jej pobratymcy nie mieli pojęcia: oto człowiek może modlić się do bogów bez pośrednictwa szamana. Przekonała się też, że świat nie jest wcale tak wrogi, jak wierzyli Topaa. Duchy były wszędzie, to oczywiste, lecz nie wszystkie miały złe zamiary. Niektóre potrafiły być przyjazne i służyć pomocą oraz wskazówką, na podobieństwo ptaków, które krążą na niebie o zachodzie słońca, pokazując, gdzie znajduje się woda. Podczas gdy szamani plemienia Topaa uczyli ludzi, że tylko strach zapewnia przetrwanie, Marimi, przebywając tak długo pośród milczących głazów i kaktusów, przemykających chyłkiem kojotów i dreptających cicho żółwi, nauczyła się, że przetrwać można także dzięki okazywaniu sobie wzajemnego szacunku i zaufania.

Patrząc na piękny pustynny krajobraz skąpany w blasku oświetlającego im drogę księżyca, Marimi dziwiła się, jak Topaa mogą uważać go za straszne, gniewne bóstwo. Nie tylko spoglądanie na księżyc stanowiło tabu – ludzie bali się jego potężnego wpływu na krew miesięczną, cykle narodzin oraz mroczne tajemnice kobiet.

Topaa lękali się również słońca, gdyż paliło skórę, powodowało pożary oraz susze, a jego ciągły gniew ułagodzić mogły jedynie modlitwy i wstawiennictwo szamana. Tymczasem Marimi i Payat nauczyli się kochać ciepły dotyk porannych promieni na swej skórze; zauważyli też, że kwiaty kierują ku słońcu swe kielichy, podążając za jego codzienną wędrówką po nieboskłonie. Marimi zrozumiała, że to, czego boją się jej współplemieńcy, można pokochać, zaczęła więc uważać słońce za ojca, który jest surowy, lecz życzliwy, a księżyc za matkę, łagodną i kochającą.

Znaleźli się jednak w okolicy, w której brakowało wody, gdzie zamiast jagód i nasion były tylko gorzkie i suche krzewy. Nawet małe zwierzęta nie opuszczały swych nor. Marimi niosła chłopca na plecach, a ponieważ jej sandały dawno już się rozpadły, nagie stopy miała poranione i krwawiące. By zaspokoić pragnienie, wędrowcy ssali kamyki. Zatrzymywali się przy wszystkich wyschłych łożyskach strumieni. Tam bowiem woda często kryła się tuż pod powierzchnią, gdyż po wyschnięciu potoku wsiąkała w najniżej położone miejsca na zakolach, i właśnie tam dziewczyna usiłowała się do niej dokopać. Nadaremnie.

W końcu musieli przystanąć. Marimi opuściła Payata na piasek i rozprostowała krzyż. Dziecko w jej łonie poruszało się niespokojnie, jakby i ono było spragnione, a gdy spojrzała w niebo, nie znalazła na nim kruka.

Czyżby w tym dzikim pustkowiu opiekun ją opuścił? A może niechcący obrazili po drodze jakiegoś ducha – uszkodzili gniazdo węża lub okazali zbyt mało wdzięczności, rozcinając ostatni znaleziony owoc opuncji?

Osłoniwszy dłonią oczy, rozejrzała się po jałowej okolicy: porastała ją tylko karłowata, uwiędła roślinność, a suchy wiatr zawodził żałobnie na piasku. W oddali dostrzegła srebrzyste fale połyskujące nad spieczoną gliną, ale wcześniej już wiele razy zdążyła się przekonać, że nie jest to woda, lecz sztuczka pustynnych duchów. Potem spojrzała na srogiego ojca-słońce. Uświadomiła sobie, że to do niego trzeba się teraz modlić, ponieważ księżyc spał w swej dziennej kryjówce.

Kiedy jednak Marimi uniosła ręce do góry, szukając odpowiednich słów, nagle poraził ją atak choroby, tak że musiała paść na kolana, przyciskając dłonie do oczu. Gdy ból powoli ustępował, nawiedziła ją wizja zabłąkanego dziecka, uwięzionego pośród skał. Widziała je z góry, jakby z lotu ptaka. Potem zobaczyła, że jacyś ludzie szukają dziecka, lecz nie tam, gdzie trzeba, i oddalają się od niego coraz bardziej.

Gdy ból minął zupełnie, powiedziała do Payata nagląco:

– Kruk zaprowadził mnie do zabłąkanego chłopca. Musimy go odnaleźć, zanim sępy zrobią sobie z niego ucztę.

Znaleźli dziecko w kamienistych objęciach wyschniętego koryta rzeki. Chłopiec był nieprzytomny i odwodniony, lecz wciąż żył.

– Och, ty biedne maleństwo, ty biedactwo… – szeptała Marimi, klękając przy nim. – Spójrz, Payacie, on wpadł w pułapkę.

Chłopiec miał obartą nogę i zakrwawioną kostkę, a ślady jego paznokci widniały na głazach tam, gdzie je drapał, próbując się uwolnić.

Marimi przysiadła na piętach i zaczęła nasłuchiwać. Rozchyliła nozdrza, wciągnęła woń powietrza. Następnie zamknęła oczy i przywołała z powrotem widok, który kruk ukazał jej z góry.

– Tam jest strumień – rzekła do Payata, wskazując kierunek za skałami.

Najpierw pozwoliła ugasić pragnienie Payatowi, potem napiła się sama, zaniosła wodę dziecku i skropiła mu wargi. Zebrała trochę bluszczu porastającego brzeg potoku i świeżymi liśćmi obłożyła kostkę chłopca. Strumień był pełen ryb, których Payat nałapał za pomocą koszyka, i cała trójka porządnie się tego wieczora najadła przy ognisku, a płonęło ono jasno niczym księżyc w pełni.

Nazajutrz chłopiec, który już dochodził do siebie po ciężkim przeżyciu, powiedział, że nazywa się Wanchem, ale nie zna nazwy swojego klanu ani rodziny, nie umiał też pokazać, gdzie mieszka.

Marimi zastanawiała się, jak odprowadzić chłopca do jego plemienia, lecz nagle ujrzała kruka, który ją wzywał, niecierpliwie zataczając kręgi na niebie. Nie pozostawało jej nic innego, jak podążyć za nim. Zarzuciła zatem kosz i pled na ramię, ujęła włócznię w dłoń, usadziła sobie na biodrze Wanchema i znów, z Payatem przy boku, wyruszyła w stronę zachodzącego słońca.

☆

Wreszcie dotarli do zachodniego krańca pustyni, gdzie surowe, skaliste szczyty strzelały w górę poszarpanymi graniami. Marimi odkryła przełęcz i po kilku dniach uciążliwej wędrówki troje podróżników znalazło się po drugiej stronie łańcucha górskiego, a przed nimi rozpostarła się ogromna, porośnięta bujną roślinnością dolina. Nigdy jeszcze nie widzieli tyle zieleni – jak okiem sięgnąć łagodne wzniesienia pokryte były drzewami, a pośród nich połyskiwały strumienie i jeziorka. Zeszli w dolinę i natknęli się na stary zwierzęcy szlak, którym podążyli, wiedząc, że poprowadzi ich do wody i pożywienia. I tak się stało – po drodze napotykali drzewa obsypane owocami i orzechami oraz przejrzyste strumienie pełne ryb. Marimi zapragnęła się zatrzymać i powiedzieć: „Oto jest nasz dom". Kruk wciąż jednak leciał na zachód, więc dziewczyna posłusznie podążała za nim.

Wędrowali dalej szlakiem zwierząt, mijając leśne polany i otwarte pola, bagna i wielkie rozlewiska czarnej cieczy, która bulgotała na powierzchni i drażniła powonienie silnym odorem. Szli wciąż na zachód, niekiedy spotykając ludzi, którzy byli nastawieni przyjaźnie, lecz mówili obcym Marimi językiem. Ludzie ci, żyjący w małych okrągłych chatach, dzielili się z wędrowcami pożywieniem. Od czasu do czasu Marimi przystawała, by zająć się chorym dzieckiem bądź starcem lub odstąpić trochę swoich leczniczych ziół.

Potem powietrze zaczęło się zmieniać: Payat i Marimi czuli, że jest zupełne inne niż to, którym oddychali do tej pory. Było rześkie, chłodne i pachniało solą. A gdy dziewczyna ujrzała w oddali zielone pasmo gór, ogarnęło ją przeczucie, że oto dociera do celu. Wkrótce, jak zapewniła Payata i Wanchema, kruk zatrzyma się u kresu drogi i pozostanie tam już na zawsze.

☆

Gdy przybyli do podnóża zielonych gór, na niebie zawisły ciemne chmury. Zerwał się silny wiatr i zaczął miotać krukiem tak, że ten nie mógł lecieć dalej. Kołował wciąż na niebie, a Marimi tuliła do siebie chłopców, owinąwszy ich króliczym futrem. Kiedy w końcu rozszalała się burza, znaleźli schronienie pod wielkim dębem, gdzie skuleni obserwowali z lękiem wezbrane strugi wody rwące poprzez doliny i parowy z taką siłą, że mogłyby z łatwością porwać troje przerażonych wędrowców. Ze zgrozą patrzyli, jak urwiska rozpadają się i ustępują pod naporem wody, by zniknąć w potężnych lawinach błota. Wicher wył, a potężne drzewo uginało się, miotane nawałnicą. Marimi straciła z oczu swego kruka i przelękła się, czy nie naruszyła wraz z chłopcami jakiegoś tabu, za co teraz spotykała ich kara.

I wtedy chwyciły ją bóle porodowe.

Zostawiła chłopców pod dębem i wyszła na ulewę, by rozejrzeć się za jakimś bezpiecznym miejscem. Oślepiona deszczem, z trudem utrzymując równowagę, po omacku błądziła pośród głazów i zarośli, w poszukiwaniu suchej, zacisznej kryjówki u skalistego podnóża gór. Wreszcie poprzez strugi wody dostrzegła czerń ptasiej sylwetki, która przemykała zwinnie wśród deszczu i wichru, prowadząc dziewczynę ku wyniosłemu rumowisku skał. Tam właśnie kruk przysiadł, otrząsając pióra i mrugając do niej w bezgłośnym porozumieniu. Marimi, potykając się i ślizgając na rozmokłej ziemi, natrafiła wreszcie na ukryte pośród głazów wejście do parowu. Zagłębiła się w niewielki wąwóz, a tam ze zdumieniem ujrzała wejście do jaskini, która mogła dać jej i chłopcom ciepłe schronienie przed burzą. Postanowiła, że później, po urodzeniu dziecka i odzyskaniu sił, powróci w to miejsce, by wyryć na skale petroglify: symbol kruka, w podzięce za doprowadzenie ich tutaj, oraz symbol księżyca, za to, że wysłuchał jej modlitw.

☆

Marimi nie była zaskoczona, gdy wydała na świat dziewczynki bliźniaczki. Pochodziła bowiem z długiej linii kobiet, które rodziły tylko córki. Kiedy odzyskała siły, kruk wzleciał na szczyt urwiska, a Marimi z niemowlętami, Wanchemem i Payatem ruszyła w jego ślady. Wspiąwszy się na zbocze, przystanęli... i długo tkwili bez ruchu porażeni widokiem, jaki się przed nimi roztoczył.

Musieli dotrzeć na kraniec świata, ponieważ ich oczom ukazała się największa połać wody, jaką kiedykolwiek dane im było widzieć. „To kraina umarłych – pomyślała dziewczyna – do której Topaa wędrują po śmierci". Majestat tego miejsca zapierał dech w piersiach.

Kruk siadł na gałęzi dębu. Upuścił coś z dzioba, po czym odleciał na zawsze. Marimi schyliła się i podniosła dziwny, piękny kamień, idealnie okrągły i gładki, granatowoczarny niczym upierzenie kruka. Zacisnęła na nim palce i poczuła, że ptak przelał weń moc swojego ducha.

Jeszcze raz rozejrzała się po bezkresie bladoniebieskiej wody i na odległym brzegu zatoki zobaczyła cienkie pasemka dymu unoszące się z ognisk. Wtedy, zwracając się do obu chłopców i niemowląt, które trzymała w ramionach, postanowiła:

– Nie pójdziemy do tych ludzi, gdyż ich zwyczaje, prawa i tabu różnią się od naszych. Jesteśmy wyrzutkami, więc stworzymy swój własny lud. Tu będzie teraz nasz dom. Nazwiemy go Miejscem Ludzi.

Połączyła dwa słowa w swym języku – *Topaa*: oznaczające „ludzi" i *ngna*: „miejsce".

☆

Po jakimś czasie odeszli z jaskini Topaangna, przenosząc się na bagnistą równinę w pobliżu oceanu, niedaleko podnóża gór. Wznieśli okrągłe chaty, a pożywienie zdobywali, polując na drobną zwierzynę i raz w roku zbierając w górach żołędzie. Marimi nieraz odwiedzała jaskinię, by zasięgnąć rady kruka lub księżyca. Czuła wówczas, że zstępuje na nią dar ducha; oślepiona bólem wypełniającym głowę, schodziła do wąwozu, a potem siedziała w mroku groty, nawiedzana przez wizje. W ten sposób zostały jej objawione prawa obowiązujące nową rodzinę Marimi.

Dziewczyna zdawała sobie sprawę, jak bardzo jest ważne, by człowiek znał nazwy swego klanu oraz drugiej i pierwszej rodziny. Bez tej wiedzy można było bezwiednie naruszyć jakieś tabu. Postanowiła więc sama stworzyć rodowód Wanchema. Ponieważ to kruk przywiódł ją do chłopca, zdecydowała, że będzie pochodził z klanu Kruka. Jego drugą rodziną mieli być Ludzie, Którzy Żyją przy Kaktusie, a pierwszą – nowa rodzina Marimi: Ci, Którzy Jedzą Żołędzie.

Malutkie plemię powoli się rozrastało. Podczas czwartej zimy ich pobytu w górach spadł śnieg, przykrywając wszystkie drzewa i strumienie. Pewnego dnia Marimi spotkała w swojej jaskini łowcę niedźwiedzi, który zabłądził i szukał w grocie schronienia. Myśliwy został przy rodzinie aż do wiosny, a potem ruszył w dalszą drogę. Latem Marimi powiła jego potomstwo, kolejną parę bliźniaczek.

W miarę jak dzieci rosły i zbliżały się do wieku dorosłego, Marimi zaczęła martwić się o rodzinne więzy i rządzące nimi tabu. To nie ona ustanowiła reguły, lecz u zarania dziejów zesłali je bogowie: brat nie mógł poślubić siostry, a pierwszy kuzyn ze strony matki – pierwszej kuzynki ze strony matki. Gdyby złamano te zasady, na plemię spadłyby choroby i śmierć. Wiedziała jednak, że pierwszy kuzyn ze strony matki może poślubić pierwszą kuzynkę ze strony ojca; a zatem rodzinie potrzebna była nowa krew. Udała się do jaskini po poradę: kruk polecił jej znaleźć męża w sąsiednim plemieniu i sprowadzić go ze sobą.

Marimi wzięła więc włócznię i koszyk żołędzi, po czym wyruszyła na wschód, w stronę wioski, którą mijali po drodze kilka zim wcześniej. Przybywszy na miejsce, złożyła w darze bardzo cenne naszyjniki z muszelek i obiecała przyszłemu mężowi obfite zbiory żołędzi i rzeki pełne ryb. W zamian jednak musiał on przyjąć zasady Topaa i zostać jednym z nich. Jego rodzina zgodziła się, uznając, że powiązanie z nadmorskim plemieniem, zasobnym w skóry wydr i wielorybie mięso, jest nader korzystne. Wybraniec Marimi pochodził z klanu Jelenia, z rodziny Ludzi, Którzy Żyją na Drżącej Ziemi, oraz Mieszkańców Mokradeł. Teraz zaś przyłączył się do Tych, Którzy Jedzą Żołędzie.

Kiedy pierwsze córki Marimi weszły w dorosłość, poślubiły Payata i Wanchema. Jedna z córek łowcy niedźwiedzi też wyszła za Payata, ponieważ Marimi uczyniła go wodzem ich małego plemienia, a wódz mógł mieć więcej niż jedną żonę. Druga córka myśliwego znalazła męża w wędrowcu ze wschodu, który przybył na ich ziemię w poszukiwaniu skór wydr i postanowił zostać. Małżonek Marimi z klanu Jelenia dał jej trzech synów i cztery córki, które z czasem także wyszły za mąż i powiększyły plemię.

Lata mijały, a Marimi uczyła swe córki i wnuczki, jak wyplatać kosze i jakie śpiewać pieśni, by napełnić koszyk życiem i obdarzyć go duszą. Wpajała swym potomkom zasady i tabu Topaa, mówiące, że w czasach gdy brakuje koników polnych i świerszczy, nie należy ich zjadać; podczas zbiorów żołędzi pewną ich ilość trzeba zostawić na ziemi, aby zapewnić obfity plon w następnym roku; mąż nie może sypiać ze swą żoną przez pięć dni jej krwawienia; myśliwy nie jada zwierzyny, którą sam upolował, lecz spożywa mięso przyniesione przez innego łowcę. „Bez prawideł bowiem i bez znajomości tabu – mawiała Marimi – człowiek nie wiedziałby, jak postępować w życiu". Topaa swoje prawa czerpali z natury, w której kot nigdy nie parzy się z psem, jeleń nie żywi się mięsem, a sowa poluje tylko nocą. Topaa, podobnie jak zwierzęta, musieli żyć według zasad.

Pewnej jesieni zaraza dotknęła dęby i żołędzie posypały się na ziemię niczym popiół, a drobna zwierzyna zniknęła, więc nie można było już upiec nad ogniskiem nawet wiewiórki. Gdy rodzina zaczęła głodować, Marimi przypomniała sobie, jak dawniej wznosiła modły do księżyca z prośbą o pomoc. Uczyniła tak i tym razem, zwracając się do bóstwa z szacunkiem i obiecując wdzięczność za spełnienie próśb. I wydarzył się cud: następnej nocy morze wyrzuciło na brzeg żywe, podskakujące na piasku ryby, a Marimi kazała wszystkim pobiec na plażę i nazbierać je do koszy. Ususzone, wystarczyły za pożywienie aż do wiosny, kiedy nastała obfitość owoców i nasion. Gdy ryby ponownie pojawiły się na brzegu morza, Marimi na znak wdzięczności poleciła swym dzieciom wrzucić pewną ich część z powrotem do wody, gdyż należy zwrócić bogom to, co się od nich bierze.

Uczyła także członków swej rodziny, jak ważne są opowieści, które należy przekazywać z pokolenia na pokolenie po to, by klan poznawał własną przeszłość i nie zapomniał o swych przodkach. Co wieczór przy ognisku opowiadała im historie o stworzeniu świata i plemienia Topaa, legendy o bogach i przypowieści z morałem. Mówiła, że powinni modlić się do ojca-słońca i do matki--księżyca, bowiem Topaa są dziećmi bogów i nie potrzebują szamana, aby przemawiał w ich imieniu. Tak jak wszyscy rodzice, słońce i księżyc lubią słuchać głosu swych dzieci, lecz tylko wtedy, gdy te okazują im szacunek i posłuszeństwo, obiecując oddawać cześć. Pod takim warunkiem bogowie zgadzają się chronić swe dzieci i służyć im pomocą.

Przez wszystkie te lata Marimi od czasu do czasu przerywała codzienne zajęcia, by popatrzeć na wschód, gdzie małe żółte słońce wyłaniało się znad górskich szczytów, i myślała o swej matce i klanie, a wtedy serce jej przepełniał osobliwy ból.

☆

Włosy Marimi były już białe jak śnieg, który przed laty zatrzymał tu myśliwego, a ona czuła, że wkrótce będzie musiała wybrać się w podróż na zachód, za ocean, i dołączyć do przodków. Spędzała całe dnie w grocie, sporządzając farby: czerwoną z kory olchy, czarną z jagód czarnego bzu, żółtą z jaskrów, fioletową ze słoneczników. Potem pieczołowicie utrwaliła na ścianie jaskini całą swą wędrówkę przez Wielką Pustynię, ażeby przyszłe pokolenia Topaa mogły poznać historię swego plemienia.

Później, otoczona rodziną leżała, czekając na śmierć. Chociaż plemię Topaa tworzyło teraz dziewięć rodzin z pięciu różnych plemion i czterech klanów, a bracia z jednej grupy poślubili siostry z innej, pozostałe zaś córki wzięli za żony obcy wędrowcy, którzy przypadkiem dołączyli do plemienia, najmłodsze pokolenie i tak w całości pochodziło od Marimi. To ona nauczyła swych potomków polować i zbierać orzechy, wyplatać koszyki i śpiewać pieśni przodków, czcić matkę-księżyc i żyć w harmonii z duchami, które zamieszkują każde zwierzę, kamień i drzewo. Nauczyła ich, by nigdy nie zapominali, że są Topaa.

Payat, który sam był już dziadkiem, siedział przy Marimi i uśmiechnął się smutno, gdy położyła dłoń na jego głowie w geście błogosławieństwa.

– Pamiętaj… – powiedziała – W mojej rodzinie nie będzie wyrzutków ani żywych umarłych, jakimi my niegdyś byliśmy. Naucz naszych ludzi żyć nie w strachu i bezradności, tak jak my kiedyś, lecz w miłości i pokoju.

– I pamiętaj – ciągnęła – by opowiadać dzieciom o naszej wędrówce ze wschodu, o tym, jak przez nas zatrzęsła się ziemia, gdy nastąpiliśmy na norę Dziadka Żółwia, jak znaleźliśmy Wanchema przy magicznym strumieniu, jak matka-księżyc chroniła nas i oświetlała drogę. Naucz nasze dzieci tej historii, żeby ją mogły opowiadać swoim dzieciom, a przyszłe pokolenia Topaa poznały swoje początki.

Następnie Marimi wezwała jedną ze swych prawnuczek, która od niemowlęctwa cierpiała na oślepiające bóle głowy i wizje. W przypadłości tej Marimi nie upatrywała już choroby, lecz błogosławieństwo. Położyła dłoń na głowie dziewczyny i rzekła:

— Bogowie wybrali cię, moja córko, i obdarzyli duchowym darem. Ja teraz muszę odejść do przodków, więc nadaję ci swoje imię, a ty, przybierając je, staniesz się mną, Marimi, szamanką klanu.

Pochowali ją bardzo uroczyście w jaskini Topaangna, wysyłając jej duszę w wędrówkę na zachód z woreczkami leków, z jej włócznią, spinkami do włosów i z kolczykami. Lecz święty kamień, w którym skryła się dusza kruka, zachowali i powiesili na szyi wybranej dziewczyny, która nazywała się teraz Marimi i była przyszłą szamanką klanu, obowiązaną od tej pory do końca życia sprawować opiekę nad jaskinią Pierwszej Matki.

Rozdział trzeci

„Twoje imię brzmi: Ta, Która Idzie ze Słońcem. Wybrałaś się na polowanie z gromadą myśliwych, odeszłaś za daleko i zbłądziłaś, osiedliłaś się więc tutaj, czyniąc to miejsce swym domem".

„Nie – pomyślała Erica, przyglądając się zdjęciom szkieletu zrobionym w jaskini. – Ta kobieta nigdy nie zgubiłaby drogi".

„Jesteś Kobietą-Foką i przypłynęłaś długim canoe z północnego zachodu, uciekając ze swym ukochanym od plemiennych tabu, które zabraniały wam się pobrać.

Albo przybyłaś z zachodu, z odległych wysp, które dawno pochłonęło morze, i nazwano cię boginią".

Ścisnąwszy nos kciukiem i palcem wskazującym, Erica odchyliła się od biurka, przeciągnęła, a potem zaczęła kręcić głową i energicznie potrząsać ramionami, żeby się pozbyć odrętwienia. Spojrzała na zegarek. Kiedy minęły te wszystkie godziny?

Sięgnęła po kubek z wystygłą kawą, patrząc w zamyśleniu na zabałaganioną pracownię pełną wydobytych z ziemi przedmiotów, które czekały na zbadanie, oznaczenie i skatalogowanie. Siedziała w przyczepie przekształconej w laboratorium i wypełnionej mikroskopami, sprzętem naukowym, wysokimi stołkami. Na ścianie wisiała tablica ogłoszeniowa naszpikowana mnóstwem pinezek, notatek i rysunków. Zbliżał się wieczór, a ona właśnie sortowała najnowsze znaleziska dnia. Była w pracowni sama, ponieważ wszyscy jedli jeszcze kolację w namiocie, w którym urządzono bar, albo udzielali się towarzysko na terenie obozu.

Kiedy Erica odkryła czaszkę pod ścianą jaskini, Sam Carter upoważnił ją do rozpoczęcia wykopalisk na wielką skalę. Dostali pozwolenie z Urzędu Ochrony Środowiska, a Sam, który miał nadzorować prace w terenie, powierzył Erice zaszczytną funkcję prowadzenia badań wykopaliskowych pomimo ostrej krytyki zarówno ze strony Stanowego Urzędu Archeologicznego, jak i innych instytucji. Ostrzegł ją jednak: „Bądź obiektywna, Erico. Po kompromitacji z wrakiem Chadwicka niektórzy chcieli cię zwolnić. Ale jesteś dobrym antropologiem i nie uważam, że z powodu jednej, wynikającej z impulsywności pomyłki należy cię od razu spisać na straty".

Erica obiecała, że będzie ostrożna, po czym przystąpiła do pracy z charakterystycznym dla siebie zapałem i rozmachem. Nie tracąc ani chwili na przygotowania, ogrodziła podłoże jaskini palikami i sznurkiem, a potem krawędzią łopaty pracowicie zeskrobała wierzchnią warstwę ziemi, powstrzymując nagłą chęć, by natychmiast zacząć kopać i dotrzeć do zalegających głęboko skarbów historii. Zeskrobaną ziemię wsypano do wiader i wyciągnięto na powierzchnię, gdzie ochotnicy przesiewali ją, sprawdzając, czy nie zawiera materiału archeologicznego.

Na zewnątrz jaskini grupa geologów, inżynierów i gleboznawców przystąpiła już na dobre do swych hałaśliwych czynności wzdłuż Emerald Hills Drive.

A Jared Black miał oczywiście do wykonania s w o j ą misję.

Zaczął się wyścig. Zadaniem Jareda było jak najprędzej odnaleźć najbardziej prawdopodobnego potomka i zwrócić jaskinię wraz z jej zawartością tej osobie lub plemieniu. Erica podejrzewała, że kiedy tylko to nastąpi, ona straci pracę. Była wszak Anglosaską, a w chwili gdy jaskinia znajdzie się w posiadaniu rdzennych Amerykanów, ci zechcą zlecić prowadzenie wykopalisk swoim ludziom, może nawet wstrzymają wszelkie prace i zapieczętują grotę. Dlatego pracowała ciężko i nieprzerwanie, rozpaczliwie pragnąc rozwikłać zagadkę tego miejsca, zanim Jared Black dopnie swego.

Pierwszą osobą, którą przyprowadził do jaskini, był wódz Antonio Rivera z plemienia Gabrielino. Miał on zidentyfikować malowidło, co pozwoliłoby Jaredowi puścić w ruch machinę prawniczą. Z racji sędziwego wieku gość został opuszczony do jaskini na krześle, i podczas gdy siedział, przyglądając się piktogramom, Erica przerwała pracę i obserwowała starca. Jego twarz, poznaczona milionem zmarszczek i bruzd, miedzianobrązowa i ogorzała, była nieruchoma niczym maska, a małe, bystre oczy łączyły z sobą symbole, zatrzymywały się, wpatrywały, oceniały, chłonęły i przesuwały się dalej. Wódz niemal przez godzinę sycił wzrok widokiem wspaniałego fresku, siedząc bez ruchu, sztywno wyprostowany, z szorstkimi, popękanymi dłońmi płasko ułożonymi na kolanach, aż w końcu wydał głębokie, urywane westchnienie, wstał z krzesła i oznajmił:

– Tego nie stworzyło moje plemię.

Jared kolejno sprowadzał do jaskini członków innych plemion – Tongwa, Diegueno, Czumasz, Luiseno, Kemaaya – czasem młodych, czasem starych, mężczyzn i kobiety, w garniturach lub dżinsach, z włosami krótkimi lub zaplecionymi w warkocze, a oni stali tam lub siedzieli, dumając nad zadziwiającą tajemnicą prehistorycznego malowidła. Wychodząc, każdy z nich kręcił głową i mówił: „To nie moje plemię". Niekiedy spoglądali na Ericę z wyraźną niechęcią, wspominając stare tabu, które zabraniały kobietom przebywać w świętych miejscach. Niektórzy goście sami czuli się tam nieswojo. Kobieta z plemienia Purisima, zamieszkałego na północ od Santa Barbara, zdenerwowała się bardzo i wyszła, mówiąc, że złamała tabu, które zakazuje kobietom patrzeć na święte symbole przedstawiające wizje szamana, i przez swoją obecność w jaskini ściągnęła klątwę na całe plemię. Jednakże inni odwiedzający spoglądali przychylnie na Ericę i jej pracę. Pewien młody mężczyzna, członek plemienia Nawaho i wykładowca historii rdzennych Amerykanów na Uniwersytecie Arizony, uścisnął jej dłoń i powiedział, że z niecierpliwością będzie czekał na wyniki jej badań.

Jared sprowadzał również białych ekspertów obu płci, którzy na wyższych uczelniach zgłębiali zwyczaje Indian. Także i oni – posiadacze stopni naukowych – pełni książkowej wiedzy – pokręciwszy głowami, odchodzili.

A przecież malowidło nie było jedyną zagadką w jaskini.

Na przykład ta jednocentowa moneta z 1814 roku, którą Erica znalazła poprzedniego dnia. W 1814 roku mieszkańców Kalifornii obowiązywał zakaz handlu z Amerykanami. Amerykańskim statkom nie wolno było cumować w San Pedro ani w San Francisco, a każdemu, kto uciekłby tam ze statku na ląd, groziły pojmanie i deportacja. Skąd więc amerykańska moneta wzięła się w jaskini? Erica uznała, że nie mogła tam trafić w późniejszych czasach, kiedy Kalifornia była już częścią Stanów Zjednoczonych, bowiem relief na niej pozostał niemal nienaruszony. Wieniec opasujący słowa „jeden cent" był doskonale widoczny, tak samo jak biegnący wokół brzegu napis „Stany Zjednoczone Ameryki". Po drugiej stronie widniał wizerunek kobiety – symbolu Wolności – a wieniec na jej lokach otaczało dwanaście wyraźnie zarysowanych gwiazd i równie wyrazista liczba 1814. Moneta będąca w obiegu przez wiele lat starłaby się od dotyku rąk, ta zaś musiała zostać zgubiona zaraz po opuszczeniu mennicy. I w tym właśnie tkwiła zagadka.

Było ich zresztą więcej.

Erica spojrzała na czarno-białe zdjęcia przypięte do tablicy ogłoszeniowej, na których uwidoczniono niezwykłe odkrycie dokonane przez Luke'a podczas czyszczenia ścian groty. Na piaskowcu w jaskini wyryto słowa: „La Primera Madre". Pierwsza Matka.

Kim była Pierwsza Matka? Czyżby to miała być jakaś wskazówka co do tożsamości Damy?

Tak właśnie o niej mówili: Dama. Była to kobieta, której nienaruszony szkielet Erica stopniowo odsłaniała przez ostatnie tygodnie, a towarzyszyły mu przedmioty grobowe, pozostałości ubrania, a nawet kosmyki długich, białych włosów.

Określenie płci nie przysporzyło najmniejszych trudności: kształt miednicy wyraźnie wskazywał na kobietę. Według Eriki w chwili śmierci musiała mieć ponad osiemdziesiąt lat, co dało się określić na podstawie stanu zębów, startych niemal do samych dziąseł z powodu żucia przez długie lata pokarmów zanieczyszczonych piaskiem i ziemią. Inna sprawa to oszacowanie historycznego wieku szkieletu, co wymagało przeprowadzenia analizy radiowęglowej. Wiek tkanki kostnej mieścił się w granicach od tysiąca dziewięciuset do dwóch tysięcy dwustu lat, a fakt, że zamiast łuku i strzał znaleziono przy kobiecie włócznię, świadczył o tym, że pogrzeb odbył się dawniej niż tysiąc pięćset lat temu.

Erice udało się także ustalić, że Dama była szamanką plemienną. Wraz z jej szkieletem pochowano woreczki z nasionami i małe plecione koszyczki pełne ziół. Większość z nich uległa rozkładowi, lecz analiza mikroskopowa wykazała, że niektóre z nich miały właściwości lecznicze.

Erica nie potrafiła jednak odgadnąć jej przynależności plemiennej. Kobieta była wysoka, a więc mogła wywodzić się z plemienia Mohave, którego członkowie należeli do najwyższych Indian w Ameryce Północnej. Znalezione przy niej przedmioty nie pochodziły od Czumaszów, którzy zresztą nie grzebali swych zmarłych po tej stronie potoku Malibu. Nie należała też do Indian Gabrielino, oni bowiem kremowali zwłoki swych bliskich. Wszystkie przedmioty grobowe zachowały się w całości, podczas gdy Indianie z kotliny Los Angeles rytualnie niszczyli dobytek zmarłego, łamiąc na pół jego łuk i strzały, aby rzeczy te umarły razem z nim, a ich duchy dołączyły do właściciela na tamtym świecie.

Kimkolwiek jednak była, i do jakiego plemienia należała, ci, którzy ją pochowali, zrobili to z wielką miłością, staraniem i czcią. Dama spoczywała na boku, z ramionami skrzyżowanymi na piersi i wygodnie podkurczonymi kolanami, co przypominało pozycję płodową lub ułożenie do snu. Owinięto ją pledem z króliczego futra, które w większości uległo rozkładowi, lecz wciąż jeszcze jego resztki widniały na szkielecie. Na szyi miała kilka naszyjników z muszelek i takie same bransoletki na obu nadgarstkach. Analiza pyłków wykazała, że miejsce pochówku wyścielono kwiatami i szałwią, a przy dłoniach kobiety umieszczono drobne ofiary z pożywienia: nasiona, orzechy, owoce. Wokół ciała starannie rozłożono osobisty dobytek zmarłej: szpilki do włosów ozdobione piórami, rzeźbione kościane kolczyki, flet wykonany z kości ptaka oraz wiele innych przedmiotów, których Erica nie potrafiła zidentyfikować, przypuszczała jednak, że posiadają znaczenie rytualne. Ślady ochry świadczyły o tym, że przed pochówkiem zwłoki prawdopodobnie pomalowano na czerwono.

Zza okna dochodziły przeróżne odgłosy z obozu – ktoś brzdąkał na gitarze, grano w siatkówkę – gdy tymczasem Erica zanurzała się w przeszłość. Wpatrzona w zdjęcia przyczepione nad biurkiem, chłonęła widok białych włosów i kruchych kości, które niegdyś należały do żywej, oddychającej kobiety, i raptem poczuła nieodpartą potrzebę poznania historii Damy.

To dzięki opowieściom ludzie stawali się realni, to one nadawały im dusze. Erice na zawsze utkwił w pamięci dzień, gdy po raz pierwszy uświadomiła sobie, że pragnie poznawać historie ludzi. Tego dnia rozstrzygnęły się jej dalsze losy. Miała wówczas dwanaście lat i zwiedzała muzeum ze szkolną wycieczką. W skrzydle antropologicznym dzieci oglądały przezrocza, a nauczyciel opowiadał o życiu Indian, którzy zamieszkiwali wioski takie jak ta zrekonstruowana w szklanej gablocie. Ericę przepełniła nagle niewytłumaczalna bojaźń na myśl o tym, że ludzie ci umarli tak dawno, a jednak są tutaj, by pokazać współczesnym, jak żyli! Jakże cudownym zajęciem musi być ocalanie ludzi od śmierci i zapomnienia, by mogli żyć dalej w ludzkiej pamięci.

„Kim jesteś? – Erica w myślach zwróciła się do kruchej jak wydmuszka czaszki o delikatnych kościach policzkowych i wzruszająco wątłej szczęce. – Jak się nazywałaś? Kto darzył cię miłością? Kogo ty kochałaś?". Kiedy była sama w jaskini i pośród cieni, w zupełnej ciszy, dotykała kruchego szkieletu, tak słodko ułożonego na boku, Ericę ogarnęła nagle fala silnego wzruszenia. Miała wrażenie, że opiekuje się dzieckiem, że tuli niemowlę. Doznała gwałtownego przypływu uczuć opiekuńczych wobec tych zapomnianych, samotnych kości, zapragnęła przytulić je do piersi i ochronić przed światem.

Wtedy to narodziło się jej niezłomne postanowienie, by poznać tożsamość kobiety, zanim Jared Black wpadnie na trop prawnych właścicieli groty.

Być może najnowsze znalezisko, które wykopano w grocie tego popołudnia, posłuży za jakąś wskazówkę. Dziwny ten przedmiot miał rozmiar i kształt niewielkiej piłki. Było to ozdobione muszelkami zawiniątko z króliczego futra, obwiązane zwierzęcymi ścięgnami. Erica znalazła je w niższej warstwie gleby niż monetę z 1814 roku, lecz wyższej niż warstwa, z której wydobyto szczątki ceramiki. Ponieważ Indianie z terenu niecki Los Angeles nie trudnili się wypalaniem gliny, a naczynia nabywali podczas handlu wymiennego z przyjezdnymi Indianami Pueblo, Erica przejrzała katalogi wyrobów garncarskich z Południowego Zachodu, których wiek i pochodzenie zostały zidentyfikowane. Poziom zawartości ołowiu w polewie i piaskowcowej zaprawie pozwolił jej ustalić, że naczynia zostały wykonane około 1400 roku w Pecos, dużej indiańskiej osadzie nad Rio Grande. Wciąż jednak pozostawała luka czterystu lat. W celu dokładnego określenia roku, w którym zostawiono w jaskini zawiniątko z króliczego futra, należało przeprowadzić dalsze badania.

Erica była przekonana, że w środku coś jest. „Ofiara złożona przez potomka, który przyszedł do jaskini modlić się o cud – przez kobietę pragnącą dziecka, przez wojownika pożądającego dziewicy".

Chciała otworzyć zawiniątko, ale rozbolała ją głowa, postanowiła więc pójść na spacer i zaczerpnąć powierza. Z bałaganu panującego na biurku wygrzebała książkę, wsunęła ją pod pachę i wyszła.

☆

Tylną część posiadłości Zimmermana stanowiła północna grań kanionu, podczas gdy willa producenta stała na jego południowym grzbiecie, z przeciwległej strony zapadniętego dziedzińca. Tutaj właśnie, pośród dębów, karłowatych sosen i gęstych zarośli, ustawiono przyczepy i namioty mieszkalne dla archeologów i ochotników, którzy przyjechali, by przesiewać, czyścić, sortować, katalogować, robić zdjęcia, analizować i poddawać testom wszystko, co wydobywano z jaskini oraz wyrwy pozostałej po basenie Zimmermana. A były to przede wszystkim ludzkie szczątki.

Za dnia wrzało tu jak w ulu. Kiedy policja, ekipy specjalistów od klęsk żywiołowych i niezliczone zastępy pracowników służb miejskich pilnowały mieszkańców, domorosłych poszukiwaczy skarbów oraz dziennikarzy, licencjonowani geodeci sporządzali mapy stanu podłoża płaskowyżu i porównywali je z mapami historycznymi. Pracowali w całej okolicy – wszędzie widać było niwelatory, teodolity, świdry, koparki, elektroniczny sprzęt do pomiaru odległości, sejsmografy i zestawy małych probówek do pobierania gleby. Kolejny dziedziniec częściowo się zapadł, w wyniku czego kunsztowna renesansowa fontanna przechyliła się i rozpadła na pół, przedstawiając teraz dramatyczny widok.

Nie tylko archeolodzy przebywali na miejscu katastrofy. Byli tu również ludzie z Instytutu Sejsmografii, zajmujący się monitorowaniem delikatnych urządzeń rozmieszczonych na całym terenie płaskowyżu i dzielnicy Emerald Hills, umundurowani ochroniarze wynajęci przez właścicieli domów do ochrony przed rabusiami, wreszcie budowniczowie sprowadzeni do podstemplowania zapadniętego urwiska i wyrwy po basenie, a także faceci w kaskach, którzy w głębi jaskini flirtowali z długonogimi studentkami antropologii, zwerbowanymi z Uniwersytetu Los Angeles. Wśród mężczyzn w kaskach było wielu Indian zatrudnionych tu zgodnie z nowym rozporządzeniem. Zainicjował je między innymi Jared Black, który dowodził, że praca przy indiańskich miejscach pochówku nie tylko zmniejsza bezrobocie wsród Indian, lecz także wzmacnia ich świadomość kulturową, pomaga w opłacaniu plemiennych programów szkoleniowych i dostarcza ekspertów, których agencje rządowe i firmy deweloperskie potrzebowały, aby pozostawać w zgodzie ze stanowymi i federalnymi przepisami o ochronie środowiska.

Po drugiej stronie policyjnego ogrodzenia byli też inni Indianie, żądający wstrzymania prac wykopaliskowych, mimo że nikt z nich nie wiedział, do którego z plemion należą jaskinia i szkielet. Pozostali domagali się kontynuowania badań, w nadziei że wreszcie nastąpi identyfikacja. Często widywano, jak Jared Black rozmawia z protestującymi, usiłując pogodzić zwaśnione grupy rdzennych Amerykanów. Doszło już do jednej bójki, po której kilka osób odprowadzono zakutych w kajdanki. Emocje sięgały zenitu. Od czasu uchwalenia Aktu o Ochronie Grobów i Repatriacji Rdzennych Amerykanów w 1990 roku muzea całego kraju oddawały swoje zbiory szkieletów, aby można powtórnie pochować kości. Instytut Smithsona przekazał już dwa tysiące szkieletów, a miał jeszcze zwrócić pozostałe czternaście tysięcy. Problem z Kobietą z Emerald Hills polegał zaś na tym, że wciąż nie ustalono jej przynależności plemiennej i niektóre plemiona niepokoiły się, że szczątki przypadną w udziale członkowi rywalizującego szczepu, który może rzucić klątwę na szkielet oraz na ich potomków.

Idąc przez hałaśliwy obóz, Erica spojrzała na okazały, dwunastometrowy samochód kempingowy Winnebago należący do Jareda Blacka, zaparkowany z dala od reszty skromniejszych namiotów i przyczep. W środku było ciemno. Widziała, jak Jared wyjeżdża wczesnym rankiem, ruszając swoim porsche z taką szybkością, jakby jego wóz stał w płomieniach. Najwyraźniej jeszcze nie wrócił.

Jared nie próżnował. Nie tylko działał w Kalifornijskiej Komisji do spraw Dziedzictwa Rdzennych Amerykanów, ale prowadził także prywatną kancelarię prawniczą dla prestiżowej firmy z San Francisco. Obecnie polecił swoim podwładnym, by wyszukali lokalne akty własności i wszelkie historyczne wzmianki na temat jaskini, przejrzeli kroniki misji franciszkańskich, przetrząsnęli miejskie, okręgowe i stanowe archiwa w poszukiwaniu zarówno dowodu, że miejsce to należało kiedyś do Indian, jak również jakichkolwiek odniesień do konkretnego plemienia zamieszkującego ten obszar.

Erica była raz w jego winnebago, kiedy Jared zaprosił ją na zebranie wraz z Samem i członkami miejscowego plemienia. Część mieszkalną wyposażono w najnowocześniejszy sprzęt elektroniczny i grający, ogromnych rozmiarów łóżko, lodówkę z zamrażarką, zmywarkę do naczyń, kuchenkę mikrofalową, maszynkę do robienia lodu, pluszową wykładzinę i oszklone szafki z kryształowymi kieliszkami. Żadne z dotychczasowych mieszkań Eriki nie było tak luksusowe i pełne udogodnień, jak wnętrze tego samochodu. Uważała Jareda Blacka, prawnika i obrońcę praw Indian, za snobistycznego szpanera, który uwielbia być w centrum zainteresowania. Jared miał sekretarkę, przydzieloną mu czasowo dzięki uprzejmości miejscowej firmy prawniczej. Przychodziła do niego codziennie rano i wychodziła z teczką wypchaną dokumentami. W ciągu całego dnia przez samochód Jareda przewijali się różni ludzie – prawnicy, politycy, przedstawiciele plemion. Jego życie zawodowe było niczym otwarta księga.

Natomiast jako człowiek Jared Black stanowił swoistą zagadkę. Pod wieczór, kiedy zamykano teren wykopaliska, pracownicy służb miejskich odjeżdżali do domu, a Erica i członkowie jej ekipy odkładali narzędzia i rozchodzili się po obozie: do kafeterii lub swych namiotów. Jared Black także kończył urzędowanie, w jego samochodzie zapalało się światło, a drzwi pozostawały zamknięte.

Nigdy nie przebywał w barze z innymi, kolację jadał sam. Później, około ósmej, wyruszał gdzieś z małą sportową torbą w ręku i wracał po dwóch godzinach z wilgotnymi włosami. Erica przypuszczała, że chodzi na siłownię, może gra w piłkę ręczną albo pływa w basenie, jednak nie zdarzało się to dwa lub trzy razy w tygodniu, ale niemal każdego wieczora bez wyjątku. „Jest osobistym trenerem zawodowych bokserów albo gwiazd kung-fu. Co wieczór wspina się po ścianie hotelu Bonaventure, oczywiście mając na to pozwolenie. Siłuje się z aligatorami, które później są przerabiane na portfele od Gucciego". Czymkolwiek się zajmował, musiało to wpływać na jego sylwetkę. Nawet trzyczęściowy garnitur nie mógł bowiem ukryć faktu, że Jared Black posiada wysportowane, atletyczne ciało.

Nie prowadził żadnego życia towarzyskiego, a Erica była ciekawa, dlaczego nie dołączyła do niego żona. Dwa tygodnie temu wyjechał na cztery dni – pewnie do domu w San Francisco. „Przez ten czas uprawiali z żoną namiętną i nieokiełznaną miłość. Kochali się wszędzie – w sypialni, w parku Golden Gate, w tramwaju – było to nienasycone szaleństwo zmysłów, które miało zrekompensować utracony czas i pozwolić im przetrwać kolejne miesiące celibatu".

Życie Jareda nie układało się w spójną całość tak jak w wypadku innych ludzi. Erica nie potrafiła zrekonstruować jego historii. Chociaż znała kilka powierzchownych faktów, nie była w stanie wydobyć istoty rzeczy zagrzebanej pod warstwami jego złożonej osobowości.

Jednego natomiast była pewna: Jaredowi Blackowi nie należy ufać.

Nagle jej rozmyślania przerwał tubalny głos.

– Tutaj jesteś! – huknął Sam Carter, wychodząc z kafeterii. Krawat miał poplamiony kawą. – Właśnie się do ciebie wybierałem.

– Nie wróżyło to nic dobrego. – Rozmawiałem przez telefon z Urzędem do spraw Nagłych Wypadków. Jesteśmy zdani na łaskę przyrody, Erico, i nic na to nie poradzimy. Oni twierdzą, że po wczorajszych wstrząsach wtórnych i zapadnięciu się kolejnego basenu cały kanion może runąć w ciągu sekundy. Musisz być gotowa na wyniesienie się stąd w każdej chwili.

– Ale ja jeszcze nie skończyłam!

– Urząd nie chce brać odpowiedzialności za twoje bezpieczeństwo w razie następnego silnego wstrząsu, a przewidują, że on nastąpi.

– Sama będę za siebie odpowiadać.

– Erico, to ja jestem za ciebie odpowiedzialny i jeśli oni twierdzą, że mamy się wynosić, to się wyniesiemy.

Wtedy spostrzegł jej książkę. W odpowiedzi na jego pytający wzrok wręczyła mu ją. Była to *Historia medium: niezwykłe dzieje życia i kapłaństwa siostry Sarah*. Tytuł pochodził z nagłówka artykułu opublikowanego w „Los Angeles Times" z 1926 roku, w którym opisywano oszałamiający sukces masowych seansów spirytystycznych w audytorium świątynnym, gdzie ponad sześć tysięcy ogarniętych histerycznym uniesieniem ludzi miało widzieć duchy i rozmawiać z nimi.

– Lektura do poduszki? – spytał.

– Jestem ciekawa, co przyciągnęło tutaj siostrę Sarah i dlaczego wybrała ten kanion na siedzibę dla swego Kościoła Duchów.

– Pewnie dlatego, że było tu tanio. W tamtych czasach ziemia w okolicy kosztowała niewiele. Żadnych dróg, żadnych udogodnień. Przypuszczam, że ciężko się tutaj żyło.

Zaczął przerzucać strony z czarno-białymi zdjęciami i zatrzymał się na dramatycznym portrecie Sarah w białej szacie, z włosami ułożonymi w fale i oczami wampa. Uznał, że wyglądała bardziej na gwiazdę filmu niemego niż na spirytystkę. Wtedy przypomniał sobie, że przecież właśnie w ten sposób zaczynała swoją karierę. Została „odkryta", czy coś w tym rodzaju.

Oddał książkę Erice i spojrzał na winnebago spod przymrużonych powiek.

– Szukam naszego przyjaciela komisarza. Widziałaś go gdzieś?

– W dōmu chyba go nie ma.

– Jak sądzisz, dokąd on chodzi co wieczór?

– Bierze lekcje gry na gitarze u emerytowanego jazzmana.

Sam popatrzył na nią i ze zdumieniem zauważył, że Erica uśmiecha się z przekąsem.

– Pewnego dnia, Erico, twoja bujna wyobraźnia przysporzy ci kłopotów.

„– Mój tata jest szpiegiem, a mama francuską księżniczką, która została wydziedziczona przez swoją rodzinę za to, że za niego wyszła.

– Erico, moje dziecko, dlaczego opowiadasz dzieciom kłamstwa?

– To nie są kłamstwa, panno Barnstable. To są opowieści.

– Dzieci, Erica ma wam wszystkim coś do powiedzenia. No, Erico, przeproś klasę za to, że kłamałaś".

– Rozwinęłaś już futrzane zawiniątko? – zapytał Sam, pewien, że Erica ma gotową historię na temat znaleziska, choć nie wie jeszcze, co ono zawiera. Właśnie to ją zgubiło podczas afery z wrakiem Chadwicka: zbyt bujna wyobraźnia i zbyt wielkie pragnienie, by poznać jego historię. Skoro nie dostarczyły jej fakty, musiała powstać w umyśle Eriki. Dla niej gliniany garnek nie był zwykłym naczyniem, lecz uosabiał gniew żony wściekle urabiającej glinę i rozmyślającej o mężu, który popatruje pożądliwie na połowicę swojego brata, jest leniwy i nie potrafi nic upolować, więc ona musi wyrabiać naczynia i wymieniać je na ryby i mięso, gdy tymczasem mąż rozważa złamanie plemiennego tabu, co doprowadzi ich wszystkich do zguby. Erica pracowała z pasją, zapominając o naukowym obiektywizmie. „Spójrz! – wołała, podnosząc wysoko do góry coś brudnego i pokrytego pleśnią. – Czyż to nie wspaniałe? Nie widzisz, jaka kryje się za tym opowieść?".

Jej opowieści nie musiały być prawdziwe, tylko prawdopodobne.

Może dlatego właśnie była takim odludkiem. Może wystarczały jej te historie. Sam nie mógł się nadziwić, z jaką łatwością Erica wprowadziła się do obozu i, jak zwykle, mimo swego skromnego dobytku, szybko przekształciła namiot w dom. Nie miała stałego miejsca zamieszkania: jej adresem był numer skrytki pocztowej w Santa Barbara. Zawsze wykazywała niesamowitą mobilność, natychmiast zgadzając się na wszelkie zmiany zleceń i niespodziewane podróże. Często śmiała się, mówiąc o swoim „włóczęgowskim" życiu. Był czas, kiedy Sam zazdrościł jej tego braku korzeni, ponieważ on sam tkwił przywiązany do obciążonego pokaźną hipoteką domu w Sacramento. Jego dorosłe dzieci i małe wnuczęta mieszkały kilka ulic dalej, eks-żona – z którą pozostawał w dobrych stosunkach – w tej samej dzielnicy, a schorowana matka była pensjonariuszką pobliskiego domu spokojnej starości. Móc po prostu wstać i wyjechać gdzieś bez żadnych wyjaśnień, bez obietnic, że zadzwoni albo wróci jak najszybciej – takie miał marzenia, gdy wkroczył w wiek średni. Przestał jednak zazdrościć Erice pewnego Bożego Narodzenia, kiedy prowadzili wykopaliska na pustyni Mohave i on pojechał do domu, żeby spędzić święta z rodziną, ona zaś została, by katalogować kości. Później dowiedział się, że dzień ten spędziła na najbliższym postoju dla ciężarówek, gdzie na świąteczny obiad zjadła konserwę z indyka i żurawinę z puszki, za towarzystwo mając trzech kierowców, dwóch policjantów z kalifornijskiej drogówki, dwóch młodych autostopowiczów, strażnika miejscowego parku i starego, siwego poszukiwacza złóż ropy o imieniu Clyde. Bardziej samotnych świąt Sam nie mógł sobie wyobrazić.

Czasami myślał o jej życiu uczuciowym. Widział, że pojawiają się jacyś mężczyźni, lecz szybko odchodzą. Jak się kończyły jej romanse? Czy to Erica mówiła swoim partnerom: „Już czas na ciebie"? Czy może oni wcześniej pojmowali, że zbliżenie fizyczne to wszystko, na co mogą liczyć, i że jej serce jest nie do zdobycia? Kiedy zaczęli razem pracować, przeżył chwilowe zauroczenie Ericą, ona jednak delikatnie dała mu do zrozumienia, że podziwia go i szanuje, i nie chciałaby popsuć ich przyjaźni niepotrzebnymi komplikacjami. Sam myślał wówczas, że go odrzuciła, ponieważ był o dwadzieścia lat starszy, lecz od tamtej pory zdążył się przekonać, że ona n i k o g o nie wpuszcza do swego pilnie strzeżonego świata. Podejrzewał, że jest to skutek jej przeżyć z przeszłości. Nie można było powiedzieć, że Erica Tyler miała łatwe życie.

– Ciekawe, dlaczego żona Jareda nie odwiedza go tutaj – powiedziała Erica, gdy oboje wciąż wpatrywali się w nieoświetlony samochód.

Spojrzał na nią zaskoczony.

– Żona Jareda? A więc ty nic nie wiesz?

☆

„Cześć, synku, właśnie rozmawialiśmy o tobie z mamą i jesteśmy ciekawi, co u ciebie słychać?".

Jared ruszył już w stronę automatycznej sekretarki, ale się zatrzymał.

Rzucił na stół teczkę i kluczyki od samochodu, słuchając głosu ojca, który dobywał się z aparatu: „Czytaliśmy o tobie w gazecie… o tym, co robisz w Topaangna. Jesteśmy z ciebie bardzo dumni". Cisza. „No cóż, wiem, że masz dużo pracy. Zadzwoń do nas. A przynajmniej do matki, chciałaby cię usłyszeć".

Jared wyłączył automat i długo wpatrywał się w telefon. „Przepraszam, tato" – chciał rzec. Wszystko zostało już przecież powiedziane. Wyczerpano wszystkie możliwe słowa.

Zapalił światło i przyrządzając sobie drinka, wziął do ręki faks, który właśnie przyszedł z Waszyngtonu, z Komisji Mniejszości Rdzennych Amerykanów działającej w Kongresie. Mimo że z całej siły starał się skupić na treści listu, musiał go w końcu odłożyć. Telefon od ojca sprawił, że poczuł na nowo ból i gniew.

Zaczął chodzić nerwowo tam i z powrotem, od szoferki do sypialni, uderzając pięścią o wnętrze dłoni. Nagle zapragnął pójść do klubu. Czuł, że wściekłość wzbiera w nim jak lawa w głębi wulkanu. Godzina morderczego wysiłku wystarczyłaby, żeby dać upust narastającej, dzikiej furii. Dzisiaj jednak siłownia była zamknięta z powodu remontu, a wszystkie tygrysy i tygrysice musiały krążyć po ulicach Los Angeles, szukając sposobu wyładowania swej energii i frustracji. Podobnie jak większość członków, Jared nie chodził do klubu po to, by zachować sprawność fizyczną.

Popatrzył na swój zagracony, tymczasowy dom-biuro: na wiecznie włączony komputer, nieustannie dzwoniące telefony, faks bez przerwy wypluwający nowe wiadomości, porozrzucane papiery, zalegające wszędzie grubą warstwą, jakby jakaś burza nawiała tu stosy dokumentów, akt, notatek, listów, pism sądowych i sprawozdań... I uświadomił sobie, że ten dom na kołach, choć tak duży, jest jednak zbyt mały, by pomieścić i jego, i szalejący w nim gniew. Chwycił kurtkę i wypadł na zewnątrz. Ogarnęło go rześkie powietrze nocy.

☆

Na skraju płaskowyżu, na cyplu wybiegającym w stronę oceanu, stała przepiękna, stara wiktoriańska altana stanowiąca pozostałość po Kościele Duchów siostry Sarah. Budowniczowie dzielnicy Emerald Hills postanowili ją odnowić i stworzyć wokół niej mały park. Niestety, wzgórze okazało się niebezpieczne i ustawiono na nim tablice ostrzegawcze, z altany nikt więc nie korzystał. Dlatego właśnie Erica ją uwielbiała.

Odkąd przyszła tu po raz pierwszy przed kilkoma tygodniami, czuła, że miejsce to działa na nią uspokajająco. Zastanawiała się, czy to dlatego, że altana stoi z dala od obozu i nie docierają tutaj wibracje pełnych energii i zapału ochotników i personelu. A może po prostu tak na nią wpływała atmosfera tej delikatnej budowli, reliktu spokojniejszych czasów, symbolu mniej skomplikowanej epoki?

Popatrzyła na książkę, którą trzymała w dłoni. Co przyciągnęło tu siostrę Sarah? Czyżby wyczuła ową niewyjaśnioną aurę spokoju otaczającą wzgórze, czy też...?

Erica wzdrygnęła się, porażona nową myślą: w tamtych czasach kanionu jeszcze nie zasypano, więc otwór jaskini był odsłonięty. Czy Sarah weszła tam, zobaczyła malowidło i uznała je za znak, że tutaj powinna zbudować swój kościół? Sarah twierdziła, że teren ten obrała na swą świątynię, gdyż sprzyja on kontaktom z tamtym światem. Cóż to jednak oznaczało? Czy miejsce to przeznaczyła na przybytek zjawisk nadprzyrodzonych, ponieważ nosiło nazwę Nawiedzony Kanion? Czyżby zwabiła ją tu obecność duchów, które miały od dawna zamieszkiwać wąwóz? Erica dopiero zaczęła czytać biografię tej zagadkowej postaci lat dwudziestych, kobiety o twarzy znanej w całej Ameryce, pojawiającej się we wszystkich gazetach, czasopismach, kronikach filmowych – postaci ekstrawaganckiej, której teatralne zachowanie i hipnotyzujący głos wyśmiewano w prasowych karykaturach i programach satyrycznych, choć tak naprawdę nikt nic nie wiedział o jej przeszłości i życiu osobistym. Siostra Sarah pojawiła się znikąd, wzbudziła krótkotrwałą sensację i równie szybko zniknęła w tajemniczych okolicznościach, zostawiając swój kościół podzielony i ogarnięty chaosem.

Erica weszła do altany, która lśniła w blasku księżyca niczym tort weselny, i kładąc dłoń na drewnie, poczuła, że pulsuje ono opowieściami – o skradzionych pocałunkach i złamanych obietnicach, nocnych schadzkach i rozmowach ze zmarłymi. Te stare deski przez dziesięciolecia chłonęły muzykę, miłość, rozczarowanie, zachłanność i duchową zadumę, aż w końcu altana poczęła tętnić życiem ludzi, którzy zostawili w niej część swej historii.

Potem popatrzyła na wodę, zastanawiając się, czy jej matka, gdziekolwiek teraz jest – na Polach Elizejskich w Paryżu czy na karaibskiej plaży – ma poczucie niespełnienia, ponieważ porzuciła swoje dziecko. „Spaceruje właśnie po Central Parku pod rękę ze swoim drugim mężem, dentystą, nie wiedząc, że blisko pięć tysięcy kilometrów od niej ta brakująca część chodzi, oddycha i marzy".

Odgarniając włosy, nagle podskoczyła, zdała sobie bowiem sprawę, że nie jest sama. Ktoś już tu był, po drugiej stronie altany, na samym końcu cypla. Jared Black! Stał na szeroko rozstawionych nogach i z rękami wspartymi na biodrach, jakby prowadził właśnie spór z oceanem.

Wtem odwrócił się do niej, a wyraz jego twarzy wstrząsnął nią do głębi. Wydawało się jej, że spogląda w samo serce rozszalałej burzy.

Chwila ta zawisła między nimi jak dziwny moment ciszy podczas wietrznego dnia... wszystko wokół zamarło na kilka sekund. Nigdy jeszcze nie byli razem sami. W ciągu paru tygodni od rozpoczęcia prac Erica spotykała się z Jaredem tylko w obecności innych ludzi i tylko w celu omawiania spraw zawodowych. Prywatnie nie mieli sobie absolutnie nic do powiedzenia. Teraz była ciekawa, które z nich odejdzie pierwsze.

Ku jej zdumieniu Jared odsunął się od niebezpiecznej krawędzi klifu, wspiął po skrzypiących schodkach altany i stanął pod eleganckim, bogato zdobionym dachem.

– To tutaj siostra Sarah musiała wygłaszać swoje kazania. Budynek ten zaprojektowano z myślą o dobrej akustyce.

Podniosła wzrok na sklepienie.

– Skąd pan wie?

– Kiedyś studiowałem architekturę – powiedział, po czym dorzucił z uśmiechem: – Jeszcze w epoce plejstocenu.

Jego uśmiech i żart zaskoczyły Ericę. Po chwili jednak uświadomiła sobie, że oba były wymuszone. „Stara się ukryć coś, czego nie powinnam była zobaczyć – ten dziwny wyraz twarzy, wybuch wściekłości nad oceanem".

– Zwykle mam tę altanę dla siebie – zauważyła, wyczuwając w powietrzu jakieś dziwne prądy niewiadomego pochodzenia. – Tabliczki z zakazem wstępu odstraszają ludzi.

– Tabliczki często odnoszą skutek zupełnie odwrotny do zamierzonego... – Zamilkł i zaczął się jej przyglądać.

Erica usilnie myślała, co teraz powiedzieć. Miała bowiem wrażenie, że Jared za wszelką cenę próbuje nad sobą zapanować i jeśli choć na chwilę straci kontrolę, choćby na moment osłabi swą czujność, zacznie się z nim dziać coś, czego nikt nie powinien oglądać.

– Miałam telefony z kręgów latynoskich – oświadczyła, ponieważ nic lepszego nie przyszło jej do głowy. Od kiedy rozeszła się wieść

84

o malowidle „La Primera Madre", do Eriki ciągle zgłaszali się ludzie pragnący przyjechać, by je obejrzeć, dziennikarze, którzy pytali, co według niej oznacza „Pierwsza Matka", oraz Amerykanie meksykańskiego pochodzenia, którzy rościli sobie prawo do przejęcia jaskini.

– Jesteśmy teraz na topie – stwierdził, uśmiechając się znowu.

Ponownie umilkli, a Erica myślała o stu rzeczach, które wymagały omówienia – takich jak coraz większe niebezpieczeństwo zagrażające grocie – lecz w końcu zdołała wydusić tylko to, co akurat najbardziej zaprzątało jej myśli.

– Sam Carter powiedział mi właśnie o pańskiej żonie. Nic nie wiedziałam. Miałam wtedy wykłady w Londynie i nie docierały do mnie wiadomości z Kalifornii. Bardzo mi przykro.

Zacisnął usta, które zastygły w zaciętym grymasie.

– Była taka młoda – ciągnęła Erica. – Sam nie mówił, jak...

– Moja żona zmarła przy porodzie, doktor Tyler.

Patrzyła na niego w milczeniu.

– Dziecko też straciliśmy – dodał cicho, odwracając wzrok ku ciemnemu morzu.

Erica była wstrząśnięta. Nagle Jared wydał się jej jeszcze bardziej obcy.

– Musi jej panu bardzo brakować. – Zabrzmiało to słabo, ale coś trzeba było powiedzieć.

– Tak, brakuje mi jej. Nie wiem, jak w ogóle udało mi się przetrwać te trzy lata. To jest po prostu niesprawiedliwe. Netsuya miała jeszcze tak dużo przed sobą, tyle planów i marzeń... Chciała naprawić dwa stulecia krzywd i przywrócić swemu plemieniu jego historię. – Spojrzał na Ericę. – Pochodziła z Maidu. P a n i nie muszę chyba tłumaczyć, jak karkołomne to było przedsięwzięcie.

Jako antropolog specjalizujący się w plemionach kalifornijskich, Erica znała dzieje Indian Maidu, bardzo podobne do historii innych szczepów z Zachodniego Wybrzeża. Chociaż Maidu przetrwali bez szwanku najazd hiszpańskich misjonarzy, którzy siali spustoszenie wśród plemion nadmorskich, ręka nieuchronnego przeznaczenia dosięgła ich podczas gorączki złota, kiedy biali, gnani żądzą zdobycia cennego żółtego kruszcu, niszczyli wszystko, co im stanęło na drodze, czy były to góry, czy ludzie. Najpierw plemię zdziesiątkowały malaria i ospa, potem poszukiwacze złota wypłoszyli zwierzynę i zdewastowali siedliska ryb, stosując techniki wydobywcze, które zatruwały rzeki. Świat, w jakim Maidu żyli od stuleci, niemal w jednej chwili przestał istnieć.

– Po skończeniu studiów prawniczych – mówił dalej Jared, kierując swe słowa w noc, odwrócony plecami do Eriki – zaczęła snuć plany, które miały zapewnić jej plemieniu mieszkania, opiekę zdrowotną i emerytalną, rozwój działalności kulturalnej oraz nowe możliwości ekonomiczne i stypendia akademickie. A jej największym marzeniem było ujrzeć kiedyś rdzennego Amerykanina na stanowisku gubernatora Kalifornii.

Erica słuchała, jak dźwięk jego słów powoli zamiera, niesiony wiatrem. Gdy umilkł, wciąż zwrócony twarzą do oceanu, zapytała:

– Netsuya to ładne imię. Co ono oznacza?

Z powrotem skierował na nią wzrok. Usiłowała określić kolor jego oczu. Stalowoszare? Nie, nie… Mają barwę cienia… i tajemnicy.

– Właściwie nie wiem – odparł. – Jej prawdziwe imię, a raczej to, pod którym została ochrzczona, brzmiało Janet. Kiedy jednak zajęła się walką o prawa swego ludu, przyjęła imię prababki.

Nie spuszczał z niej oczu. Erica nie mogła nic wyczytać z jego twarzy. Był na niej gniew; nie znikał on od chwili przyjazdu Jareda, ale towarzyszyły mu także inne uczucia, które naznaczały jego przystojną twarz niczym podmuch bryzy marszczący ciemną powierzchnię stawu.

Przypomniała sobie jego zachowanie pierwszego dnia: był wyraźnie rozdrażniony, a ona zachodziła w głowę, skąd w nim tyle agresji. Teraz zastanawiała się, czy miało to coś wspólnego z jego żoną. Wiadomo było powszechnie, że przed poznaniem Netsui Jared zajmował się głównie prawem własności, reprezentując korporacje, spadkobierców i osoby fizyczne w sporach o posiadanie ziemi. Dopiero po ożenku z orędowniczką praw Indian zaczął walczyć w ich sprawie. Obecnie nie robił już chyba nic innego. Erica wyobraziła sobie, że Jared spełnia ostatnie życzenie swojej żony, która poprosiła go, by po jej śmierci nie ustawał w walce. A prośba ducha była potężną siłą napędową.

Kiedy oparł się o rzeźbiony słup i stał tak z założonymi rękami, Erica doszła do wniosku, że Black próbuje się odprężyć i być miły. Lecz gdy spojrzał na gwiazdy i powiedział: „Według wierzeń Maidu dusze dobrych ludzi wędrują Drogą Mleczną na wschód, dopóki nie dotrą do Stwórcy", uznała, że nie może sobie pozwolić na osłabienie czujności. Pamiętając, że nadal są wrogami, a Jared uczestniczy w projekcie przede wszystkim po to, żeby wydrzeć go jej z rąk, zerknęła na zegarek i rzekła:

– Robi się późno, a ja mam jeszcze sporo pracy.

Odwrócił oczy od gwiazd i utkwił wzrok w jakimś odległym punkcie czarnego, wzburzonego oceanu. Wyczuła, że mężczyzna waży w myślach coś istotnego albo prowadzi wewnętrzną walkę, więc kiedy znów na nią popatrzył, postanowiła mieć się na baczności.

– Podobno znalazła pani dziś w jaskini coś niezwykłego – zagaił, a Erica odniosła dziwne wrażenie, że powiedział wcale nie to, co zamierzał.

– Może pan przyjść do laboratorium, kiedy będę to otwierać.

Ruszyli w stronę wyjścia z altany, gdy w ciszę wdarł się nagle ogłuszający huk.

– A cóż to takiego? – zdziwił się Jared.

Spojrzeli w górę – policyjny helikopter krążył nad Emerald Hills Drive, a jaskrawy snop światła z jego reflektora skierowany był w jeden punkt.

Biegnąc ścieżką, dotarli na teren posiadłości Zimmermana. Na ulicy przed jego domem zgromadził się tłum. Byli to okoliczni mieszkańcy – mężowie, żony, dzieci, zwierzęta – obładowani mnóstwem pudeł, walizek, śpiworów i poduszek. Harmon Zimmerman w dresie Adidasa krzyczał na ochroniarza, który zapewne przestraszył się na widok tylu ludzi napływających przez bramę ogrodzenia i wezwał policję. Z kanionu dobiegało coraz głośniejsze wycie syren.

– Po jaką cholerę wezwałeś gliny, idioto?

– Na tym polega m...moja praca, proszę pana. Mam obowiązek...

– Masz tę pracę, bo m y c i ę w y n a j ę l i ś m y, kretynie. Płacimy ci. Dlaczego nasłałeś gliny na n a s?

Wytrącony z równowagi facet nie potrafił odpowiedzieć, i wtedy włączył się Jared.

– Ten człowiek już to panu wyjaśnił. Wezwał policję, bo po to został wynajęty. Dlaczego jest pan niezadowolony?

Teraz z kolei Zimmerman napadł na niego.

– A ty, nadęty prawniku, razem z tą kobietą – wycelował palec w Ericę – robicie wszystko, żeby przeciągać tę całą sprawę w nieskończoność, gdy tymczasem złodzieje obrabiają nam domy, a nasze trawniki są już zupełnie zadeptane. Ta dzielnica przypomina jakieś cholerne miasto-widmo.

Erica popatrzyła na ciemną, opustoszałą ulicę. Domy stały tylko po jednej stronie. Naprzeciw rosły drzewa, za którymi teren opadał łagodnie ku następnemu wąwozowi. Rezydencje były piękne, lecz trawniki zaczęły zarastać chwastami, a krzaki róż powoli dziczały, dopełniając obrazu zaniedbania. Jak w zamku Śpiącej Królewny, kiedy to dziewczyna zasnęła, a przyroda z wolna wdzierała się w jej królestwo. Ale w tym przypadku przystojny książę chyba nie wystarczy, żeby cokolwiek zmienić. Okolica została uznana za niebezpieczną. Miejscy geodeci, rozwierciwszy ulicę wzdłuż i wszerz, odkryli, że cały kanion, od swego zamkniętego końca na północy po ujście na południu, rozmięka i osuwa się do leżących niżej wąwozów. Erica pomyślała, że wygląda to niemal tak, jakby kanion postanowił powrócić do swego pierwotnego stanu sprzed czasów ludzkiej ingerencji, gdy zmieniono jego naturalną strukturę.

Wokół dzielnicy Emerald Hills wzniesiono ogrodzenie z drutu kolczastego i jedyny dostęp do niej stanowiły zamykane na noc bramy. Pomimo tych środków ostrożności, wzmocnionych obecnością ochroniarzy, okoliczne wille stały się wspaniałym łupem dla rabusiów. Chociaż z domów wyniesiono wszystkie meble, pozostało w nich jeszcze wiele cennych przedmiotów. Policja złapała już dwóch mężczyzn usiłujących wykraść z pewnej posesji złote armatury łazienkowe, a jeden z mieszkańców, który przyszedł sprawdzić, w jakim stanie jest jego dom, stwierdził, że skradziono mu – co do jednego – urządzenia kuchenne, ze ścian łazienki odłupano importowany marmur i powyrywano miedziane druty i rury. Wszystko odbyło się bezszelestnie, przy czym żaden ślad nie wskazywał na to, kiedy i w jaki sposób złodzieje dokonali włamania.

Mieszkańcy dzielnicy postanowili więc wrócić do swych domów, mimo że władze miasta nie pozwalały na to ze względu na niestabilność podłoża i nieczynne wodociągi. Zimmerman i inni właściciele żądali, by firma budowlana na nowo zasypała kanion odpowiednio zagęszczonym gruntem oraz umocniła go za pomocą stalowych i betonowych wsporników, a następnie odbudowała osiedle na stabilnym podłożu.

– Myśleliśmy, że to zostało ustalone już dwa tygodnie temu – ciągnął Zimmerman w imieniu wzburzonej grupy mieszkańców – i że będziemy mogli się znowu wprowadzić. To się przeciąga w nieskończoność. Pan z tymi swoimi Indianami... – szturchnął Jareda w ramię. – I pani ze swoimi kośćmi... – Tym razem machnął ręką w stronę Eriki.

Policjanci, którzy zaparkowali radiowozy za ogrodzeniem, wbiegli na teren posiadłości.

– Nie ruszamy się stąd! – krzyknął wydawca prasowy, właściciel ośmiusetmetrowej rezydencji w stylu Tudorów. Jego kort tenisowy zapadł się na głębokość prawie metra.

Zimmerman skrzyżował ręce na piersi i oznajmił:

– Nigdzie nie idziemy. Tutaj mieszkamy i tu zostaniemy.

– Okolica jest niestabilna i stwarza zagrożenie – powiedział Jared.

– A wie pan, ile kosztował ten dom? Trzy miliony. I to b e z basenu i cennego ogrodu różanego, który jest zresztą w tej chwili całkowicie zniszczony, bo wszyscy włażą tu z buciorami. Ubezpieczenie nie pokryje szkód, a nie sprzedam tego za cholerę. I pan myśli, że tak po prostu sobie pójdę? Już wystarczająco długo nas nabierano i upokarzano. I teraz jakiś ważniak z Sacramento wciska mi tu kit o prawach Indian. A co z n a s z y m i prawami? Niektórzy wpakowali w te domy oszczędności całego życia. Inni sprowadzili się tu na starość. Gdzie mamy się podziać? Niech pan mi to powie. O nie, drogi panie, tutaj zostajemy i nikt nas nie ruszy z n a s z e j ziemi.

– Panie Zimmerman – wtrąciła się Erica – zapewniam, że staramy się jak najszybciej…

– Ja też panią o czymś zapewnię, droga pani. Już powiadomiłem o tym swoich prawników. Każemy zamurować tę jaskinię i zasypać kanion. Odzyskamy naszą własność. A wy możecie sobie gdzieś wsadzić waszych Indian i wasze kości. Zrozumiano?

☆

Pęseta dentystyczna i skalpel leżały na stole. Wszystko było przygotowane do rozcięcia tajemniczego zawiniątka z króliczego futra. Na stołku siedział Sam, któremu wciąż burczało w brzuchu, ponieważ znów postanowił przejść na dietę. Luke sprawdzał film w aparacie, ustawiał przysłonę i czas naświetlania.

– Panowie? – powiedziała Erica. – Jesteśmy gotowi?

Zanim zdążyli odpowiedzieć, do przyczepy wszedł Jared, szybko zatrzaskując za sobą aluminiowe drzwi, by nie wpuścić zimnego powiewu nocnego wiatru. Został dłużej na zewnątrz, żeby wyciągnąć więcej informacji od Zimmermana.

– Jest tak, jak przypuszczałem. Zamierzają wystąpić przeciw firmie budowlanej i doprowadzić do przerwania robót, utrzymując, że osiedle nie zostało właściwie splantowane. Jeśli sąd orzeknie na ich korzyść i nakaże zakończyć prace wykopaliskowe, budowniczym nie pozostanie nic innego, jak zasypać kanion.

– Potrafi ich pan powstrzymać?

– Na pewno będę próbować. – Jared spojrzał na zawiniątko i zmarszczył brwi. – Czy to jest zwierzę?

– Nie, to jakiś przedmiot owinięty w zwierzęcą skórę.

– Stary?

– Szacuję, że ma około trzystu lat. Doktor Fredericks, nasz dendrochronolog, pobrał próbki rdzeniowe z autochtonicznych drzew rosnących w pobliżu i ustalił, że przed trzystu laty okolicę tę spustoszył wielki pożar. Analiza mikroskopowa i chemiczna cienkiej warstwy sadzy i popiołu pokrywającej wnętrze jaskini wykazała, że ma ona ten sam skład co zbadana kora drzew. Futrzany węzełek znajdował się pod tą warstwą, co oznacza, że zostawiono go tam co najmniej trzysta lat temu. Mógł należeć do plemienia Czumasz. Zdobiące je koraliki są podobne do paciorków, których Indianie ci używali jako środka płatniczego.

Erica przysunęła bliżej lampę i ustawiła jej ruchomy statyw tak, by światło padało wprost na przedmiot, po czym za pomocą bardzo delikatnej pęsety i skalpela zaczęła rozcinać ścięgna, którymi obwiązano królicze futerko. Luke fotografował każdą jej czynność.

Zza cienkich ścian przyczepy dobiegały głosy przechodzących obok ludzi, ich śmiechy i nawoływania, gdy tymczasem w środku zapadła głęboka cisza. Jared, Sam i Luke, którzy stali za Ericą, wstrzymali oddech.

Przecięła ścięgna i starannie rozwinęła jedno po drugim. Potem delikatnie chwyciła brzegi kruchego futerka, jakby miała do czynienia z żywą istotą ludzką. W końcu odsunęła ostatnią warstwę skóry.

Wstrząśnięci wpatrywali się w zawartość zawiniątka.

– Co, u licha? – wykrztusił Luke. – Skąd o n e się tu wzięły?

– Dobry Boże... – mruknął Sam, odgarniając czuprynę z czoła.

– A więc w której warstwie pani to znalazła? – spytał Jared z niedowierzaniem.

– Zaraz poniżej roku tysiąc sześćsetnego... – W głosie Eriki przebijało zdumienie. Zdziwiona zamrugała oczami. – Nie jestem ekspertem w tej dziedzinie, musiałabym skonsultować się z historykiem, choć sądząc ze sposobu wykonania oraz użytego materiału, zaryzykowałabym stwierdzenie, że zrobiono je około czterystu lat temu. Myślę, że to wyrób holenderski.

– Przecież to niemożliwe! – zaprotestował Luke. – W Kalifornii nie było jeszcze wtedy Europejczyków! Dotarli tu dopiero dwieście lat później.

– Tak mówi historia, Luke, ale ich wiek nie ulega wątpliwości. Możemy też mieć absolutną pewność – powiedziała, unosząc do światła ów zdumiewający przedmiot – że są to okulary.

Rozdział czwarty

MARIMI
1542 rok

– Potwór morski! Potwór morski!

Wszyscy podbiegli do brzegu, by zobaczyć, co pokazuje chłopiec. W istocie, daleko na falach unosiło się zwierzę, jakiego nikt jeszcze nie widział.

Posłano po szamankę. Przyszła, w obłoku magicznego dymu, z rytualną laską w dłoni – wysoka, młoda kobieta w pięknej spódnicy z plecionej trawy; jej ramiona okrywały skóry morskich wydr, a w przekłutych uszach tkwiły rurki z kości pelikana ozdobione piórami przepiórek; między nagimi piersiami zwieszały się niezliczone naszyjniki z muszelek, a pośród nich rzemień z małym skórzanym woreczkiem, w którym spoczywał kamień – święty amulet kruka przekazywany z pokolenia na pokolenie przez wieki, od czasów Pierwszej Matki. Była to Marimi. Nadano jej owo imię, ponieważ pełniła rolę Strażniczki Świętej Jaskini w Topaangna. Wcześniej nazywała się inaczej, lecz gdy tylko zaczęła zdradzać objawy duchowego daru – bóle głowy, wizje, transy – wybrano ją na następczynię starej szamanki, także zwanej Marimi, i przeznaczono do służby Pierwszej Matce w Topaangna. Był to największy zaszczyt, jakiego mógł dostąpić członek klanu, dlatego Marimi codziennie dziękowała, że zesłano jej ten dar, chociaż służba Pierwszej Matce wymagała wyrzeczenia się małżeństwa i współżycia z mężczyzną. Mimo że czasem, kiedy nocą leżała sama w chacie, do jej głowy zakradały się myśli o miłości i dzieciach, lub gdy liczyła swe lata i okazywało się, że jest wciąż bardzo młoda i ma przed sobą całe życie trwania w dziewictwie, przekonywała samą siebie, że wstrzemięźliwość jest konieczna, by zachować czystość ducha i że jest to niewielkie poświęcenie w zamian za przywilej służenia Pierwszej Matce.

Popatrzyła na morze, mrużąc oczy.

– To nie jest potwór morski – oznajmiła. – To człowiek.

Na te słowa podniósł się gwar głosów, niczym brzęczenie much.

– Człowiek? Jeden z naszych? Ależ nie, nikogo przecież nie brakuje. Wszystkie łodzie wczoraj wróciły. Wszyscy myśliwi są tu, na brzegu. Skąd wziął się na wodzie ten człowiek?

Potem rozległy się ciche okrzyki, przekazywano sobie szeptem rozmaite domysły:

– Członek plemienia z północy? Może podstępny Czumasz? Przybył tutaj, żeby rzucić na nas zaklęcie! Wypędźmy go z powrotem na morze.

Marimi uniosła ręce i tłum na plaży zamilkł. Stała na wydmie w majestatycznej pozie, mewy krążyły nad nią na tle jasnego błękitu nieba, a świeża bryza wiejąca od morza rozwiewała jej długie, czarne włosy. Patrząc na ciało kołyszące się bezwładnie na falach, podjęła decyzję: kazała przynieść łódź. Ludzie natychmiast pobiegli do wioski, by przydźwigać na ramionach jedno z wielkich pełnomorskich canoe, wykonane z powiązanych ze sobą desek uszczelnionych smołą. Na tych imponujących łodziach, które potrafiły pomieścić nawet kilkunastu mężczyzn, myśliwi wyposażeni we włócznie, sieci i haki co dzień wypływali w morze, by polować na wieloryby, morświny, foki i raje. Teraz jednak wypychali na fale swe canoe, żeby dopaść innej zdobyczy. Wszyscy patrzyli w skupieniu, jak wiosła równo zanurzają się w wodzie i łódź dopłynęła wreszcie do dryfującego człowieka. Myśliwi, używając haka na wieloryby, wciągnęli go do środka.

Canoe przybiło do brzegu na fali przypływu i wraz z nim na mokrym piasku spoczęła tajemnica, która rzeczywiście okazała się człowiekiem. W otaczającej go gromadzie znów rozległy się stłumione okrzyki:

– To nie Czumasz! Spójrzcie, w jakie skóry jest ubrany! A jego stopy są wielkie jak niedźwiedzie łapy!

Ludzie cofnęli się z lękiem. Wtedy podszedł wódz plemienia, by naradzić się z Marimi. Chociaż posiadał władzę, to była ona zupełnie innej natury niż moc szamanki. Razem mogli zadecydować, co począć wobec nieoczekiwanego obrotu wydarzeń.

Przez ostatnie tygodnie widywano daleko na morzu dziwne stworzenia o wielkich, kanciastych skrzydłach i grubych, rozdętych cielskach. Myśliwi podpłynęli więc do nich bliżej i po powrocie oznajmili, że to nie są stworzenia, lecz łodzie, jakich nie widział jeszcze żaden Topaa. Członkowie jednego z południowych plemion, wracający z północy, gdzie handlowali z Czumaszami, opowiedzieli, że do wysp leżących w cieśninie przybili ludzie o białej skórze, którzy handlowali, ucztując z tamtejszą starszyzną, po czym znowu wypłynęli na morze w swych niezwykłych canoe.

Byli to podobno przyjaźnie nastawieni przybysze, których przodkowie żyli w bardzo odległej krainie.

„Czyżby to był jeden z nich?" – pomyślała Marimi, oglądając pokryte warstewką soli ciało, odziane w najdziwniejsze skóry, jakie kiedykolwiek widziała. Człowiek leżał na kawałku drewna, twarzą w dół. Dlaczego został wyrzucony ze swego canoe?

Poleciła dwóm mężczyznom przewrócić go na plecy, a wówczas wszyscy wydali okrzyk zdumienia. Miał dwie pary oczu!

– To potwór! Diabeł! Trzeba go wrzucić z powrotem do morza!

Marimi znowu uciszyła ludzi i zaczęła przyglądać się obcemu. Zauważyła, że jest bardzo wysoki, ma dziwnie wąską twarz, duży, garbaty nos i bladą skórę. No i te oczy! Zastanawiała się, czy nie jest to przypadkiem jeden z przodków, przybył bowiem stamtąd, gdzie mieszkają duchy zmarłych – z zachodu, zza oceanu. Być może po śmierci duch ten otrzymał drugą parę oczu.

Marimi przyklękła i dotknęła palcami jego zimnej szyi. Z ledwością wyczuła słabe pulsowanie życia. Wolałaby udać się teraz do jaskini, by zasięgnąć rady Pierwszej Matki, lecz nieznajomy stał u progu śmierci i nie było na to czasu. Nakazała więc pięciu silnym mężczyznom zanieść go do jej chaty stojącej na skraju wioski.

☆

Modliła się w duchu. Ta druga para oczu! Czy była zaczarowana? Czy on widział, mimo że powieki miał opuszczone? A może to rzeczywiście potwór?

„Ale przybył z zachodu, gdzie mieszkają przodkowie... To są przyjaźnie nastawieni przybysze, mówili handlarze z południa".

Najpierw należało go rozebrać. Zaczęła od osobliwego kapelusza, który nie był zrobiony z trawy, jak nakrycia głowy Topaa, lecz z jakiegoś nieznanego rodzaju skóry. Zdjąwszy go ostrożnie, krzyknęła. Jego głowa była cała w płomieniach! Jak to możliwe, że włosy mu płoną, lecz ogień nie trawi skalpu? Podeszła bliżej, po czym z lękiem dotknęła loków o barwie zachodzącego słońca. Musiał za daleko wypłynąć swym statkiem i otarł się głową o słońce. To chyba jedyne wytłumaczenie. Owa dziwaczna, płomienna czupryna była w dodatku bardzo krótko przycięta, gdy tymczasem brodę i górną wargę porastały długie, sterczące, kręcone włosy! Mężczyźni Topaa nosili długie włosy, a twarze mieli gładkie.

Potem zaczęła przyglądać się warstwom skór, które pokrywały jego ciało od szyi aż do stóp, tak że odsłonięte miał tylko dłonie i twarz. Nie potrafiła sobie wyobrazić, co też znajdzie pod spodem. Mężczyźni z jej plemienia chodzili nadzy, z wyjątkiem przepaski na biodrach, do której przytraczali jedzenie i narzędzia. Czy przybysz, pod swoimi skórami, wyglądał tak samo jak oni?

Marimi nie zdawała sobie sprawy, że każda z owych skór ma nazwę i tak naprawdę zdejmuje z nieznajomego jedne z najwspanialszych tkanin wyprodukowanych w Europie, a styl i krój odzienia miał podkreślić arystokratyczne pochodzenie i zamożność właściciela. Pierwszą z warstw stanowił czarny watowany, aksamitny kaftan z rękawami, które rozcięto dla ukazania białej koszuli z najdelikatniejszego lnu, oraz narzucona nań kamizela z pasem, uszyta z czerwonego brokatu, opadająca aż do kolan plisowaną spódnicą, spod niej zaś wystawał czerwony aksamitny saczek[1]. Pończochy były białe i podwiązane w kolanach, a mocno watowane pludry skrojone z czarnego aksamitu. Kapelusz, który Marimi odłożyła na bok, także czarny i aksamitny, miał płaskie denko i szerokie rondo obramowane piórami i sznurem pereł. Koszula była plisowana wokół szyi, a jej rękawy wieńczyły falbaniaste mankiety. Na koniec, gdy Marimi oswobodziła z osobliwych więzów jego stopy, okazało się, że są miękkie i wolne od odcisków, podobnie zresztą jak dłonie – delikatne i gładkie niczym rączki dziecka, mimo że był to dorosły mężczyzna.

Kiedy zdjęła z niego wszystkie warstwy, tak że leżał przed nią całkiem nagi, zauważyła, że na podbrzuszu również rosną mu ogniste włosy. Jakże słońce zdołało dotknąć go i tam? Skóra obcego była miękka i blada, biała jak morska piana w godzinie porannego przypływu, lecz na jego nogach i rękach spostrzegła zaognione plamy, które na podobieństwo rozpalonej obręczy wykwitły także na szyi mężczyzny. Wiedziała już, co mu dolega.

Najpierw sięgnęła po wodę. Zdołała wlać parę kropel między jego spierzchnięte, spękane wargi, podtrzymując mu plecy swym silnym ramieniem. Kiedy przestał się krztusić i przełknął trochę płynu, położyła go, po czym przyniosła uplecioną z sitowia skrzyneczkę, która zawierała mały tłuczek i moździerz z przezroczystego kryształu górskiego, krzemienne noże, przybory do rozniecania ognia oraz przeróżne uzdrawiające talizmany. Wyszukała kamień, który

---

[1] Skrawek materiału przy męskich pończochach lub pludrach, który w XV i XVI w. służył do osłaniania krocza; zwykle dopasowany do reszty stroju, często zdobiony (przyp. tłum.).

był, jak wierzono, obdarzony życiem, ponieważ poddano go działaniu ziół posiadających ogromną siłę witalną, następnie posmarowano krwią kolibra i tłuszczem węgorza i obtoczono w białym ptasim puchu. Kamień ten Marimi umieściła na czole przybysza. Potem na jego piersi rozłożyła naszyjnik z koralików wykonanych z kości orła i sokoła. Biały człowiek miał własny naszyjnik zrobiony z żółtej błyszczącej substancji, jakiej nie widziała nigdy przedtem, o barwie przypominającej kolor jego włosów, amulet zaś na końcu naszyjnika wyglądał jak dwa skrzyżowane i związane patyki, na których widniała maleńka postać ludzka.

Podeszła do jednego ze swych niezliczonych koszyków i wyjęła zeń garść suszonych, kwitnących pędów. Namoczywszy je we wrzątku, poczekała, aż wywar ostygnie, by obmyć nim zaognioną skórę. Mężczyzna ocknął się na chwilę i zaczął mamrotać w malignie: „ospa, ospa", usiłując odepchnąć od siebie dziewczynę. Marimi ugotowała liście i gałązki karłowatej dębiny, po czym zrobiła z nich wilgotny okład na siniaki, których nabawił się, miotany bezlitosnymi falami oceanu. Z liści przyrządziła także pokrzepiający wywar i napoiła nim chorego.

Fascynowała ją linia jego czoła. Nie biegła płasko, tak jak u niej, lecz tworzyła dwa głębokie zakola. Przywodziło jej to na myśl orła, którego dojrzała kiedyś ze wzgórza, gdy szła do jaskini Pierwszej Matki. Ogniste, złote brwi mężczyzny podkreślały jeszcze ten orli wygląd, ale gdy zdarzyło się, że raz otworzył na krótko swą pierwszą parę oczu, Marimi spostrzegła, że nie są to ślepia ptaka. Matko-księżycu! One miały barwę nieba! Czyżby tak długo wpatrywał się w niebiosa, że oczy uwięzły mu tam na zawsze?

Nie dotknęła jednak jego drugiej pary oczu, w obawie, że jest to tabu.

Od czasu do czasu Marimi karmiła go posilnym kleikiem z żołędzi i króliczego mięsa. Patrzył na nią niekiedy, lecz wzrok miał nieobecny, gdyż wciąż jeszcze nie odzyskał przytomności. Mogła go jednak karmić i poić, obmywać jego rozognione członki chłodnym ziołowym wywarem, aż wreszcie plamy zaczęły stopniowo ustępować, a oddech stał się spokojniejszy. Ona zaś już wiedziała, że nieznajomy przybysz wraca do zdrowia.

☆

Pierwszą rzeczą, jaką ujrzał po przebudzeniu, były dwie pulchne, brązowe piersi.

– Wielkie nieba! – wrzasnął, po czym popatrzył po sobie i spostrzegł, że jest całkiem nagi. – Matko Boska! – ryknął, zrywając się na równe nogi, lecz zachwiał się i złapał za skronie.

Kiedy zawrót głowy minął, a ciemność w oczach ustąpiła, zobaczył smagłą dziewczynę, która siedziała pośrodku chaty z koszykiem liści na kolanach. Nie miała na sobie nic oprócz spódniczki z plecionej trawy. Patrzyła na niego z wyrazem zaskoczenia na twarzy.

– Gdzie moje ubrania? – krzyknął, chwytając futrzany pled i owijając go sobie wokół bioder. – Gdzie moja załoga? Zaraz, zaraz… Przecież byłem umierający… – Zaczął oglądać sobie ramiona i nogi, na których pozostały już tylko resztki wysypki. – Ospa zniknęła. I nie umarłem.

Ku jego zdumieniu dziewczyna parsknęła cichym śmiechem. Zakrywając dłońmi usta, chichotała wesoło, co jeszcze bardziej go rozzłościło.

– Co jest? Brak ci piątej klepki? Na wszystkich świętych i aniołów, gdzie ja jestem?

Ruszył w stronę wyjścia i wyjrzał w półmrok świtu spowitego mgłą, której opary snuły się tuż nad ziemią, a powietrze przesycał słony zapach morza. Poprzez mgłę dojrzał zarysy okrągłych chat, takich samych jak ta, w której się znajdował, oraz ludzi kucających przy ogniskach.

Nagle poczuł, że ktoś klepie go po ramieniu, obrócił się i stanął niemal oko w oko z dziewczyną. Na Boga, ależ była wysoka! Już nie chichotała. Zaczęła natomiast dotykać tu i ówdzie jego ramion, a jej palce muskały skórę leciutko, niczym skrzydełka motyla. Bełkotała przy tym w swoim barbarzyńskim języku, próbując coś wytłumaczyć. Na migi pokazała czynność kruszenia czegoś, gotowania i polewania jego rąk i nóg.

– Co ty mi opowiadasz, dziewczyno? Że potrafisz wyleczyć ospę?
– Jego czerwonozłote brwi zbiegły się na czole. – Widzisz, dlatego właśnie wyrzucili mnie za burtę. Kiedy zapadłem na tę chorobę, kapitan i załoga byli przekonani, że zaraza wkrótce zabije wszystkich. Jestem kronikarzem i podróżuję z kapitanem Cabrillo. Zaniemogłem po naszym zawinięciu do zatoki na południe stąd, gdzie wyszliśmy na brzeg zaopatrzyć się w wodę. Gdy na mojej skórze pojawiła się wysypka, marynarze, ten zżerany syfilisem pomiot ladacznicy, wrzucili mnie do morza przy jednej z tych przeklętych wysepek, które zamieszkują tacy jak ty. Nikt się nie ulitował. Nie było pośród nich ani jednej chrześcijańskiej duszy.

Przerwał, pocierając szczękę.

– Pamiętam, jak puszczono mnie na fale – rzekł cicho po chwili milczenia – a ja odmawiałem Ojcze Nasz i zdrowaśki. Pamiętam, że widziałem, jak wciągają kotwice i odpływają, ja zaś zostałem na kawałku drewna unoszonym przez bezlitosny odpływ, coraz dalej od wysp. Ospa paliła mi skórę. Zastanawiałem się, czy człowieka może spotkać gorszy koniec. A potem... – Wzniósł oczy do góry, próbując sobie przypomnieć. – Zemdlałem z pragnienia. I nic już nie pamiętam. Aż do tej chwili.

Dziewczyna słuchała uważnie, z szeroko otwartymi oczami i cierpliwością godną zakonnicy, jakby rozumiała każde jego słowo. Oczywiście nie pojmowała nic.

– Jak tego dokonałaś, skoro nawet lekarz na statku nie mógł mi pomóc?

Udało mu się zadać to pytanie za pomocą gestów. Ruchem ręki kazała mu poczekać, a sama wybiegła z chaty. W tym czasie znalazł swoje pończochy i pludry, zdołał więc doprowadzić się do przyzwoitego stanu przynajmniej od pasa w dół, zanim dziewczyna wróciła. Niosła kamień, na którym leżała jakaś gałązka, i znowu paplała w swym niezrozumiałym narzeczu.

100

– Nic nie rozumiem – powiedział i sięgnął po gałązkę. Krzyknęła, cofając rękę. Potem ze śmiechem wyjaśniła na migi, że to właśnie ta roślina spowodowała chorobę jego skóry. Zmrużywszy oczy, zaczął przyglądać się dziwnej wiązce liści, które po trzy w kępce wyrastały w towarzystwie małych zielonkawych kwiatków. Był człowiekiem uczonym i szczycił się swą wiedzą z dziedziny botaniki. Z całą pewnością mógł stwierdzić, że gatunek ten nie występuje w Europie.

Teraz już potrafił odtworzyć przebieg wydarzeń. Z gestów dziewczyny wnioskował, że jest to miejscowa roślina, która rośnie tu w dużej obfitości, a ponieważ była przyczyną częstych chorób skóry, znaleziono na nią lekarstwo. On, jako obcy przybysz, nie znał jej działania, i musiał się o nią otrzeć, kiedy zszedł na ląd w południowej zatoce.

Dziewczyna wręczyła mu koszyk pełen długich, zdrewniałych czerwonawofioletowych łodyg o ciemnozielonych liściach i gęsto pokrytych brązowawo-żółtymi kwiatami. Natychmiast rozpoznał piołun, znany również pod nazwą *Mater herbarum* – matka ziół – który w Europie stosowano jako lek na pospolite dolegliwości, jako przyprawę kuchenną, a także sporządzano z niego napary.

– To znaczy, że miałem tylko zwyczajną wysypkę? Którą nawet dzieci i starcy potrafią wyleczyć? A ci łajdacy – wrzasnął – z o s t a w i l i   m n i e   p r z e z   t o   n a   m o r z u?!

Dziewczyna przez chwilę wyglądała na przestraszoną, lecz szybko rozpogodziła się i znów wybuchnęła śmiechem, zrozumiawszy oburzenie, wściekłość i zakłopotanie człowieka, który sądził, że umiera, a tymczasem dowiedział się, że to tylko niegroźny świąd.

– Ty nierozgarnięte dziecko... – burknął, rozglądając się po chacie w poszukiwaniu reszty swojej garderoby. – Dlaczego ze wszystkiego się śmiejesz?

Kiedy zaczął wkładać koszulę, złapała go za rękę i gwałtownie potrząsnęła głową.

– A dlaczego nie? To są moje ubrania i nie zamierzam chodzić nago, tak jak ty!

Znowu pokręciła głową. Nie mógł oprzeć się wrażeniu, że jej włosy trzepoczą niczym skrzydła kruka. Potarła dłońmi jego ramiona, a potem przesunęła nimi wzdłuż jego ciała, po czym – o zgrozo – wetknęła mu rękę pod pachę, a drugą zatkała sobie nos.

– Wielkie nieba! – oburzył się. – Uważasz, że c u c h n ę? Ależ oczywiście, kobieto, to jest zapach potu cywilizowanego człowieka. A niby po co są perfumy? Wy, dzikusy, nie znacie perfum i łazicie, zatruwając powietrze swoim smrodem.

Wyszedł za nią przed chatę i ujrzał tłum zgromadzonych tam ludzi.

– Na rany boskie! Czy wszyscy tutaj chodzą nago?

Kilka osób cofnęło się z lękiem, lecz kiedy dziewczyna wyjaśniła coś pospiesznie w swej wartkiej mowie, ludzie zaczęli się uśmiechać, a niektórzy wybuchnęli głośnym śmiechem. Powiedziała coś szybko do mężczyzny z piórami we włosach, dziko gestykulując, zupełnie inaczej niż dobrze wychowane hiszpańskie damy, którym zwykł dotrzymywać towarzystwa, aż w końcu człowiek w pióropuszu pokiwał ze zrozumieniem głową i uśmiechnąwszy się, ujął przybysza za ramię, gdzieś go prowadząc.

– Dokąd mnie ciągniesz? Mam iść do kociołka? O to wam chodzi? Chcecie mnie zjeść, dzikusy? – Zabrano go jednak tylko do długiej, niskiej chaty z trawy, gdzie panowało straszliwe gorąco, a siedzący tam nadzy mężczyźni pocili się i wdychali parę, po czym zdrapywali z siebie trujące miazmaty.

Kiedy wyszedł z łaźni oczyszczony, znacznie świeższy, w pludrach i koszuli, które także uległy przyjemnemu odkażeniu, zobaczył czekającą na niego dziewczynę.

Teraz już nieco spokojniejszy, mógł się jej uważniej przyjrzeć. Spojrzał badawczo w inteligentne oczy Indianki i uświadomiwszy sobie, co dla niego zrobiła, przybrał łagodny ton.

– Na Boga, jednak są z was istoty rozumne. Kapitan twierdził, że jesteście zwierzętami pozbawionymi rozumu. Dzięki swoim umiejętnościom i dobrej woli uratowałaś mi życie, a ja nie okazałem ci wdzięczności. Proszę przeto o wybaczenie. Byłem już u progu śmierci, a kiedy okazało się, że żyję, potrafiłem myśleć tylko o tych draniach, które wyrzuciły mnie za burtę. Jestem don Godfredo de Alvarez. Do twoich usług. – Pokłonił się. – Czy mogę ci się jakoś odwdzięczyć za przysługę?

Wpatrywała się w niego tępo.

– No cóż, ciekawie się to zapowiada, skoro nie mamy ani wspólnego języka, ani tłumacza. Jakże mam ci przekazać, że chciałbym okazać swoją wdzięczność? Ale właściwie co mógłbym ci podarować prócz własnego ubrania, które, swoją drogą, już raz ze mnie zdarłaś!

Wtedy pojął, na co ona tak patrzy i dlaczego inni zebrani pokazują go palcami, pomrukując. Okulary!

Gdy zdjął je z nosa, wśród gapiów rozszedł się cichy okrzyk zdumienia. Niektórzy nawet uciekli z przerażeniem.

– Nie, zaczekajcie… – uspokajał. – Nie ma się czego bać. – Chciał podać okulary dziewczynie, lecz ta odskoczyła zlękniona.

Włożył je z powrotem na nos.

– Nabyłem te okulary w Amsterdamie u pewnego optyka, który zażądał za nie horrendalnej sumy. Ale bez nich nie mogę wodzić piórem po pergaminie ani czytać świętych ksiąg.

Mężczyzna z piórami we włosach, który, jak przypuszczał Godfredo, był wodzem plemienia, wystąpił naprzód i wskazał dłoń przybysza, zadając jakieś pytanie. Godfredo zmarszczył czoło i dopiero po chwili zrozumiał.

– To jest pierścień ze srebra. – Zdjął go z palca, by pokazać wodzowi, lecz mężczyzna cofnął się. Godfredo powiódł wzrokiem po spódniczkach z trawy i zwierzęcych skór, koralikach z muszelek i ptasich kości, włóczniach z kamiennymi grotami. – Nie znacie metalu? – zapytał zdumiony.

Godfredo przybył z leżącej na południu Nowej Hiszpanii, gdzie podbici Aztekowie potrafili wytapiać metal i produkować tkaniny, budowali ogromne kamienne piramidy i świątynie, wytwarzali papier, żyli według skomplikowanego kalendarza, znali pismo.

Tymczasem ich bliscy sąsiedzi z północy nie mieli pojęcia o żadnym z tych nowoczesnych wynalazków. „Dlaczego – zastanawiał się Godfredo w głębokim zadziwieniu – Bóg oszczędził właśnie tym ludziom owej wiedzy? Czy to Jego łaska, czy też przekleństwo, że postanowił zachować ich w niewinności?".

Znowu popadł w zadumę, przyglądając się młodej Indiance o nagich piersiach, która nie spuszczała z niego błyszczących czarnych oczu. „Wielkie nieba – pomyślał – toż to chyba sen".

A jednak zapach morza był zbyt rzeczywisty, podobnie jak krzyki mew i gorzkie wspomnienie o wyrzuceniu go za burtę z powodu zwykłej wysypki.

– Zagarnęli cały mój majątek – złorzeczył przez zaciśnięte zęby. – Moje księgi, pergaminy, moje złoto i odświętne stroje. To, że puścili mnie na wodę w ubraniu, świadczy jedynie o zabobonnym strachu tych łotrów. Bali się, że wyrzucając za burtę nagiego człowieka, ściągną na statek nieszczęście.

Wtedy to Godfredo poprzysiągł sobie, na przenajświętszą krew Chrystusa i na Santiago, że gdy tylko przypłynie jakiś statek, wejdzie na jego pokład, wróci do Nowej Hiszpanii i dopilnuje, żeby ten Cabrillo i jego parszywa załoga pożałowali, że kiedykolwiek opuścili łona swych matek.

☆

Na plaży zgromadził się tłum, by obserwować szaleństwa obcego. Mężczyźni usiedli na piasku, zakładając się o to, co wyczynia biały człowiek – niektórzy twierdzili, że buduje chatę, inni zaś, że canoe. Dzieci chodziły za przybyszem, gdy ten przemierzał plażę tam i z powrotem, znosząc drewno i wodorosty, a potem taszczył z lasu suche gałęzie dębu. Kobiety przyniosły wiklinę i zajęły się wyplataniem koszyków, obserwując jednocześnie mężczyznę o imieniu Godfredo, który wytężał się i stękał, lecz nie ustawał w swych dziwacznych wysiłkach. Marimi także patrzyła. Ona jedna wiedziała, co robi nieznajomy. Ona jedna rozumiała jego ból. Został wypędzony przez własnych ludzi, tak jak Pierwsza Matka wiele pokoleń temu. Jakże łkać musi jego serce, jakże samotna jest jego dusza! Być odciętym od swego plemienia, od opowieści, od przodków! Pragnęła, żeby mu się udało, żeby jego ludzie spostrzegli ognisko, przypłynęli tu i zabrali go do domu.

Godfredo codziennie chodził na plażę, gdzie pracowicie wznosił stos z drewna i trawy, wciąż go doglądając i osłaniając przed wilgocią skórami oraz palmowymi liśćmi. Potem stał całymi godzinami, wypatrując żagla na horyzoncie, gotów w każdej chwili rozpalić ogień i wysyłać dymne sygnały, tak jak od wieków czynili rozbitkowie. A gdy tylko zostanie uratowany, nie omieszka się zemścić. Don Godfredo de Alvarez bowiem wcale nie czuł w sercu bólu ani cierpienia, jak sądziła Marimi, lecz dziką, niepohamowaną wściekłość i niezłomne postanowienie, by sprawić, żeby te bękarty zapłaciły za każdą godzinę, którą musiał tu spędzić, pozostawiony na łasce losu.

Tymczasem jednak nie pozostawało mu nic innego, jak żyć pośród tubylców.

Dostał własną chatę – okrągły szałas z gałęzi i trawy z dziurą w dachu, przez którą uchodził dym. W oczekiwaniu na przybycie statków, Godfredo starał się dowiedzieć o tych ludziach jak najwięcej, gdyż opuścił Hiszpanię oraz groby swojej żony i dzieci przede wszystkim po to, by poznać nowo odkryte lądy.

Za pomocą gestów i rysunków na piasku udało mu się stworzyć z Marimi podstawy komunikacji, a po pewnym czasie zaczął poznawać słowa w języku Topaa, ona zaś – hiszpańskie. Dowiedział się, że dziewczyna sprawuje kilka funkcji: jest Strażniczką Świętej Jaskini, Panią Wszystkich Ziół, Strażniczką Trucizn oraz Tą, Która Czyta w Gwiazdach, gdy przy narodzinach dziecka przepowiada przyszłość niemowlęcia i nadaje mu imię. Dowiedział się także, że nie wolno jej wyjść za mąż, ponieważ zbliżenie płciowe mogłoby osłabić jej moc, a śpiąc z mężczyzną, ściągnęłaby chorobę i śmierć nie tylko na siebie, lecz na całe plemię.

Don Godfredo uznał to za straszne marnotrawstwo.

Ludzie chętnie przyjęli go do swego grona, a mężczyźni zapraszali do udziału w grach losowych. Topaa mieli do nich niemal fanatyczny stosunek i jedną rozgrywkę potrafili toczyć całymi dniami. Godfredo szybko nauczył się odczytywać ułożenie patyków, kostek oraz wszystkiego, co gracze podrzucali, turlali po ziemi lub wyrzucali w powietrze. Poznał strategię zakładów, w których stawką były koraliki z muszelek, i przekonał się, że ci, którzy wciąż przegrywają, nie są tu dobrze widziani. Przejął też zwyczaj palenia glinianej fajki i odkrył, że lubi tytoń. Tubylcy nie znali natomiast fermentacji, nie pili więc trunków, by poprawić sobie humor. A kiedy sporządził wino z dzikich winogron i upił się hałaśliwie pewnego wieczora, Topaa odsuwali się od niego, nie chcąc przyjąć napoju, po którym opętał go zły duch, tak że od tej pory pijał w samotności. Polubił też bardzo kąpiele w łaźni i zawsze niecierpliwie czekał, aż z innymi mężczyznami usiądzie w gorącym namiocie wypełnionym dymem z wonnych gałęzi, oczyści się i wyjdzie odświeżony i pełen energii. Wolał to o wiele bardziej niż swoje coroczne kąpiele, których wręcz nie cierpiał.

Czasami jednak zwyczaje Topaa napawały go głęboką odrazą. Te kobiety z kołyszącymi się piersiami i mężczyźni, nadzy jak ich Pan Bóg stworzył! Nie mieli za grosz wstydu. Poza tym, w mniemaniu Godfreda, ich zadziwiające prawa tylko zachęcały do rozwiązłości: jeśli mężczyzna złapie swą żonę na cudzołóstwie, może się z nią rozwieść i posiąść żonę tamtego mężczyzny. Przy pełni księżyca Topaa odprawiali rytualne tańce płodności, po czym szli do swych chat, i nie było żadną tajemnicą, co tam wyczyniali. Niezamężne dziewczęta mogły sobie wybierać partnerów, a mężatki od czasu do czasu okazywały swe względy mężczyznom, którzy nie byli ich mężami. Chociaż Marimi usiłowała wyjaśnić tę zasadę wstrząśniętemu i oburzonemu Godfredowi – tłumacząc, że zbliżenie między kobietą i mężczyzną pobudza ziemię do wydawania plonów, a plemieniu zapewnia płodność, i tak naprawdę stosunek jest rzeczą świętą – on uparcie trwał przy swym przekonaniu, że ma do czynienia z niemoralną rasą.

Pewnego wieczora, gdy język, którym się porozumiewali, był już wystarczająco bogaty, Marimi opowiedziała mu historię swego plemienia aż od czasów Pierwszej Matki.

– Skąd to wszystko wiesz? – zapytał. – Nic przecież nie zapisujecie.

– Co wieczór opowiadamy naszą historię. Starsi przekazują ją młodym. Dzięki temu nasza opowieść jest wciąż żywa.

– To chyba nie jest niezawodna metoda. Historia na pewno zmienia się w trakcie każdego opowiadania.

– M u s i być niezawodna. Wierzymy w każde słowo naszej historii. Dzieci uczą się jej na pamięć od dziadków i kiedy przychodzi ich kolej, opowiadają ją w niezmienionej postaci. A w jaki sposób wy zachowujecie pamięć o przodkach?

– Mamy obrazy. Akty urodzenia. Książki.

Rozmawiali o swoich bogach. Godfredo pokazał dziewczynie krucyfiks i opowiedział o Jezusie. Ona z kolei usiłowała wyłożyć mu historię o Stwórcy Czinigcziniczu i siedmiu olbrzymach, którzy dali początek rasie ludzkiej. Opowiedziała mu także o matce--księżycu, do której modlili się Topaa, a Godfredo uznał tę historię za bardzo naiwną, bo przecież każdy wie, że Księżyc jest po prostu ciałem niebieskim, które krąży wokół Ziemi, podobnie jak Słońce i wszystkie planety.

Kiedy zaczął spożywać posiłki wraz z członkami plemienia, spostrzegł, że Indianie przyglądają mu się z niekłamaną dezaprobatą. Don Godfredo pierwszy był gotów przyznać, że jest wielkim smakoszem. Zawsze mlaskał i siorbał, łapczywie rzucając się na jedzenie i picie, oraz bezceremonialnie puszczał wiatry. Najwyraźniej jednak według tych ludzi demonstrowanie dobrego apetytu było w złym tonie. Co wieczór, zasiadając do kolacji – papki z żołędzi, gotowanego królika lub zupy z małży – tęsknie rozmyślał o prawdziwych ucztach w domu: kuropatwach i bażantach, kiełbasach i bekonie, konfiturze z pigwy, florenckim serze i marcepanach ze Sieny. Boleśnie doskwierał mu brak wołowiny, baraniny, wieprzowiny, drobiu, gołębi, koźliny i jagnięciny, biszkoptów i chleba, pierogów z mięsem i ciast, kandyzowanych owoców i migdałów w cukrze, grzybów i czosnku, goździków i oliwek. Zamykał oczy i oddawał się marzeniom o serze, jajkach, mleku i maśle. Któż by przypuszczał, że człowiekowi tak bardzo może brakować najprostszej strawy? Przypominał sobie zacięte, choć przyjemne spory, które toczono przy kolacji na temat znakomitych walorów poszczególnych serów – brie, gruyere'a, parmezanu. Chciał roztoczyć przed wodzem plemienia uroki smakowitego roqueforta czy ostrego szwajcarskiego sera. Lecz tamten nic nie rozumiał. Topaa nie wykorzystywali mleka zwierząt. Byli wspaniałymi rybakami i ryb było zawsze w bród – jak jednak wiadomo, każdy cywilizowany człowiek do ryby dodaje dobry sos. Nade wszystko zaś don Godfredo marzył o gąsiorku wybornego wina z Bordeaux.

W chwilach, kiedy nie jadł, nie spał albo nie uprawiał hazardu, Godfredo wciąż czuwał na plaży, zawsze o świcie i o zmroku. Czy było słonecznie czy deszczowo, mglisto czy wietrznie, na wydmach co dzień pojawiała się jego samotna postać, czasem otoczona grupką dzieci, wciąż jeszcze zafascynowanych obecnością przybysza. Mówił wtedy do siebie w swoim obcym języku, przystawał na chwilę i mrużąc oczy, wypatrywał czegoś na morzu. Gdyby Topaa rozumieli jego mowę, dowiedzieliby się, że don Godfredo jest człowiekiem uczonym i tęskni do swych ksiąg, przyrządów do liczenia, alchemicznych fiolek i menzurek, wzdycha do swego astrolabium, kwadrantu i map, do chronometrów, klepsydr i zegarów słonecznych, do gęsich piór i pergaminów, do atramentu, listów i słów. Dowiedzieliby się także, iż don Godfredo, jako człowiek zamożny, ceni sobie wszelkie wygody, i z tkliwością wspomina teraz pałace i krzesła, zastawę stołową i chusteczki do nosa, puchową pościel i ogień na kominku. Brakowało mu także polityki i intryg dworskich oraz wiedzy o tym, kto jest w łaskach, a kto z nich wypadł. Umysł jego marzył o intelektualnej dyskusji. I tak bardzo tęsknił za swym koniem! Do wszystkich tych rzeczy, które niegdyś uważał za oczywiste, trawiła go tęsknota tak dojmująca, że odczuwał niemal fizyczny ból!

Pewnego poranka, gdy w powietrzu unosiła się szara mgła, mewy milczały i nawet canoe rybaków nie unosiły się na falach, don Godfredo stał żałośnie na brzegu, odziany w ciężkie od wilgoci ubranie. Wtedy to przypomniał sobie powieść *Sergas de Esplandian*, którą ostatnio zaczytywano się w Hiszpanii. Była to historia rycerza o imieniu Esplandian, dowódcy obrony oblężonego przez pogan Konstantynopola. Pośród najeźdźców pojawiła się królowa z odległej baśniowej wyspy, leżącej „po prawej stronie Indii, tuż obok ziemskiego raju". Wyspę tę zamieszkiwały kobiety o hebanowej skórze, posługujące się bronią ze szczerego złota; w górach zaś żyły legendarne gryfy. Opowieść mówiła, że kiedy gryfy są małe, Amazonki łapią je i karmią urodzonymi przez siebie niemowlętami płci męskiej oraz ciałami mężczyzn, których wzięły do niewoli. Na dalszych stronach powieści królowa nawraca się na chrześcijaństwo, nabiera szacunku do mężczyzn, poślubia kuzyna Esplandiana i zabiera go na swą cudowną wyspę.

Każdy, kto przeczytał książkę lub słyszał ową opowieść i wiedział, że jest to fikcja, zastanawiał się jednak, czy też baśniowa wyspa istnieje naprawdę. Gdy więc Cabrillo wypływał z Meksyku, by zbadać północne wybrzeże, oczekiwał wraz ze swą załogą, że znajdzie krainę, gdzie jedynym metalem, jak mówiła książka, jest złoto. Ale gdy żeglarze po zawinięciu do zatoki przekonali się, jak proste życie wiodą tubylcy i że nie ma tam żadnego złota, pięknych Amazonek ani baśniowych gryfów, poczuli się gorzko zawiedzeni i zadrwili sobie z tego miejsca, nadając mu nazwę owej legendarnej wyspy – Kalifornii.

Wspominając to wszystko, don Godfredo zasępił się, nagle uświadomiwszy sobie pewną prawdę. Ludzie ci nie posiadali nic, co przedstawiałoby wartość dla korony hiszpańskiej. Mogą minąć lata, zanim przypłynie tu jakiś statek! A choć tutejsze dzikusy są w stanie wyżywić jego ciało, nie dadzą mu strawy dla ducha! Jego dusza zmarnieje i umrze, a on postrada zmysły!

Owładnięty nowym uczuciem rozpaczy, spojrzał na plażę i zobaczył, że obserwuje go odziana w focze skóry Marimi, a w jej ciemnych oczach czai się smutek. Jakże ma jej wytłumaczyć to piekło, które zgotowali mu jego towarzysze, oraz to, że człowiek potrzebuje zajęcia i że on wkrótce oszaleje, jeśli będzie wciąż tylko jadł, uprawiał hazard i palił fajkę?

– Jestem uczonym człowiekiem! – krzyknął na wiatr. – Posiadam umysł i ciekawość świata! A pozostawiono mnie, bym tutaj gnił!

Marimi podeszła do mężczyzny i ujęła jego dłonie, odwracając je wnętrzem do góry. Powiedziała coś, lecz mógł tylko potrząsnąć głową na znak, że nie rozumie.

Wtedy pokazała palcem canoe na plaży, harpuny i sieci rybackie. Wymieniła znane mu już imiona niektórych rybaków. Wskazała chatę człowieka, który wytwarzał krzemienne noże, a potem szałas starej kobiety, zajmującej się robieniem koralików z muszelek. Podniosła dłonie Godfreda do jego twarzy i zadała jakieś pytanie.

– Pytasz, czym się zajmuję? O to ci chodzi?

Od kilku tygodni usiłował objaśnić dziewczynie istotę swego zawodu, jakże jednak wytłumaczyć komuś, kto nie zna pojęcia alfabetu i pisma, czym jest praca kronikarza?

Raptem go olśniło.

– Na rany Chrystusa! Już wiem, co chcesz mi powiedzieć! Przecież po to wypłynąłem w morze! Żeby opisać wyprawy i odkrycia podróżników! A tymczasem co robię? Siedzę na tyłku i czekam, aż ktoś mnie uratuje!

Gotów tu i teraz ucałować dziewczynę, był już tego bardzo bliski, gdy z jej spojrzenia wyczytał, że zrozumiała jego zamiar. Cofnęła się szybko, by nie mógł jej dosięgnąć.

Posępny nastrój wnet ustąpił radosnemu podnieceniu z chwilą, gdy Godfredo zabrał się do dzieła, wymieniając swój wytworny aksamitny kapelusz na garść piór z pióropusza wodza, z których zamierzał sporządzić przybory do pisania. Kiedy jeden z myśliwych upolował w górach jelenia, Godfredo przehandlował z kolei watowany kaftan za skórę zwierzęcia. Potem plemię przez jakiś czas raczyło się dziczyzną i obserwowało, jak przybysz całymi dniami oprawia skórę, drapie ją, rozciąga, pociera kredą i pumeksem, aby otrzymać coś, co nazwał pergaminem. W końcu, z płynu kałamarnicy, sporządził atrament.

Wreszcie mógł przystąpić do pisania swej kroniki. Najpierw jednak musiał określić, gdzie się znajduje.

Kiedy Hiszpanie, płynąc na północ, ujrzeli tę równinę, nazwali ją Doliną Dymu. Powodem nie były jedynie ogniska tubylców gęsto rozsiane na równinie, lecz także celowo wywołane pożary lasu. Indianie mieli zwyczaj nieustannie wypalać zarośla, co, jak wyjaśniła Marimi, wspomagało porost nowej roślinności, zapobiegając także wielkim, niszczycielskim pożarom. Godfredo był świadkiem jednej z takich katastrof, gdy ogień szalał przez wiele dni, ponieważ warstwa starej ściółki stała się zbyt gruba i wysuszona. Indianie wiedzieli, że aby uniknąć ogromnych pożarów, trzeba co jakiś czas zaprószać ogień. Ponieważ dolinę otaczały łańcuchy górskie, które zatrzymywały dym, skutek był taki, że niemal bez przerwy wypełniały ją siwe kłęby; bywały nawet dni, że szczyty gór niknęły pośród brunatnych oparów.

Godfredo postanowił narysować mapę.

Marimi została jego przewodniczką. Dziewczyna szła zawsze przodem, a jej bujne biodra kołysały się przed jego oczami i co pewien czas spod spódniczki z trawy błyskał fragment gładkiego brązowego uda. Na szczytach wzgórz zatrzymywała się i pokazywała palcem różne miejsca, podając ich nazwy. Na północ od gór Topaangna mieszkali Czumasze, którzy nazywali swą wioskę Maliwu. Godfredo przekręcił tę nazwę na Malibu, co bardzo rozśmieszyło Marimi. Topaa i Czumasze byli wrogami i nie utrzymywali żadnych kontaktów, a granicę między nimi stanowił potok

Maliwu. Plemiona mówiły różnymi językami, co początkowo zdziwiło Godfreda. „Przecież oddzielają ich tylko góry" – pomyślał. Po chwili jednak przypomniał sobie, że Francuzów też tylko góry oddzielają od Hiszpanii. Marimi pokazała mu także inne osady: Kawengna i Simi. Kiedy znaleźli się po drugiej stronie gór, Godfredo ujrzał dolinę porośniętą dębami. Nie miała imienia, więc nazwał ją Los Encinos[1].

Podczas wędrówki, kiedy mijali wioski Topaa, a potem osady innych plemion, Godfredo stwierdził, że w społecznościach tych nie istnieje klasa wojowników. Włócznie i strzały wydawały się przeznaczone wyłącznie do polowania, nie zaś do walki. Marimi powiedziała, że plemiona toczą między sobą jedynie drobne spory, które są zazwyczaj szybko zażegnywane. Wyglądało więc na to, że mieszkańcy Doliny Dymu są spokojni i nastawieni pokojowo, w przeciwieństwie do zaawansowanych cywilizacyjnie Azteków, którzy, zanim zostali podbici, byli ludem wojowniczym i żądnym krwi. Godfredo pomyślał wówczas o dziejach własnej, europejskiej rasy, która historię swoją także zapisywała krwawymi zgłoskami. Czyżby wiedza rodziła agresję?

Zauważył też, że dziewczyna traktuje ziemię z wielkim ceremoniałem. Do wszystkiego podchodziła z szacunkiem, odprawiając odpowiedni rytuał. Zerwanie owocu z drzewa czy nabranie wody ze źródła było poprzedzane prostym obrządkiem w formie prośby lub podziękowania. Godfredo widział, jak Indianie przepraszają zabijane zwierzęta. „Duchu tego królika – mówili – wybacz mi, że zjadam twoje mięso. Pozwól, byśmy wspólnie zamknęli cykl życia, którym obdarzył nas Stwórca Wszystkich Rzeczy". Marimi wyjaśniła, że – w myśl ich wierzeń – zwierzyna chętnie poddaje się myśliwemu, jeśli ludzie okazują jej odpowiedni szacunek.

Ich wyprawa krajoznawcza trwała krótko, ponieważ Marimi nie chciała oddalać się zbytnio od swego plemienia, a Godfredo od

---

[1] *La encina* (hiszp.) – dąb.

oceanu. Wrócił więc i sporządził mapę, a następnie na dobre zabrał się do spisywania kroniki, o której, jak sobie wyobrażał, po jego powrocie miała mówić cała Hiszpania, a nawet Europa. U góry pergaminu umieścił napis: „Tu się rozpoczyna kronika, w której moje dzieje pośród dzikich Indian Kalifornii spisuję". Przystąpił do dzieła ze śmiertelną powagą człowieka, który tak jest pochłonięty swą pracą, że żadna inna myśl nie ma do niego przystępu. Godfredo robił to w nadziei, że uda mu się uniknąć losu gorszego niż dryfowanie na kawałku drewna po otwartym morzu: zaczynał bowiem pożądać dziewczyny, która ślubowała czystość.

☆

Chciał zacząć od nauki, lecz niczego takiego tu właściwie nie było, wybrał więc medycynę, jako dziedzinę najbardziej do niej zbliżoną. Opisywał tylko te rytuały i metody leczenia, którym Marimi pozwalała mu się przyglądać. Na bóle przy ząbkowaniu przykładała do dziąseł niemowlęcia suszone i ugotowane płatki dzikiej róży. W przypadku żółtaczki gotowała zupę z żołędzi i gdy wywar wrzał na rozgrzanych kamieniach, rozczesywała nad nim włosy, upuszczając do kociołka wszy. Godfredo był pełen podziwu, ponieważ remedium to stosowano powszechnie w Hiszpanii, gdzie wszyscy wiedzieli, że woda z dodatkiem wszy stanowi najskuteczniejszy lek na dolegliwości wątrobowe.

Bywał też świadkiem zabiegów, które nie miały tak jednoznacznego i naukowego uzasadnienia – w przypadkach, gdy zioła i inne leki nie skutkowały, konieczne stawało się zastosowanie czarów. Godfredo zdawał sobie sprawę, że to nie „moc" orlego pióra, kła kojota czy skóry grzechotnika ma działanie lecznicze, ale połączone siły wiary osoby chorej oraz uzdrowicielki, a także wiara szamanki we własną moc. Oboje z pacjentem wierzyli, że jest ona w stanie go wyleczyć, i to siła woli chorego bywała przyczyną uzdrowienia. Godfredo niemal zazdrościł im tego systemu. Gdyby tylko taka wiara możliwa była w Europie, gdzie większość lekarzy to zwykli szarlatani! Jeśli nie wola pacjenta, to wiara całego klanu miała lecznicze działanie, o czym Godfredo przekonał się, będąc świadkiem cudu, gdy pewnego dnia na brzeg wyniesiono rannego łowcę fok. Mężczyzna został przebity włócznią i rana jątrzyła się, wywołując wysoką gorączkę. Marimi rozpaliła rytualne ognisko przy umierającym, a jego pierwsza rodzina otoczyła go ciasnym kręgiem, za którym ustawili się członkowie drugiej rodziny, złożonej z kuzynów, wujów i ciotek. Potrząsając grzechotkami na cztery strony świata, Marimi wzywała pomocy duchów. Odśpiewawszy pieśń do księżyca, na ciele mężczyzny rozsypała sproszkowane wodorosty, a na jego rozpalonej skórze, za pomocą foczego tłuszczu i różnych barwników, nakreśliła magiczne symbole. Potem wzięła do ręki kamień, na którym wyryto wizerunki stonóg. Uniosła go do księżyca, skierowała na cztery strony świata, po czym polała go gorącą smołą, zamazując w ten sposób obrazki i „zabijając" stonogi, które symbolizują śmierć. Mężczyzna natychmiast zaczął swobodniej oddychać, gorączka ustąpiła z jego czoła, a po kilku pieśniach odśpiewanych przez rodzinę otworzył oczy i poprosił o wodę.

Godfredo widział w tym czary, podczas gdy Marimi twierdziła, że to po prostu działanie duchów. To zaś, co Marimi uważała za czary, dla Godfreda miało wytłumaczenie naukowe. Kiedy wreszcie skłonił ją, by założyła jego okulary, zaczęła krzyczeć, że są zaczarowane, ponieważ widać przez nie inny świat. Próbował objaśnić jej właściwości szkła i soczewek, lecz nie chciała go słuchać, zwłaszcza wtedy, gdy zademonstrował, że potrafi rozpalić ogień, wystawiając jedynie okulary na słońce, bez konieczności wwiercania patyka w kawałek drewna.

Opisywał też religijne zwyczaje tubylców. Podczas zimowego przesilenia Topaa zgromadzili się w świętym kanionie, gdzie całe plemię czekało, aż Marimi wyjdzie z groty. Kiedy się wreszcie pojawiła, trzy razy puknęła kamieniem w swą rytualną laskę, po czym uniosła ją do nieba i „przeciągnęła" słońce na północ, co oznaczało, że zima dobiegła końca, a słońce rozpoczęło powrotną

wędrówkę. Wtedy wszyscy zaczęli wznosić okrzyki radości, a Godfredo uwiecznił owo wydarzenie w swej księdze.

Interesowały go również obyczaje społeczne. Pewnego dnia przy-
patrywał się, jak Marimi gotuje w koszyku papkę z żołędzi, wrzuca-
jąc do rozwodnionej mączki rozgrzane kamienie i mieszając energicznie, żeby zapobiec spaleniu koszyka.

– Dlaczego nie użyjesz garnka? – zapytał.

Spojrzała na niego, nie rozumiejąc, i wtedy zdał sobie sprawę, że
nie widział w wiosce żadnych wyrobów ceramicznych. Marimi
wyjaśniła, że z wyjątkiem kilku naczyń, które dostali od ludzi
z wysp w zamian za smołę, Topaa nie posiadają przedmiotów
z gliny. Do wszystkiego zaś służą im koszyki: do gotowania
posiłków, przechowywania nasion i noszenia wody.

Don Godfredo zanotował w swej kronice, że starzy ludzie z plemienia Topaa mają zęby starte aż do dziąseł – nie połamane czy
zepsute, lecz właśnie starte. Przyczynę poznał już po kilku pierwszych posiłkach: w papce z żołędzi zgrzytały ziarnka piasku i kamienny pył, który dostawał się do nasion podczas mielenia, a je-
dzone na surowo korzonki i bulwy oblepione były ziemią.

Godfredo zapisał też, że Topaa nie znają żadnych zbóż. Na
małych poletkach rósł tytoń, który był jedyną rośliną tutaj upra-
wianą. Tytoń zbierano, suszono na rozgrzanych kamieniach i ubijano w małych moździerzach, by potem napełniać nim fajki.

Najwięcej jednak miejsca w swej kronice poświęcał Marimi,
która stawała się coraz droższa jego sercu. Obserwował, jak spełnia
swoje obowiązki wobec bogów i uczestniczy w życiu plemienia,
słuchał jej śmiechu i podziwiał żywą inteligencję dziewczyny, a co
miesiąc był świadkiem tajemniczego rytuału, gdy na pięć dni
udawała się do małej chatki na skraju wioski, gdzie przebywała
w samotności, nie rozmawiając z nikim i nikogo nie widując,
a pożywienie i wodę przyjmowała od kobiet z rodziny. Godfredo
dowiedział się, że jest to zwyczaj wszystkich miesiączkujących
dziewcząt i kobiet w plemieniu, krew menstruacyjna bowiem kryje

w sobie niezwykle potężną moc księżyca, którą należy okiełznać. Gdyby podczas tych dni kobieta przemówiła do któregoś ze współplemieńców, dotknęła jego pożywienia czy przeszła po jego cieniu, sprowadziłaby na niego chorobę i śmierć. Uważano, że w tym czasie kobiety są bardziej podatne na choroby, nie wolno im więc było myć włosów, jeść mięsa, zbyt ciężko pracować ani spać z mężami.

Nadszedł wreszcie dzień, gdy Godfredo nie potrafił już dłużej milczeć o tym, co tak boleśnie ciążyło mu na sercu. Zapytał Marimi, co by się stało, gdyby współżyła z mężczyzną.

– Zachorowałabym i umarła, a ze mną całe plemię.

– A mężczyzna?

– Plemię skazałoby go na śmierć.

☆

Obudziły go odgłosy krzątaniny i zapach dymu.

Wyjrzał na zewnątrz i zobaczył, że w osadzie panuje wzmożony ruch, a ludzie napełniają kosze rybami i wiążą w tobołki skóry wydr. Podpalali też swoje chaty. Marimi wyjaśniła, że są to przygotowania do corocznej podróży w głąb lądu, podczas której Topaa handlują z innymi plemionami. Przed wyruszeniem w drogę palą stare domostwa, by po powrocie zbudować nowe, na świeżym podłożu.

Na widok mężczyzn przenoszących duże ciężary w koszach, które potem przytraczali sobie do pleców, mocując za pomocą pasów przełożonych przez czoło, Godfredo postanowił, że nauczy ich budować wózki na kołach. Kiedy szli na wschód, jak zwykli wieśniacy, zastanawiał się, czy w okolicy żyją konie albo osły, lub też jakiekolwiek zwierzęta, które można udomowić i wykorzystać jako siłę pociągową. Podróż trwała dwa dni i przez ten czas Godfredo pozwolił swobodnie płynąć swym myślom.

Od chwili, gdy zamieszkał u Topaa, zdążyły mu już urosnąć długie włosy. Nie miał ich czym obcinać, gdyż Indianie nie mieli nożyczek, brzytew ani grzebieni. Ich krzemienne noże nadawały się tylko do cięcia gałęzi. Broda także zaczęła wymykać się spod

116

kontroli, nauczył się więc codziennie golić twarz zaostrzonymi skorupami małży. Teraz zaś, wędrując na wschód, wyobrażał sobie, że nauczy Topaa wydobywać z ziemi metal i wyrabiać z niego pożyteczne przedmioty, takie jak noże, brzytwy i kociołki.

Wiele obrazów podsuwała mu wyobraźnia, gdy tak podążali pradawnym zwierzęcym szlakiem: nieprzebrana masa ludzi idących pieszo, a pośród nich ani jednego zwierzęcia. Mieszkańcy mijanych po drodze osad także opuszczali swe domostwa, by dołączyć do wielkiego zgromadzenia. W końcu zawędrowali na wschód dalej, niż kiedykolwiek zapuścił się Godfredo – około dwudziestu pięciu kilometrów w głąb lądu – i choć okazało się, że zwyczaje panują tu podobne, to języki były tak samo zróżnicowane jak w Europie. Marimi objaśniła, że szlak, którym podążają, pokrywa się z drogą, jaką przebyła Pierwsza Matka, gdy wiele pokoleń temu pojawiła się na tej równinie. Wierzono, że szlak ten istnieje od zarania dziejów.

Wreszcie dotarli do celu – ogromnego obozowiska złożonego z chat wzniesionych na płaskim terenie przez licznie przybyłe plemiona. Marimi poinformowała Godfreda, że tutaj właśnie zaopatrują się w substancję, która służy do impregnacji canoe i koszy na wodę. – *La brea* – powiedział, tak bowiem po hiszpańsku nazywa się czarna smoła[1] bulgocząca w bajorach rozsianych po obozowisku.

Marimi objaśniła mu, że przyszli tu po to, by handlować z plemionami ze wschodu, które przywędrowały aż z wioski Cucamonga, a nawet z dalszych stron. Widząc, że pradawny szlak ciągnie się dalej na wschód, Godfredo zapytał, dokąd on prowadzi.

– Yang-na – odparła i za pomocą gestów dała mu do zrozumienia, że nigdy tam nie była.

A zatem Marimi nigdy nie zapuściła się poza te złoża smoły.

– Nie chciałabyś dowiedzieć się, co leży dalej? – pytał, gdy budowali szałasy z gałęzi, które przynieśli ze sobą.

---

[1] Bajora te powstają, gdy ropa z głębi ziemi przesącza się przez szczeliny na powierzchnię; składniki ropy mniejszej gęstości parują, pozostawiając stożkowate złoża mazistej, czarnej substancji (przyp. tłum.).

– Po co?

– Żeby zobaczyć, co tam jest.

Podniosła na niego wzrok.

– Po co? – powtórzyła.

Don Godfredo, który przebył tysiące kilometrów, by dotrzeć w te strony, dopiero teraz odkrył ze zdumieniem, że ta dziewczyna nie ma pojęcia o ogromie świata, nie jest świadoma, że żyje na globie, który wiruje w przestrzeni kosmicznej, że daleko, w leżącej za wodą krainie, wzniesione ręką człowieka katedry przeszywają niebo strzelistymi wieżami. Te żałosne sadzawki z cuchnącą smołą stanowiły wschodni kraniec jej świata. Od północy ogradzały go porośnięte świętymi dębami góry, których ona nigdy nie przekroczyła, na zachodzie zaś i południu rozciągał się ocean, na którym według niej opierało się niebo!

Zapragnął wykrzyczeć, że przecież od pięćdziesięciu lat wiadomo, iż Ziemia nie jest płaska. I z pewnością nie ma rozmiarów patelni, tak jak jej ograniczony świat, lecz jest rozległa, przerażająca i pełna budzących grozę dziwów. Usiłował jej o tym opowiedzieć, kreślił rysunki na ziemi, gestami próbował oddać wrażenie ogromu, lecz wszystko nadaremnie. Marimi śmiała się tylko, przyznając, że to bardzo ładna legenda.

W tej chwili Godfredo wiedział już, co ma zrobić. Podczas gdy współplemieńcy Marimi zajmowali się wymianą żołędzi, łupków, foczych skór i futra wydr na wypalane z gliny naczynia, nasiona jadłoszynu i jelenie skóry, grzechocząc przy tym naszyjnikami z muszelek, które stanowiły powszechny środek płatniczy, Godfredo obmyślił tajemny plan. Kiedy wrócą tu hiszpańskie statki, a był pewien, że prędzej czy później musi to nastąpić, zabierze ze sobą dziewczynę i pokaże jej wspaniałości swego świata. Pragnął, by mogła rozkoszować się dotykiem jedwabiu i pereł na swej brązowej skórze, podziwiać wyniosłe budowle wzniesione przez człowieka, dzieła sztuki, pachnidła, gobeliny, srebrne i złote zastawy, zamierzał zabierać ją na konne przejażdżki i zadziwić cudami, o jakich jej prymitywny umysł nie był w stanie stworzyć sobie najskromniejszego nawet pojęcia.

Tego wieczora patrzył na nią, gdy siedziała pochylona nad żarnem, a jej piersi kołysały się kusząco. Marimi pomalowała ciało czerwoną ochrą, nadając swej skórze delikatny połysk, który podkreślał urocze zagłębienia i wypukłości bujnych kształtów. Widok ten wzbudzał w nim coraz większą żądzę. Co w tym dzikim stworzeniu tak bardzo go oczarowało? Po pierwsze, uratowała mu życie. Gdy wiele miesięcy temu morze wyrzuciło go na brzeg, nikt nie chciał go dotknąć. Jedynie Marimi zdobyła się na odwagę. Ale nie tylko to stanowiło o uroku dziewczyny. Może jego źródłem była jej życzliwość w obejściu z ludźmi. W swoim kraju także spotykał kobiety o podobnym statusie – wpływowe zakonnice, zamożne damy o potężnych koneksjach – rzadko jednak bywały one wielkoduszne i często nadużywały swych przywilejów oraz pozycji społecznej.

Była w niej też jakaś bezbronność. Na przykład te dziwne ataki, które miewała co pewien czas. Przypadłość mogła dopaść ją wszędzie i w każdej chwili, a gdy Godfredo po raz pierwszy był świadkiem takiego ataku, przestraszył się nie na żarty. Krzyknęła z bólu i padła na ziemię. Mężczyźni wówczas odsunęli się, a kobiety wzięły Marimi na ręce i zaniosły do jej chaty. Godfredo stanął w wejściu i patrzył, jak dziewczyna miota głową na boki w bezgłośnej męczarni. Następnie zapadła w głęboki sen, podczas którego miała wizje. Kobiety powiedziały mu, że jest to święta choroba, która pozwala Marimi porozumiewać się z bogami. W Hiszpanii również widywał takich ludzi – świętych mnichów i zakonnice. Byli to jednak chrześcijanie, którzy rozmawiali ze świętymi, a przecież Marimi to poganka.

I wreszcie jej samotność. Mimo że była nieodłączną częścią plemienia i centralną postacią w większości obrzędów religijnych, żyła sama, oddzielona od współplemieńców. Wieczorami Godfredo słyszał dobiegające z innych chat śmiechy, dźwięki piszczałek, postukiwania patyków używanych w grach hazardowych, wesołe głosy mężczyzn oddających się zaciętej rywalizacji, chichot kobiet, piski dzieci. W chacie Marimi zawsze panowała cisza. Jej osamotnienie przypominało mu własną samotność, która przepełniała jego serce, gdy odpływał, pozostawiwszy w Hiszpanii trzy groby po tym, jak szalejąca w mieście febra zabrała mu żonę i dwóch synów.

– Och, dziewczę – wołał w cichej udręce – azali nie widzisz, jakim ogniem do ciebie płonę?

☆

Gdy nadszedł ostatni wieczór obozowania przy złożach smoły, Godfredo wreszcie zdobył się na odwagę i wyznał Marimi, co mu leży na sercu. Opowiedział o wspaniałościach swego świata i o tym, jak bardzo chciałby zabrać ją ze sobą i wszystko jej pokazać. Ku jego zdumieniu dziewczyna zaczęła gorzko szlochać i wyznała, że jej serce też tęskni do niego. Niczego bardziej nie pragnęła, niż zostać jego żoną i pójść za nim, lecz było to niemożliwe. Została przeznaczona do służby swemu ludowi i musi dochować przysięgi czystości.

To niespodziewane wyznanie wstrząsnęło Godfredem do głębi. Pożądając ciała dziewczyny, ani przez minutę nie zastanawiał się, jakie mogą być jej uczucia. To, że i ona o nim myśli, nie przyszło mu nawet do głowy. Teraz zaś poczuł, że płomień żądzy strawi go za chwilę, a potem buchnie aż do gwiazd.

– Nie zniosę rozłąki z tobą – krzyknął – ale gdy zostanę, także nie będę mógł cię mieć! Marimi, jeśli odejdziesz ze mną, reguły, które nakazują ci zachowywać celibat, przestaną obowiązywać. Będziemy mogli się pobrać.

Ze łzami w oczach odparła, że nie może odejść, a jemu nie wolno więcej mówić o swym pożądaniu, naruszy bowiem tabu i sprowadzi nieszczęście na całe plemię.

Tej nocy Godfredo – targany niepokojem – nie mógł uleżeć na swej macie, wybiegł więc w przesycone przykrą wonią nocne powietrze i zaczął przemierzać brzeg cuchnącego bajora smoły, nie

120

zwracając uwagi na kilku także cierpiących na bezsenność Indian, którzy obserwowali jego poczynania. Chodził tam i z powrotem, gestykulując i wykrzykując coś od czasu do czasu w języku, którego nie rozumiał żaden spośród jego przypadkowych słuchaczy. Ludzie z plemion Cahuilla, Mohave, z pobliskich puebli oraz jeszcze dalszych stron doglądali swych ognisk, obserwując udręczonego białego człowieka, który zmagał się z demonami.

Wtedy wpadł na pewien pomysł: wprowadzi wszystkich Topaa w tajniki nowoczesnego świata. Jeśli nauczy ich wytwarzać papier i wydobywać metal, wykorzystywać koło i zwierzęta pociągowe, budować domy z kamienia i żyć według zegara, otworzą się oczy Marimi, która wreszcie zrozumie, w jakiej ciemnocie do tej pory tkwiła, i z całego serca zapragnie odejść z nim na zawsze.

☆

Plan się nie powiódł.

Wprawdzie początkowo każdy nowy projekt przyciągał zaciekawionych obserwatorów, szybko jednak powszedniał i ludzie rozchodzili się, straciwszy zainteresowanie. Don Godfredo zdołał zrobić kilka świec, które wzbudziły zachwyt wśród Topaa, lecz gdy wypaliły się, współplemieńcy Marimi nie mieli ochoty sporządzić nowych. Kiedy wyprodukował prymitywne mydło, bardzo chętnie namydlili się w zatoczce, ale z chwilą gdy się skończyło, ich zapał również ostygł. Założył ogródek, w którym posiał słoneczniki, i wytłumaczył Indianom, że mogą mieć z nich nasiona na cały rok. Niestety kwiaty zwiędły na skutek zaniedbania, a wraz z nimi przygasło zainteresowanie Topaa. Dlaczego mieliby się zmieniać, pytali Godfreda, skoro żyją w zgodzie ze zwyczajami niezmienianymi od zarania dziejów i zawsze wychodzi im to na dobre? Usiłował tłumaczyć, że zmiana oznacza postęp. Z rozdrażnieniem jednak stwierdził, że pojęcie to jest dla nich całkowicie niezrozumiałe.

Udał się więc do chaty Marimi i ponownie zapytał ją, czy może uwolnić się od złożonych ślubów.

121

– Czy w twoim kraju są kobiety, które siebie i swoje dziewictwo poświęcają bogom? – chciała wiedzieć dziewczyna.

– Tak, siostry zakonne.

– A gdybyś zapragnął którejś z nich, czy próbowałbyś ją przekonać, by złamała swe śluby?

Chwycił ją za ramiona.

– Marimi, celibat to prawo ludzkie, nie boskie!

– Czy rozmawiasz ze swoim bogiem?

Opuścił ręce.

– Nawet w niego nie wierzę.

Sięgnęła po złoty krucyfiks, który nosił na szyi.

– A ten człowiek, Jezus... – Wierzysz w niego?

– Jezus jest mitem. Bóg jest mitem.

Marimi patrzyła na niego przez długą, bolesną chwilę, a jej czarne oczy wypełniły się smutkiem. Nie było już wątpliwości, jaka to choroba toczy zacną duszę Godfreda: ten człowiek potrzebował czegoś, w co mógłby wierzyć.

☆

Podróż pradawnym zwierzęcym szlakiem z obozowiska do kanionu Topaangna trwała dwa dni.

Znalazłszy się w górach, Godfredo i Marimi podążali dalej poprzez gęste zarośla karłowatej dębiny i dzikiego bzu. Kiedy wyszli na niewielką polanę, ujrzeli samicę kojota, która wykonywała szalony taniec: przywierała do ziemi z uniesionym pyskiem, po czym rzucała się nagle w górę i na boki, kłapiąc szczęką, a potem opadała na ziemię, by dziko rozkopywać piach i po chwili zacząć swój taniec od nowa. Godfredo odsunął się w obawie, że napotkali wściekłego psa. Ale Marimi ze śmiechem wyjaśniła mu, że kojot po prostu poluje na chrząszcze. Jej ludzie nazywali to zwierzę Oszustem, miało bowiem zwyczaj kłaść się i udawać padlinę, aż zwabiony tym widokiem sęp podlatywał na tyle blisko, by kojot mógł go schwycić i pożreć.

Gdy dotarli do leżącej w niedużym wąwozie jaskini, Marimi przystanęła.

– Nikt oprócz mnie i innych szamanów nie ma prawa wchodzić do tej groty. Dotyczy to wszystkich Topaa oraz innych plemion. Z tobą, Godfredo, jest jednak inaczej, twoi przodkowie zamieszkują odległą krainę. Ty zaś, posiadając okulary, dzięki którym widzisz więcej niż inni i w cudowny sposób potrafisz krzesać ogień, na pewno w swoich stronach też jesteś szamanem. Nie naruszysz zatem tabu, wchodząc do tego świętego miejsca.

Gdy znaleźli się we wnętrzu groty, zniżyła głos do pełnego czci szeptu.

– Tutaj śpi nasza Pierwsza Matka.

Godfredo spostrzegł, że grobowiec jest niezwykle stary: mógł mieć nawet ponad tysiąc lat. Marimi złożyła na nim kwiaty.

– Zawsze przynosimy Pierwszej Matce jakiś podarunek.

Potem pokazała mu malowidło na ścianie i opowiedziała historię pierwszej Marimi.

– Mówię ci o tym, Godfredo, ponieważ masz pustkę w tym miejscu. – Położyła dłoń na jego piersi. – Niedobrze się dzieje, jeśli zabraknie wiary, która mogłaby wypełnić pustkę w sercu człowieka, wtedy bowiem mogą zamieszkać w nim złe duchy. Duchy smutku i goryczy, zazdrości i nienawiści. Przyprowadziłam cię tutaj, Godfredo, żeby pustkę w twojej duszy napełnić mądrością Pierwszej Matki.

Godfredo opuścił wzrok na miedzianobrązową rękę, która spoczywała na jego białej niegdyś koszuli. Spojrzał w niewinne i mądre oczy indiańskiej dziewczyny, poczuł ciężar otaczającej go góry, usłyszał dziwne, dochodzące z ciemności szepty, ujrzał, że cienie poruszają się, czujne i wyczekujące. Jaskinia ta przypominała mu pieczarę, którą zwiedzał w dzieciństwie, a w której pewien święty jakoby znalazł lecznicze źródło. Może więc magiczne groty istniały naprawdę, może Pierwsza Matka Marimi rzeczywiście tu spoczywała.

Godfredo nauczył się od mężczyzn Topaa zawsze nosić przy sobie narzędzia. Z przytroczonego do pasa skórzanego woreczka wyjął czarny, błyszczący kawałek obsydianu i jego ostrą krawędzią wyrył na skale napis: „La Primera Madre".

– Od dziś przyszłe pokolenia będą wiedziały, kto tutaj spoczywa – powiedział z uśmiechem.

Zdumiona Marimi wpatrywała się w dziwne kształty liter. Rysując swą mapę i spisując kronikę, Godfredo próbował jednocześnie nauczyć ją czytać. Ale symbole pozostawały dla niej wciąż tylko symbolami. Teraz zaś, gdy przyglądała się świeżo wyrytym słowom, nieoczekiwanie doznała olśnienia. Wyciągnęła rękę, dotknęła liter i zaczęła wodzić po nich palcami, z nagłym zrozumieniem odczytując na głos każdą z nich.

Godfredo patrzył na nią w bezbrzeżnym zachwycie i słuchał, jak wymawia słowa delikatnym szeptem. Oto bowiem zdarzył się wyczekiwany z takim utęsknieniem cud, spełniły się marzenia przybysza: zdołał nauczyć Marimi czegoś, co pochodziło z jego świata. W tej chwili poczuł, że jego żądza zmienia się w bardziej tkliwe uczucie. Był w niej zakochany.

Ujął dłonie dziewczyny i obrócił ją twarzą ku sobie.

– A więc pozostajesz dziewicą z powodu Pierwszej Matki?

– Tak.

– Podobnie jak siostry zakonne w Hiszpanii, które swoją cnotę poświęcają Matce Boskiej. Marimi, nie potrafię uwierzyć w twoją Pierwszą Matkę, tak samo jak nie wierzę w tamtą Pierwszą Matkę o imieniu Maria. Pragnę jednak uszanować twoje wierzenia i śluby, które złożyłaś. Nie będę już więcej prosił cię, żebyś ze mną odeszła, ponieważ widzę, że to jest złe. Nie mogę też żyć dłużej wśród twoich ludzi. Takiego bólu nie zniesie żaden śmiertelny człowiek. Odejdę.

Zaczęła płakać, a on wziął ją w ramiona, przytulił i jego serce zadrżało na myśl o tym, że widzi Marimi po raz ostatni.

Póki jeszcze starczało mu siły woli, odsunął się i rzekł:

– Mówiłaś, że odwiedzając Pierwszą Matkę, trzeba jej coś podarować. – Zdjął okulary i wyciągnął w jej stronę. – Oto mój podarunek.

124

Wtedy nagle stanęła mu przed oczami wizja przyszłości.

– Przybędą tu ludzie, którzy was zniszczą – powiedział w uniesieniu. – Będąc na południu, widziałem, jak los ten spotyka całe imperia. Przyjdą ze swymi skrybami i księżmi, z uczonymi i żołnierzami i ograbią was ze wszystkiego, co macie, nie dając nic w zamian prócz zniewolenia, tak samo jak uczynili to na ziemiach Azteków, Inków i wszędzie tam, gdzie cywilizowany człowiek postawił swoją stopę. Dlatego zamierzam pójść na południe, do Baja California, i powiedzieć im, że nie mają tu czego szukać, a jeśli mi się poszczęści, zostawią ciebie i twój lud w spokoju, przynajmniej na jakiś czas.

Po jego odejściu Marimi została w grocie, czując, że rozpacz rozdziera jej serce. Po raz pierwszy w życiu nie chciała być służebnicą Pierwszej Matki. Pragnęła Godfreda.

Spojrzała na okulary w swej dłoni – te niezwykłe oczy, które pozwalały oglądać inne światy. Włożyła je na nos i popatrzyła najpierw na litery składające się w imię Pierwszej Matki, a potem na malowidło. Zachłysnęła się z wrażenia. Piktogramy urosły! Tak bardzo, że dostrzegła szczegóły i niedoskonałości obrazu, których nie widziała wcześniej. Kiedy poruszała głową, symbole także zdawały się przesuwać!

Nagle jej czaszkę przeszył ostry ból. Krzyknęła i padła na kolana, po czym osunęła się na bok, gdy znajoma choroba zawładnęła jej ciałem, najpierw spychając ją w ciemność, a potem w głęboką otchłań nieświadomości.

Podczas krótkiego snu odwiedziła ją Pierwsza Matka. Była niewyraźną, świetlistą postacią, która, posługując się nie słowami, lecz myślą, przekazała swej służebnicy Marimi, że celibat jest prawem ludzkim, a nie boskim. Pierwsza Matka pragnie, by jej córki były płodne.

Marimi ocknęła się, nie czując już bólu w głowie, i zdjąwszy magiczne oczy Godfreda, uświadomiła sobie z zachwytem i podnieceniem, że pozwoliły jej one przenieść się do świata nadprzyrodzonego, gdzie Pierwsza Matka udzieliła jej wskazówki. Wybiegła więc z jaskini i popędziła wąwozem, aż dogoniła Godfreda przy głazach, na których wyryte były symbole kruka i księżyca.

– Zostanę twoją żoną – powiedziała.

☆

Ponieważ Pierwsza Matka przemówiła do Marimi, a Godfredo nie był zwykłym człowiekiem, lecz przybył z zachodu, zza oceanu, gdzie mieszkają przodkowie, starszyzna plemienia oraz szamani uznali, że można zezwolić na ich małżeństwo. Było to jednak naruszeniem tabu, należało zatem zasięgnąć rady duchów. W tym celu szamani udali się do łaźni, gdzie spędzili pięć dni, spożywając bieluń i interpretując swe wizje, podczas gdy Marimi i Godfredo pościli, spędzając czas na modlitwach i oczyszczaniu swych ciał. W końcu starszyzna ogłosiła, że Godfredo jest powtórnym wcieleniem przodka i zesłanym przez bogów małżonkiem dla szamanki, a ich cielesne zespolenie posłuży powiększeniu mocy Marimi i całego plemienia.

Po ich ślubie świętowano przez pięć dni, ucztując, tańcząc i uprawiając hazard, a gdy nadszedł ostatni wieczór obchodów zwieńczony rytuałem płodności przy pełni księżyca i wszyscy Topaa oddali się zwyczajom, które niegdyś Godfredo uważał na niemoralne, młody małżonek spoczął w ramionach Marimi i po raz pierwszy w życiu poznał smak prawdziwego spełnienia.

☆

Pewnego dnia z plaży nadbiegli posłańcy z wieścią, że na horyzoncie pojawiły się żagle. Godfredo szybko zebrał swe mapy i kronikę, po czym podekscytowany ruszył nad brzeg morza, skąd w oddali, nad błękitnym przestworem wód ujrzał zarys białego płóciennego prostokąta. Marimi poszła za nim, niosąc w ramionach ich pierwsze dziecko. W krótkim czasie na wydmy wyległo całe plemię, a Marimi przyniosła narzędzia do krzesania ognia, by rozpalić ognisko. Gdy jednak zaczęła wkręcać patyk w suche drewno, Godfredo ją powstrzymał. Nagle bowiem uświadomił sobie coś, czego nigdy przed-

126

tem nie brał pod uwagę: jeśli zabierze Marimi do Hiszpanii, jego żona stanie się osobliwością, tak jak przywiezione przez Kolumba dzikusy na dworze królowej Izabeli. Będą ją oglądać, a może nawet wyśmiewać. Odbiorą jej godność, zabiją duszę. Zwiędnie tam i zgaśnie jak kwiat wyrwany z rodzimej ziemi. W nagłym olśnieniu zrozumiał też, że i on nie może odejść. Nie mógłby zostawić ukochanej Marimi i ich syna.

Godfredo cisnął więc mapy i kronikę na nierozpalony stos, by zwilgotniały i zgniły pergamin zabrała później fala przypływu, a potem ujął dłoń Marimi, odwrócił się od żagli na horyzoncie i poprowadził swą żonę z powrotem do domu.

W ciągu następnych tygodni, miesięcy, a wreszcie lat, w Godfredzie zaszła osobliwa przemiana. Dziwną przyjemność zaczęło mu sprawiać słuchanie wieczornych opowieści przy ognisku, owych przekazywanych z pokolenia na pokolenie historii, które sprawiały, że zachwyceni słuchacze wzdychali, uśmiechali się i klaskali radośnie, dowiadując się o odważnych czynach swych przodków, o tym jak Żółw przechytrzył Kojota, jak stworzono świat i o duszach zmarłych, którzy poprzez gwiazdy spoglądają na swych synów i córki. Godfredowi słowa opowiadającego przywodziły na myśl niewidzialną nić, która rozwija się w czasie, splatając teraźniejszość z przeszłością, aż w końcu nie było wiadomo, czy opisane wydarzenia rozegrały się przed wiekami, czy zaledwie wczoraj. Nie miało to zresztą znaczenia. Opowieści były ciekawe. Dostarczały rozrywki. Stwarzały także poczucie przynależności do całego plemienia, do siedzących obok ludzi oraz tych, którzy odeszli.

Dostrzegł bezużyteczność swego wykwintnego europejskiego stroju, który tutaj, pośród nagich ludzi, nie był wyrazem żadnej pozycji społecznej, a watowane aksamity i krępująca ruchy bawełna nie były do niczego potrzebne w krainie, gdzie lata są gorące i suche, a zimy łagodne. Godfredo czuł się teraz równie swobodnie ze swą nagością jak mężczyźni Topaa, odrzucił więc kaftan, kamizelę i pończochy, by chodzić tak jak Adam przed wiekami.

Don Godfredo zauważył, że przestaje mu brakować zegarów i kalendarzy. Zaczął odczuwać w swych kościach nowy rytm czasu. Nie próbował już budować zegara słonecznego, by określić porę dnia, lecz patrzył na słońce przemierzające nieboskłon. Nazwy dni i miesięcy były nieważne, a znaczenie miały jedynie pory roku, które rozpoznawał instynktownie, jakby jego wewnętrzna istota zmieniała się wraz z nimi, umierając i odradzając się wraz z księżycem, przybierając i odpływając wraz z rytmem morza. Uczony Europejczyk z wolna pojmował związek, jaki łączył Topaa z ziemią i przyrodą. Zrozumiał, że rodzaj ludzki nie jest oddzielony od świata zwierząt i drzew, tak jak sądzili jego pobratymcy. Wszystko bowiem łączyła uniwersalna sieć stworzona przez kosmicznego tkacza i każdy mężczyzna i kobieta, każdy jeleń, jastrząb i ślimak, każdy krzew, kwiat i drzewo były ze sobą nierozerwalnie splecione.

Niegdyś Godfredo czuł się tu osamotniony i odcięty od świata, teraz zaś wiedział, że przynależy do tego miejsca bardziej niż do jakiegokolwiek innego. Jego dom w Kastylii wydawał się snem. Książki i przyrządy naukowe, zegary i gęsie pióra straciły wszelkie znaczenie. W końcu zaniechał także wprowadzenia w życie Topaa choćby odrobiny postępu: koła i obróbki metalu; nie nauczył ich też alfabetu ani matematyki. Skoro z woli Boga pozostawali w stanie niewinności, niczym Adam i Ewa w rajskim ogrodzie, to kimże był Godfredo, by miał ich nakarmić owocem z drzewa wiadomości?

Don Godfredo de Alvarez żył pośród ludu Topaa jako mąż Marimi przez dwadzieścia trzy zimy. Dał jej dwanaścioro dzieci, a gdy umarł, odziano go w dawny strój, na szyi zawieszono złoty krucyfiks, a ciało uroczyście spalono. Potem okazałe, odświętne canoe wypłynęło daleko w morze, aby tam, skąd przybył, rozsypać na falach prochy wędrowca. Drugą parę oczu, która stanowiła dowód jego uczucia i dawała magiczne spojrzenie na świat, Marimi pochowała w grocie obok Pierwszej Matki, na znak pamięci o mężczyźnie, którego przyniosło morze.

Rozdział piąty

„Kroki. Przyspieszony oddech. Odgłos wbijania łopat w ziemię".
Erica gwałtownie otworzyła oczy. Wstrzymując oddech, wsłuchiwała się w ciszę nocy.

„Dźwięk metalu uderzającego o żwir. Brzęk kilofa na kamieniu.
Rzucone szeptem przekleństwo. Sapanie z wysiłku. Jedna... nie,
dwie osoby".

– O Boże! – krzyknęła, wyskakując z łóżka i sięgając w ciemności
po ubranie. Wypadła z namiotu i pobiegła do starego wojskowego
schronu, w którym spał Luke. Wdarła się do środka i niemal
potknąwszy się o leżącego w śpiworze chłopaka, zaczęła szarpać go
za ramię.

– Luke! Wstawaj! – syknęła. – Ktoś jest w jaskini! Jacyś
ludzie! Kopią!

– Co...? Erica? – pytał, trąc oczy.

– Trzeba wszystkich zawiadomić. P o s p i e s z   s i ę!
Luke usiadł.

– Erico? – zawołał, lecz jej już nie było.

☆

– Czekaj! – szepnął jeden z mężczyzn, kładąc rękę na ramieniu
swego kompana. – Słyszysz? Ktoś idzie.

– Niemożliwe – mruknął tamten, a jego spocona z wysiłku twarz
błysnęła w ciemności. – Nikt nas tu nie słyszy. Kop dalej.

129

Lecz zanim jego kilof ponownie zetknął się ze skałą, grotę nagle zalał strumień światła.

– Co tu robicie?! – krzyknął kobiecy głos.

Nim zdążyli zareagować, kobieta rzuciła się na nich z łopatą, którą zaczęła okładać ich po głowach, wrzeszcząc przy tym wniebogłosy.

Jeden z intruzów zdołał się jej wymknąć i wybiec z jaskini, po czym zszedł po rusztowaniu i zaczął się szybko oddalać od stanowiska wykopaliskowego, skąd dochodził już tupot wielu nóg. Drugi z mężczyzn został jednak w środku.

– Przestań! Jezu! – wrzeszczał, usiłując osłonić się przed ciosami szpadla Eriki.

Kiedy znów się na niego zamierzyła, natarł na nią z pochyloną głową i przewrócił na ziemię, po czym pognał do wyjścia.

– Stój! – krzyknęła Erica, pełznąc za nim na czworakach. – Niech ktoś ich zatrzyma!

Z zewnątrz docierały już inne wołania, a po rusztowaniu ktoś się wspinał. Erica podbiegła tam i zderzyła się z Jaredem, który, tak jak wszyscy, był tylko w połowie ubrany, a na jego twarzy malowało się zdziwienie człowieka, którego właśnie wyrwano ze snu.

– Tamci dwaj! – wydyszała, pokazując zapadlisko po basenie Zimmermana. – Niech pan im nie pozwoli uciec!

Jared ruszył w dół rusztowania.

Na terenie całego obozu włączono światła. W ciemności widać było sylwetki ludzi, którzy rozpierzchli się w poszukiwaniu zbiegłych intruzów.

Po drabinie zszedł Luke; miał rozczochrane włosy.

– Wezwałem policję – oznajmił. – Co się stało? Uciekli?

Ale Erica była już z powrotem w jaskini. Snop światła jej latarki omiatał wnętrze groty. Nagle znieruchomiała, patrząc na coś z niedowierzaniem. Szkielet…

Padła na kolana i wyciągnęła drżącą rękę. Czaszka strzaskana. Kości połamane. Miednica skruszona niczym skorupka jajka.

– Cholera jasna… – szepnął Luke. – Co oni tutaj robili, do diabła?

– Sprowadź Sama – powiedziała ze ściśniętym gardłem. Czaszka Damy. W kawałkach. Kość szczękowa złamana. – On bardzo mocno śpi. Musisz go obudzić.

– Erico…

– Idź!

Podniosła się chwiejnie na nogi i oświetliła malowidło. Skałę pokrywały szpetne wyżłobienia. Wandale pokiereszowali piktogramy kilofem.

Z odrętwienia wyrwał ją odgłos kroków na drabinie i przyspieszony oddech kogoś, kto przebiegł dużą odległość. Usłyszała, że wchodzi do jaskini, i wyczuła za plecami jego obecność.

– Uciekli – doszedł ją głos Jareda.

Zamknęła oczy, przepełniona ślepą furią. Już ona ich znajdzie. Jeszcze nie wie jak, ale dopadnie ludzi, którzy to zrobili.

Jared podszedł bliżej i przez chwilę stał w półmroku, milcząc.

– Mam nadzieję, że jest pani zadowolona.

Odwróciła się gwałtownie. Poprzez łzy dostrzegła grudki ziemi na jego nagiej piersi i krople potu po długiej pogoni za wandalami. W jego oczach pojawiła się dzika wściekłość, gdy ujrzał okropne zniszczenia, jakich dokonano w jaskini.

– Co pan ma na myśli?

– Odsłania pani szczątki tej kobiety, choć powinny spoczywać w spokoju. Zanim zjawiła się tu pani ze swymi łopatami i miotełkami, leżała sobie bezpiecznie w swym grobowcu z nadzieją, że zostanie w nim na całą wieczność.

Patrzyła na niego osłupiała. Czyżby to ją obarczał winą? Pociemniało jej w oczach, zawirowały czerwone plamy.

– Proszę tylko na nią spojrzeć! – krzyknęła. – To ja ich powstrzymałam! Nie przypominam sobie, żeby pan zrobił cokolwiek, by zabezpieczyć wykopalisko, które rzekomo stanowi dla pana taką świętość, panie komisarzu. Ja przynajmniej coś zrobiłam. – Wyjęła

131

z kieszeni jakiś przedmiot i wściekłym ruchem podsunęła mu pod nos. – To jest zwykłe urządzenie kontrolne do pokoju niemowlęcia. Nadajnik ukryłam w grocie, a odbiornik położyłam przy łóżku. Obudziły mnie głosy tych łobuzów. A więc coś jednak zrobiłam! A pan?

Jared wpatrywał się w nią z lekko rozchylonymi ustami i przez moment miał wrażenie, że Erica ciśnie w niego aparatem. Wetknęła jednak urządzenie z powrotem do kieszeni i, minąwszy go, podeszła do otworu jaskini, gdzie napotkała Luke'a wracającego z obozu.

– Miałaś rację, Erico. Sam spał jak zabity.

– Luke, chcę, żebyś sfotografował wszystko tak, jak jest. Nie dotykaj niczego i nie zmieniaj. I nie... – Mówienie przychodziło jej z trudem. Zaczęła drżeć. – Nie wpuszczaj nikogo do środka. Będę musiała spisać raport na temat tych zniszczeń, zanim zrobię tu porządek.

– Erico...? – spytał. – Dobrze się czujesz?

– Muszę tylko stąd odejść, zanim zabiję tego człowieka! – Kciukiem wskazała jaskinię za swoimi plecami.

Na szczycie urwiska spotkała Sama z jedną szelką na ramieniu, a drugą zwisającą przy spodniach. Jego włosy wyglądały jak po uderzeniu pioruna.

– Nie uwierzysz, Sam, kiedy zobaczysz, co zrobili.

– Luke już mi to szczegółowo opisał. Co ze szkieletem? Aż tak źle?

Łzy pociekły jej po policzkach i zaczęła dygotać tak gwałtownie, że musiała objąć się ramionami.

– Bardzo źle. Powinniśmy byli lepiej ją chronić.

Sam był tak wstrząśnięty, jakby chodziło o żywego człowieka.

– Czy dużo udało im się zabrać?

Erica otarła twarz rękawem swetra. Pociągnęła nosem, przełykając łzy. Potem spojrzała na Sama.

– Co powiedziałeś?

– Czy zauważyłaś, co udało im się zabrać?

Myślała intensywnie. Przed oczami stanęło jej wnętrze jaskini: zniszczona ściana i szkielet. Na twarzy Eriki odmalowało się zdumienie.

– Sam! Ależ oni niczego nie zabrali! W czasie ucieczki nie mieli przy sobie żadnych toreb czy worków i nic takiego nie zostawili też w grocie.

– To dziwne.

– Wcale nie – stwierdziła ponuro. – Bo to nie byli amatorzy pamiątek. Widywałeś już przecież splądrowane stanowiska archeologiczne. Rabusie kradną po prostu cenne przedmioty i uciekają. Nie dewastują miejsca przestępstwa, tak samo jak złodzieje biżuterii nie mają w zwyczaju demolować domu okradzionego. To był akt celowego wandalizmu.

Starszy archeolog, mrużąc oczy, spojrzał w kierunku zbliżających się reflektorów. Policja.

– Ale dlaczego? Co chcieli osiągnąć?

– To proste. Jaskinia staje się bezużyteczna dla archeologów, rozjuszeni rdzenni Amerykanie nakazują ją zapieczętować, a mieszkańcy okolicznych domów odzyskują swą własność.

Szczeciniaste brwi powędrowały do góry.

– Sądzisz, że stoi za tym Zimmerman?

– Postawiłabym na to całą swoją reputację.

Odwróciła się w stronę jaskini, gdzie zebrani na krawędzi klifu ludzie kręcili się bezczynnie niczym mrówki, którym kopnięciem zburzono kopiec. Wśród tłumu zauważyła Jareda rozmawiającego z indiańską ekipą budowlaną. Podobnie jak Jared, większość Indian nie miała na sobie koszul: długie czarne włosy spływały po ich nagich plecach. Byli rozzłoszczeni. Niektórzy wznosili pięści jak waleczni wojownicy szykujący się na wyprawę wojenną.

Erica przeniosła wzrok na Sama.

– Tutejsi mieszkańcy chcą tylko doprowadzić do zamknięcia wykopaliska. Jeśli sąd orzeknie na ich korzyść, kanion zostanie zasypany. W ten sposób odzyskają swoją własność. A to nie nastąpi, dopóki będą tu prowadzone ważne prace archeologiczne. Czy może być lepszy sposób na usunięcie tej przeszkody aniżeli zniszczenie jaskini tak, by nie przedstawiała już dla nas żadnej wartości? Potrzebna nam ochrona, Sam. Mam przeczucie, że to jeszcze nie koniec.

☆

Jared cierpiał na ból głowy, którego nawet aspiryna nie była w stanie uśmierzyć.

Od incydentu w jaskini minęło dwanaście godzin, a nastrój mężczyzny był wciąż równie czarny jak jego włosy. Nie spał już więcej tej nocy – nikt zresztą nie poszedł spać po tym, co się wydarzyło. Trzeba było odpowiadać na pytania policji, podać przybliżone rysopisy wandali, sporządzić sprawozdanie ze zniszczeń. Odbył też krótką rozmowę z Samem Carterem, który przekazał mu teorię Eriki, że za całą tą sprawą mogą stać okoliczni mieszkańcy, i z trudem się powstrzymał, by nie pomaszerować do ich obozu, nie wyciągnąć stamtąd Zimmermana za jego dres Adidasa i siłą wydusić z niego zeznanie.

Kiedy wrócił do swego samochodu, wszystkie telefony dzwoniły już jak oszalałe – stacje telewizyjne, dziennikarze i rdzenni Amerykanie podnieśli alarm z powodu profanacji świętego miejsca pochówku Indian. Oskarżali białych archeologów o zaniedbania, chociaż Jared wyjaśnił, że to doktor Tyler pomyślała o tym, by umieścić w jaskini urządzenie kontrolne i sama powstrzymała wandali przed dokonaniem dalszych zniszczeń. Nic to nie dało. Dopuszczono do profanacji. Złe czary zaczęły już działać.

Połknąwszy kolejną aspirynę, Jared zapragnął pójść do klubu, choć do wieczora pozostało jeszcze wiele godzin. Przed oczami wciąż stawała mu scena w jaskini, kiedy to łzy Eriki wprawiły go w osłupienie.

Do tej pory uważał ją za twardą kobietę. Gdy wszedł do groty, stała odwrócona do niego tyłem. Powiedział: „Mam nadzieję, że jest pani zadowolona". Kiedy jednak się obróciła i ujrzał jej wypełnione łzami bursztynowe oczy, zamurowało go zupełnie. Wtedy wybuchnęła gniewem, on zaś stał jak wryty, nie wiedząc, jak zareagować. Potrafił myśleć tylko o tym, że nagle stała się taka bezbronna i delikatna; że nie jest już wrogiem, lecz ofiarą, i właśnie odsłania mu swą bezradność. Przez chwilę pożałował, że jest częścią tego wszystkiego, że zaangażował się w działalność na rzecz Indian, że w ogóle poznał Netsuyę i że nie siedzi teraz w biurze ze swoim ojcem nad prawami własności, cesjami gruntowymi i umowami.

Potem wyszła, a on był wciąż zbyt wstrząśnięty, by pójść za nią i cofnąć swoje słowa. Nie chciał jej zranić. Wypowiedział to w gniewie, który nosił w sobie zawsze, dzień i noc. Netsuya została pochowana na indiańskim cmentarzu. Kiedy zobaczył roztrzaskaną czaszkę i szkielet szamanki...

Spojrzał na zalane słońcem obozowisko i na namiot Eriki. Urządzenie kontrolne do pokoju niemowlęcia. Nie poszła do specjalistycznego sklepu po jakąś skomplikowaną aparaturę monitorującą najnowszej generacji czy bezprzewodowy detektor elektroniczny. Kupiła zwykły nadajnik do dziecięcego pokoju, jakby spodziewała się, że w nocy obudzi ją cichy płacz tej umarłej przed wiekami kobiety.

– Komisarz Black?

Odwrócił się i zobaczył mężczyznę stojącego w drzwiach winnebago. Ponieważ dzień był słoneczny i ciepły, Jared zostawił je otwarte.

– Tak? – powiedział, nie rozpoznając gościa.

Mężczyzna wyjął wizytówkę.

– Julian Xavier, prawnik. Czy mogę wejść? Chciałbym omówić z panem pewną poufną sprawę.

Usadowiwszy się wygodnie w skórzanym klubowym fotelu, wysoki chudy człowiek w okularach ze złotymi oprawkami ostrożnie położył sobie na kolanach teczkę ze skóry węgorza i wyjaśnił, że reprezentuje elitarną grupę szamanów i czarowników z różnych plemion indiańskich.

135

– Oni się obawiają, panie komisarzu, że to, co dzieje się tu, w Emerald Hills, jest objawem choroby toczącej dzisiejszy świat. Twierdzą, że na całą ludzkość spadnie wielkie nieszczęście, jeśli jaskinia nie zostanie zasypana.

Jared, nadal stojąc, słuchał w milczeniu.

Xavier popatrzył na swój nieskazitelny manicure, jak człowiek, który ostrożnie waży każde słowo.

– Wiem, że już reprezentuje pan różne grupy rdzennych Amerykanów i że jako członek komisji ma pan z pewnością pełne ręce roboty. Moi klienci jednak pragną skorzystać z pańskich usług.

Jared skrzyżował ramiona na piersi.

– Ale to przecież pan jest ich przedstawicielem, panie Xavier. Dlaczego chcieliby zatrudnić i mnie?

Gość obciągnął mankiety koszuli, ciężkie od złotych spinek.

– Po pierwsze, to pan znajduje się w centrum wydarzeń, a nie ja, po drugie pańskie zaangażowanie jest powszechnie znane, a poza tym wie pan o wszystkich związanych z tą sprawą faktach, ma pan kontakty w Sacramento i tak dalej. Zdaniem moich klientów, panie Black, okoliczności te mogą korzystnie wpłynąć na ich sprawę. Podoba im się również pański stosunek do archeologów, ponieważ sami mają identyczne poglądy.

– A jakiż to jest mój stosunek do archeologów?

Xavier odchrząknął.

– No cóż, uważa pan, że bezczeszczą święte miejsce i chciałby pan, żeby jak najprędzej się stąd wynieśli. Nie kryje pan przecież swoich poglądów, panie komisarzu.

– A co dokładnie miałbym zrobić dla tych klientów?

– Jak już wspominałem, jest pan z tą sprawą bardzo związany i dysponuje pewnymi atutami, które są niedostępne dla mnie, jako przybysza z zewnątrz. Spieszę dodać, panie komisarzu, że moi klienci posiadają fundusze przeznaczone na tak wyjątkowy cel i są gotowi zapłacić panu każdą sumę.

Jared przyglądał mu się badawczo.

– Kim więc są ci ludzie?

Facet uśmiechnął się cierpko.

– No cóż, nie upoważniono mnie, by wyjawić ich nazwiska. Szczerze mówiąc, sam nie w pełni to wszystko rozumiem. Istnieje tu jakiś związek z prawami plemiennymi, tabu i tak dalej.

Jared wolno pokiwał głową.

– Gdybym jednak zgodził się ich reprezentować, dostałbym zapewne listę ich nazwisk?

– Hm... Obawiam się, że nie. Nie mogą ryzykować, że ich udział w tej sprawie zostanie ujawniony, z powodu rywalizacji plemiennych i ślubów, które złożyli. Proszę mi wierzyć, to bardzo skomplikowane. Niemniej chciałbym jeszcze raz zapewnić, że fundusze są wystarczające i w każdej chwili może pan z nich skorzystać.

– Co dokładnie mam dla nich zrobić?

Xavier zamrugał gwałtownie oczami.

– No, doprowadzić do zamknięcia jaskini, ma się rozumieć. Powstrzymać archeologów przed dalszą profanacją i zabezpieczyć zwłoki tej kobiety oraz wszystkie przedmioty z nią pochowane. To sprawa religijna, panie Black. Moi klienci są ludźmi świętymi, z najwyższego szczebla indiańskiej hierarchii. Można przyjąć, że są indiańskim odpowiednikiem kolegium kardynalskiego.

Jared zamyślił się. Ciszę, jaka zapadła, mąciły jedynie odgłosy obozowej krzątaniny wpadające przez okno.

– No więc, panie Xavier – odezwał się w końcu – może pan powiedzieć swoim klientom, że moje usługi nie będą im potrzebne. Najprawdopodobniej państwo wystąpi o przejęcie tego terenu jako miejsca o szczególnym znaczeniu dla kultury, a wówczas właściciele domów dostaną uczciwą cenę rynkową za swe posiadłości. Domy zostaną wyburzone, a jaskinia przejdzie pod opiekę Agencji Ochrony Środowiska i wedle wszelkiego prawdopodobieństwa będzie przekazana przedstawicielom plemion. Jeśli to nie nastąpi, zamierzam złożyć do sądu wniosek o bezwzględny zakaz zasypywania kanionu, co także oznacza przegraną okolicznych mieszkańców. W obu przypadkach, panie Xavier, jaskinia znajdzie się pod ochroną.

Urywany, nerwowy kaszel.

– Widzi pan, moi klienci nie chcą jedynie ochrony jaskini, oni chcą, żeby ją zapieczętowano... na zawsze. – Rozpostarł dłonie na swej kosztownej teczce, jakby pragnął zwrócić uwagę na jej cenną zawartość. – Chciałbym podkreślić, panie Black, że dla moich klientów pieniądze nie grają roli, nie wtedy, gdy trzeba zapobiec świętokradztwu popełnionemu na miejscach pochówku ich przodków. Zbyt często w ich dziejach dochodziło do profanacji. Oczywiście mają świadomość, że jest pan zaangażowany w tę sprawę z powodów osobistych. Pańska żona...? – urwał, pozwalając, by sugestia zawisła w powietrzu.

– Owszem – odparł Jared. – Moja żona była rdzenną Amerykanką i walczyła między innymi o ochronę indiańskich miejsc pochówku.

Znów się zamyślił, bacznie mierząc wzrokiem swego gościa, który miał uśmiech przylepiony do twarzy.

– Panie Xavier – spytał, podchodząc do drzwi samochodu – czy mógłby pan wyjść ze mną na chwilę?

Uśmiech zniknął z oblicza Xaviera.

– Wyjść z panem? Dokąd?

– Chciałbym tylko, żeby pomógł mi pan wyjaśnić kilka spraw. To nie potrwa długo.

☆

– Po zbadaniu źródeł historycznych – mówiła do dyktafonu Erica – stwierdziłam, że właścicielem okularów był najprawdopodobniej członek załogi statku dowodzonego przez Juana Cabrillo, który w 1542 roku przybił w okolice Santa Monica i Santa Barbara i miał krótki kontakt z Indianami plemienia Czumasz. Dlaczego jednak w jaskini zakopano okulary tego człowieka? Czy o n też tam spoczywa? Dlaczego Europejczyk miałby zostać pogrzebany w świętej indiańskiej jaskini?

138

Wyłączyła dyktafon, przymknęła oczy i zaczęła masować sobie skronie. Nie mogła się skoncentrować. To z powodu zniszczenia szkieletu. Mimo że Sam pochwalił ją za zapobieżenie zupełnej katastrofie, czuła się winna. Miała przeczucie, że stanie się coś złego, a nie potrafiła zrobić nic poza umieszczeniem w jaskini tego prostego nadajnika. Sam stwierdził, że to sprytne posunięcie. Luke i reszta gratulowali jej przezorności. W oczach wszystkich uczestników prac wykopaliskowych w Emerald Hills była bohaterem.

Z wyjątkiem jednej osoby. „Mam nadzieję, że jest pani zadowolona".

Wróciła myślami do Jareda i przypomniała sobie, jak wyglądał, gdy poprzedniej nocy stał w jaskini z nagim torsem, spoconym i umazanym ziemią. Był szczupły, lecz muskularny. Znowu zaczęła zachodzić w głowę, gdzie też on spędza owe dwie godziny każdego wieczora, będąc poza zasięgiem telefonu i pagera. Bardziej jednak utkwił jej w pamięci wyraz jego twarzy, gdy wypowiadał te przykre słowa. Najpierw odmalowała się na niej furia – ta sama mroczna złość, którą dostrzegła, gdy obok altany prowadził bezgłośny spór z oceanem – by po chwili ustąpić miejsca osłupieniu. Czy tak podziałało na niego to, co powiedziała? Prawie nic nie mogła sobie przypomnieć z potoku słów, który z siebie wyrzuciła, wymyślając Blackowi za jego arogancję. Cud, że nie cisnęła w niego nadajnikiem, taka była wściekła. On zaś, o dziwo, nie odparował ataku. Dlaczego stał w milczeniu i pozwolił jej wyjść, nie próbując nawet się bronić?

Wciąż była na niego wściekła, choć nie miała w zwyczaju zbyt długo się złościć. Gniew był marnotrawstwem energii oraz czasu i do niczego nie prowadził. Jednak tym razem demon opanował ją na dobre. „Mam nadzieję, że jest pani zadowolona". Winić ją za coś, czemu jako jedyna usiłowała zapobiec! Cokolwiek wówczas powiedziała, to i tak za mało. Była już prawie zdecydowana pójść do winnebago i krzyknąć: „I jeszcze jedno, panie komisarzu...".

Usłyszawszy kroki zbliżające się do namiotu, sądziła że to Luke niesie jej sprawozdanie ze szkód poczynionych w jaskini. Wcześniej próbowała wrócić tam sama, by przeprowadzić gruntowną ocenę zniszczeń, lecz emocje wzięły górę i musiała zlecić to zadanie Luke'owi. „Tylko nie mów, że znalazłeś kolejne połamane kości".

Ku swemu wzburzeniu, usłyszała głos Jareda.

Wyjrzała, mrużąc oczy przed słońcem. Zauważyła, że ostatnio zaczął ubierać się trochę swobodniej. Stwierdziwszy, że całkiem mu do twarzy w batystowej koszuli i dżinsach, natychmiast pożałowała tej myśli.

– Doktor Tyler? – powiedział. – Czy możemy pani na chwilę przeszkodzić?

Spojrzała na towarzyszącego Jaredowi mężczyznę, na którego twarzy malowało się zmieszanie. Spostrzegła, że nieznajomy nerwowo poprawia sobie kołnierzyk koszuli.

– O co chodzi? – zapytała, nie zapraszając ich do środka.

– To jest pan Xavier, prawnik reprezentujący interesy grupy rdzennych Amerykanów, którzy chcieliby skorzystać z moich usług.

Erica milczała wyczekująco.

– Panie Xavier, czy zechciałby pan powtórzyć doktor Tyler to, co powiedział pan mnie kilka minut temu? – spytał Jared.

Mężczyzna poczerwieniał od kołnierzyka aż po nasadę rzednących włosów.

– No cóż, ja...

– Proszę tylko powtórzyć to, co wcześniej mówił pan mnie. Coś o tym, że pieniądze nie grają roli, jeśli dobrze pamiętam.

Xavier przez chwilę wyglądał tak, jakby był bliski ataku apopleksji. Potem gwałtownie obrócił się na pięcie i odszedł pospiesznie.

Erica popatrzyła na Jareda.

– Co to miało znaczyć? – zapytała.

– To był facet nasłany przez właścicieli domów. Proponował mi łapówkę za doprowadzenie do zasypania jaskini.

140

Ruszyła z powrotem do namiotu, ale powstrzymał ją głos Jareda.

– Doktor Tyler, chciałbym panią przeprosić za to, co powiedziałem wczoraj w nocy. Zachowałem się bardzo źle, nie miałem prawa mówić do pani w ten sposób. Okropnie się zdenerwowałem na widok tego, co zrobili ci wandale.

Widząc szczere, otwarte spojrzenie jego szarych oczu, przypomniała sobie słowa Sama: „Żona Jareda? A więc ty nic nie wiesz?".

– Właśnie miałam zaparzyć kawę. Może napije się pan ze mną – zaproponowała.

Wszedł za nią do środka.

– Ja też byłam zdenerwowana – przyznała Erica. Wyjęła z lodówki butelkę wody Évian, przygotowała ekspres do kawy i napełniła go wodą. – I pewnie też nagadałam panu rzeczy, których nie powinnam, chociaż zupełnie nie pamiętam, co mówiłam.

Uśmiechnął się.

– Po prostu pokazała mi pani, gdzie jest moje miejsce i tyle.

– Panie Black, oboje przejmujemy się losem pogrzebanej w jaskini kobiety. Dlatego nie powinniśmy być wrogami.

Jared pokręcił głową.

– Nadal uważam, że to, co pani robi, jest złe. Może to pani nazywać prowadzeniem wykopalisk dla dobra nauki. Wciąż jednak jest to plądrowanie grobów. I w jakim celu? Dla gabloty w muzeum?

Patrzyła na niego, z dłońmi wspartymi na biodrach.

– Dobrze, powiem panu, co robię. Kiedy dwieście trzydzieści lat temu przypłynęli tu pierwsi Hiszpanie i założyli swoje misje, Indian przygnano z ich wiosek i przekupstwem lub groźbami skłoniono do przyjęcia chrześcijaństwa. Nie wolno im było praktykować dawnej religii ani pielęgnować tradycji. Większość z nich zmarła na skutek chorób przywiezionych przez białego człowieka. Podbój nastąpił tak szybko, że w przeciągu dwóch pokoleń wszystkie zwyczaje, historia, a nawet języki tych plemion odeszły w zapomnienie. Ale archeologia zaczyna odtwarzać dzieje owych zaginionych kultur. Jeśli więc zabierze się z muzeów wszystkie eksponaty, tak jak chcą rdzenni Amerykanie, by z powrotem zakopać je w ziemi, będzie to krok wstecz. Kiedy do muzeum przychodzą szkolne wycieczki, opowiadamy dzieciom o tym, jak żyli ludzie przed wiekami. Jeśli przestaniemy to robić, dzieci będą dorastać nieświadome przeszłości.

Słowa Eriki zawisły w powietrzu, a Jared spojrzał jej w oczy.

Odwróciła się do ekspresu, który już przestał bulgotać, i napełniła kawą dwa kubki ozdobione postaciami z kreskówek.

– Nieprzyzwoicie drogie amaretto – powiedziała, wręczając Jaredowi kubek z Kaczorem Donaldem. – To jedyna ekstrawagancja, na jaką sobie pozwalam – zażartowała, by rozładować nieco atmosferę.

Jared był w jej namiocie po raz pierwszy i rozglądał się teraz dyskretnie w poszukiwaniu jakichś wskazówek mogących rzucić światło na kobietę, która wciąż pozostawała dla niego zagadką – w jednej chwili bezwzględna, a zaraz potem bezradna, i znów twarda, lecz zawsze pełna entuzjazmu dla swej pracy. Zdumiało go to, co zobaczył. Namiot wyglądał tak, jakby ktoś mieszkał w nim od lat. Najwyraźniej potrafiła w każdym miejscu stworzyć namiastkę domu. Pomyślał o swoim samochodzie kempingowym, który tylko tymczasowo wziął w leasing. Winnebago było luksusowo wyposażone, brakowało w nim jednak akcentów osobistych, których namiot był pełen. Znajdowały się tu: trzydziestocentymetrowa Statua Wolności z zegarem w brzuchu, miniatura eskimoskiego totemu, folder z filmu *Kopalnie króla Salomona*, kalendarz ze *Słonecznym patrolem*, coś, co wyglądało jak kwitnący kaktus w doniczce, lecz okazało się świecą, otwarte pudełko ciasteczek Oreo oraz zdjęcie Harrisona Forda z dedykacją: „Dla mojego ulubionego archeologa", podpisane „Indiana Jones". Spojrzał na jej komputer. Za podkładkę pod mysz służyła tabliczka do seansów spirytystycznych. Wreszcie zatrzymał wzrok na półce, gdzie tłoczyły się pluszowe zwierzątka. Niektóre z nich miały naszywki z imionami: Ethel, Lucy, Figgy.

142

– To moje maskotki. Wszędzie je ze sobą wożę. – Żyją w zgodzie – wyjaśniła, po czym dodała z uśmiechem: – Przeważnie.

Nie było jednak żadnych fotografii rodzinnych, zdjęć rodziców, braci czy sióstr. Na łóżku zauważył spiętrzony stos korespondencji – czasopism, rachunków, listów, reklamówek. Wszystkie były zaadresowane do Eriki na skrytkę pocztową w Santa Barbara.

Kiedy spostrzegł, że mu się przygląda, poczerwieniał lekko i z zakłopotaniem zamieszał kawę.

– A więc mieszka pani w Santa Barbara?

Oparła się o biurko i upiła łyk gorącego płynu.

– Tam dostarczają mi pocztę. Nie mam stałego miejsca zamieszkania. Właściwie... – rozłożyła ramiona – tu jest teraz mój dom.

Pił kawę, patrząc na Ericę znad krawędzi kubka i próbując ukryć zaskoczenie. A więc to tak? Cały jej majątek zgromadzony był na tej niewielkiej przestrzeni?

– Kiedyś odwiedziłem znajomego, który pracował przy wykopaliskach w Nowym Meksyku. W jego namiocie było pełno artefaktów. Miał własną kolekcję. Nigdzie się bez niej nie ruszał. – Jared rozejrzał się wokół. – Chyba tutaj spodziewałem się zobaczyć to samo.

– Ja nie zbieram artefaktów. Nie wierzę w prywatne kolekcje antyków.

Popatrzył na nią ze zdziwieniem.

– Ale przed chwilą mówiła pani...

– Wierzę w zbiory m u z e a l n e, ponieważ są dostępne dla publiczności i służą szerzeniu wiedzy. Jestem przeciwna prywatnym kolekcjom zabytkowych przedmiotów. To tylko zachęca do kradzieży. Dopóki będą istnieć kolekcjonerzy gotowi zapłacić niebotyczne sumy za przedmioty ukryte w grobowcach, dopóty te będą plądrowane. Handel antykami stanowi zachętę do rabowania grobów, co pan tak bardzo przecież potępia.

Jared przypomniał sobie nagle kilka przedmiotów, które miał w swym domu w Marin County. Te oryginalne dzieła sztuki prekolumbijskiej nabył za niebotyczne sumy. Przez myśl mu nigdy nie przeszło zastanawiać się, z jaką szkodą dla kultury zdobyto owe przedmioty.

Miał właśnie rzucić uwagę na temat rozpaczliwej strategii, do jakiej uciekli się Zimmerman i pozostali właściciele domów, oraz stwierdzić, że przez najbliższe dni trzeba zachować wzmożoną czujność, kiedy na zewnątrz rozległ się tupot nóg i do namiotu wpadł Luke.

– Erico, musisz to zobaczyć!

Odstawiła kubek.

– Co takiego?

– W jaskini! Zacząłem tam trochę sprzątać... Nie, niczego nie ruszałem, ale... Erico, musisz to zobaczyć!

Popędzili na krawędź kanionu i niemal zbiegli w dół po rusztowaniu. W jaskini Erica uklękła i delikatnie oczyściła z ziemi najnowsze znalezisko.

– Wygląda, jakby było owinięte w jakąś tkaninę – mruknęła. – Materiał przegnił, ale mikroskopowa analiza włókien... O mój Boże! – krzyknęła nagle. – To jest relikwiarz!

Jared nachylił się, żeby lepiej widzieć.

– Relikwiarz? – zapytał.

– Pojemnik na relikwie. Zwykle były to kości lub włosy świętych. – Ostrożnie strzepnęła jeszcze trochę ziemi, odsłaniając dłoń i przedramię wykonane w całości ze srebra. – Tak, to bez wątpienia relikwiarz. Cóż, wygląda na to, że w grocie pochowano nie tylko Damę.

– Który to święty, Erico? – Głos Luke'a drżał z podniecenia. – Możesz powiedzieć, czyje to kości?

– I co one robią w tej jaskini? – zastanawiał się na głos Jared.

Erica wzięła delikatniejszą miotełkę.

– Po pobycie Cabrilla w 1542 roku przez następne dwieście dwadzieścia siedem lat nie było tu Europejczyków. Przypuszczam, że człowiek, który przywiózł to do Ameryki, nie pojawił się tu wcześniej niż w 1769 roku.

Odgarnęła trochę więcej ziemi i zbliżyła latarkę do relikwiarza. Odczytała wyryty w srebrze napis i aż podskoczyła z wrażenia. Potem spojrzała na pozostałych z bezbrzeżnym zdumieniem.

– Obawiam się, że nasze małe wykopalisko uzyska między-narodowy rozgłos.

– Dlaczego? – zapytał Jared.

– Bo będę musiała złożyć doniesienie o tym – odparła, wskazując na odkopany fragment srebrnej ręki – do Watykanu.

Rozdział szósty

TERESA
1775 rok

Teresa miała dwa życzenia: dowiedzieć się, co tak bardzo trapi brata Felipe, i znaleźć sposób, by ulżyć jego zmartwieniu.

– Z naparstnicy zbieramy tylko liście – mówił Felipe głosem, który zawsze brzmiał w jej uszach jak delikatny szept letniego wiatru w kanionie, niosący spokój i ukojenie.

Wszystko, co robił brat Felipe, przynosiło ukojenie: jego chód, nie tak pospieszny jak u innych ojców, jego ruchy pełne spokoju jak ogród, który przemierzał; sposób, w jaki jadł, robiąc długie przerwy po każdym kęsie, jakby rozkoszował się darami ziemi; to, jak przerywał pracę i składał ręce, które tonęły w obszernych rękawach jego szaty, i pochylał swą ogoloną głowę, by oddać się przez chwilę modlitewnym rozmyślaniom. Według Teresy jednak najbardziej kojące były jego łagodne jak u łani oczy, które stanowiły wrota prowadzące w ciche, odległe miejsce, gdzie nie istnieją gniew ani przemoc, ból ani śmierć. Czasami, gdy Teresa czuła, że nie zniesie już dłużej cierpień swych ludzi, których w zastraszającym tempie dziesiątkowała choroba, patrzyła w zielone jak mech oczy brata Felipe, czując, że jej dusza ulatuje ku nim, ucieka w ich drogą, pełną spokoju samotność.

Tak przynajmniej było do niedawna. Ostatnimi czasy jednak w bracie Felipe zaszła niepokojąca zmiana – choć tak subtelna, że

146

nie wyczuwał jej prawdopodobnie nikt prócz Teresy, która codziennie pracowała u jego boku w ogrodzie zielnym. Odmiana nie była widoczna w jego ruchach ani głosie, tylko pod oczami pojawiły mu się nowe cienie, nadające twarzy wyraz udręki, którego z pewnością nie było, gdy przed trzema laty przybył do misji.

Teresa cierpiała z miłości do młodego zakonnika, lecz nie wolno jej było wyjawić mu swych uczuć. Brat Felipe był człowiekiem świętym, który ofiarował życie swemu bogu i oddał się uzdrawianiu dusz. Podobnie jak inni ojcowie z misji, nie myślał o sprawach między kobietą i mężczyzną, o miłości duchowej i cielesnej. Złożył nawet śluby czystości. Chociaż w plemieniu Teresy nie było celibatu, Topaa mieli piękny mit, który mówił, że pewnego dnia z morza przybył bohater i zakochał się w szamance klanu. Wydarzyło się to wiele pokoleń temu, w czasach, kiedy szamanki nie mogły wychodzić za mąż i przez całe życie musiały zachowywać czystość. Jednak od czasu tamtego ślubu następne szamanki uwolniono od tego zakazu i dlatego matka Teresy była zamężna, a Teresa miała nadzieję, że także znajdzie kiedyś męża, choć zgodnie z przeznaczeniem miała zostać szamanką. Ale nie mógł być to byle kto, gdyż pragnęła tylko Felipe.

Kiedy wypowiedział słowo „naparstnica", Teresa wyczuła w jego głosie nowe napięcie, którego wczoraj z pewnością nie było! Czyżby tęsknił za domem? Czy pragnął wrócić do krainy swych przodków? Teresa nie znała nikogo, czy to wśród Topaa, czy obcych, kto byłby szczęśliwy, przebywając długo z dala od swego plemienia. Tymczasem ojcowie już od sześciu lat budowali tu swe dziwne chaty, uprawiali dziwne rośliny, hodowali dziwne zwierzęta i nic nie wskazywało na to, że zamierzali stąd odejść. Brat Felipe był inny niż pozostali ojcowie, którzy wydawali się ulepieni z twardszej gliny. Felipe był człowiekiem delikatnym, niemal młodzieńcem jeszcze, o twarzy bladej, która często się czerwieniła, o uśmiechu nieśmiałym i słodkim. Bywały chwile, gdy Teresa miała wrażenie, że brat Felipe nie jest w ogóle człowiekiem, tylko zesłanym przez przodków duchem opiekuńczym, który miał czuwać nad Topaa w czasie, gdy przebywali tu ojcowie.

Teresa przybyła do misji przed trzema laty, kiedy ludzie z jej wioski zostali tu zwabieni obietnicami łatwego zdobycia pożywienia. Teresa wraz z matką planowały później wrócić do swej osady nad brzegiem morza, lecz matka niespodziewanie zachorowała i pomimo troskliwej opieki ojców franciszkanów, wkrótce potem zmarła. Kiedy czternastoletnia wówczas Teresa, zbolała i pogrążona w żalu, zaczęła szykować się do powrotu do rodzinnej wioski, brat Felipe poprosił ją, by została w misji, ponieważ ojcowie zachęcali wszystkich Topaa do pozostania i przyjmowali serdecznie każdego, kto zapragnął zamieszkać wśród nich. Dziewczyna spojrzała w łagodne, zielone oczy zakonnika, które przywodziły jej na myśl leśne jeziora i zamglone polany, po czym przyjęła zaproszenie.

I to właśnie ze względu na brata Felipe po kilku miesiącach zgodziła się przyjąć chrzest.

Teresa nie wiedziała, co oznaczają krople wody na czole, podobnie jak inni ochrzczeni Topaa, którzy mieszkali w misji i uczyli się uprawiać i zbierać zboże, doić krowy, tkać koce i wypalać glinę. Życie tu okazało się łatwiejsze niż w ich wiosce, gdzie aby zdobyć pożywienie, trzeba było wypływać w morze lub zbierać żołędzie w lesie, skąd często wracało się z pustymi rękami. W misji zaś ojcowie nie skąpili jedzenia i użyczali dachu nad głową, jeżeli tylko mówiło się „Ojcze nasz", „Jezus" i „Amen". Podczas porannych obrzędów Topaa szli w ślady księdza, wstając, siadając, klękając, dotykając czoła, piersi i ramion, gdy kapłan robił w powietrzu znak krzyża, i przyjmowali na język kawałeczki chleba, recytując słowa, których nie rozumieli. Brat Felipe mówił, że ci, którzy przyjęli chrzest, zostaną zbawieni. „Ale od czego?" – zastanawiała się Teresa.

Czy to dlatego, że są „zbawieni", nie wolno im było opuszczać misji? Chociaż wielu ludziom podobało się tutaj, było też niemało

148

takich, którzy pragnęli wrócić do swych wiosek, ojcowie jednak twierdzili, że ten, kto przyjął chrzest, musi zostać. Dlatego w nocy trzymano ich pod kluczem, a za zbiegami wysyłano w pościg żołnierzy. Wielu ludzi mówiło, że gdyby wcześniej wiedzieli, iż woda na czole oznacza uwięzienie w misji oraz odcięcie od własnych zwyczajów i religii, nigdy nie zgodziliby się na chrzest.

Teresa zastanawiała się, czy to dlatego jej współplemieńcy chorują i umierają.

Po śmierci matki miała przejąć obowiązek opieki nad jaskinią w Topaangna, nie zdążyła jednak poznać wszystkich tajemnic, legend i zaklęć, właściwych modlitw oraz obrzędów. Czyżby ludzie umierali dlatego, że od trzech zim nikt nie odwiedził Pierwszej Matki? Lecz bez odpowiednich wskazówek Teresa nie śmiała odprawiać rytuałów w jaskini. Istniały tak potężne tabu, że najdrobniejsza pomyłka mogłaby sprowadzić klęskę w postaci trzęsienia ziemi albo powodzi.

A czyż klęską nie była także śmierć tylu jej ludzi?

– Trzeba uważać, żeby nie uszkodzić liścia – mówił brat Felipe melodyjnym głosem.

Teresa starała się słuchać go uważnie i z szacunkiem. Wybrano ją, by pomagała Felipe w ogrodzie, gdzie uprawiał lecznicze zioła, znała się bowiem na tego rodzaju roślinach. Niestety ani ona, ani brat Felipe nie potrafili znaleźć ziół, które stanowiłyby remedium na chorobę zbierającą coraz większe żniwo wśród Topaa.

– O, właśnie tak – powiedział brat Felipe, delikatnie obrywając liście naparstnicy.

Mówił w swoim języku, po kastylijsku. Teresa musiała nauczyć się mowy ojców, tak jak i wszyscy Topaa, Tongwa i Czumasze. Był to nowy język, podobnie jak ta roślina, którą pokazywał jej właśnie Felipe; zamieszkiwał ją duch przynoszący ulgę w dolegliwościach sercowych. Ogród porastało mnóstwo nowych kwiatów sprowadzonych z miejsca zwanego Europą – goździków, ciemierników, peonii. W zagrodzie zaś chodziły nowe zwierzęta – krowy, konie, owce

– i pasły się trawą także przywiezioną zza morza. Na polach, gdzie jej ludzie i członkowie innych plemion, zgięci wpół pracowali z motykami, pieląc i sadząc, rosły dziwne, obce rośliny – pszenica, jęczmień, kukurydza. Wszystkie te nowości, które pojawiły się w miejscu tego, co stare, w jakiś niejasny sposób niepokoiły Teresę. Nie zauważyła, żeby ojcowie prosili ziemię o pozwolenie przed jej zaoraniem czy przed sprowadzeniem ciężkich zwierząt, by po niej stąpały, przed zmianą biegu rzeki, gdy wykopali kanały tam, gdzie ich przedtem nie było. Czyżby stary porządek miał lec w gruzach, ustępując chaosowi?

Teresa wciąż pamiętała dzień pojawienia się obcych przybyszów. Miała jedenaście lat, kiedy po wioskach rozeszła się wieść, że podróżnicy z południa wkroczyli na ziemie przodków, nie okazując należytego szacunku. Intruzi nie prosili rzeki o przyzwolenie, gdy nabierali wody, drzew – gdy zrywali owoce. Ścinali gałęzie i rozpalali ogniska, nie przestrzegając żadnego ceremoniału. Wszystkie plemiona ustaliły zgodnie, że obcy muszą nauczyć się zwyczajów Ludzi.

Kiedy więc podeszli tłumnie do przybyszów, pokazując im włócznie i strzały na znak, że zamierzają bronić duchów swej ziemi, obcy nagle unieśli w górę jakąś kobietę i trzymali w powietrzu, żeby wszyscy mogli ją zobaczyć. Sądząc że to szamanka, ludzie ucichli w oczekiwaniu, aż przemówi. Lecz ona milczała, i nawet się nie poruszyła. Czy była martwa? Miała jednak otwarte oczy i uśmiech na twarzy. Wodzowie, przekonani, że intruzi pokazują im świętą, złożyli z czcią swoje łuki i strzały, ich matki zaś i siostry ofiarowały jej koraliki i nasiona. Gdy przybysze wznieśli dla niej schronienie i zaczęli składać kwiaty u jej stóp, Topaa, Tongwa i inni poszli w ich ślady, także przynosząc dary. Teresę ciekawiło wówczas, jak to możliwe, że święta tak długo potrafi pozostać bez ruchu, potem jednak usłyszała o istnieniu obrazów i dowiedziała się, że to wcale nie jest prawdziwa kobieta, lecz jej wizerunek na czymś, co nosi nazwę „płótna". Niemniej wszyscy, zarówno obcy, jak i Ludzie, zgodnie nazywali ją tym samym imieniem: Matka Święta.

150

Upłynęło sześć lat, a Teresa i inni Topaa wciąż nie potrafili dociec, co sprowadziło podróżników z południa na ich ziemie. Wodzowie i szamani przypuszczali, że ta wizyta nie może już potrwać zbyt długo, żaden bowiem człowiek nie jest w stanie przebywać tyle czasu z dala od krainy swych przodków. Ojcowie zaś twierdzili, że przybywają z bardzo daleka. Pomimo hojności przybyszów było w nich coś, co niepokoiło Teresę. Wiosną odwiedził ich wódz ojców. Był to bardzo niski mężczyzna – wszyscy Topaa górowali nad nim wzrostem – który nazywał się Junipero, jak krzew jałowca[1]. Teresa podsłuchała ojca Serrę, mówiącego, że w misji o nazwie San Diego zbuntowali się ludzie zwani Indianami i że jest to bardzo niepokojąca rzecz. Potem usłyszała słowa Junipera: „Ojcowie duchowi powinni nauczyć się zadawać karzące ciosy swoim synom, Indianom".

Wielu rzeczy w sposobie myślenia ojców nie mogła pojąć. Kiedy na przykład ojcowie odkryli, że kobiety stosują pewne ziołowe mikstury, żeby zapobiec zapłodnieniu, wymierzyli im surową karę. A przecież było powszechnie wiadomo, że jest to konieczne dla zachowania zdrowia plemienia, które w innym wypadku rozrosłoby się tak, że ziemia nie wyżywiłaby wszystkich ludzi. Tego właśnie bogowie nauczyli Topaa wiele pokoleń temu: zbyt liczne plemię oznacza brak pożywienia i głód. Na to ojcowie odparli, że w takim razie należy zwiększyć uprawy. Pokazali Topaa, jak sadzić nasiona, podlewać je i pielęgnować, potem zbierać kukurydzę, fasolę i dynie, które przywieźli ze swego dalekiego świata. Ponieważ teraz jedzenia miało wystarczyć dla wszystkich, kobiety powinny zaprzestać swych praktyk. Teresa jednak dostrzegała w tym zaczątki chaosu, niszczenia odwiecznego wzoru, który bogowie utkali w zaraniu Stworzenia. Liczba ludzi i ilość pożywienia rosłyby w nieskończoność, aż w końcu na ziemi nie zostałaby ani piędź wolnej przestrzeni.

---

[1] *Juniperus* (łac.) – jałowiec (przyp. tłum.).

Ale plan ojców nie powiódł się, ponieważ plony były zbyt małe, by zaspokoić potrzeby nie tylko misji, lecz także żołnierzy w fortach garnizonowych. A mieszkańcy wiosek umierali z głodu. Z każdym dniem do misji przybywało coraz więcej Topaa, Tongwa i Czumaszy z pustymi koszami i prośbą o jedzenie. Ojcowie zaś pomagali im, jeśli Indianie zgodzili się zostać i przyjąć chrzest. A zatem ludzie z plemienia Teresy napełniali brzuchy Jezusem i pszenicą, przyjmując nowe imiona: Juan, Pedro, Maria.

Dziewczyna wróciła myślami do brata Felipe i swych obaw, że jego duszę toczy jakaś choroba.

Gdyby Teresa mogła wejrzeć w serce młodzieńca, znalazłaby tam tęsknotę trawiącą go niczym ogień. Felipe przybył do Nowego Świata z jednym pragnieniem: doświadczyć uniesienia. Na razie jednak było ono nieuchwytne.

Felipe pragnął tego samego, co pięćset lat temu przeżywał błogosławiony brat Bernard z Quintavalle, o którym rozmyślał teraz, wpatrując się w dzwonkowate kwiaty w swej dłoni i na moment zapominając, co miał z nimi zrobić. Od chwili wstąpienia do zakonu św. Franciszka brat Bernard częstokroć doświadczał uniesienia w Bogu poprzez kontemplację spraw niebieskich. Ach, łaska uświęcająca – móc dostąpić tego wzniosłego daru od Boga! Felipe marzył o tym często i zastanawiał się, co odczuwał brat Bernard tego dnia, gdy w kościele podczas mszy jego umysł wzleciał ku Bogu, a on, porażony i pełen zachwytu, stał bez ruchu ze wzrokiem uniesionym w niebo, od jutrzni aż po nonę! Od tej pory brat Bernard przez piętnaście lat codziennie otrzymywał ów niebiański dar, serce i oblicze wznosząc ku Bogu. Umysł jego tak bardzo oddzielił się i oddalił od wszystkiego, co ziemskie, że Bernard wzlatywał ponad ziemię niczym gołębica i czasem przez trzydzieści dni przebywał na szczycie wysokiej góry, kontemplując sprawy boskie.

Felipe marzył też, by dostąpić takiej łaski jak brat Masseo, towarzysz św. Franciszka, który zamknął się w celi, by umartwiać swe ciało postem, biczowaniem i modlitwą, a potem udał się do lasu, gdzie szlochając i lejąc łzy, błagał Pana, by obdarzył go cnotą boską. Na co z nieba rozległ się głos Chrystusa: „Co jesteś gotów dać w zamian za ową cnotę, której pragniesz?". A brat Masseo odparł: „Panie, gotów jestem oczy swoje z głowy wyłupić". Pan zaś powiedział: „Oto obdarzam cię cnotą i rozkazuję, byś oczy swe zachował".

Usłyszeć głos samego Chrystusa! Felipe zadrżał pod swą ciężką, wełnianą szatą. Po to przecież przybył do tego dzikiego kraju – aby dostąpić boskiego objawienia, wejrzeć w Najświętsze Oblicze. Kiedy Bóg powołał go do służby misyjnej, Felipe odpowiedział skwapliwie. Jakaż radość zapanowała w jego rodzinnej wiosce, gdy ogłoszono, że został wydelegowany do pracy misjonarskiej w Alta California! Jakże dumny był z niego ojciec. Cała wieś zgromadziła się w małym kościółku, by zanosić modły o bezpieczeństwo Felipe i powodzenie jego misji. A serce Felipe przepełniały nadzieja i pewność, że w tej dalekiej krainie spełni się marzenie jego życia i będzie mógł spotkać Zbawiciela we własnej osobie.

Podczas długiej podróży morskiej przez połowę ziemskiego globu Felipe wyobrażał sobie owo pierwsze spotkanie przed sześciu laty, gdy ojcowie dotarli do rzeki Porciunculi, gdzie napadła ich chmara dzikusów uzbrojonych we włócznie, łuki i strzały. W obawie, że czeka ich rychła śmierć, ojcowie wydobyli obraz Matki Boskiej Bolesnej i unieśli w górę, pokazując go dzikusom. I oto wydarzył się cud! Poganie natychmiast zrozumieli, że znaleźli się w obliczu Dziewicy, i złożyli broń.

Felipe był pewien, że to znak, iż tutaj właśnie człowiek pokornego serca może dostąpić łaski.

Łaska uświęcająca...

Zapominając o kwiatach, które trzymał w dłoni, i o indiańskiej dziewczynie u swego boku, Felipe uniósł oczy i długo wpatrywał się w horyzont. W jego głowie odezwał się głos: „Gdy błogosławiony św. Franciszek, który co dzień rozmawiał z Panem, umierał w Porciunculi we Włoszech, prosił, by pogrzebano go pośród złoczyńców. Ja pragnę tego samego. Chcę, by moje ciało spoczęło w najnędzniejszym grobie, na najbardziej nieprzychylnej ziemi".

Święty Franciszek nazywał siebie „najmarniejszym z boskich stworzeń". Felipe z całego serca także pragnął się poniżyć, ukorzyć na wzór błogosławionego świętego. Pragnął, by go opluwano i obrzucano błotem, on zaś przyjmowałby swe poniżenie z radością, tak jak św. Franciszek i jego bracia. A jednak...

Serce Felipe drgnęło pod wpływem nowego cierpienia, które, opanowawszy jego duszę, z każdym dniem stawało się coraz bardziej dojmujące. Dręczyło go zwątpienie, poczucie winy i wstręt do samego siebie. Pewnej nocy, gdy leżał w stodole unurzany w krowim łajnie, modląc się o dar łaski, miał objawienie, a jego wewnętrzny głos szepnął: „Arogancki człowieku! Czyż chęć poniżenia nie jest aktem pychy? Jak można być jednocześnie pokornym i dumnym?".

„Boże Przenajświętszy! – chciał zawołać Felipe właśnie tu i teraz, w tym ogrodzie, gdzie w pocie czoła pracował u boku pogańskiej dziewczyny, która tak niedawno poznała Chrystusa. – Wejrzyj na mnie, najnędzniejszego ze swych sług! Racz spojrzeć, jak umartwiam tę nieszczęsną śmiertelną powłokę, która nazywa się Felipe. Jak wyrzekam się jedzenia i napitku. Obejrzyj ślady codziennej chłosty na mym niegodnym ciele! Nagródź mnie choćby mgnieniem Twego Najświętszego Boskiego Oblicza!".

Nadaremno. Wciąż starał się za słabo. Po trzech latach wyrzeczeń, ciężkiej pracy i poniżenia Felipe uświadomił sobie z rozpaczą, że nadal nie zasługuje na to, by ujrzeć Chrystusa. Musi zrobić coś więcej. Ale co? „Gdybym tylko mógł wrócić do domu, do Hiszpanii, przemierzyłbym na kolanach całą Europę, dotarł do Porciunculi, gdzie zmarł najświętszy, nieskalany Franciszek, i złożyłbym mu hołd".

Zachodząc w głowę, co tak przykuło uwagę Felipe, Teresa popatrzyła w dal, poza ogród, pastwiska i pola pszenicy, tam gdzie wstęga rzeki wiła się po równinie.

– Co widzisz, bracie Felipe? – zapytała.

– Porciunculę – odparł dziwnym głosem. – Nazwaliśmy ją tak na pamiątkę błogosławionego św. Franciszka.

– Nazwaliście? Czy mówisz o rzece?

Czekała. Jej niepokój wzrastał.

– Bracie? – Nieśmiało dotknęła jego ramienia.

On zaś, jakby widział coś, czego nie może zobaczyć nikt inny, rzekł beznamiętnym głosem:

– Pod Asyżem stoi mały, skromny kościółek zwany Porciuncula, co oznacza „drobinkę". Nazwano go tak, gdyż była to maleńka budowla, zupełnie kiedyś opuszczona i zrujnowana. Błogosławiony św. Franciszek natrafił na nią pewnego dnia i dowiedziawszy się, że jest to świątynia pod wezwaniem aniołów, które uniosły do nieba Matkę Boską podczas Wniebowzięcia, postanowił odbudować kościół i zamieszkać w nim na jakiś czas. Właśnie podczas pobytu w kościele Matki Boskiej od Aniołów, w roku pańskim 1209, św. Franciszek dostąpił objawienia i poznał swoje przeznaczenie. Po wielu latach, złożony śmiertelną chorobą, poprosił, by go zabrano do Porciunculi, aby tam mógł dokonać żywota. W pięćset lat po jego śmierci my przybyliśmy w to miejsce i nazwaliśmy rzekę imieniem kościoła, który tak bardzo ukochał sobie św. Franciszek.

Zamknął oczy i zachwiał się lekko.

– Bracie Felipe? – Teresa złapała go za ramię i z przerażeniem wyczuła jego niezwykłą chudość pod grubym, wełnianym rękawem.
– Czy źle się czujesz?

Otworzył oczy i z trudem powrócił myślami na ziemię. Spojrzał na silne brązowe palce zaciśnięte na swym ramieniu. Przypomniał sobie. Teresa. Zbierał przecież naparstnicę z Teresą. Popatrzył na nią zmrużonymi, pełnymi bólu oczyma, przedziwną ulgę odnajdując w jej spokojnej, okrągłej twarzy, w tym uosobieniu cierpliwości, w którym odbijały się całe stulecia. Coś w sobie miała ta dziewczyna – jego pierwsza nawrócona dusza. Nie potrafił jednak określić, co to takiego. Wyglądała inaczej niż pozostali Indianie w misji. Miała większy nos, inny kształt czoła, przejrzyste czarne oczy, które spoglądały na niego pytająco. Stała tam w pełni mu oddana, lecz równie nieosiągalna jak gwiazdy, słońce i księżyc.

☆

Misję, zbudowaną na planie kwadratu, tworzyły cztery długie, kryte strzechą chaty. Wewnętrzna arkada łączyła kaplicę, warsztaty, kuchnie, jadalnie, sypialnie księży oraz pomieszczenie zwane *monjerio* – klasztorem – gdzie co wieczór zamykano wszystkie kobiety i dziewczęta powyżej szóstego roku życia, by uwolnić je dopiero rankiem. Przez malutkie okienko uwięzione kobiety słyszały głosy mężczyzn ze swych plemion, którzy cieszyli się wolnością pod gwiazdami, paląc fajki i podrzucając patyki do gry. Z początku ojcowie próbowali odzwyczaić ich od hazardu, lecz bez powodzenia, więc w końcu zezwolili mężczyznom na tę rozrywkę, pod warunkiem, że będą oni ściśle przestrzegać reżimu modlitw, przeplatanych pracą w polu.

Było już późno i drzwi do klasztoru zaryglowano. Teresa przechadzała się wśród kobiet leżących na matach: każda z nich była przykryta kocem. Tego wieczora liczba chorych znów się powiększyła. Kaszlały i rzęziły, trawione wysoką gorączką. Ciało odchodziło im od kości, a z płuc wydobywała się krew. Pomimo wysiłków Teresy, która usiłowała wyleczyć je za pomocą ziół i wywarów brata Felipe, a także własnych leków Topaa, choroba wciąż się rozprzestrzeniała. Była to dolegliwość, jakiej nikt tu do tej pory nie znał. Teresa nie miała wątpliwości, że wywołały ją duchy sprowadzone przez białego człowieka, duchy, które należały do innego, odległego świata. Biali ludzie nie umierali, kiedy duchy te wchodziły w ich ciała. Niektórzy nawet nie chorowali. Lecz Topaa i Indianie z innych plemion nie potrafili bronić się przed wrogimi duchami.

Wiele kobiet przybyło do misji, by znaleźć schronienie u ojców, ponieważ obawiały się żołnierzy – rozwydrzonych mężczyzn, którzy lubili po pijanemu uganiać się konno za bezbronnymi indiańskimi kobietami: łapali je na lasso niczym zwierzęta, a potem gwałcili. Mężowie i bracia kobiet, posiadający tylko włócznie i łuki, nie byli w stanie przeciwstawić się żołnierskim muszkietom. Bezpieczniej więc było opuścić wioskę i szukać schronienia w misji. „Ale za jaką cenę?" – zastanawiała się Teresa, patrząc po zatłoczonej chacie i słuchając gwaru przeróżnych dialektów, gdy kobiety Tongwa próbowały porozumieć się z kobietami Czumaszy, matki uciszały swe dzieci, a młode dziewczyny pogrążyły się w ponurych rozmyślaniach o tym, jak teraz znajdą mężów i kto zajmie się badaniem rodowodów. W innej epoce, w innym życiu Teresa zapewne nazwałaby to „załamaniem porządku społecznego". Jednak tej nocy, gdy wokół mnożyło się tyle pytań bez odpowiedzi, wiedziała tylko, że świat nagle się odmienił.

Podeszła do jednej z mat i cicho uklękła przy kobiecie, która leżała na boku, twarzą do ściany. Na chrzcie otrzymała imię Benita. Została zgwałcona przez żołnierzy, a potem okazało się, że jest w ciąży. Kiedy poroniła, ojcowie oskarżyli ją o dokonanie aborcji, ponieważ była niezamężna. Ukarali ją więc, skuwając nogi kajdanami, chłoszcząc publicznie, każąc ubierać się we włosiennicę i posypywać ciało popiołem. Musiała też wszędzie nosić ze sobą drewnianą figurkę dziecka pomalowaną na czerwono, co miało symbolizować przerwaną ciążę. Podczas niedzielnej mszy kazano jej stać przed kościołem i znosić drwiny i szyderstwa wiernych. Ta surowa kara miała na celu zmusić indiańskie kobiety do rodzenia niechcianych dzieci, gdyż wedle nauki ojców aborcja była grzechem. Ojcowie nie pojmowali, że to choroba powodowała liczne poronienia wśród Topaa. Oprócz złych duchów, które dręczyły kobiety gorączką i krwawym kaszlem, które ojcowie nazywali „zapaleniem płuc", istniały też złe moce wywołujące rany i wysypkę, a Teresa słyszała, jak ojcowie nazywają te choroby „syfilisem" i „rzeżączką". Były to nowe duchy, nieznane wcześniej Topaa, tak jak nowe trawy, nowe zwierzęta i kwiaty. A ludzie nie potrafili z nimi walczyć.

Benita była umierająca. Lecz to nie ciało kobiety chorowało, ale jej dusza. Nie ona wypędziła nienarodzone dziecko ze swego ciała, choć ojcowie nie chcieli w to uwierzyć. Oświadczyli, że musi stać się przykładem dla innych. Tak jak za przykład stawiali ochrzczonych mężów i braci, którzy pragnęli wrócić do dawnego życia. Żołnierze ścigali zbiegów i sprowadzali z powrotem, by ich zakuć w coś, co nazywało się „dyby", i wystawić na pośmiewisko ludzi.

Teresa przysiadła na piętach i zaczęła rozmyślać o kobietach i młodych dziewczynach stłoczonych w tej ciasnej chacie, bez świeżego powietrza, bez ognia i bez szamana, który by dopilnował, żeby duchy nie przeskakiwały z ciała do ciała. Wystarczyło, że duch ospy lub duch tyfusu wszedł w jedną kobietę, a już wszystkie chorowały, zła moc brała bowiem w posiadanie jedną po drugiej.

Ojcowie nie potrafili tego zrozumieć. Nie pojmowali również wielu innych rzeczy.

Dlaczego podczas letnich upałów z takim uporem pocili się w swych szorstkich wełnianych sukniach, skoro wiadomo, że najwygodniej chodzić nago? Dlaczego kazali kobietom zakrywać ciała, twierdząc, że to wstyd obnażać piersi? Dlaczego ojcowie nazywali wszystkich „Indianami"? Plemion było przecież wiele, a każde miało swój własny język, odmienne mity i innych przodków. „Tamta kobieta – pomyślała Teresa – to Yang-na. Pochodzimy z zupełnie innej linii, ja nie znam jej zwyczajów, a ona moich. Inne kobiety są z plemienia Tongwa i z moim ludem nie mają nic wspólnego. Ale ojcowie tego nie pojmują".

Teresa z początku próbowała podtrzymać tradycję wieczornego opowiadania historii, mitów i legend, które były spoiwem łączącym wszystkie pokolenia od czasów pierwszych przodków. Ojcowie jednak rozdzielili klany, a nawet rodziny, zabierając braci do jednej misji, a siostry do innej; dziadków rozdzielali z wnukami, kuzynów z kuzynami, aż w końcu okazywało się, że wieczorne opowieści często pochodzą z obcego plemienia. Teresa obawiała się, że jeśli potrwa to dłużej, starzy ludzie poumierają i nie zdążą przekazać młodym tradycji plemiennych. Siadywała więc z uwięzionymi kobietami, opowiadając im o Pierwszej Matce, która przywędrowała

158

ze wschodu i wywołała trzęsienie ziemi, nadepnąwszy na norę żółwia. Opowiedziała historię przybysza, który wyłonił się z morza i przyniósł Topaa magiczne oczy. Ale dla wielu z tych kobiet legendy Teresy nic nie znaczyły, ponieważ miały one własne opowieści. Usłyszawszy historię o mężczyźnie, który przybył z morza, jedna z nich zapytała: „Czy to był Jezus?". Miejscowe mity zaczynały mieszać się z chrześcijańskimi, a co najgorsze niektóre dzieci nie rozumiały już Teresy, ponieważ uczyły się mówić tylko po hiszpańsku. Przy chrzcie nadawano im imiona hiszpańskie, i te najmłodsze nie pamiętały już swych dawnych, plemiennych imion.

Teresa zacisnęła w dłoni zawieszony na szyi skórzany woreczek. W środku spoczywał prastary, święty kamień, który przekazywano sobie od czasów Pierwszej Matki.

Dlaczego tylu ludzi chorowało? Jej matka zmarła na chorobę płuc, a teraz inni cierpieli z powodu kaszlu i wysokiej gorączki. Czy to dlatego, że nie opowiadano już historii? Patrząc na schorowane i przerażone kobiety, Teresa poczuła, że to jej wina. „Nie powinnam była tutaj zostać. Trzeba było wrócić i zająć się jaskinią. Kto się teraz opiekuje Pierwszą Matką? Nikt, i właśnie dlatego spadło na nas to przekleństwo".

Wiedziała już, co zrobić. Aby ocalić swych ludzi, musi pójść do jaskini, mimo że to zabronione i że grozi jej surowa kara. Musi po prostu dopilnować, żeby żołnierze jej nie znaleźli, bo z pewnością wyruszą za nią w pościg, jak za wszystkimi zbiegami. Mniej bała się jednak czekającej ją kary niż tego, że mogłaby już nigdy nie wrócić do jaskini.

Na koniec Teresa pomyślała o Felipe. Serce krwawiło jej na myśl, że go opuszcza, bo gdy ucieknie, powrót do misji będzie niemożliwy. Lecz jej ludzie, wycieńczeni chorobą, umierali. Jeśli chce im pomóc, musi zostawić swego ukochanego Felipe i nigdy już go nie zobaczy.

Okienko okazało się dostatecznie szerokie. Przyjaciółki podsadziły ją, błogosławiąc i życząc powodzenia w języku Topaa oraz dialektach, których Teresa nie rozumiała. Obiecała im, że nie da się schwytać żołnierzom. Przyrzekła, że nie pozwoli, by dawne zwyczaje odeszły w zapomnienie. A potem skoczyła w noc, bezszelestnie niczym kot.

☆

Najpierw poszła do ogrodu zielnego, przemykając pod osłoną cieni, tym głębszych, im bardziej się oddalała drogą oświetloną blaskiem księżyca i gwiazd. Znalazłszy się w gęstwinie roślin i ziół, zaczęła obrywać kwiaty i ciemnozielone liście. Potem, mijając stajnię, pospieszyła na wschód, w stronę pradawnego szlaku prowadzącego w góry.

Przystanęła nagle, gdy do jej uszu doszedł dziwny dźwięk.

Przez szparę w drzwiach zajrzała do stajni, lecz początkowo nie mogła niczego dojrzeć w ciemności. Po chwili jednak westchnęła głośno ze zdziwienia. W chlewie, między dwiema przegrodami, klęczał obnażony do pasa brat Felipe i chłostał się biczem zrobionym z sześciu zakończonych węzłami rzemieni przywiązanych do drewnianego kija. Po jego plecach spływały strużki krwi.

Teresa szarpnięciem otworzyła drzwi, wbiegła do środka i padła na kolana obok zakonnika.

– Bracie Felipe! Co robisz?

Wydawało się, że jej nie słyszy, ponieważ biczował się dalej.

– Przestań! – krzyknęła, chwytając bicz i wyrywając mu go z rąk. – Co ty wyprawiasz, bracie?

Felipe spojrzał na swą pustą dłoń, obrócił powoli głowę i popatrzył na dziewczynę nieprzytomnym wzrokiem.

– Teresa...

Widząc jego strasznie poranione i pokryte starymi bliznami plecy, rozpłakała się.

– Dlaczego to robisz?

– Chcę... chcę stać się godny w oczach Boga.

– Nie rozumiem! Czyż to, że twój bóg cię stworzył, nie znaczy, że jesteś go godzien? Czy on stwarza niegodne istoty? – Wyciągnęła

160

rękę i delikatnie dotknęła czerwonych pręg na jego białej skórze. Zapragnęła przytulić się do tych pleców i uleczyć je swymi łzami, wylać na nie swą miłość niczym kojący balsam.

Felipe zaczął szlochać. W jaki sposób ma wytłumaczyć tej dziewczynie, że pragnie doświadczyć uniesienia? Chciał zostać naznaczony stygmatami jak błogosławiony św. Franciszek. Pragnął oswajać dzikie gołębie i nauczać ryby w morzu. Marzył o wizji – przecież Chrystus i Matka Boska ukazali się św. Franciszkowi i jego towarzyszom, dlaczego więc nie przychodzą do niego?

Teresa przyniosła wodę z koryta i, najdokładniej jak mogła, obmyła jego rany. Oderwała brzeg swojej spódnicy i starła krew, delikatnie dotykając pęknięć na skórze. Przez cały czas płakała, patrząc przez łzy na sponiewierane ciało brata Felipe.

On zaś wciąż klęczał i poddawał się jej zabiegom z uległością dziecka, a jego chudą piersią wstrząsał gorzki szloch.

Wreszcie, po zmyciu krwi i osuszeniu skóry, Teresa pomogła mu wstać i podwinęła rękawy jego szarego habitu, częściowo przywracając mu godność. Potem, w ciemności tej prymitywnej stajni, spojrzała w oczy zakonnika i poprosiła:

– Powiedz mi, czego pragniesz, bracie Felipe.

– Poszukuję najwyższego szczęścia – odparł ochrypłym, bezbarwnym głosem.

– A cóż to takiego?

– Opowiem ci. Pewnego zimowego dnia św. Franciszek i brat Leo wędrowali z Perugii do kościoła Matki Boskiej od Aniołów, cierpiąc strasznie z powodu przenikliwego zimna. Św. Franciszek tak oto zawołał do brata Leo, który szedł przed nim: „Gdyby Bogu spodobało się, by bracia nasi stali się wzorem świętości i siły moralnej na wszystkich lądach, nie to byłoby najwyższym szczęściem". Gdy przeszli następną milę, św. Franciszek zawołał po raz drugi: „Bracie Leo, gdyby bracia nasi potrafili uzdrawiać chromych, przywracać wzrok ślepym, słuch głuchym, a mowę niemowom, nie to byłoby najwyższym szczęściem". Po niedługim czasie wykrzyknął znowu:

161

„Bracie Leo, gdyby bracia nasi mówili wszystkimi językami i poznali wszelkie nauki, gdyby potrafili objaśniać Pismo i posiedli dar jasnowidzenia, tak że poznaliby wszystkie rzeczy przyszłe, tajemnice wszystkich ludzkich sumień i dusz, też nie to byłoby najwyższym szczęściem". Przeszli jeszcze milę, a on zawołał ponownie donośnym głosem: „Gdyby bracia nasi mówili językami aniołów i potrafili objaśniać wędrówki gwiazd, gdyby znali zalety wszystkich roślin i właściwości wszystkich ptaków, ryb i zwierząt, ludzi, drzew, skał i wód, nie to byłoby najwyższym szczęściem. I gdyby bracia posiedli taki dar nauczania, że wszystkich niewiernych nawróciliby na wiarę Chrystusową, nie to byłoby najwyższym szczęściem".

Wtedy brat Leo przystanął i rzekł do świętego: „Ojcze, naucz mnie zatem, co jest najwyższym szczęściem". A św. Franciszek odrzekł: „Jeśli przybędziemy do Matki Boskiej od Aniołów, przemoknięci deszczem i drżący z zimna, oblepieni błotem i osłabieni z głodu, jeśli uderzymy w dzwon u wrót i gdy przyjdzie odźwierny, powiemy mu, że jesteśmy dwoma braćmi, a on ze złością odpowie, że to nieprawda, że jesteśmy oszustami, którzy łżą, by wydrzeć ubogim ich jałmużnę, i zostawi nas na zewnątrz w śniegu i deszczu, omdlewających z głodu, i jeśli zapukamy znowu, a odźwierny odpędzi nas razami i jeśli, zmuszeni zimnem i głodem, zapukamy ponownie, ze łzami błagając odźwiernego, by dał nam schronienie, a on powali nas na ziemię, sponiewiera w śniegu i obije kijem – i jeśli zniesiemy wszystkie te krzywdy, okrucieństwa i niegodziwości cierpliwie i z radością, rozmyślając o cierpieniach naszego Pana, które z Nim dzielimy z miłości do Niego, będzie to, bracie Leo, najwyższym szczęściem".

Teresa oniemiała.

– Kiedy św. Franciszek umierał – dodał Felipe smutno – był niemal ślepy od łez, które wypłakał przez całe życie.

– A więc twój bóg pragnie, byś przez całe życie płakał?

– Św. Franciszek został powołany przez Boga, by w swoim sercu nieść krzyż Chrystusowy, swoim życiem dawać mu świadectwo i nauczać o nim słowami. Był to prawdziwy męczennik, zarówno w uczynkach, jak w swych naukach. Św. Franciszek wystawiał się na potwarz i szyderstwo z miłości do Chrystusa. Radował się, gdy nim pogardzano, cierpiał, gdy okazywano mu szacunek. Wędrował po świecie jako pielgrzym i wyrzutek, nie mając przy sobie nic prócz Chrystusa ukrzyżowanego. Chciałbym być taki jak on. I pragnę być taki jak brat Bernard, który, gdy przybył do Bolonii, a dzieci na ulicach na widok jego ubogich i dziwacznych szat zaczęły śmiać się z niego i drwić, biorąc go za szaleńca – przyjął ich szyderstwa z wielką pokorą i ogromną radością w imię miłości Chrystusa. Pragnąc większego jeszcze poniżenia, brat Bernard udał się na rynek, usiadł tam, a kiedy wokół niego zgromadził się tłum dzieci i dorosłych, którzy zaczęli szarpać jego szatę i ubliżać mu, rzucając w niego kamieniami i błotem, on poddał się temu w milczeniu, a jego twarz przybrała wyraz najwyższej radości, i przez kilka następnych dni wracał w to samo miejsce, by przyjmować te same zniewagi, aż w końcu pewnego dnia mieszkańcy miasta zadumali się i oznajmili: „Ten człowiek musi być wielkim świętym".

– Chcę być taki jak on! – wykrzyknął Felipe. – Lecz żeby stać się wielkim świętym, powinienem nosić w sercu pokorę. Jakże mogę pragnąć wielkości i jednocześnie być pokornym? Oto moja udręka! Grzesząc pychą i próżnością, tracę dar owej najwyższej radości.

Teresa pomyślała z przerażeniem, że choroba szerzy się nie tylko wśród jej ludzi, lecz dotyka także białego człowieka. Była zatem w ziemi i w powietrzu, w roślinach i w wodzie… należało to naprawić. Trzeba na nowo przywrócić równowagę w świecie.

Wyciągnęła do niego dłoń.

☆

Felipe poszedł za nią posłusznie. Dosiedli muła i wyruszyli ku wschodowi skąpanym w księżycowym blasku szlakiem, mijając doły ze smołą i mokradła, i w końcu dotarli do podnóża gór, które ojcowie nazwali Santa Monica. Wędrowali przed siebie w ciemności, aż stanęli pod stosem głazów oznaczonych symbolami kruka i księżyca – tam zaś Teresa oznajmiła, że dalej trzeba iść pieszo. Pchany jakąś potężniejszą od siebie siłą, Felipe podążył ulegle za dziewczyną, zbyt pochłonięty własnym bólem i cierpieniem, by zastanawiać się, dlaczego stawia jedną stopę przed drugą.

Kiedy w kanionie natknęli się na grzechotnika, Felipe odskoczył z lękiem, lecz Teresa powiedziała, że jeśli będą stąpać cicho, wąż nie zrobi im nic złego.

– Jest naszym bratem i pozwoli nam przejść, jeśli okażemy mu należyty szacunek.

I rzeczywiście, przeszli na palcach, a wąż odpełzł w ciemność.

Gdy zbliżyli się do jaskini, Teresa rzekła cicho:

– To jest święte miejsce. Tutaj znajdziesz ukojenie.

Najpierw złożyła kwiaty na starożytnym grobie i wyjaśniła Felipe, że przychodząc do Pierwszej Matki, zawsze należy przynieść jej jakiś podarunek. Potem, za pomocą przyborów do krzesania ognia, rozpaliła małe ognisko. Rzuciła w płomienie ciemnozielone liście narwane wcześniej w ogrodzie, a z ogniska natychmiast buchnęły kłęby gryzącego dymu, drażniąc nozdrza Felipe znajomą wonią marihuany, którą hodował dla celów leczniczych. Kiedy blask ognia oświetlił namalowane na ścianie symbole, Teresa opowiedziała Felipe historię Pierwszej Matki, tak jak usłyszała ją od swojej matki, ta zaś od swojej i tak jak opowiadana była od niepamiętnych czasów.

Felipe słuchał w milczeniu, wpatrzony w dziwne znaki wymalowane na skale, i po chwili poczuł, że ból z wolna ustępuje, a jego udręczona dusza powoli doznaje ukojenia.

Dym stopniowo wypełniał jaskinię, jej wnętrze stawało się ciepłe i przytulne, a Teresa, która teraz nazywała siebie Marimi, ciągnęła swą cichą litanię, opowiadając historię plemienia i recytując mity tak, jak je zasłyszała. Jednocześnie powoli zdejmowała ubrania, które kazali jej nosić bracia: bluzkę, spódnicę, bieliznę, buty, aż wreszcie stanęła przed Pierwszą Matką w swej naturalnej postaci.

Młody zakonnik nie był tak wstrząśnięty, jak można się było spodziewać. W miarę jak opary wypełniały jego nozdrza, głowę i płuca, a magiczna moc zaczynała działać, przestał widzieć cokolwiek złego w tym, że stoi oto w prastarej jaskini w towarzystwie nagiej indiańskiej dziewczyny i słucha opowieści, które jeszcze niedawno nazwałby pogańskimi i plugawymi.

Po jakimś czasie, wsłuchując się w rytm jej głosu, zaczął odczuwać go w sobie, jakby każde drgnienie jego tętna i każdy oddech, a nawet każdy nerw i mięsień odpowiadały na jednostajną pieśń Teresy. Zupełnie bezwiednie brat Felipe jął pozbywać się swego habitu, sandałów i przepaski biodrowej, aż w końcu on także stanął przed Pierwszą Matką pokorny i nagi.

Gdy zrzucał z siebie ciężką wełnę, czuł, że wraz z nią opadają mu łuski z oczu i pęta niewolące duszę. Doświadczył nagłej światłości, która wcześniej wydawała mu się nieosiągalna. Na twarz Felipe wypłynął uśmiech.

Potem poczuł, że coś lekko muska jego skórę, niczym skrzydła lub szept. Z zadziwieniem spojrzał na brązowe palce, które gładziły stare, zabliźnione rany na jego ciele. Oczy Teresy wypełniły się łzami, gdy zobaczyła, w jak okropnym stanie jest Felipe. Wystające żebra i kości świadczyły o tym, że w swym dążeniu do osiągnięcia stanu łaski głodził się i maltretował swe ciało. Jakże udręczone były te nieszczęsne członki! Jakże poraniona ta delikatna skóra!

– Mój biedny Felipe… – łkała dziewczyna. – Ileś ty wycierpiał!

Objęła go i przyciągnęła do swego ciepłego łona. Zatopił twarz w jej włosach, otoczył ramionami i przytulił. Poczuł jej łzy na swej piersi. Wtedy i on zapłakał, roniąc łzy na jej głowę. Płakali oboje, tuląc się pośród gorących oparów świętego dymu.

I wtedy coś zaczęło się dziać. Felipe poczuł, że unosi się, opuszczając swe ciało. Było to tak, jakby aniołowie nieśli go w górę na skrzydłach, aż w końcu znalazł się pod sklepieniem jaskini i patrzył w dół na dwa nagie stworzenia Boże, które spoczywały w uścisku, napełniając wzajemnie swe serca miłością. Ujrzał, jak mężczyzna kładzie dziewczynę na ziemi, na łożu usłanym z kwiatów i brązowego franciszkańskiego habitu. Długie czarne włosy rozsypały się wokół jej głowy, twarz wyrażała uniesienie. Felipe zobaczył poranione i pokryte bliznami plecy mężczyzny i dłonie kobiety pieszczące jego rany. Całowali się długo i czule, wywołując uśmiech Felipe. Nagle, ku własnemu zaskoczeniu, zaczął się śmiać. Jego bezcielesną formę zalała wszechogarniająca fala ciepła i wilgoci, a błogie to doznanie sprawiło, że serce wzleciało mu aż do gardła i zdało mu się, że skona z pożądania, radości i spełnienia. Usłyszał, jak mężczyzna krzyczy w ekstazie, ujrzał łzy, lśniące niczym diamenty na czarnych rzęsach dziewczyny.

Wtem jaskinia wypełniła się cudownym, jasnym światłem i Felipe zobaczył wokół tłum ludzi! Skalna ściana gór jakby się roztopiła, ponieważ Felipe widział przed sobą otwartą aż po horyzont przestrzeń i nieprzebrane morze ludzi ciągnące się bez końca w jaśniejącą dal. W chwili objawienia uświadomił sobie, że są to dusze wszystkich, którzy istnieli przed nim i teraz żyją w blasku bożej łaski. Na czele tłumu stali prorocy, Eliasz i Mojżesz, odziani w olśniewające szaty. Między nimi zaś był Jezus pod postacią strumienia światłości. Ponad nimi unosiła się Matka Boska jako jasna gołębica, a zaraz potem piękna kobieta otoczona lśniącą poświatą, emanująca swą miłością i łaską.

Felipe krzyknął głośno i poczuł, że jego ciało rozpada się, a uwolniona dusza ulatuje ku niebu.

A potem aniołowie delikatnie ponieśli go z powrotem na ziemię, do jaskini, w ciepłe objęcia dziewczyny, i brat Felipe zapadł w najgłębszy, najsłodszy sen swojego życia.

☆

Po przebudzeniu zdziwiła go własna nagość. Jednak po chwili przypomniał sobie wszystko i wiedział już, że to jego naturalny stan, że Bóg stworzył go takim, podobnie jak wszystkich mężczyzn i kobiety, i że w nagości nie ma nic wstydliwego. Czyż błogosławiony św. Franciszek nie zdjął szat, mówiąc: „Ojcze nasz, któryś jest w niebie"?

Felipe spojrzał na śpiącą słodko Teresę. Oto odpowiedź, której szukał, oto owa tajemnica, która nie dawała mu spokoju. Patrzył, jak dziewczyna rozmawia z roślinami, szepcze do wiatru, śpiewa deszczowi. Nie bała się zwierząt, lecz rozumiała je i, tak jak św. Franciszek, żyła z nimi w braterstwie, którego nie znał Felipe. Nie wynosiła się ponad przyrodę, jak mężczyźni, lecz stawiała się z nią na równi. Na tym polega prawdziwa pokora! Przez cały czas była przy nim, niosąc mu to przesłanie, lecz on w swym zaślepieniu nic nie pojmował.

Zaczął szlochać z radości, roniąc łzy tak obficie, jak niegdyś św. Franciszek. Brat Felipe przybył do Kalifornii, by dostąpić objawienia, i osiągnął swój cel.

☆

Dotarli do misji przed świtem, w milczeniu i podziwie, wiedząc, że tej nocy w jaskini dokonało się cudowne uzdrowienie. Teresa z powrotem przedostała się przez okienko do klasztoru, a Felipe poszedł do swej celi.

Nie pozostał jednak w misji. Nazajutrz, nim słońce stanęło w zenicie, wyruszył na wschód, nie zabierając nic prócz bochenka chleba i małego zawiniątka ukrytego w rękawie. Przepełniała go wzniosła radość i zachwyt. Nie było już bólu, zniknęły pytania. Wszystko nagle znalazło się na swoim miejscu, a o n r o z u m i a ł.

Kiedy św. Franciszek zmarł w 1226 roku, pochowano go w kościele pod wezwaniem św. Jerzego w Asyżu. Cztery lata później jego ciało przeniesiono potajemnie do okazałej bazyliki wybudowanej przez brata Eliasza. Podczas tej powtórnej ceremonii pogrzebowej jeden z braci w religijnym uniesieniu odciął mały palec świętego i ukrył go w niewielkim klasztorze w Hiszpanii. Przez lata relikwię przechowywano w różnych pojemnikach, z których każdy był cenniejszy od poprzedniego, aż w końcu święte kości spoczęły na zawsze w srebrnym relikwiarzu o kształcie ludzkiej dłoni i przedramienia. Kiedy ojcowie wyruszali w podróż do Nowej Hiszpanii, by objąć misję w Alta California, sekretnie powierzono relikwiarz ich opiece – obecność świętego w dalekim, dzikim kraju miała zapewnić powodzenie przedsięwzięcia.

Teraz Felipe zamierzał złożyć go w darze Pierwszej Matce.

Dotarłszy do jaskini, rozebrał się, zostając tylko w przepasce biodrowej, i ostrożnie owinął relikwiarz w swój habit, po czym zakopał go w ziemi. Następnie – wspominając post św. Franciszka, który przez czterdzieści dni i nocy zjadł tylko pół bochenka chleba na cześć Pana, poszczącego niegdyś przez czterdzieści dni i nocy, podczas których nie przyjmował ż a d n e g o pokarmu – Felipe opuścił jaskinię z różańcem i bochenkiem chleba w dłoni i zamiast skierować się do wyjścia z kanionu, skąd droga prowadziła prosto do misji, ruszył w górę wąwozu z twarzą zwróconą ku słońcu i promiennym uśmiechem na ustach, wspinając się wciąż wyżej i wyżej, aż zniknął między nagimi skałami a niebem.

Rozdział siódmy

„Gdyby Los Angeles miało serce – pomyślała Erica – byłaby nim Olvera Street".

Szła łączącym dwie przecznice pasażem i czuła, że nastrój jej się poprawia – na tej wyłożonej kolorowym chodnikiem uliczce kramarze sprzedawali lalki, przedmioty ze skóry, poncha, sombrera, figurki świętych i prawdziwe meksykańskie jedzenie, a zespół mariachi wygrywał żywiołową wersję *Guantanamery*. Erica właśnie zjadła lunch, złożony z pikantnego chili relleno, w uroczej restauracji na patio, gdzie można było zapomnieć, że jest się w centrum metropolii liczącej pięć milionów mieszkańców.

Wracała właśnie z misji San Gabriel, kiedy jakiś impuls kazał jej zjechać z autostrady. Nie była świadoma, dlaczego to robi – musiała po prostu pomyśleć. Jej wizyta nie przyniosła oczekiwanych rezultatów. Chociaż zapiski misji sięgały czasów jej założenia w 1771 roku, w archiwach nie było wzmianki o tym, by Indianie lub ojcowie kiedykolwiek zajmowali się wytwarzaniem przedmiotów przypominających ten, który Erica znalazła w jaskini. A ona miała nadzieję, że ktoś w misji wyjaśni jego pochodzenie. Teraz zaś, wciąż pod wpływem tego dziwnego impulsu, spacerowała beztrosko pośród tłumu miejscowych i turystów, którzy zwiedzali zabytki historyczne, będące częścią ukrytej, romantycznej duszy Los Angeles. Należał do nich kościół Matki Boskiej od Aniołów wzniesiony w 1818 roku przez indiańskich robotników – przyciągnęli oni drewniane bale aż z gór San Gabriel. Tam właśnie w niedzielne poranki odbywały się *quinceaneros*, czyli uroczyste ceremonie, podczas których świętowano osiągnięcie dojrzałości przez piętnastoletnie dziewczęta; były to radosne obchody, wywodzące się, jak wierzono, z pradawnych obrzędów rdzennych Amerykanów i zwalczane przez Kościół katolicki. Stał tam też Dom Sepúlveda, piękny gmach w stylu wiktoriańskim, zbudowany w 1887 roku, poza tym Dom Pelanconi – pierwszy ceglany budynek w Los Angeles powstały w 1855 roku, no i oczywiście Avila Adobe, uważany za najstarszy dom, wzniesiony w roku 1818, czyli trzydzieści siedem lat po założeniu miasta. Zdaniem Eriki miejsca te aż pulsowały minionymi namiętnościami i echem dawnych opowieści.

Wyszła na zalaną słońcem Plazę – park w stylu meksykańskim, nad którym górował ogromny figowiec – zadowolona ze swej decyzji, by w ostatniej chwili zjechać z autostrady. Samotność miała swe zalety, czasem jednak dusza tęskniła do zatłoczonych miejsc. Wszystkie ławki były zajęte przez odpoczywających po długim marszu turystów oraz tutejszych mieszkańców z nosami utkwionymi w „Los Angeles Times" lub „La Opinion".

I wtedy zobaczyła duchy – przezroczystych ludzi w staroświeckich strojach, konie i furmanki, wyliniałe psy, rozpadające się budynki z suszonej w słońcu cegły, drewniane chodniki. Erica przywykła do spotkań z duchami, nawet w centrum Los Angeles, w samo południe. Umarli nigdy nie odchodzili na dobre. Archeologia była na to dowodem. Widziała kobiety z ozdobnymi parasolkami, mężczyznę o pałąkowatych nogach z odznaką szeryfa, handlujących futrami traperów na koniach i twardzieli szukających baru. Ludzie uważali współczesne Los Angeles za dzikie miasto. Powinni zobaczyć, jak wyglądało półtora wieku temu. Tu właśnie był końcowy przystanek Dzikiego Zachodu.

Duchy zniknęły. Ujrzała młodą latynoską parę idącą w objęciach, z przytulonymi głowami. Wyglądali na nowożeńców w podróży poślubnej. Erice nie przyszłoby na myśl, że można spędzać miesiąc miodowy w Los Angeles, ale Plaza ze swą atmosferą Starego Meksyku, pełna kwiatów, muzyki, dobrego jedzenia, poprzebieranych ludzi i wesołości, wydawała się idealnym miejscem dla zakochanych.

Widok opartego o latarnię pracownika azjatyckiej restauracji, w białym poplamionym fartuchu i z porannym wydaniem „Timesa" w ręku, sprowadził ją z powrotem na ziemię. Na pierwszej stronie gazety znowu pisano o Emerald Hills. Tym razem w nagłówku pojawiło się słowo „nawiedzony". Jeden z brukowców odgrzebał stare notatki prasowe na temat siostry Sarah i dziwnych zajść w Nawiedzonym Kanionie. Siostra Sarah oznajmiała wręcz, że pomysł założenia Kościoła Duchów właśnie tam objawił się jej podczas wizji, w której nawiedziła ją „kobieta w strojnych szatach". Erica podejrzewała, że owa wizja miała więcej wspólnego z teatrem niż z rzeczywistością. Niemniej jednak artykuł wywołał wówczas falę przeróżnych „widzeń" w jaskini, teraz zaś pracujący tam robotnicy twierdzili, że czują się w niej nieswojo.

Prasa rozpisywała się także o innym ważnym wydarzeniu. Znalazłszy relikwiarz ze szczątkami św. Franciszka, Erica skontaktowała się ze Stolicą Apostolską. Watykan doniósł, że relikwiarz sprowadzono do Kalifornii w 1772 roku, natomiast w aktach misji z roku 1775 uznawano go za zaginiony, podobnie zresztą jak brata Felipe, który zniknął w niewyjaśnionych okolicznościach i, jak przypuszczano, został pożarty przez niedźwiedzie grizzly. Erica zachodziła w głowę, po co franciszkański zakonnik miałby grzebać szczątki św. Franciszka na obcej ziemi. I to jeszcze w indiańskiej jaskini.

Watykan natychmiast przysłał swego przedstawiciela. Eriki wcale nie zdziwiła tak szybka reakcja. Nie chodziło bowiem o wartość samego relikwiarza (na całym świecie są ich tysiące), ani o to, że św. Franciszek był jednym z najważniejszych świętych. Sprawa była polityczna. Junipero Serra został beatyfikowany, co stanowi pierwszy krok do świętości, lecz wiele środowisk sprzeciwiało się jego kanonizacji, która stała się przez to tematem drażliwym. Na światło dzienne wychodziło coraz więcej szczegółów dotyczących traktowania Indian przez zakonników z misji, a działalność Kościoła katolickiego zaczęto poddawać krytyce. Gdy znaleziono szczątki świętego pogrzebane wraz z indiańskimi kośćmi, pojawiło się wiele istotnych pytań.

Mimo że relikwiarz był już w drodze do Rzymu, narobiono wokół niego tyle szumu, że ludzie ustawiali się w kolejkach przy ogrodzeniu w Emerald Hills z nadzieją, że zostaną wpuszczeni i będą mogli pomodlić się w miejscu, gdzie spoczywają szczątki błogosławionego św. Franciszka. Rodzice z chorymi dziećmi, osoby na wózkach inwalidzkich i ich najbliżsi – wszyscy odmawiali różaniec w oczekiwaniu na wejście do jaskini. Latynosi twierdzili, że napis „La Primera Madre" odnosi się do Najświętszej Marii Panny, która objawiła się w grocie, przez co media zaczęły porównywać ją do jaskini w Lourdes. Fotografia w gazecie, przedstawiająca przezroczystą folię ochronną, którą przykryto szkielet, oraz ciężką żelazną bramę, jaką zagrodzono wejście do groty, nadawała jaskini otoczkę religijnej tajemnicy – rzeczywiście można było odnieść wrażenie, że w miejscu tym dzieją się cuda.

Tego ranka, gdy Erica zjeżdżała ze wzgórza, zobaczyła, że na samym dole – tam, gdzie szosa łączy się nadbrzeżną autostradą – patrol policyjny aresztuje dwóch młodych mężczyzn, którzy postawili w poprzek drogi barierę z napisem: „Wykopaliska Emerald Hills. Wstęp: 5 dolarów od osoby". Uśmiechnęła się. Mieszkańcy Los Angeles, cokolwiek by o nich mówić, potrafili być przedsiębiorczy.

Wracając do współczesnego świata, który w pośpiechu przemykał obok niej na wysokich obcasach i w eleganckich półbutach, Erica sięgnęła do torebki po mały szmaciany woreczek i wytrząsnęła na dłoń jego zawartość – prosty blaszany krzyżyk z wyrytą datą: Anno Domini 1781. „Być może jest to pamiątka po jakimś ważnym wydarzeniu" – powiedział ksiądz w misji, kiedy Erica wyjaśniła, że krucyfiks zakopano z wielką starannością i czcią w dole wysłanym kwiatami. „Może były to narodziny" – zasugerował.

Narodziny? Ale czyje?

„Czy urodziła się pani w Kalifornii, doktor Tyler?" – przypomniała sobie pytanie Jareda, gdy pewnego dnia przypadkiem usiedli przy tym samym stoliku w kafeterii. „Tak bardzo pasjonuje panią tutejsza historia" – dodał szybko.

Zaskoczyło ją to pytanie. Dziwiło ją też, że jest taki spostrzegawczy, i przez chwilę czuła się mile połechtana na myśl, że Jared interesuje się jej osobą. Natychmiast jednak pomyślała: „To nie jest życzliwa ciekawość, on mnie bada, tak jak ja badałam jego. Czyż nie tak postępują wrogowie? Czyż nie starają się doszukiwać mocnych i słabych stron przeciwnika?". Udzieliła mu standardowej odpowiedzi: „Pochodzę z San Francisco". Tak przynajmniej napisano w jej akcie urodzenia. Prawda była trochę bardziej skomplikowana.

„Miła pani z opieki społecznej pyta: – A więc na imię ci Erica? Nie masz nazwiska? Dobrze, Erico, powiedz mi, czy pan, który cię tu przyprowadził, jest twoim tatusiem?

– Chyba nie – odpowiada Erica. Ma dopiero pięć lat, lecz potrafi już rozpoznać wyraz zmieszania na twarzy dorosłego.

– Jak to: chyba nie?

– Mam wielu tatusiów.

Pracownica opieki społecznej zapisuje coś, a Erica patrzy zafascynowana na jej długie paznokcie pomalowane ładnym, kolorowym lakierem i na złotą obrączkę połyskującą na palcu miłej pani.

– A czy ta kobieta, którą z tobą przywieziono, to była twoja mama? – mówi i zaraz szybko się poprawia: – Czy to jest twoja mama?

Nie powiedzieli Erice, że kobieta zmarła w karetce pogotowia".

Potem Jared zapytał: „Czy pani rodzina wciąż mieszka w San Francisco?".

„Nie mam rodziny – odparła. – Jestem sama". – Nie było to zupełne kłamstwo, ponieważ Erica nie znała odpowiedzi.

„Później, w innym pomieszczeniu, miła pani z opieki społecznej pyta:

– Znalazłeś coś?

A łysy mężczyzna, nieświadomy, że mała Erica ich słyszy, odpowiada:

– Miałem dobre przeczucie. Domyśliłem się, że dzieciak na pewno pochodzi z jednej z tych hipisowskich komun. To proste: świadczyła o tym naszprycowana kobieta i strój gościa, który ją przyprowadził. Znalazłem tę komunę. Dziecko najwyraźniej porzucono. Mówili, że matka uciekła z jakimś motocyklistą. Biologiczny ojciec jest nieznany – matka dołączyła do komuny, już będąc w ciąży, i tam urodziła. Nigdy nie wspominała o ojcu dziecka. Wątpię, żeby była mężatką.

– Zapytałeś o jej nazwisko?

– Mówiono na nią Promień Księżyca. Tylko tyle się dowiedziałem. Nie sądzę, żeby udało ci się znaleźć ją albo ojca dziecka. Pewnie nie byli po ślubie i nie mają nawet aktu urodzenia małej.

– Kazałam go sporządzić. Jako miejsce urodzenia wpisaliśmy San Francisco.

– I co teraz?

– No cóż, trudno będzie ją oddać do adopcji. Ma już pięć lat.

– Tak uważasz? Niektóre pary wolą starsze dzieci, zwłaszcza takie ładne dziewczynki.

– Tak, ale ona jest jakaś dziwna…".

A zatem dorastanie w świadomości, że porzuciła ją własna matka, oraz ciągła tułaczka od jednej rodziny zastępczej do drugiej, opiekunowie społeczni zmieniający się z przerażającą regularnością – wszystko to sprawiło, że Erica uciekała w świat fantazji. Opowieści stały się jej szalupą ratunkową, a fikcja utrzymywała ją przy zdrowych zmysłach.

W czwartej klasie fantazjowała na temat przystojnego mężczyzny w wojskowym mundurze, który wkracza do sali lekcyjnej i rozkazującym tonem oznajmia: „Jestem generał MacIntyre i przybywam z pola bitwy, by zabrać moją córkę do domu". Uściskaliby się na oczach wszystkich dzieci – Ashleya, Jessiki, Tiffany, tych małych piranii ze szkoły podstawowej przy Campbell Street – i odeszli, trzymając się za ręce, a Erica niosłaby całe naręcze nowych zabawek. W piątej klasie widziała siebie w szpitalnym łóżku po operacji mózgu i na krawędzi śmierci, ponieważ potrzebowała transfuzji krwi, której dawcą mógł zostać tylko bliski krewny. Rodzice w pośpiechu przybywają do niej i mówią, że zobaczyli w gazecie jej zdjęcie z napisem: „Czy ktoś pomoże tej dziewczynce?". Są bogaci, więc fundują nowe skrzydło szpitala, które ma zostać później nazwane imieniem ich córeczki.

W szóstej klasie Erica założyła album z fotografiami rodzinnymi obcych ludzi. Pod nimi umieszczała podpisy: „Mama i ja na plaży", „Tata uczy mnie jeździć na rowerze". W siódmej klasie, kiedy wraz z okresem dojrzewania wkroczył w jej życie nowy niepokój, zaczęła regularnie dzwonić do domów dziecięcej opieki społecznej i sprawdzać, czy kontaktowała się z nimi jej matka.

Opiekunowie społeczni przychodzili i odchodzili, zmieniały się rodziny zastępcze, szkoły i dzielnice. Erica miała wrażenie, że żyje w jakimś automacie do gry i jak kulka bez końca odbija się od kolejnych przegródek i przeszkód. Stała się odporna, pomysłowa, życzliwa. Niektóre domy opieki pełne były twardych, pozbawionych skrupułów dziewcząt o przestępczych skłonnościach. Erica jednak całkiem dobrze sobie wśród nich radziła, bo lubiły słuchać jej opowieści. Udawała, że potrafi wróżyć z ręki lub z herbacianych fusów i zawsze przepowiadała szczęśliwą przyszłość.

Nigdy nie przestała wierzyć, że rodzice kiedyś wrócą, by ją stamtąd zabrać.

Przyglądając się krzyżykowi, który leżał na jej dłoni, zaczęła się zastanawiać, czy rzeczywiście miał upamiętniać narodziny. Ale czyje narodziny? I wtedy, gdy tak spoglądała wokół na odnowione budynki, znów zadając sobie pytanie, dlaczego właściwie postanowiła zatrzymać się w sercu starego Los Angeles, dostrzegła tabliczkę z brązu, na której widniał napis: „Zabytek historyczny Pueblo de Los Angeles – rok 1781". Nagle zrozumiała.

Krucyfiks służył upamiętnieniu narodzin nie człowieka, lecz m i e j s c a...

Rozdział ósmy

ANGELA
1781 rok

„Cóż to za pomysł, żeby zakładać osadę w takim miejscu? – pomyślał ze złością kapitan Lorenzo. – W promieniu wielu mil nie przepływała żadna rzeka, nie było zatoki ani naturalnych barier obronnych wzdłuż brzegu. Wszystkie wielkie miasta świata zbudowano na brzegach rzek lub łatwych do obrony zatok. A tutaj, jak okiem sięgnąć, nic tylko pustkowie!".

Lorenzo wiedział, że gubernator Neve celowo wybrał tę okolicę na założenie nowego puebla. Brak zatoki czy spławnej rzeki był tu w istocie bez znaczenia. Osadnicy mieli uprawiać ziemię i hodować bydło, a płaska, zasnuta dymem równina nadawała się do tego celu doskonale. Lorenzo zauważył, że Neve ma bardzo zadowoloną minę. Nic dziwnego, skoro udało mu się uzyskać upoważnienie na budowę dwóch osad w Alta California – na północy i na południu. Pierwsza miała zostać nazwana imieniem św. Franciszka, a druga – Najświętszej Marii Panny.

– *Dios mio*[1] – westchnął Lorenzo w filozoficznej zadumie. Nadawać miastu nazwę tutejszej rzeki, którą z kolei nazwano od kaplicy mieszczącej w się w dalekiej Italii! Nazwę tak górnolotną i na

---

[1] *Dios mio* (hiszp.) – mój Boże.

dodatek tak długą, że nie dało się jej wypowiedzieć z pełnymi ustami. *El Pueblo de Nuestra Señora la Reina de los Angeles del Rio de Porciuncula*. Miasto Matki Boskiej, Królowej Aniołów Rzeki Porciunculi. Ludzie już sobie z niej kpili. Śmiali się, mówiąc, że Porciuncula to nazwa ironiczna, ponieważ oznacza „mały kawałek", a czyż nie tyle właśnie rząd przyznał im na osiedlenie się tutaj? A co z aniołami? Nikt ich tu nie widział. Była za to zgraja sprowadzonych z Meksyku rozwydrzonych kolonistów – zaledwie jedenaście rodzin, które stanowiły mieszankę wszystkich ras: Indian, czarnych Afrykanów, Mulatów, Metysów; był nawet Chińczyk z Filipin! Meksykańscy żołnierze Lorenza oraz hiszpańscy ojcowie ze swym stadkiem Indian misyjnych dopełniali tę barwną grupę, która miała być świadkiem założenia nowego miasta przez gubernatora Neve. Anioły jednak się nie pojawiły.

Lorenzo należał do grupy werbowników, którzy przekupstwem mieli nakłaniać Meksykanów do osiedlania się w Alta California. Każdemu koloniście obiecywano działkę budowlaną, dwa pola jałowej ziemi i dwa pola uprawnej. Każdy z nich miał również prawo do wypasania bydła i przechowywania drewna na opał na terenach należących do miasta. Wszystkie rodziny otrzymałyby trzyletnią pensję w wysokości dziesięciu peso miesięcznie, a także ubrania i narzędzia, po dwie krowy i dwa woły, dwie owce i dwie kozy, dwa konie i trzy kobyły oraz jednego muła. W zamian za to osadnicy musieli uprawiać ziemię przez co najmniej dziesięć lat.

Lorenzo uznał, że to perspektywa nader kusząca, ale okazało się, że wraz z kapitanem Riverą nie zdoła zwerbować wymaganej liczby kolonistów. „Co takiego czeka nas w tym zapomnianym przez Boga miejscu?" – pytali ludzie. Stamtąd nie mogliby się nawet komunikować z rodziną. W końcu więc, nie zebrawszy kompletu ochotników, Lorenzo i Rivera wyruszyli w uciążliwą wędrówkę na północ z zaledwie dwudziestoma trzema dorosłymi i dwadzieściorgiem dzieci, z których jedno – córka Lorenza – zmarło po drodze.

„No więc jesteśmy" – pomyślał, czekając, aż przemowy dobiegną końca, i wpatrując się zmrużonymi oczami w ocean i dalekie grzbiety gór, gdzie nieustannie unosiły się opary dymu. Było to miejsce odosobnione i odcięte od cywilizacji, a tubylców – tysiące razy więcej niż przybyszów. Choć sam był *criollo*, Meksykaninem pochodzenia hiszpańskiego, Lorenzo nie pogardzał Indianami, tak jak niektórzy jego towarzysze. Podziwiał wręcz ich zamiłowanie i talent do hazardu i uważał to za jedyną pozytywną stronę swej decyzji, by osiedlić się w tej dzikiej okolicy. Zgodził się przeprowadzić werbunek kolonistów, ponieważ wynagrodzeniem miało być zwolnienie ze służby wojskowej, a Lorenzo planował założyć tu gospodarstwo, przejść na spokojną emeryturę i poświęcić się hodowli bydła, polowaniom i hazardowi.

Nagle się zasępił. Jak będzie teraz wyglądać jego życie? Żona kapitana, doña Luisa, nie potrafiła przeboleć utraty córki. A co gorsza, nie wpuszczała Lorenza do swego łoża.

Wrócił myślami do uroczystości. Odbywała się w palących promieniach słońca, podczas gdy w górze krążyła para jastrzębi o czerwonych ogonach. Zarys nowego placu już wyznaczono za pomocą pali, które wydzielały granice przylegających do niego działek budowlanych. Oficjalna procesja, prowadzona przez gubernatora Alta California oraz Indian misyjnych niosących wielki proporzec z Najświętszą Marią Panną, uroczyście przemaszerowała po obwodzie placu, a Indianie Yang-na, do których należała ta ziemia, biernie przyglądali się z oddali.

– Przybyliśmy tu z woli Boga, by zbawiać dusze – mówił właśnie ojciec z misji.

„Dusze! – pomyślał cynicznie kapitan Lorenzo. – Utrapieniem korony hiszpańskiej są Rosjanie, których coraz więcej poluje w Alta California i osiedla się na północy: oto dlaczego tutaj jesteśmy. Obecność Hiszpanów jest tu konieczna, ponieważ Brytyjczycy łakomym okiem łypią na wybrzeże Kalifornii. Czyż nie jest naszym obowiązkiem czym prędzej sprowadzić jak największą liczbę katolickich obywateli hiszpańskich, szerzyć wiarę wśród pogan i zachęcać ich do mnożenia się, im więcej bowiem katolickich obywateli zyska tu Hiszpania, tym trudniej będzie innemu narodowi zagarnąć tę ziemię?".

Kapitan Lorenzo był na dworze królewskim w Hiszpanii przed trzynastu laty, gdy ambasador hiszpański w Rosji donosił, że Rosjanie zamierzają zająć obszar nad zatoką Monterey. Król Hiszpanii podjął wówczas natychmiastowe działania.

„I to my jesteśmy skutkiem tych działań" – zauważył w myślach kapitan Lorenzo, podczas gdy ojciec odmawiał modlitwę na nowym placu miasta. Lorenzo ani trochę nie dbał o niesienie poganom nauki Chrystusa. Interesowała go hodowla bydła i koni. I ta ziemia, ciągnąca się, jak okiem sięgnąć, do wzięcia za darmo. Jakże można by się wzbogacić...

Jego wzrok padł na żonę, donę Luisę, która siedziała wraz z żoną gubernatora i małżonkami innych oficerów w cieniu słomianego baldachimu rozpostartego na czterech palach. „Piękna kobieta" – westchnął bezgłośnie z ukłuciem w sercu. Posiadała wewnętrzną siłę, która mogła być jej potrzebna na tym dzikim pograniczu. Jej pochodzenie, a wywodziła się z hiszpańskiej szlachty, przejawiało się w sztywnej postawie i powściągliwym wyrazie twarzy. Na płacz pozwalała sobie jedynie w zaciszu ich domu. Gdyby tylko mieli więcej dzieci... Selena stanowiła dla Luisy centrum wszechświata, które nagle zniknęło, niczym zdmuchnięty płomień świecy. Co ta wysoko urodzona dama miała robić tutaj, gdzie wszystkim zajmowali się Indianie? Nie trudziłaby oczywiście swych delikatnych rąk gotowaniem czy szyciem. Do Luisy należało wychowanie dzieci swego męża, zapewnienie im wykształcenia i wprowadzenie ich w życie. Lecz dzieci nie było. I nie zanosiło się na to, żeby miały się jeszcze kiedykolwiek pojawić.

Lorenzo znów spróbował skupić uwagę na uroczystości, po której miała nastąpić uczta upamiętniająca założenie puebla. Zamierzał wtedy wycofać się tak, by możliwie najmniej urazić gubernatora i ojców zakonnych.

Z drugiej strony placu, w miejscu, gdzie planowano wznieść kościół z suszonej na słońcu cegły, stali Indianie misyjni, z nabożną uwagą obserwując ceremonię. Na szyjach mieli blaszane krzyżyki – opatrzone datą i zawieszone na konopnych sznurkach – które wręczono im jako zachętę do uczestnictwa w piętnastokilometrowej procesji do miejsca, gdzie miało powstać nowe pueblo. Teresa, choć była chora i potrzebowała odpoczynku, poprosiła o zezwolenie na wzięcie udziału w obchodach, stwarzały one bowiem świetną okazję do ucieczki.

Przyprowadziła ze sobą swą pięcioletnią córeczkę Angelę. Dziewczynka miała tak na imię, ponieważ była córką świętego i została poczęta w jaskini Pierwszej Matki.

Teresa często myślała z czułością o bracie Felipe, który zniknął blisko sześć lat temu i, jak głosiła plotka, wykradł z misji kości św. Franciszka. Powiadano, że zbiegł do Hiszpanii. Odwrócił się od Pana i pojechał do ojczyzny, by sprzedać święte relikwie i pławić się w bogactwie. Teresa jednak znała prawdę. Brat Felipe odszedł do swego boga.

Z trudem oddychając, czego powodem był ból w płucach wywołany chorobą białego człowieka, popatrzyła na żołnierzy i nowych osadników, których przepełniała duma ze „zdobycia" nowego terytorium, oraz na Yang-na, którzy stali z boku, nic nie rozumiejąc, nieświadomi, że oto wydzierano im ziemię przodków. Teresa była przerażona. „Sądziliśmy, że ci ludzie są naszymi gośćmi. A tymczasem chcą budować domy na ziemi będącej własnością cudzych przodków".

Czujnie wypatrywała odpowiedniej chwili, by uciec.

Gdy tylko stało się jasne, że jest w ciąży, ojcowie nie spuszczali oka z wiarołomnej dziewczyny i polecili pewnej posłusznej, ochrzczonej Indiance czuwać nad nią bez ustanku. Wiedzieli, że udało jej się jakoś wydostać z klasztoru, lecz nie zdoławszy tego udowodnić, nie mogli jej ukarać. Gdyby bowiem jednemu z Indian coś takiego uszło płazem, wszyscy zaczęliby próbować ucieczki, a wtedy nastąpiłby masowy exodus do wiosek i nie miałby kto pracować na polach ani budować ojcom kościołów. W ciągu sześciu lat, które upłynęły od pobytu Teresy w jaskini, reguły w misji zaostrzyły się, a kary stały surowsze. Kilka razy Indianie wszczynali zamieszki, buntując się przeciw tyranii ojców. Wtedy sprowadzano żołnierzy ze strzelbami, a Indianie, bezsilni wobec broni palnej, ulegali ponownie.

Kiedy ojców otoczyli żołnierze i osadnicy, Teresa zrozumiała, że oto nadarza się okazja. Mimo bólu w płucach i gorączki, która paliła ogniem jej skórę, była zdecydowana uciec stąd wraz z Angelą raz na zawsze.

☆

Kapitan Lorenzo, uzbrojony w dokument prawny wydany przez hiszpańską koronę, objeżdżał swe przyszłe ranczo, którego południową granicę stanowił bezimienny potok nazwany teraz Ballona na cześć miasta w Hiszpanii, gdzie urodził się jego ojciec, od wschodu zaś otaczały je mokradła, określone w dokumencie jako *la cienega*, a od północy – *la brea*, czyli złoża smoły, za którymi przebiegał pradawny szlak prowadzący ze wschodu na zachód. Nie dostał ziemi na własność, lecz otrzymał prawo do wypasania bydła, z zastrzeżeniem, że za kilka lat, jeśli poprawi jakość gleby i dobrze ją zagospodaruje, może ubiegać się o pełne prawo własności wystawione na swoje nazwisko. Postanowił już, że gdy nadejdzie ten dzień, nada swej posiadłości nazwę Ranczo Paloma.

Ranczo miało cztery tysiące akrów, a indiańscy robotnicy już na nim pracowali, produkując cegły. Jedna grupa udeptywała stopami mieszankę gliny i słomy w wielkim dole wypełnionym błotem, druga napełniała nią drewniane formy, trzecia zaś wysuszone na słońcu cegły układała w stosy, gdzie miały czekać na rozpoczęcie budowy domu. Indianie byli tanią siłą roboczą, pracowali głównie za jedzenie i koraliki, które tracili potem w tych swoich niekończących się grach losowych. Opuściwszy rodzinne wioski, postawili chaty na skraju posiadłości Lorenza. Kapitan zastanawiał się, czy po zbudowaniu jego rancza powrócą do dawnego życia. Miał nadzieję, że nie. Będzie przecież potrzebował pomocników przy doglądaniu bydła i koni.

Jakże wspaniałe będzie jego ranczo! Wkrótce stanie tu dom, w otoczeniu stajni i innych zabudowań, ocieniony koronami drzew, które kapitan Lorenzo kazał sprowadzić z Peru. Wyobrażał sobie altany oplecione krzewami różanymi, fontanny, chodniczki i jasne łuki arkad, a wewnątrz domu – lśniące drewniane podłogi i ciężkie meble Luisy, które przywieziono z Meksyku na płozach ciągniętych przez woły. Przykryte płóciennymi płachtami sprzęty czekały teraz w pueblo na swą ostatnią podróż: bogato rzeźbione łóżka z baldachimem, toaletki, szafy, stoły. Luisa przywiozła także srebra i gobeliny, cynowe naczynia i kołdry, lichtarze, półmiski do kuchni. „To będzie dom godny królowej" – pomyślał Lorenzo z dumą.

Po chwili jednak przypomniał sobie, że w osadzie zostawił Luisę wykrzykującą gniewne rozkazy do indiańskich służących, którzy szmatkami nasączonymi oliwą polerowali meble swej pani. Odkąd ich córeczka spoczęła w piaskach pustyni Sonora, Luisa zaczęła niemal fanatycznie dbać o swoje krzesła i komody. „Czyżby miały one zastąpić jej dzieci? – rozmyślał posępnie Lorenzo. – Czy zacznie się teraz troszczyć bardziej o stan cennego biurka niż o wygodę własnego męża?".

Nagle przed oczami stanęła mu ponura wizja przyszłości: doña Luisa, bezdzietna i pozbawiona przyjaciół – żony kolonistów nie mogły być odpowiednimi towarzyszkami dla wysoko urodzonej hiszpańskiej damy – wraz z upływem lat coraz bardziej zgorzkniała, w milczeniu przechadza się pośród mebli w poszukiwaniu śladów kurzu czy śniedzi, wiecznie zła na swe indiańskie pokojówki za ich płodność i wyładowująca swój gniew w ciągłych połajankach za niewidoczne smugi i plamy na meblach. Potem Lorenzo ujrzał siebie: ignorowany i odtrącany, szuka pocieszenia w ramionach ciemnoskórej kobiety, ponieważ nie znajduje we własnym domu radości, do której, *Dios mio*, każdy mężczyzna ma przecież prawo! Nie po to w końcu przybył do Kalifornii.

Potrzebne było zatem nowe dziecko. Doña Luisa jednak odrzucała wszelkie jego awanse, a Lorenzo, jako dżentelmen, nie ośmieliłby się jej do niczego przymuszać, nie lubił zresztą kochać się z kobietą, która leżała bez ruchu jak nieboszczyk.

Czując, że jego dobry nastrój pryska jak bańka mydlana, Lorenzo postanowił zapolować. Pokierował konia w stronę gór Santa Monica z postanowieniem, że tym razem musi to być coś dużego. Dziś mógł go zadowolić tylko jeleń albo niedźwiedź grizzly.

☆

Podczas gdy ojcowie i gubernator zajęci byli świętowaniem, a osadnicy rozglądali się po swej nowej ziemi, rozmawiając o tym, co wkrótce zbudują tu i zasadzą, Teresa po cichu dosiadła muła i z córeczką na ręku podążyła starym szlakiem prowadzącym w góry.

Po kilku godzinach wędrówki zostawiły muła, a Teresa, dla której każdy wdech był teraz wysiłkiem i powodował ostry ból w płucach, poprowadziła Angelę obok wyrytych na skałach symboli kruka i księżyca, w górę kanionu i do jaskini.

Ukośne promienie zachodzącego słońca padały na skalne malowidło.

– Oto historia Pierwszej Matki – powiedziała Teresa.

Stare opowieści ginęły. Coraz mniej ludzi mieszkało w wioskach, więc one także pewnego dnia miały zniknąć. W misjach plemiona mieszały się ze sobą: Tongwa z Czumaszami, Kemaaya z Topaa, a ojcowie nazywali wszystkich Gabrielino lub Fernandeño, zgodnie z nazwą misji. Wieczorami opowiadano nie te historie, które trzeba, lub nie opowiadano ich wcale. W zamian wszyscy słuchali opowieści o Jezusie i Marii. A zatem przodkowie Topaa wkrótce także odejdą w zapomnienie. Teresa jednak zamierzała nauczyć córkę ich mitów i legend i nakłonić ją, by przekazywała je dalej, chroniąc przed niepamięcią.

– Nie będziesz żyła tak jak najeźdźcy – oznajmiła, unosząc krzyżyk zawieszony na swej szyi. – Oni nie rozumieją naszych ludzi.

Przypomniała sobie spojrzenia ojców, gdy powiedziała im, że jest w ciąży; wielogodzinne przesłuchania – „kim był ten mężczyzna?". Ich upór, by, kimkolwiek jest ojciec dziecka, sprowadzić go do misji i ochrzcić. Teresa dumnie strzegła swej tajemnicy. To, co robi ze swym ciałem, jest jej własną sprawą: wie o tym każda kobieta Topaa. Tymczasem ci mężczyźni, którzy nazywają siebie „ojcami", mimo że w swym celibacie nie mogą płodzić dzieci, usiłowali narzucić tutejszym kobietom sposób postępowania, chcieli kierować ich życiem płciowym. Żaden mężczyzna z plemienia Topaa nie odważyłby się na taką zuchwałość.

Tłumacząc Angeli, że to podarunek dla Pierwszej Matki, Teresa zakopała krzyżyk w zagłębieniu usłanym płatkami kwiatów. Trawiona gorączką i osłabiona chorobą, nie uświadamiała sobie, że jej czyn ma znaczenie symboliczne i że grzebie właśnie nową religię na łonie odwiecznej wiary.

Zdjęła z szyi kamień-amulet i zawiesiła go na szyi córki. Uklękła przed nią i ujęła ją za ramiona.

– Masz na imię Marimi. Już nie jesteś Angelą. Zabiorę cię do wioski, gdzie nikt nie słyszał o hiszpańskim bogu, który każe swym wyznawcom kraść ziemię należącą do innych ludzi. Zostaniesz wychowana według prawideł Topaa i Pierwszej Matki.

Położyła dłoń na policzku dziewczynki, tego anioła, którego zesłał jej święty, i mówiła dalej:

– Ukochana córeczko, jesteś wyjątkowa, zostałaś wybrana. Ten ból, który czasem czujesz w głowie, to nie choroba, lecz dar, i pewnego dnia pojmiesz jego znaczenie. Ale zanim to nastąpi...

Teresa zaniosła się kaszlem i aż skuliła z bólu.

– Mamo! – krzyknęło dziecko.

Teresa wstrzymała oddech, a ból powoli ustąpił. Podróż z nowej osady do jaskini najwyraźniej ją osłabiła. Nie zdawała sobie sprawy, że jest tak poważnie chora.

– Posłuchaj mnie uważnie, córeczko. Od tej chwili nazywasz się Marimi, rozumiesz? Nie Angela, bo to jest imię chrześcijańskich przybyszów, którzy nie należą do tej ziemi. Jesteś Marimi i zostaniesz nową Strażniczką Jaskini. Rozumiesz?

– Tak, mamo.

– Powtórz, córko. Powiedz, jak masz na imię.

– Jestem Marimi, mamo.

– Dobrze... A teraz musimy iść. Na zachód stąd są wioski, w których nie stanęła jeszcze stopa najeźdźcy. Tam będziemy bezpieczne. Żołnierze nigdy nas nie znajdą.

Gdy Teresa zwróciła się w stronę wyjścia z groty, nogi nagle odmówiły jej posłuszeństwa i upadła na ziemię.

– Nie dam rady iść dalej – powiedziała, z trudem oddychając. – Marimi, słuchaj mnie uważnie. Musisz sprowadzić pomoc. Wyjdź z kanionu i pójdź w stronę morza. Dasz sobie radę?

Dziecko z powagą pokiwało głową.

– Tam jest wioska... w której wciąż jeszcze żyją nasi ludzie. Powiedz im, że jestem w tej jaskini, w jaskini Pierwszej Matki, i że jestem chora. A teraz powtórz to, moje dziecko. Pokaż, że zrozumiałaś.

Angela powtórzyła polecenie, a Teresa usiadła, opierając się o ścianę.

– Mają tam lekarstwa. Przywrócą mi zdrowie. A potem będziemy żyły pośród naszych ludzi. Idź już, dziecko. W stronę morza. Do wioski. I sprowadź ich. Będę czekać.

Skupiona na swym posłannictwie, dziewczynka zeszła po skałach w dół kanionu, ale po pewnym czasie zgubiła drogę. W którąkolwiek stronę się kierowała, wszędzie były tylko nowe wąwozy i skały, żadnego morza ani wioski. Wybuchnęła płaczem.

Wtem wyrósł przed nią półnagi mężczyzna o długich, potarganych włosach, ogorzałej od słońca skórze i dzikim wejrzeniu.

Angela odwróciła się i zaczęła uciekać, lecz była w potrzasku. Dziki człowiek zagradzał jej bowiem wyjście z kanionu.

Stał tak, górując nad dziewczynką i patrząc na nią ze zdziwieniem. Był wychudzony, jego brudne ciało pokrywały blizny i rany, a za odzienie służył mu strzęp tkaniny owinięty wokół bioder. Po chwili jednak w jego mądrych, zielonych oczach rozbłysło światło.

– Dlaczego płaczesz, moje dziecko?

Głos nieznajomego był niespodziewanie łagodny, więc dziewczynka przestała płakać.

– Moja mama jest chora, a ja nie mogę znaleźć wioski.

Zamrugał powiekami i rozejrzał się.

– A gdzie jest twoja mama?

– W jaskini.

Mężczyzna znieruchomiał. Jaskinia. Pamiętał pewną jaskinię... czy było to przed laty, czy też zaledwie wczoraj? Jaskinia, w której doświadczył swego uniesienia i został dotknięty ręką Boga, i od tego czasu codziennie przemierzał te góry wraz z Jezusem.

Przyjrzał się uważnie dziecku, marszcząc brwi. Ten zarys czoła, kształt oczu, pełne usta. Teresa!

Było jeszcze coś. Na prawym policzku miała mały pieprzyk. Jego matka... znienacka powróciły wspomnienia, które dawno już w sobie stłumił... I siostra. Ten sam pieprzyk.

– Nie płacz, malutka – powiedział z uśmiechem, odsłaniając popsute zęby. – Wiem, gdzie jest twoja mama. Znam tę jaskinię. Pomożemy jej. Wyzdrowieje. – Wyciągnął żylastą dłoń, a Angela ją ujęła.

– Stój! – rozległ się nagle krzyk, odbity echem od ścian wąwozu.

Angela i dziki człowiek odwrócili się i u wylotu kanionu ujrzeli hiszpańskiego oficera.

– Puść ją! – rozkazał.

Brat Felipe ruszył do przodu z rozłożonymi rękami, chcąc wszystko wyjaśnić. Lecz spust muszkietu był szybszy i kula ugodziła go prosto w serce, powalając na ziemię.

Angela zaniosła się krzykiem. Lorenzo podbiegł i porwał ją na ręce, by oszczędzić dziecku widoku trupa. Znalazłszy się poza kanionem, tam gdzie uwiązał swego konia, postawił dziewczynkę na ziemi i próbował ją uspokoić.

– On cię nie skrzywdzi, malutka. Dzikusa już nie ma.

Zamilkła, wpatrując się w niego szeroko otwartymi oczami.

– *Habla Español?*[1]

---

[1] *Habla Español?* (hiszp.) – Mówisz po hiszpańsku?

Skinęła głową. A potem zaczęła wzywać matkę.

„Piękne dziecko" – pomyślał, zaintrygowany linią czoła dziewczynki, nadającą jej twarzy uroczy kształt serca. Była prawie w tym samym wieku, co jego córka w chwili śmierci.

Jej ubranie świadczyło o tym, że jest Indianką z misji. Czyżby uciekinierka?

– *Cómo te llamas?*[1] – zapytał.

– Muszę iść do mamy – odpowiedziała po hiszpańsku. – Jest chora.

– Chora?

Rozejrzał się po wąwozie, w którym kładły się już długie cienie, robiło się mroczno i coraz chłodniej. A więc matka zbiegła, zabierając ze sobą córkę, i wśród wzgórz ukryła się przed ojcami. I była chora. Kiedy zapadnie noc, kobieta będzie bezbronna wobec lwów i niedźwiedzi, które zamieszkiwały te góry.

W głowie Lorenza narodził się pewien pomysł.

– Zabiorę cię do mamy, jeśli powiesz, jak masz na imię – rzekł z uśmiechem.

Potarła piąstkami oczy. Rozbolała ją głowa. Mama mówiła coś o jej imieniu, ale nie mogła sobie przypomnieć co, więc odparła:

– Angela.

Posadził dziewczynkę przed sobą na koniu, a ona przez jakiś czas jechała cicho w jego ramionach, lecz spostrzegłszy, że oddalają się od gór, podniosła krzyk i znów zaczęła wzywać matkę. Lorenzo zasłonił jej dłonią usta i popędził konia, wiedząc, że jest tak mała, iż z czasem o wszystkim zapomni, zwłaszcza gdy jego żona przyjmie ją jako własną córkę i wkrótce zaleje morzem miłości.

Galopując poprzez równinę, coraz dalej od gór i oceanu, z nieruchomym i milczącym dzieckiem w ramionach, i rozmyślając o tym, jak Luisa porzuci wreszcie żałobę i znów przyjmie go do swego łoża, Lorenzo doszedł do wniosku, że polowanie tego dnia było w istocie niezwykle udane.

---

[1] *Cómo te llamas?* (hiszp.) – Jak się nazywasz?

Rozdział dziewiąty

– Wiesz, po śmierci żony zupełnie mu odbiło.

Erica, zaskoczona, odwróciła się gwałtownie. Za nią stała Ginny Dimarco z tym swoim surowym uśmiechem i zimnym spojrzeniem. Wyszła na taras z basenem tuż za Ericą, szukającą tu schronienia przed hałaśliwymi gośćmi i Gypsy Kings, których piosenka *Hotel California* rozbrzmiewała przez ogromne głośniki. Pomimo nocnego chłodu w podgrzewanym basenie pływało kilka osób, natomiast plaża ciągnąca się za tarasem była ciemna i zupełnie wyludniona.

Erica wiedziała, że Jared Black odrzucił zaproszenie na koktajl do domu państwa Dimarco. Przyszło jej na myśl, że Ginny, jako wystawiona do wiatru gospodyni, właśnie próbuje się zemścić, rozsiewając złośliwe plotki o winowajcy – zwłaszcza że ów nieobecny był przewodniczącym Komisji do spraw Dziedzictwa Rdzennych Amerykanów, a gospodyni, zamożna i dobrze znana w kręgach mecenasów sztuki, prowadziła osobistą krucjatę na rzecz stworzenia – pod własnym imieniem – muzeum indiańskiego.

Pięć minut wcześniej, w tym bajecznym domu na plaży w Malibu, który pełen był eksponatów muzealnych: ceramiki Indian Pueblo, wyrobów wikliniarskich z Zachodniego Wybrzeża, fetyszy plemienia Zuni, lalek kachina [1], eskimoskich totemów i masek Kwakiutlów,

---

[1] Lalki kachina – wytwarzane przez Indian Hopi figurki mające mieścić w sobie duchową esencję wszelkiego stworzenia (przyp. tłum.).

Ginny dopadła Ericę i z dziwnie rozgorączkowanym wzrokiem zapytała:

– Jak to jest znowu pracować z Jaredem Blackiem?

Erica nie chciała iść na przyjęcie u państwa Dimarco, Sam jednak przypomniał jej, że na tym polega dobra polityka public relations i że trzeba być miłym dla bogaczy, którzy sponsorują badania naukowe. Włożyła więc swą jedyną sukienkę koktajlową – prostą małą czarną z cieniutkimi ramiączkami – i upięła włosy w coś na kształt eleganckiej fryzury. Dziwnie czuła się w nylonowych pończochach i na wysokich obcasach po tygodniach noszenia skarpetek i roboczych butów.

– Ja z nim nie pracuję – odparła.

– W takim razie w a l c z y s z z nim... – Oschły, urywany śmiech, wzrok Ginny utkwiony w Erice i krótka chwila milczenia. – Wielka szkoda, że pan Black był już umówiony dziś wieczorem. Są tu ludzie, którzy chcieliby go poznać. Ważni ludzie. – Erica dostrzegła błysk wrogości w oczach Ginny. – Zaproszenie wysłano kilka tygodni temu – dodała pani Dimarco znaczącym tonem.

Erica zrozumiała, że ma teraz uzupełnić brakujące informacje, podając powód niewybaczalnej zniewagi, jakiej dopuścił się Jared. Wcale nie była pewna, czy przypadkiem Ginny nie posłużyła się jego nazwiskiem jako przynętą, skoro niektórzy goście przyszli tu z zamiarem poznania go, nawiązania towarzyskich stosunków i dzięki temu zdobycia kontaktów w Sacramento. Najchętniej więc powiedziałaby, że Jared ogląda teraz w telewizji powtórki *I Love Lucy*. Już miała to na końcu języka, gdy do Ginny podszedł jeden z gości, dziękując za wspaniałe przyjęcie. Erica skorzystała z okazji i wymknęła się na taras, by zaczerpnąć świeżego powietrza, uciec od rozmów i plotek i w samotności uporządkować swe pogmatwane uczucia.

Jared powoli wkradał się w jej myśli i sny, szepcząc: „Jestem kimś innym, niż ci się wydaje". Czuła, że musi zgłębić to rosnące zainteresowanie Jaredem, znaleźć jego źródło i zrozumieć przyczynę. Lecz gospodyni dopadła ją na zewnątrz, niczym drapieżnik swą ofiarę.

– Więc z pewnością słyszałaś, że odbiło mu po śmierci żony? – powtórzyła, wlepiając w nią nachalne spojrzenie.

„Skąd ten nieustępliwy atak?" – zastanawiała się Erica. I wtedy przyszło jej do głowy, że Ginny ma nadzieję, iż Erica, wróciwszy do obozu, rozpuści nowe plotki, które uświadomią nieuprzejmemu komisarzowi, jak niewybaczalny nietakt popełnił.

– Zaraz po pogrzebie – ciągnęła Ginny mimo braku zachęty ze strony Eriki – zniknął bez śladu. Jego rodzina odchodziła od zmysłów i zorganizowała poszukiwania. Nie sądzę, żeby naprawdę obawiali się, że popełni samobójstwo, ale takie były przypuszczenia.

Erica zamrugała oczami ze zdziwienia. Jared? Samobójstwo?

– Nie wiedziałaś?

– Byłam wtedy w Europie.

– No cóż, po prostu wszyscy wtedy o tym mówili. O tym, że Jared zniknął i że policja nie może go znaleźć. I tylko przez przypadek cztery miesiące później ekipa biologów natknęła się na niego na jednej z Wysp Normandzkich. Zupełnie zdziczał. Kiedy go znaleźli, był całkiem nagi i oszczepem łowił w lagunie ryby. Podobno miał długie włosy, brodę i był spalony na brąz.

Na wydmach zaczęły pojawiać się ciemne sylwetki – były to rodziny, które całymi chmarami zjeżdżały się nad ocean. Zaparkowawszy samochody na poboczu nadbrzeżnej autostrady, ludzie wyruszali na plażę z latarkami i workami, by wziąć udział w dorocznych połowach ryb księżycówek. Erica, która miała przed oczami obraz opuszczonej postaci stojącej samotnie pośród wyrzuconego przez morze drewna, mew i wodorostów, ledwie zauważyła ich obecność.

– Musieli go ścigać – mówiła dalej Ginny, wyraźnie zadowolona, że udało jej się przykuć uwagę gościa. – Tropili go jak zwierzynę, a on ukrywał się po jaskiniach. W końcu wpadł w ich ręce, dzięki temu, że zaczekali do zmroku i dostrzegli blask jego ogniska.

Przypominając sobie, że trzyma w dłoni kieliszek, Erica pociągnęła duży łyk wina i wybiegła wzrokiem aż po daleki horyzont, gdzie gwiazdy spotykały się z oceanem. Nagle ogarnęła ją dzika wściekłość.

– Kiedy biolodzy przywieźli go do domu – kontynuowała Ginny – podniosła się oczywiście wielka wrzawa. Jego ojciec zasięgnął opinii psychiatry i chciał nawet umieścić syna na obserwacji w zakładzie dla umysłowo chorych. Ale Jared po prostu obciął włosy, zgolił brodę i wrócił do pracy, jakby nic się nie stało. Tak czy owak, to chyba nie jest normalne, prawda? Oczywiście, każdy ma prawo opłakiwać śmierć żony, ale żeby od razu wyczyniać coś takiego? – Zaśmiała się, a diamenty na jej szyi błysnęły w blasku księżyca. – Jakoś nie wyobrażam sobie, żeby mój Wade został aborygenem tylko dlatego, że umarłam!

Erica zacisnęła palce na kieliszku. Zapragnęła chlusnąć tej kobiecie winem w twarz. Opanowała się jednak i skupiła uwagę na ogniskach, które płonęły teraz na plaży.

„Księżycówka jest to gatunek ryby przybrzeżnej o długości około dwudziestu centymetrów, niewielkim otworze gębowym, bez zębów. Co roku, w okresie od marca do sierpnia, odbywa ona nocne tarło na plażach południowej Kalifornii – tysiące osobników na fali przypływu wydostaje się na brzeg, a samice gorączkowo zakopują się w wilgotnym piasku i składają jaja, podczas gdy samce okrążają je i zapładniają. Potem na falach odpływu wracają do morza, gdzie pozostają aż do następnego tarła, chyba że po drodze zostaną złowione przez czekających na brzegu ludzi, którzy gołymi rękami łapią niespodziewające się niczego ryby i napełniają nimi worki".

Erica już nieraz uczestniczyła w połowie księżycówek, trzymając latarkę albo worek, by potem w nocy z apetytem zajadać się przyrządzonymi na grillu pechowymi nieszczęśnikami. Dziś jednak widok ten napełnił ją niewytłumaczalnym smutkiem.

„Odbiło mu". Wyobraziła sobie ołtarzyk, który Jared z pewnością urządził w swym winnebago ku czci zmarłej żony. Na pewno jest tam zdjęcie Netsui i zmieniane co dzień świeże kwiaty, a może nawet świece. Każdego wieczora, nim pójdzie spać, Jared rozmawia ze swą żoną, i to ona jest pierwszą osobą, do której odzywa się po przebudzeniu.

Erica położyła dłoń na piersi. Oddychała z trudem. W oddali spienione bałwany uderzały o brzeg, a po plaży biegło dwoje dzieci, machając latarkami. Ich piski przypominały krzyk mew. Snop jaskrawego światła ugodził Ericę w oczy.

„Oślepiający blask słońca na dzikich, smaganych wiatrem Wyspach Normandzkich".

W następnej chwili poczuła na klatce piersiowej uderzenie, jakby dosięgła jej niewidzialna fala. Nie mogła złapać tchu.

– Spójrz na to… – Ginny zaśmiała się nieprzyjemnie. – Księżycówki nie mają żadnych szans. – Pokręciła głową. – Gdzie jeszcze, poza południową Kalifornią, ryby same wyskakują na brzeg? Nie potrzeba nawet wędki! Nic dziwnego, że nasi Indianie byli tak mało wojowniczym ludem.

Erica patrzyła na nią w milczeniu. Potem odstawiła kieliszek na stolik i, przeprosiwszy, weszła do domu.

Zaczęła przepychać się przez tłum dobrze ubranych ludzi i kelnerów w czerwonych marynarkach, którzy roznosili tace z szampanem i zakąskami. Parła ślepo naprzód, czując rosnący ucisk wokół serca. Znalazła Sama, przekonała go, że musi wyjść, i gdy tylko dał jej kluczyki do samochodu, mówiąc, że później zabierze się z kimś do obozu, Erica opuściła dom państwa Dimarco. Po chwili pędziła nadbrzeżną autostradą szybciej niż fala wynosząca na brzeg skazane na zagładę ryby.

☆

Po zgaszeniu silnika i wyłączeniu świateł Erica długo jeszcze siedziała w samochodzie. Oparła spocone czoło na kierownicy i zamknęła oczy, usiłując zrozumieć, co się dzieje w jej wnętrzu.

Co się wydarzyło na tarasie domu Ginny Dimarco? Czyżby miała zawał? Atak paniki? Za mostkiem wciąż czuła dojmujący ból, który nie pozwalał jej swobodnie oddychać. „Znaleźli go na jednej z Wysp Normandzkich, nagiego, łowiącego ryby oszczepem...".

Ogarnęła ją przemożna chęć płaczu. Łzy nie chciały jednak popłynąć. Oddychała powoli, by dojść do siebie, i poczuła, że na piersi spoczywa jej jakiś nowy, nieznany ciężar. Był mroczny i potężny, niczym obce ptaszysko, które przysiadło na żerdzi po długim locie, składając swe woniejące stęchlizną skrzydła.

Powoli wysiadła z samochodu i ruszyła w stronę oświetlonych zabudowań. Na jej odsłonięte ramiona wystąpiła gęsia skórka. Księżyc bawił się w chowanego pośród gałęzi drzew. Był niczym oko obserwujące Ericę, podobnie jak oczy duchów, które zamieszkiwały lasy Topaangna. Spojrzała na samochód Jareda. W oknach panowała ciemność. Nie wrócił jeszcze z tej swojej nocnej eskapady Bóg wie dokąd. A nawet gdyby był, to co by mu powiedziała?

Kiedy dotarła do swego namiotu, zauważyła, że klapa wejściowa nie jest umocowana tak samo jak wtedy, gdy wychodziła.

Weszła ostrożnie do środka, włączyła światło... Najbardziej obawiała się o znalezisko, które wykopano tego popołudnia na poziomie czwartym. Przedmiot jednak leżał na biurku tak, jak go zostawiła. Zamknięcie metalowej szafki nie zostało naruszone. Nie trzymała w namiocie pieniędzy ani biżuterii, więc nie miała pojęcia, po co ktokolwiek miałby się tu włamywać. A przecież była pewna, że ktoś wdarł się do namiotu.

I wtedy to zobaczyła. Na poduszce.

Zwykły toporek, jaki można kupić w każdym sklepie metalowym, tyle że owinięty paskami niewyprawionej skóry i ozdobiony piórami, przez co wyglądał jak indiański tomahawk. Erica wiedziała, co oznacza.

Wypowiedziano jej wojnę.

Zaczęła się trząść. Ktoś naruszył jej prywatność, tak jak Ginny Dimarco naruszyła prywatność Jareda. Przed oczami zamigotały jej czerwone plamy. Wypadła z namiotu na zimne nocne powietrze i nie zważając, że wciąż ma na sobie koktajlową sukienkę i buty na wysokich obcasach, pomaszerowała przez obóz do kafeterii, ściskając w dłoni tomahawk. Indian nie było w kącie, gdzie zwykle grali w strzałki, jakby domyślili się, że Erica będzie ich szukać. Wyszła na zewnątrz i zobaczyła ich na skraju obozu. Ustawieni w krąg, oświetleni blaskiem ogniska wojownicy rzucali strzałkami w tarczę przybitą do drzewa.

Zbliżywszy się, ujrzała olbrzymiego mężczyznę o długich siwiejących włosach zaplecionych w indiańskie warkocze; człowiek ten dominował w grze. Nie znała go. Miał na sobie krótką, nylonową kurtkę z wyszytym na plecach wściekłym tygrysem azjatyckim, pod którym widniał purpurowo-żółty napis: „Wietnam, czerwiec 1966". Kiedy się odwrócił, Erica zobaczyła na jego ramieniu emblemat wojskowy przedstawiający płonącą włócznię z podpisem: „199 Brygada Piechoty". Miał grube łuki brwiowe, potężne szczęki i agresywną postawę.

– No, no, toż to nasza przyjaciółka, pani antropolog – powiedział z szyderczym uśmiechem.

– Kim pan jest? – zapytała, podchodząc bliżej. Był od niej o głowę wyższy. – Nie należy pan do naszej ekipy.

Podniósł do ust puszkę z piwem i pociągnął spory łyk, wpatrując się w nią spod zmrużonych powiek.

Erica pokazała mu tomahawk.

– Czy to pańskie?

Olbrzym otarł usta wielką dłonią.

– Wie pani co? Dorastałem w rezerwacie i pamiętam, jak takie białe suki jak pani przychodziły z pobliskiego uniwersytetu i przez całe lato prowadziły nad nami badania.

– Pytałam, czy to pańskie – powtórzyła, unosząc wyżej broń.

– Łaziłyście z aparatami fotograficznymi i notatnikami, ubrane w krótkie szorty, popisując się długimi nogami przed tabunem napalonych indiańskich chłopaków, ale cały czas kleiłyście się trwożliwie do tych swoich bladych studencików, do tych dupków w podrabianych kurtkach safari, targających plecaki. Myślałyście, że wszyscy na was lecimy, co? A tak naprawdę tylko wyśmiewaliśmy

194

się z was, kiedy zdobywałyście zaliczenia, spisując historie, które wam opowiadamy. Nie wiedziałyście tylko, że wszystko zmyślamy, bo za cholerę nie zdradzilibyśmy wam naszych prawdziwych, świętych historii.

Kiedy Erica otworzyła usta, żeby odpowiedzieć, zbliżył się do niej groźnie.

– Słyszałem, że chcecie przeprowadzić testy DNA szkieletu. Ale czeka was niespodzianka. Nie będziecie zdrapywać komórek z mojego przodka i wsadzać ich pod mikroskop. Żadne laboratoria nie będą nam mówić, kim byli nasi przodkowie.

Podszedł jeszcze bliżej, a Erica zerknęła za siebie, w stronę obozu przesłoniętego drzewami.

– Czy to nie okropne, że żaden kawaler nigdy się nie zjawia, kiedy potrzeba? – powiedział, przekręcając słowo tak, że wyszedł z tego „kalawer".

Wtedy ich uszu dobiegł odgłos łamanych pod stopami gałązek i w krąg światła padającego z ogniska wkroczył nowy przybysz. Był to Jared ze swą sportową torbą.

– Co do cholery tutaj robisz, Charlie?

Olbrzym popatrzył na niego hardo i złośliwie.

– Mam na imię Kojot, koleś.

– Nie jesteś stąd. Obcym nie wolno tutaj wchodzić.

– To wolny kraj. Ziemia Indian. Od morza do morza.

Jared rzucił Erice pytające spojrzenie, a ona podała mu tomahawk.

– Znalazłam to w swoim namiocie.

– Czy któryś z was to poznaje?

Mężczyźni zignorowali pytanie i wrócili do gry w strzałki. Jared uniósł wysoko rękę, zamachnął się i cisnął toporek z taką siłą, że trafiwszy w środek tarczy, rozpłatał ją na pół.

– Włamanie jest przestępstwem – zwrócił się do Kojota. – Zapamiętaj to sobie.

– To prawo białych, a nie nasze. – Kojot dźgnął powietrze grubym paluchem. – A wy, Anglosasi, dołożyliście wszelkich starań, żeby wydrzeć nam, Indianom kalifornijskim, naszą ziemię i toż-samość. Senat nigdy nie ratyfikował traktatów z 1850 roku, więc nie pozwolono nam zachować naszych terytoriów. Urząd do Spraw Indian regularnie zaniża naszą liczbę, tak że dostajemy najmniejsze stawki dofinansowania per capita ze wszystkich regionów. Cholera, człowieku, połowa naszych plemion nie jest nawet oficjalnie uznana przez państwo, więc nie dostajemy pieniędzy jak inni Indianie. Ponieważ wywłaszczenie ziemskie najciężej dotknęło właśnie Indian kalifornijskich, muszą ponosić straty, jeśli chodzi o pomoc ekono-miczną i federalną. Dlatego możesz sobie wsadzić gdzieś swoje gadanie o przestępstwie.

Jared schwycił olbrzyma za kołnierz.

– Cokolwiek knujesz – rzekł cicho – radzę ci się stąd zabierać. I to już.

Kojot wyrwał mu się i wygładził koszulę.

– Zapamiętaj sobie, koleś. Nie zamierzamy dłużej tego tolerować. Organizujemy się, mobilizujemy siły. Myślisz, że jesteśmy tylko zgrają tępych Indiańców, ale czeka cię wielka niespodzianka. Po-zwalacie tym ludziom przychodzić tutaj i się modlić. – Wyciągnął potężne ramię w stronę ogrodzenia po drugiej stronie Emerald Hills Drive, gdzie grupka wyznawców New Age wznosiła ręce i recytowała mantrę. – Oni obrażają nasze uczucia, ci chrześcijanie ze swoją fałszywą nową religią, którzy przychodzą do n a s z e g o miejsca kultu i udają pobożność. Co byś powiedział, gdybyśmy założyli pióropusze i koraliki, a potem odtańczyli taniec Deszczu na środku Bazyliki św. Piotra? Czasy się zmieniają, człowieku. Teraz możemy wytaczać procesy wydawnictwom, które drukują słowniki zawiera-jące słowo „squaw". Jest ono obraźliwe dla naszych kobiet. Zmu-szamy botaników, żeby zmieniali nazwy roślin, do których wy, Anglosasi, dodajecie to słowo. Kazaliśmy zoologom wymyślić no-wy termin dla ryby, którą nazwaliście squaw. Zamierzamy na-wet pozbyć się terminu „Indianin", bo nie pochodzimy przecież z Indii, koleś. I nie jesteśmy rdzennymi Amerykanami, jesteśmy pierwszymi Amerykanami. Więc miej się na baczności, panie Biały Prawniku, bo wkrótce poznasz potęgę synów Siedzącego Byka i Szalonego Konia.

Jared wziął Ericę za łokieć i szybko ją stamtąd odciągnął.

– Będziemy musieli uważać – szepnął. – Kojot jest tutaj nie ze względów społecznych, lecz po to, żeby prowadzić agitację. Nasi Indianie są najczęściej apolityczni i nastawieni pokojowo. Zależy im tylko na regularnej wypłacie, ale Kojot ma dar przekonywania. Jest jednym z przywódców Czerwonych Panter.

Ericę przeszył dreszcz, gdy Jared niespodziewanie dotknął jej nagiej skóry. W tej chwili nie dbała już o Kojota i jego tomahawk, o Indian, ani nawet o jaskinię. Jared był tak blisko i dotykał jej… Wstrząs po usłyszeniu opowieści Ginny Dimarco powrócił z nową siłą.

– Czerwone Pantery? – Usłyszała swój własny głos. Zapragnęła zapytać go o Wyspy Normandzkie. Czy znalazł tam to, czego szukał?

– Jest to radykalny odłam Ruchu Indian Amerykańskich. Od czasu Alcatraz i masakry nad potokiem Wounded Knee szukają nowych miejsc, gdzie mogliby dać upust swoim frustracjom. Teraz mają oko na naszą jaskinię.

Poczuła rosnący ucisk w piersi.

– A kim jest ten Kojot?

– Naprawdę nazywa się Charlie Braddock. Nie ma plemienia, do którego nie próbowałby się przyłączyć, od Suquamiszów w stanie Waszyngton po Seminoli na Florydzie. Żadne go nie przyjęło, bo nie potrafił udowodnić swego pochodzenia. Postanowił więc wstąpić do plemienia, które nie jest uznane przez państwo, tak żeby nie musiał przedstawiać rodowodu.

– To znaczy, że on nie jest rdzennym Amerykaninem?

– Jeśli Charlie ma indiańską krew, to najwyżej z Czerwonego Krzyża. Zanim związał się z Czerwonymi Panterami, przez jakiś czas pracował jako najemnik w Afryce, a jeszcze wcześniej był kierowcą karetki, dopóki nie aresztowali go za podszywanie się pod lekarza. Cała ta gadanina o rezerwacie jest zmyślona. Charlie urodził się i wychował w dolinie San Fernando i skończył szkołę średnią, do której chodzili wyłącznie biali. A co do jego kurtki... Nigdy nie służył w Wietnamie. Kiedy rozpoczęto pobór do wojska, Charlie po cichu wymknął się przez granicę do Kanady i tam przeczekał najgorsze. Miał szczęście, że nigdy go nie powołano. Ale nie można go lekceważyć. Jest niebezpieczny, zarówno dla białych, jak Indian.

Gdy weszli na oświetlony teren obozu, Jared przełożył torbę sportową do drugiej ręki i nagle skrzywił twarz, łapiąc się za bok.

Erica popatrzyła na niego zaniepokojona.

– Dobrze się pan czuje?

– Tak, wszystko w porządku – odparł, choć nie wyglądał najlepiej. Spostrzegła, że jest blady i poci się mimo nocnego chłodu. – Naprawdę, nic mi nie jest. To tylko drobna kontuzja. Bardzo głupia kontuzja.

– Co się stało?

– Pomyliły mi się kierunki, to wszystko – powiedział, siląc się na uśmiech.

– Czy mam sprowadzić pielęgniarkę?

Potrząsnął głową.

– Nie, po prostu potrzebuję drinka. Mam za sobą długi dzień. – Musnął spojrzeniem jej włosy, wciąż upięte do góry błyszczącymi spinkami, po czym zatrzymał wzrok na nagich ramionach. – Ładna sukienka – dodał.

Bolesny ucisk w płucach.

– Właśnie wracam z przyjęcia u Dimarców.

On zaś nadal stał bez ruchu, pośród dębów, namiotów i przechodzących ludzi, zupełnie jakby byli sami na szczycie świata i mogli myśleć tylko o sobie nawzajem.

– Sukienka i tak jest ładna – powtórzył cicho.

Serce na chwilę jej zamarło. „Odbiło mu po śmierci żony".

– Bardzo odważnie się pan zachował, stawiając czoło Charliemu i jego bandzie.

– Nauczyłem się obchodzić z takimi jak on.

„Nie ma nic skuteczniejszego niż bezpośredni kontakt wzrokowy. Zawsze o tym pamiętaj, Erico. Kiedy staniesz twarzą w twarz z prześladującą cię dziewczyną, postaraj się zmusić ją do opuszczenia wzroku. Jeśli to będzie grupa, wybierz jedną i zrób to samo. Ona się wycofa, a reszta pójdzie za nią. Na sali sądowej zawsze patrz sędziemu w oczy. Nie rozglądaj się. Nie patrz na swojego adwokata ani na oskarżyciela, ani na protokolanta sądowego. Zdziwisz się, jaka siła tkwi w twoim spojrzeniu".

Ów głos z przeszłości mówił o prześladowcach rodzaju żeńskiego, ponieważ w areszcie dla nieletnich Erica miała do czynienia z twardymi dziewczynami, które ciągnęły ją za włosy i nazywały „biedną hołotą z doliny".

– Powiadomię ochronę, że ma mieć oko na Kojota i na pani namiot – rzekł Jared. – A teraz chodźmy do mnie na drinka. Opowie mi pani, co mnie ominęło na przyjęciu.

☆

Erica była w winnebago Jareda tylko raz, tuż po rozpoczęciu badań. Zapamiętała wówczas, że za kabiną kierowcy i pasażerów mieścił się „salon" wyposażony w sofę i dwa skórzane klubowe fotele, między którymi ustawiono telewizor i odtwarzacz wideo. W samochodzie było też imponujące „centrum biznesowe" – faksy, telefony i komputer, stosy dokumentów prawnych, korespondencji, książek prawniczych. Poza tym znajdowała się tam wnęka kuchenna zaopatrzona w lodówkę, zmywarkę do naczyń, kuchenkę z piekarnikiem, kuchenkę mikrofalową i supernowoczesną maszynę do cappuccino. Erica przypominała sobie, że w sypialni dostrzegła ogromnych rozmiarów łoże.

Teraz jednak, kiedy Jared wprowadził ją do środka i zapalił światło, zauważyła zaskakujące zmiany.

Miejsce biurka zajął stół kreślarski. Na tablicy informacyjnej pojawiły się szkice domów i budynków biurowych, zasłaniając notatki prawne i artykuły prasowe na temat Projektu Emerald

Hills. Tam, gdzie poprzednio były pudełka z długopisami i formularze prawne, zobaczyła zestaw przyrządów kreślarskich i zapas ołówków. Lecz najbardziej zdumiało ją to, że na rozkładanym stoliku stała makieta wspaniałego nowoczesnego domu z basenem i ogrodem.

– Czy pan to dla kogoś projektuje? – spytała zdziwiona Erica.

– To tylko hobby – odparł, ale w jego głosie pobrzmiewała duma i widać było, że jest bardzo zadowolony z jej reakcji. Wiele nocy poświęcił na drobiazgowe opracowanie projektu, a potem godzinami żmudnie budował makietę z tektury i drewna balsy. Wszystkie drzwi domu miały nawet maleńkie mosiężne gałki.

W środku Erica dojrzała meble i malutkie figurki ludzi.

– Kim oni są? – zapytała.

– Ludzie? Figurki służą tylko do zachowania proporcji.

Zamyśliła się na chwilę, błądząc wzrokiem po przestronnych pokoikach i próbując wyobrazić sobie życie, które się w nich toczy.

– To są państwo Arbogast – oznajmiła. – Sophie i Herman Arbogast z dziećmi: – Billym i Muffin. Sophie nie pracuje i wypełnia sobie wolny czas jako wolontariuszka w szpitalu św. Jana, a poza tym oprowadza wycieczki po Muzeum Getty'ego. – Erica zajrzała do widocznych z góry pokoi na piętrze, skąd schody prowadziły donikąd. – Herman jest kardiochirurgiem przechodzącym kryzys wieku średniego. Rozważa możliwość nawiązania romansu z pielęgniarką. Myśli, że Sophie o tym nie wie, ale ona wie doskonale i ma nadzieję, że będzie miał ten romans, bo sama od roku zdradza Hermana z jego kolegą z pracy. – Pochyliła się nisko, by obejrzeć wnętrze przestronnej kuchni i przylegającego do niej salonu. – Billy jest podekscytowany, ponieważ niedługo ma przejść z zuchów do harcerzy, a Muffin jest w siódmym niebie, bo wreszcie pozbyła się pryszczy i ma podejrzenia, że podoba się pewnemu chłopcu, który chodzi z nią na zajęcia z historii. – Erica wyprostowała się i spojrzała na Jareda. – To piękny dom.

Spostrzegłszy, że patrzy na nią ze zdziwieniem, zaczerwieniła się i dodała:

– Mam okropny nawyk zmyślania historii.

Uśmiechnął się i pokręcił głową. Potem odsunął przepierzenie i zniknął w sypialni.

Erica rozejrzała się, ogarniając wzrokiem skutki niezwykłej przemiany, której najwyraźniej ulegał prywatny świat Jareda. Książki prawnicze ustępowały ołówkom kreślarskim, akty prawne – planom architektonicznym. Odniosła wrażenie, że architekt zdobywa przewagę nad prawnikiem i stopniowo przejmuje jego dawne życie. Tak jakby coś próbowało się wydobyć z wnętrza Jareda, usiłując przyoblec w kształt i znaczenie.

Wyszedł z sypialni z ręką przyciśniętą do boku i ruszył do łazienki, gdzie ostrożnie zdjął koszulę i zaczął oglądać sobie żebra. Erica zobaczyła jego odbicie w lustrze: na skórze już wykwitał paskudny siniak.

– Czyżby to wtedy pan się uderzył… na lekcji rzucania tomahawkiem? – zapytała.

Wysunął głowę przez drzwi.

– Słucham?

– A więc to tam chodzi pan co wieczór? Na lekcje rzucania tomahawkiem?

Spojrzał na nią z zakłopotaniem. Potem zaśmiał się i natychmiast skrzywił z bólu.

– Nie, fechtunku.

Wyszedł, niosąc podręczną apteczkę.

– Fechtunku! Ale jaką bronią? Topory, maczugi, czy maczety?

– Florety, szpady, szable – odparł i machnął zawadiacko ramieniem, ale znów chwycił go ból. – Za mało się skoncentrowałem i wtedy dopadł mnie mój znakomity przeciwnik.

Erica nagle wyobraziła go sobie, jak stoi w pozycji *en garde*, po czym woła: „Za Francję i królową!", i rzuca się do walki, wykonując uniki i finty, lekki i zwinny; rapier ze świstem przecina powietrze i rozlegają się okrzyki: *Touché*! Arystokratyczny sport. Niebezpieczny sport.

Kiedy wyjmował z apteczki bandaż elastyczny i rozpakowywał go z folii, Ericę poraziła nagle świadomość niewielkiej odległości, jaka ich dzieli. Byli przecież najwyżej półtora metra od siebie, oboje w połowie tylko ubrani – lub półnadzy, jak powiedziałby optymista, pomyślała figlarnie Erica – on bez koszuli, a ona w niewiele zasłaniającej koktajlowej sukience. Próbował owinąć sobie klatkę piersiową, ale bezskutecznie, ponieważ było mu niewygodnie i bandaż wciąż się zsuwał.

– Może pomóc? – zaproponowała, podchodząc bliżej.

Jeden koniec bandaża przyłożyła mu do mostka i kazała przytrzymać, potem zaczęła owijać żebra. Starał się nie krzywić, ale wiedziała, że cierpi z bólu.

Gdy tak rozwijała rolkę bandaża, przesuwając go po jego piersi, a potem otoczyła ramionami tors mężczyzny, chcąc ciasno opasać jego plecy, poczuła delikatny zapach wody toaletowej „Irish Spring" i zauważyła, że końce czarnych włosów ma wciąż lekko skręcone po kąpieli. Jego skóra była jednak ciepła i sucha, a pod nią drgały sprężyste mięśnie. Każdego wieczora bez wyjątku Jared uprawiał intensywny, wyczerpujący fizycznie sport. Dlaczego? Dla zachowania sprawności? A może jakieś głębsze pobudki zmuszały go do szermowania mieczem przeciw innym mężczyznom?

Wzdrygnął się nagle, a Erica znieruchomiała z bandażem w ręku.

– Przepraszam… Czy myśli pan, że to złamanie?

– Nie. To tylko tak groźnie wygląda. I boli wyłącznie wtedy, kiedy mocno bije mi serce.

Wróciła do bandażowania.

– Gdzie się pani nauczyła tak delikatnie dotykać?

– Mam do czynienia z kruchymi przedmiotami.

Ich oczy spotkały się.

– Ja nie jestem kruchy.

Nie wierzyła w to. Jared musiał mieć w sobie coś niezwykle wrażliwego, skoro tak bardzo starał się to chronić. Pragnęła dowiedzieć się, co to takiego, ale nie można przecież oświadczyć komuś po prostu: „Słyszałam, że kiedyś ci odbiło". Powiedziała więc:

– Brakowało nam pana na przyjęciu.

– Wolałbym już chyba poddać się leczeniu kanałowemu.

– Sądziłam, że lubi pan Dimarców. Dużo robią dla rdzennych Amerykanów.

– To pseudointelektualni liberałowie, którzy pompują pieniądze w filmy takie jak *Tańczący z wilkami*, ale za nic w świecie nie przyjęliby na kolacji rdzennego Amerykanina. Czy na przyjęciu byli jacyś Indianie?

– Był chyba wódz jednego z plemion z doliny Coachella.

– Założę się, że miał garnitur od Armaniego i przyjechał porsche. Ci, którzy prowadzą kasyna, są bogaci. Tak naprawdę bardzo niewielka część zysków z hazardu trafia do ludzi w rezerwatach. Ciekawe, czy Ginny uraczyła panią swoją przemową na temat braku mydła w rezerwatach. To jej ulubiona opowieść, którą szokuje panie podczas lunchu. Książeczki czekowe same się otwierają. Biedni Indianie, nawet mydła nie mają w rezerwatach.

– Tego nie słyszałam, ale Ginny wyłożyła mi inną teorię: że to dzięki rybie księżycówce Hiszpanie z taką łatwością podbili Kalifornię.

Erica dalej ciasno owijała jego pierś – znowu przesunęła bandaż na plecy, sięgając po opaskę drugą ręką tak, że na chwilę musiała otoczyć go ramionami. Nie dotykała go jednak. Przez moment ich twarze były bardzo blisko siebie.

– Ładnie pani w tej fryzurze – powiedział cicho. – Ale... jeden kosmyk się wysunął. – Wyciągnął rękę i podniósł zbłąkany lok, który opadł jej na szyję, po czym wetknął go pod błyszczącą spinkę.

Nagle poczuła nieodpartą chęć, by przypaść do niego, położyć głowę na jego ramieniu i przytulić się. Zapragnęła złożyć broń i okazać własną słabość. Nie przerwała jednak swego zajęcia; wreszcie rozwinęła cały bandaż i zabezpieczyła go metalowymi zapinkami. Jared zaś, wpatrując się w nią, wymamrotał:

– „Na miłość boską, Montresorze"[1].

– Słucham?

– Pani oczy mają barwę amontillado.[2] – Uśmiechnął się. – A pani policzki właśnie przybrały kolor dojrzałych jabłek waszyngtońskich.

– Nie cierpię się rumienić. Zazdroszczę kobietom, które potrafią ukrywać swoje emocje. – Cofnęła się o krok. – Gotowe. Na przyszłość nie radzę zabawiać się nożami.

– Szpadami.

– Wszystko jedno. – Stłumiła uśmiech.

– A ja nie lubię kobiet, które potrafią ukrywać swoje emocje. Z rumieńcem pani do twarzy. Podobnie jak w tej sukience.

Policzki zaczęły palić ją jeszcze mocniej. Przez jedną króciutką chwilę patrzył jej w oczy, a potem odwrócił się, rozerwał sznurek na pudle z pralni chemicznej i wyjął czystą koszulę, wyprasowaną i zapakowaną w torbę foliową.

– Woli pani wino czy szkocką?

Erica wahała się tylko przez ułamek sekundy.

– Wino. Białe, jeśli pan ma.

Gdy wkładał koszulę – wyglądała na jedwabną, szytą na miarę i bardzo drogą – z przyjemnością patrzyła, jak dopasowany materiał układa się na jego szerokich plecach. Zapiął wszystkie guziki oprócz jednego pod szyją, zostawiając rozchylony kołnierzyk, i wpuścił koszulę w spodnie.

Kiedy nalewał drinki, nagle dał się słyszeć cichy, szemrzący dźwięk. Było to pluskanie kropelek deszczu o dach samochodu. Oboje unieśli wzrok, jakby sufit był przezroczysty i mogli przeżeń dojrzeć chmury, które niespodziewanie zasnuły nocne niebo. Poczucie bliskości na małej przestrzeni nasiliło się. Erica odchrząknęła.

– Czy naprawdę może nam coś grozić ze strony Czerwonych Panter?

---

[1] Słowa jednego z bohaterów opowiadania Edgara Alana Poe *Beczka amontillado* (przyp. tłum.).
[2] Amontillado – białe wytrawne wino hiszpańskie.

– Uważają, że powinienem był już dawno zmusić panią do zakończenia prac. – Podał jej kieliszek. – Wie pani, że w tej chwili aż dziewięć plemion rości sobie prawo do przejęcia na własność jaskini?

Uniosła brwi ze zdziwieniem.

– Nie wiedziałam, że ktoś w ogóle ją chce.

– Obecnie osiemdziesiąt plemion w Kalifornii walczy o uznanie przez rząd federalny. Problem w tym, że każde musi przedstawić historycznie udokumentowany rodowód. Miejscowemu plemieniu, które udowodni swoje powiązanie z jaskinią, a więc także ze szkieletem, łatwiej będzie dostać się do federalnego rejestru plemion indiańskich, a co za tym idzie, uzyskać dofinansowanie. – Wrzucił lód do swojej szkockiej. – Niestety, pozostałe plemiona nie chcą, żeby spis się powiększył, ponieważ wtedy skurczy się suma rządowych dolarów do podziału. W ten sposób ja i pani znaleźliśmy się w centrum bardzo nieprzyjemnych zatargów.

Napili się w milczeniu.

– A dlaczego akurat szermierka?

Jared oparł się o blat kuchenny. Najwyraźniej żadne z nich nie miało ochoty usiąść.

– Muszę kontrolować swoją złość. Muszę znaleźć dla niej ujście. Gdybym nie skrzyżował z kimś szabli, mógłbym zrobić coś, czego bym później żałował.

– A na co jest pan zły?

– Na siebie.

Erica milczała.

Popatrzył na zawartość swojej szklanki, przez chwilę wsłuchiwał się w deszcz, ważąc myśli, aż w końcu podjął decyzję.

– Netsuya różniła się od wszystkich kobiet, jakie przedtem spotkałem. – Jego głos był cichy, niczym szmer deszczu. – Była egzotyczna, gniewna, namiętna. A zdobycie jej ręki nie przyszło łatwo. Nie lubiła białych i nie wiedziała, jak pogodzić miłość do mnie ze swoją krucjatą. Chadzała często na spotkania, na które ja miałem wstęp wzbroniony.

Zaczerpnął głęboko tchu, skrzywił się z bólu i przełknął łyk szkockiej. Erica miała przeczucie, że zamierza otworzyć przed nią drzwi do bardzo prywatnych zakamarków.

– Kiedy Netsuya zaczęła podejrzewać, że jest w ciąży – ciągnął – nie poszła do zwykłego lekarza. Do kręgu jej przyjaciół należała pewna kobieta z plemienia Pomo, która była akuszerką. Netsuya chciała urodzić w domu, a ja się zgodziłem, ale dopiero później dowiedziałem się, że nie będę obecny przy porodzie. Chodziło o jakieś tajemne kobiece rytuały, do których nie dopuszczano mężczyzn. Musiałem to uszanować.

Pociągnął kolejny łyk. Erica czuła, jak bardzo jest spięty.

– Prosiłem, żeby poszła do prawdziwego lekarza, ale nie chciała. Twierdziła, że biali mężczyźni zajęli się położnictwem dwieście lat temu, ponieważ byli zazdrośni i dlatego wydarli tę praktykę z rąk białych kobiet. Mówiła, że jej ludzie od tysięcy lat wydawali na świat dzieci bez pomocy lekarzy, a zwłaszcza białych mężczyzn. Gdy zaproponowałem, żeby poszła do kobiety, odmówiła. Pokłóciliśmy się. Powiedziałem, że to też moje dziecko i mam chyba coś do powiedzenia. Ale Netsuya uparła się, że to jej ciało i że dlatego do niej musi należeć ostatnie słowo.

Znów upił trochę whisky, wodząc oczami po górnej krawędzi makiety domu, jakby zastanawiał się, jak też państwo Arbogast poradzili sobie z przyjściem na świat Billy'ego i Muffin.

– Kiedy zaczął się poród, wezwała akuszerkę, która pojawiła się z pomocnicą, także pełnej krwi Indianką. Trzy kobiety weszły do sypialni i zamknęły drzwi.

Jared przerwał na moment, dolał sobie whisky i wrzucił do szklanki jeszcze jedną kostkę lodu.

– Poród trwał wiele godzin. Co jakiś czas pozwalano mi wejść i posiedzieć przy Netsui, gdy tymczasem akuszerka parzyła zioła, a jej pomocnica okadzała pokój świętym dymem, śpiewnie recytując indiańskie modlitwy. Kiedy dziecko przyszło na świat, nie wolno mi było wchodzić do pokoju, ponieważ moja obecność stanowiła tabu. Czekałem więc za drzwiami i nasłuchiwałem. Czekałem na krzyk dziecka. Ale panowała tam tylko cisza… Wtedy wszedłem.

W jego whisky zagrzechotały kostki lodu. Deszcz coraz głośniej bębnił o dach.

– Było tam… – Ścisnął w dłoni kryształową szklankę i zajrzał do środka. Wyglądał jak człowiek, który za chwilę upadnie. Głos uwiązł mu w gardle. – Było tam zbyt dużo krwi. A akuszerka… Nigdy nie zapomnę wyrazu jej twarzy. Była przerażona. Owinąłem Netsuyę kocami i zawiozłem ją do szpitala. Nie pamiętam tej jazdy. Lekarze zrobili wszystko, co w ich mocy, żeby uratować moją żonę i syna, ale było za późno.

Gdy skończył, zapadła zupełna cisza. Erica stała bez ruchu, porażona tym, co usłyszała.

– Tak mi przykro – powiedziała w końcu.

Żyła wystąpiła na czoło Jareda. Mówił zdławionym głosem, z trudem dobywając słowa.

– Nie ma dnia, żebym nie myślał o moim synu i zastanawiał się, jaki byłby teraz, mając trzy lata. Nie mogę wybaczyć Netsui tego, co zrobiła. Nie mogę wybaczyć sobie.

– Ale to nie pańska wina. To nie była niczyja wina. Takie rzeczy się zdarzają.

– Nie zdarzają się same z siebie. – Spojrzał na nią z wściekłością. – Można było temu zapobiec. Tak mi powiedział potem lekarz, pytając, czy Netsuya brała jakieś leki w czasie ciąży. Odparłem, że nie wzięłaby nawet aspiryny. Nie pozwalała ludziom palić w swojej obecności. Tak bardzo dbała o zdrowy tryb życia, że piła tylko napary ziołowe i przyjmowała ziołowe preparaty. Właśnie o nie zapytał mnie lekarz.

Pamiętałem, że Netsuya regularnie chodziła do akuszerki po mieszankę z ginkgo bilboa, czosnku i imbiru, która miała zapobiegać zakrzepom. Okazało się, że te zioła przedłużają także krwawienie. Doktor stwierdził, że najprawdopodobniej to one spowodowały krwotok.

Jared spojrzał na Ericę udręczonym wzrokiem.

– Powiedział, że według wielu ludzi już samo stosowanie ziół oznacza zdrowy tryb życia, gdy tymczasem może mieć ono śmiertelne skutki. Podobno staje się to powszechnym problemem, gdyż coraz więcej osób przyjmuje rozmaite ziołowe preparaty. Chirurdzy rutynowo już pytają o to pacjentów przed rozpoczęciem operacji, ponieważ niektóre zioła mogą powodować krwawienie. Stwierdził, że gdyby Netsuya poszła do dyplomowanego lekarza, na pewno by ją ostrzegł przed niebezpieczeństwem. Wtedy ona i dziecko nie…
– Odwrócił się, a Erica myślała przez chwilę, że ciśnie szklanką w ścianę.

Teraz już rozumiała powód jego nocnych spotkań ze szpadami, wieczornych schadzek z ostrzami i szpikulcami. Zakładał oczywiście ochraniacze i maskę, a szpady z pewnością były tępe, ale to nie miało znaczenia. Potrzebował samej walki, chciał ciąć powietrze swą wściekłością i bólem, wciąż od nowa zabijać swe demony w powtarzanym bez końca tańcu gniewu, poczucia winy, samooskarżenia.

– Boże mój… – głos mu się łamał. – Zabiłem ją…

Zrobiła krok w jego stronę.

– Nieprawda. To nie pańska wina, Jared.

Obrócił się gwałtownie.

– A właśnie, że moja! Powinienem był interweniować. On był także moim synem. Zasługiwał na najlepszą opiekę medyczną. A ja wydałem go na pastwę niewiedzy i zabobonu.

Szukała odpowiednich słów, rozpaczliwie pragnąc mu pomóc.

– Netsuya była wykształcona, musiała o tym wiedzieć. To był jej wybór. Zrobił pan dobrze, szanując jej wolę.

Jared zacisnął palce na szklance, jakby chciał ją zgnieść.

– Mam koszmary – powiedział cicho. – Śni mi się, że biegnę, usiłuję dokądś dotrzeć, ale zawsze jest już za późno. Budzę się zlany zimnym potem.

Znowu zamilkli, słuchając deszczu. Erica czuła się emocjonalnie obnażona, jakby jej uczucia obrano ze skóry i wystawiono na działanie żywiołów. Jared i jego ból, jego wina. I jej własny demon,

208

złowieszczo przyczajony tuż za sercem. Chciała pocieszyć Jareda. Marzyła o nim, o jego ramionach, o jego ustach na swoich wargach.

– Od trzech lat z nikim o tym nie rozmawiałem – wyznał. – Pani jest pierwsza.

Pragnęła go pocieszyć, ale nie wiedziała jak. Matki zastępcze mówiły jej, żeby przestała płakać, bo nie jest jedyną osobą, która ma problemy, nauczyciele wmawiali, że jeśli sama będzie potrafiła się obronić, to dzieci przestaną jej dokuczać, pracownicy opieki społecznej zarzucali jej, że marudzi i maże się bez powodu. Nie mogła sobie przypomnieć, by kiedykolwiek ktoś ją pocieszał. Może zdarzyło się to w komunie hipisowskiej, kiedy matka jeszcze ją kochała. Dzieci należało uczyć umiejętności pocieszania, tak jak uczy się je miłości i nienawiści. Powinno się odsłaniać przed nimi tajniki tej sztuki.

– No tak… – Jared nagle uświadomił sobie, że trzyma pustą szklankę. – Zbyt długo tu panią przetrzymałem. – Westchnął cicho. – Nie miałem zamiaru opowiadać pani historii swojego życia.

Wtedy Erica ze zgrozą uprzytomniła sobie, co przed chwilą zrobiła. Zawahała się. Na tym właśnie polegała tajemnica pocieszania – należy czynić to bez namysłu, zamiast stać i zastanawiać się, co dalej. Zapragnęła dostać drugą szansę. Gdyby tylko mogła cofnąć czas o minutę, do momentu, kiedy powiedział: „Pani jest pierwsza". Wtedy podeszłaby do niego, wzięła w objęcia i obdarzyła swym ciepłem, żeby wiedział, że nie jest sam.

Chwila jednak za bardzo się przeciągnęła, stała się zimna i pusta… Jared, odwrócony plecami do Eriki, sięgał po butelkę szkockiej.

– Pójdę już – powiedziała, odstawiając kieliszek. – Zostawiłam otwarte okna.

Odczekała jeszcze parę sekund.

A potem, niezatrzymywana, wyszła w deszczową noc.

☆

Zanim zdążyła przebrać się z wieczorowego stroju w wygodny dres, burza rozszalała się na dobre, a w namiocie słychać było jej stłumione pomrukiwanie. Erica wyobraziła sobie łowców księżycówek pędzących do swoich samochodów, podczas gdy ryby, już niezagrożone, unoszą się na falach, tak jak robiły to od tysięcy lat. Potem wróciła myślami do leżącego na biurku przedmiotu – zdumiewającego znaleziska, które wydobyto tego popołudnia z poziomu czwartego.

W momencie dokonania odkrycia Erica była do głębi poruszona: całą uwagę skupiła na tym przedmiocie, jak pies na znalezionej kości. Teraz zaś zaczynała się zastanawiać, dlaczego przedtem miało to dla niej tak wielkie znaczenie. W tej chwili była w stanie myśleć tylko o Jaredzie.

Zmusiła się, by od razu przystąpić do pracy. Przez całe życie postępowała w ten sposób i dzięki temu udawało jej się nie utonąć w odmętach własnego bólu. „Nie myśl o demonie, który cię prześladuje, a wtedy on przestanie istnieć".

– Włosy są czarne, bez śladu siwizny – zaczęła mówić do dyktafonu, odrobinę za głośno – zaplecione w warkocz długości trzydziestu pięciu centymetrów, który prawdopodobnie ucięto tuż przy karku. Przypuszczam, że jest to warkocz kobiety. – Za pomocą pęsety wyciągnęła z włosów coś, co przypominało różowy płatek. – Wygląda na to, że warkocz został zakopany wraz z płatkami kwiatów – powiedziała, patrząc na kruchy kwiatek pod światło, a potem oglądając go przez szkło powiększające. – Bugenwilla – oświadczyła po chwili.

Z trudnością przełknęła ślinę. Ciężar w piersi nie zniknął, wciąż czaił się tam jak złowrogi, czarny, pierzasty stwór, który czekał na nią pośród cieni za basenem u Dimarców, czyhając na chwilę jej słabości, kiedy Erica straci czujność, by wlecieć i usadowić się między jej żebrami.

– Ponieważ sadzonki bugenwilli sprowadzono do Kalifornii dopiero po roku 1769, a warkocz znaleziono na poziomie niższym niż jednocentową monetę, lecz wyżej niż blaszany krucyfiks, ów osobliwy obrzęd w jaskini, podczas którego obcięto warkocz, musiał się odbyć między rokiem 1781 a 1814. – Przerwała, oczy nagle zaszły jej mgłą, dłonie nad znaleziskiem zamarły w bezruchu, a w głowie pojawiła się myśl: „A więc jesteśmy coraz bliżej w czasie".

Ujęła warkocz obiema rękami i zważyła w palcach ciężar włosów. Zapewne sploty te wieńczyły niegdyś głowę młodej kobiety. Erica zastanawiała się nad powodem tak brutalnego czynu – w stuleciu, gdy wszystkie kobiety nosiły długie włosy, obcięcie warkocza musiało stanowić karę, pokutę lub akt upokorzenia. Ofiara nie była Amerykanką: co do tego Erica nie miała wątpliwości ze względu na warstwę, w której znaleziono warkocz. A więc była to hiszpańska dama, zawleczona do jaskini przez oburzonych braci, którzy obcięli jej tam warkocz za splamienie honoru rodziny. A może zrobiły to Meksykanki, siostry młodzieńca, który popełnił samobójstwo, gdy wzgardziła jego miłością? Albo też była to męczennica, której życie złożono w ofierze podczas jakiegoś zapomnianego indiańskiego obrzędu?

Zamknęła oczy i poczuła, że łzy spływają jej po policzkach. Te włosy spoczywały niegdyś na ciepłych plecach kobiety, podskakiwały, kiedy biegła, falowały rozpuszczone na wietrze. Ktoś je czesał, mył, głaskał, może całował. I w końcu ozdobił czule płatkami bugenwilli, by potem brutalnie odciąć warkocz.

Przyciskając włosy do piersi, pomyślała o Jaredzie, który podniósł kosmyk z jej szyi i wetknął go z powrotem pod spinkę. Był to niezwykle intymny gest i jakże silną wywołał reakcję. Ericę ogarnęła fala bólu, przypływ zimnego, dotkliwego żalu. Z jej krtani dobył się szloch. Ciężar w piersi zaczął się rozrastać. Wyobraziła sobie Jareda samego na wyspie, jak ucieka przed swymi wybawcami, pragnąc, żeby zostawili go w spokoju. A przedtem jego szaloną jazdę do szpitala, poczucie winy i lęk kłujący niczym ostrze szpady. „Można było temu zapobiec...".

Wtem dotarło do niej, co to jest – ta istota, która czaiła się tuż przy jej sercu jak złowrogi gnom. To była prawda. Prawda o Jaredzie. I o niej samej. Zrozumiała, dlaczego ostatnio tak dużo o nim myśli. Z powodu jego samotności.

„Wszyscy potrzebujemy kogoś, kto by nad nami czuwał, ale nie każdy ma tyle szczęścia, że trafi mu się taka osoba. Ja. Jared. Dama z jaskini. Jesteśmy samotni i bezbronni wobec tych, którzy mogą nas zaatakować".

Nagle zapragnęła ochronić Jareda przed wszystkimi Ginny Dimarco świata, tak samo jak chroniła Damę przed wandalami. Nie miała jednak pojęcia, jak się do tego zabrać.

Rozdział dziesiąty

LUISA
1792 rok

Szykowały się do ucieczki. Doña Luisa i jej córka, Angela.

Angela jednak o tym nie wiedziała. Podobnie jak Lorenzo, mąż Luisy. Nie wiedzieli o tym ani ojcowie z misji, ani inni osadnicy mieszkający w wiosce Los Angeles i w jej okolicach. Luisa ukrywała skrzętnie swą tajemnicę i nie zamierzała jej wyjawić, dopóki wraz z Angelą nie dotrze do Madrytu. Kiedy już będzie w Hiszpanii, zostanie tam na zawsze i nigdy nie wróci do Alta California i do życia w zniewoleniu.

Luisa miała świadomość, że ludzie mogliby uznać jej plany za grzeszne, gdyby się dowiedzieli, że postanowiła opuścić męża. A to wcale nie było prawdą. Po powrocie do Hiszpanii zamierzała napisać do Lorenza i poprosić, żeby do niej przyjechał. Jeśli odmówi, to on popełni grzech, porzucając żonę i dziecko.

A Matka Boska, która potrafi wejrzeć w duszę każdego człowieka, zobaczy, że Luisa postępuje dobrze. Tylko to miało znaczenie.

Była właśnie w ogrodzie i zbierała zioła, a ponieważ czekała ją długa i niebezpieczna podróż morska, postanowiła narwać więcej niż zwykle główek maku, by sporządzić opium. Lek był przeznaczony dla Angeli. Szesnastoletnia dziewczyna cierpiała bowiem na obezwładniające bóle głowy i omdlenia od dnia, gdy Lorenzo znalazł ją w górach i przywiózł do posiadłości. Opium miało nie tyle uśmierzyć jej ból podczas ataków, co powstrzymać ją od mówienia. Kiedy zdarzyło się to po raz pierwszy, krzyknęła nagle, złapała się za głowę i zemdlała. Opętana dziwnym transem, który przeraził jej nowych rodziców, dziewczynka krzyczała: „Stoją w ogniu! Płoną! Palą się!". A potem zaczęła histerycznie szlochać. Później, po przebudzeniu, Angela nie pamiętała nic z owego zajścia, toteż Luisa złożyła to na karb złych snów. Gdy jednak tego samego wieczora w górach Santa Monica wybuchł pożar i szalał przez siedem piekielnych dni, dopóki nie zgasiła go letnia burza – później zaś okazało się, że w płomieniach zginęło kilka indiańskich rodzin – Luisa z niepokojem spojrzała na swe przybrane dziecko. Gdy Lorenzo ją znalazł, Angela miała na sobie ubrania z misji i mówiła po hiszpańsku; Luisa założyła więc, że dziewczynka jest ochrzczona. Wiedziała jednak, że nawet cały ocean święconej wody nie jest w stanie zmyć z człowieka koloru jego skóry. Skoro dziewczynka jest Indianką, ludzie mogą oskarżyć ją o czary, kiedy tylko jej dar jasnowidzenia wyjdzie na jaw. Wprawdzie w Hiszpanii nie palono już czarownic na stosach, ale kto wie, do czego byli gotowi ojcowie z misji, którzy mieli skłonność do surowego karania Indian? Dlatego też Luisa postanowiła zawsze mieć pod ręką opium i uspokajać nim dziewczynkę, gdy tylko zdarzy się nowy atak. Skutek był taki, że choć bóle głowy wciąż powracały, na szczęście nie towarzyszyły im już jasnowidzenia.

Luisa przerwała na chwilę pracę w ogrodzie pełnym jaskrawych maków i przeciągnęła się, podpierając dłońmi krzyż. Odrętwienie w stawach przypomniało jej, że niedawno obchodziła czterdzieste urodziny – mijało dziewiętnaście lat, odkąd opuściła Hiszpanię. Luisa przyjechała wraz z rodziną do miasta Meksyk w roku 1773: miała wówczas dwadzieścia jeden lat. Jej ojciec otrzymał tytuł profesora nauk ścisłych na Uniwersytecie Meksykańskim. Było to niezwykle prestiżowe stanowisko. A ponieważ jeden z jej stryjów pełnił funkcję namiestnika Nowej Hiszpanii, drugi zaś piastował urząd alkada Guadalajary, Luisa cieszyła się przywilejami należnymi klasie wyższej. Niecały rok później poznała czarującego, przystojnego kapitana Lorenzo, wyszła za niego za mąż i powiła ich pierwsze dziecko. Uważała, że jej życie jest idealne.

A potem opuścili Nową Hiszpanię i wyruszyli na północ w pogoni za jakimś obłąkanym marzeniem, po drodze zaś pochowali córkę. Wtedy właśnie Luisa zaczęła planować swą ucieczkę z tej zapomnianej przez Boga kolonii. Teraz, po jedenastu latach, jej marzenie miało się spełnić.

Musiała uzyskać od Lorenza pozwolenie na podróż, lecz on z początku odmawiał. Kto poprowadzi gospodarstwo, kiedy ona wyjedzie? Kto będzie sprawował nadzór nad Indiankami i dopilnuje, żeby on i jego ludzie dostali strawę? Luisa zaproponowała, żeby wybrał spośród kobiet jedną, której może zaufać, a nawet poradziła mu, żeby sprowadził ją do domu; wiedziała bowiem, że Lorenzo miewał już nieraz indiańskie kochanki. Potem zwróciła się o pomoc do ojca Xaviera, obiecując, że przywiezie z podróży różańce i modlitewniki oraz zapewniając, że w Compostelli, gdzie spoczywają szczątki św. Jakuba, z radością poprosi tamtejszego biskupa o błogosławieństwo dla misji. Ale dopiero wówczas, gdy przyrzekła mężowi, że przywiezie z Madrytu od swego brata i kuzynów pieniądze na rozbudowę rancza, Lorenzo wyraził zgodę. Potem wynikła trudność ze znalezieniem statku, którego kapitan zabrałby na pokład dwie kobiety. Dowódca „Estrelli" przystał na to dopiero po usłyszeniu ceny, jaką była gotowa zapłacić Luisa. Zatem Luisa i jej córka posiadały pisemne pozwolenie na podróż, zapłaciły za rejs, a nazajutrz miały wypłynąć na „Estrelli", która stała zakotwiczona przy półwyspie Palos Verdes.

Zabierając się do kolejnego rządka maków, Luisa zobaczyła Angelę, która z rozpuszczonymi włosami galopowała przez pole na swym srebrnoszarym arabie o imieniu Sirocco. Miała na sobie spódnicę z rozcięciem, dzięki czemu nie potrzebowała damskiego siodła i mogła dosiadać konia jak mężczyzna. Obejmowała ramionami szyję ogiera, a jej czarne, rozwiane włosy mieszały się z jego srebrną grzywą. Angela i Sirocco byli nierozłączni. Co dzień o świcie Angela siodłała swego rumaka i pędziła w stronę wschodzącego słońca. Galopowali tak razem, koń i dziewczyna, przez godzinę, a potem wracali zadyszani i szczęśliwi – Sirocco do swej stajni, a Angela na śniadanie i do lekcji z guwernantką. Kiedy tylko dowiedziała się o nadchodzącej podróży do Hiszpanii, zapytała, czy Sirocco pojedzie z nimi. Luisa wyjaśniła jej, że tak długa droga będzie dla konia uciążliwa, a nawet może mu zaszkodzić, lecz zapewniła Angelę, że podczas ich nieobecności zwierzę znajdzie się pod troskliwą opieką. Luisa bolała nad tym, że jej córka już nigdy nie ujrzy swego ukochanego konia. Czekająca je wolność warta była jednak takiego poświęcenia. Postanowiła, że w Madrycie podaruje jej każdego wierzchowca, jakiego tylko dziewczyna zapragnie, mając nadzieję, że z czasem zapomni o Sirocco.

Luisa patrzyła, jak Angela wjeżdża na dziedziniec, zsiada z konia i przekazuje go stajennemu. Kiedy ruszyła w stronę domu, wysoka i smukła, poruszając się z godnością i wdziękiem, Luisa pomyślała, że piękna z niej dziewczyna. I wykształcona – umiała bowiem czytać i pisać, znała historię, a nawet podstawy matematyki. Angela była jednak zupełnie niewinna i nieświadoma zagrożeń tego świata. Być może zbyt niewinna. Ojcowie z misji cieszyli się dużymi wpływami w kolonii i większość rodzin żyła w zgodzie z ich doktryną – kobieta powinna być uległa i przywiązana do domowego zacisza. Dlatego Angela rzadko wypuszczała się poza granice posiadłości ojca. Jeśli nie liczyć wizyt w misji, gdy uczestniczyła w mszy świętej, oraz krótkich przejażdżek do osady Los Angeles, świat Angeli ograniczał się do czterech tysięcy akrów.

Luisa chciała dla swej córki czegoś więcej. Pueblo Los Angeles składało się z zaledwie trzydziestu budynków z suszonej cegły, otoczonych murem. Angela nigdy nie widziała miasta ani katedr i pałaców, uniwersytetów i szpitali, fontann i pomników, ani wąskich, zatłoczonych uliczek, które nagle otwierają się na zalane słońcem place. Ani tłumów ludzi na targowiskach i na ulicach!

Tutaj można było przemierzyć wiele kilometrów, nie spotykając żywej duszy. Owszem, wałęsało się trochę Indian, ale to nie to samo.

Luisa pragnęła, żeby Angela zdobyła doświadczenie, poznała kulturę, smak niezależności i wolnej woli oraz władzy posiadanej przez nią samą, a nie przez męża. Nie było to jednak możliwe w tej zapadłej kolonii, gdzie, zdaniem Luisy, zbyt silną władzę dzierżyli ojcowie.

Wystarczyło przypomnieć sobie, co spotkało Eulalię Callis, żonę gubernatora Fagesa, która publicznie oskarżyła męża o niewierność. Fages zaprzeczył, a gdy Callis, wbrew radom księdza, podtrzymała oskarżenie, aresztowano ją i na długie miesiące zamknięto w strzeżonej celi w misji San Carlos. Kiedy przebywała w więzieniu, ojciec de Noriega napiętnował ją z ambony i wielokrotnie groził, że zostanie ukarana zakuciem w kajdany, chłostą i ekskomuniką. Chociaż pozostali osadnicy potępili kobietę za skalanie dobrego imienia męża, Luisa w głębi duszy uważała, że wnosząc petycję o udzielenie rozwodu, Callis walczyła o przetrwanie. Czterokrotnie ciężarna w ciągu sześciu lat, Eulalia najpierw urodziła syna, w rok później poroniła, potem, będąc znowu w ciąży, odbyła pełną niebezpieczeństw podróż do Kalifornii i zapadła na ciężką chorobę po urodzeniu córki, a zaledwie rok później pochowała ośmiodniowe niemowlę. Luisa domyśliła się, co skłoniło kobietę do tak drastycznego czynu: Eulalia Callis miała nadzieję, że uzyska pozwolenie na powrót do Meksyku, co zapewni przetrwanie jej samej oraz dwojgu pozostałym przy życiu dzieciom.

W Alta California kobieta nie mogła sama decydować o swym ciele. Zarówno prawo świeckie, jak i kościelne przekazywały całą władzę nad tą sferą życia kobiety w ręce mężczyzn należących do rodziny. Apolinarię del Carmen, wdowę z sąsiedniego rancza, własny syn pobił niemal na śmierć, gdy przyłapał ją w łóżku z jednym z indiańskich służących. Apolinaria została wyrzucona poza nawias społeczności osadników i objęta ekskomuniką Kościoła. Kiedy zmarła rok później, jej syn odziedziczył ranczo.

217

No i wreszcie smutna historia Marii Teresy de Vaca, którą w chwili narodzin przeznaczono mężczyźnie o nazwisku Dominguez, żołnierzowi służącemu w eskorcie misji San Luis. W dniu czternastych urodzin zmuszono Marię, by poślubiła Domingueza, mężczyznę prawie pięćdziesięcioletniego i niemal bezzębnego! W osadzie głośno było o tym, jak nieszczęsna dziewczyna trzy razy próbowała uciekać, lecz w końcu, zmuszona chłostą do uległości, pogodziła się z losem i teraz była brzemienna już po raz czwarty.

Luisa przysięgła sobie, że Angeli nie spotka podobny los. Matka Boska nie mogła przecież pragnąć, by jej córki były sprzedawane i by posiadano je na własność niczym bydło.

Angela weszła do ogrodu – czarne lśniące włosy spływały jej na ramiona i plecy, a oczy błyszczały z podniecenia po przejażdżce na Sirocco.

– Dzień dobry, mamo! Spójrz tylko!

Dziewczyna niosła koszyk pierwszych wyhodowanych przez siebie bulw jicama. Były to pękate korzenie o łupinie podobnej do ziemniaczanej i o smaku słodkich orzechów wodnych. To duże, kształtem przypominające rzepę warzywo stanowiło podziemną część pnącej rośliny, która dawała piękne białe i fioletowe kwiaty. Angela zasiała ją przed sześcioma miesiącami i teraz była bardzo dumna ze swych pierwszych zbiorów. Biorąc od niej koszyk, Luisa postanowiła, że przygotuje bulwy według tradycyjnego przepisu z Meksyku – poda je na surowo z cytryną, mielonym chili i solą.

– Znalazłam doskonałe miejsce na mój nowy sad, mamo. Mam nadzieję, że papa mi pozwoli. To tylko kilka akrów, na skraju mokradeł.

Luisa nie miała pojęcia, skąd u Angeli chęć posadzenia na ranczu drzew owocowych. Ojcowie z misji sprowadzili ostatnio pomarańcze do Alta California i Angela najwyraźniej zapaliła się do pomysłu, by zamienić Ranczo Paloma w sad. W jej córce kryło się wiele tajemnic, których Luisa nie potrafiła zgłębić. Na przykład niewytłumaczalny niepokój, który ogarniał ją zawsze z nadejściem jesieni.

Angela dosiadała wówczas Sirocco i jeździła na nim godzinami, galopując przed siebie, jakby chciała dotrzeć na kraniec świata. Potem nagle zatrzymywała się i stała bez ruchu, wpatrzona w odległe góry. To osobliwe zachowanie dziewczyny zwykle pokrywało się w czasie z corocznymi indiańskimi zbiorami żołędzi. Przez wiele dni można było oglądać kawalkadę przybyłych nawet z dalekich wiosek Indian, którzy szli starym szlakiem, niosąc na rękach dzieci i cały swój ziemski dobytek – był to dziwny, barbarzyński pochód.

– A tak przy okazji, mamo… Spotkałam brata Ignacio. Pytał, czy mogłybyśmy mu przywieźć papier. I książki, w których można pisać.

Każdy prosił o coś z ojczyzny. W tym dalekim zakątku świata, gdzie czasem rok trzeba było czekać na dostawę zapasów, ludzie próbowali sami wytwarzać użyteczne przedmioty, takie jak świece, buty, koce, wino. Nie potrafili jednak zrobić papieru. Ani jedwabiu. Ani wyrobów ze srebra i złota. Kilku osadników dało Luisie listy do domu i prezenty dla rodzin, które zostały w Hiszpanii.

Angela z wdzięcznością przyjęła z rąk indiańskiej służącej poranną filiżankę gorącej czekolady. Upiła nieco i powiedziała:

– Och, mamo, widziałam, jak na niebie pojawiło się jakby znikąd stado mew! Krążyły wysoko i głośno krzyczały. Przyglądałam im się przez chwilę, a wtedy one wszystkie naraz zrobiły zwrot i w szyku poleciały na zachód, nad ocean. To znak, że będziemy miały bezpieczną podróż, jestem tego pewna, mamo!

Luisa poczuła nagłe ukłucie strachu. Jeśli Lorenzo odkryje, że ma zamiar wyjechać na zawsze, zamknie ją w odosobnieniu do końca życia. Modliła się w duchu, żeby mewy Angeli rzeczywiście okazały się dobrym znakiem. Nie wierzyła jednak wyłącznie w znaki i omeny, pokładała także ufność w modlitwach o wstawiennictwo świętych i Matki Boskiej.

Kiedy Angela wbiegła do domu, żeby dokończyć śniadanie, Luisa powróciła do pracy, czując na plecach dobroczynne ciepło kalifornijskiego słońca. Maki, które zbierała, należały do specjalnej odmiany i zostały wyhodowane z importowanych nasion, gdyż z miejscowego maku nie można było uzyskać opium. Luisa pielęgnowała je z wielką starannością. Siała tylko po przesileniu jesiennym, po czym obficie podlewała i nawoziła młode roślinki obornikiem, a gdy pojawiały się pierwsze kwiatki, obrywała je po to, żeby zamiast jednego pąka pojawiło się więcej. Potem codziennie przychodziła je oglądać, ponieważ odciąganie mleka z torebek nasiennych koniecznie należało zacząć dokładnie w chwili, gdy szara obwódka, z której przedtem wyrastały płatki, była całkowicie sczerniała. Luisa zawsze rozpoczynała tę czynność rankiem. Ostrym nożem robiła nacięcia na makówkach, a następnego dnia wracała, by zeskrobać białą wydzielinę, którą później suszyła na słońcu.

Tajemnica obfitych zbiorów opium tkwiła w precyzyjnym i delikatnym nacięciu makówki. Jeśli było zbyt głębokie, roślina szybko obumierała, lecz jeśli została nacięta poprawnie, mogła wydzielać mleko nawet przez dwa miesiące. A doña Luisa z Rancza Paloma słynęła z najdelikatniejszego dotyku w Pueblo Los Angeles. Jej zaś laudanum – mieszanka alkoholu i opium – cieszyło się niesłabnącym powodzeniem.

Ostrożnie zgarniając z makówek białą kleistą substancję i napełniając nią mały skórzany woreczek, rozmyślała o Madrycie, gdzie każdy, kto potrzebuje leku uśmierzającego ból, może po prostu kupić go w najbliższej aptece. Tutaj natomiast, w tym dalekim przyczółku imperium hiszpańskiego, nie było aptek. Leki sprowadzano kiedyś z Meksyku szlakiem lądowym z Sonory, lecz w wyniku krwawego powstania Indian Yuma nad rzeką Colorado droga ta została odcięta przed jedenastu laty. Ponieważ cudzoziemskie statki obowiązywał zakaz przybijania do wybrzeży Kalifornii, osadnicy byli zdani na łaskę meksykańskiego statku dostawczego, który przypływał rzadko i nieregularnie. Jedynym źródłem preparatów leczniczych stały się więc dla osadników własne ogródki. Podczas gdy niektórzy potajemnie odwiedzali indiańskich szamanów i uzdrowicieli, wielu przychodziło do Luisy, której weranda była zawsze świetnie zaopatrzona w świeże zioła, maści, balsamy i nalewki.

Luisa kończyła właśnie poranną pracę, zebrawszy także łodygi wąkrotki, które stanowiły składnik maści na zranienia, oraz trochę liści lulka czarnego na okłady przeciw bólom reumatycznym, kiedy ujrzała mężczyzn nadjeżdżających konno od strony starego szlaku. Chmura przesłoniła słoneczną tarczę, na chwilę pogrążając wszystko w cieniu. Luisa poczuła, jak fala lęku przenika ją do szpiku kości. Wiedziała, w jakim celu przybywają ci mężczyźni.

Lorenzo niewiele pracował na ranczu. Wyszkoleni na *vaqueros* Indianie sami wyłapywali i pędzili bydło, dzięki czemu Lorenzo mógł spędzać całe dnie na uprawianiu hazardu, polowaniach i wygrzewaniu się w słońcu ze swoimi towarzyszami. Ale ci mężczyźni nie jechali tu po to, żeby grać w kości czy polować na jelenie. Zamierzali targować się z Lorenzem o jego córkę.

Angela była nagrodą, o którą mieli walczyć.

W miarę jak wieści o Los Angeles rozchodziły się na południe, w stronę prowincji Meksyku, coraz więcej osadników przyjeżdżało do puebla w nadziei na lepsze życie. W większości jednak przybyszami byli nieżonaci mężczyźni. Gubernator, któremu zależało na tym, żeby okiełznać dzikie pogranicze, zapewniając mężczyznom możliwość ożenku, słał do namiestnika Meksyku rozpaczliwe prośby o przysłanie *doncellas* – „zdrowych dziewcząt". Kiedy petycje okazały się bezowocne, otwarcie poprosił o „sto kobiet". Kiedy i to nie przyniosło skutku, gubernator musiał uciec się do przyjmowania znajd – osieroconych dziewczynek – które wyłapywano w Meksyku, a po sprowadzeniu do Kalifornii oddawano na wychowanie miejscowym rodzinom.

Owi mężczyźni zaś, których Lorenzo witał właśnie wesołymi okrzykami i winem, pragnęli zdobyć Angelę nie dlatego, że była wolna czy piękna, lecz dlatego, że była *hispana*. Żeniąc się z kobietą czystej krwi hiszpańskiej, mężczyzna będący mieszańcem mógł starać się o oficjalne poświadczenie *legitimidad y limpieza de sangre* – prawowitości i czystości krwi dla swych dzieci. Certyfikat ten stwierdzał, że w ich rodowodzie nie występuje żydowska, afrykańska ani żadna inna niechrześcijańska krew, co zapewniało im na przyszłość szacunek i wysoką pozycję społeczną w kolonii.

Nikt jednak nie znał prawdy: Angela wcale nie była *hispana*. Była Indianką. „Darem Bożym" zesłanym Luisie.

Wciąż pamiętała dzień i godzinę, kiedy Lorenzo przyprowadził do domu tego anioła. Luisa miała wówczas kolana odrętwiałe po długim klęczeniu i zanoszeniu modłów do Najświętszej Marii Panny. Jej pogrzebane na pustyni dziecko odeszło, ale miłość w sercu pozostała. Luisa potrzebowała ujścia dla swej matczynej tkliwości. Nie dano jej bowiem nawet ukojenia w postaci grobu, który mogłaby odwiedzać, pielęgnować, pielić i czyścić; nagrobka, który można zdobić kwiatami; porośniętego trawą kopczyka, przy którym strapiona dusza mogłaby znaleźć pocieszenie. Lorenzo, jako mężczyzna mający wiele obowiązków, wypełniał sobie czas pracą. Luisie zostały tylko malutkie sukieneczki Seleny, na zawsze już bezużyteczne. W chwili, gdy składała ślubowanie Najświętszej Marii Pannie – „spraw, abym znowu miała dziecko, a poświęcę swe życie spełnianiu dobrych uczynków w Twym imieniu" – w progu stanął Lorenzo z dzieckiem na ręku. Dziewczynka płakała, wołając matkę. Luisa wzięła ją w ramiona i natychmiast poczuła, że powstrzymywana dotąd fala miłości wypływa z jej serca jak oczyszczający zdrój. Oto Matka Boska odpowiedziała na jej modlitwy, Luisa wiedziała, że choć nigdy nie przestanie opłakiwać pogrzebanego na pustyni maleństwa, to pokocha tego aniołka całym swoim sercem i, zgodnie z przyrzeczeniem, poświęci się czynieniu dobra.

Nikogo nie zdziwiło nagłe pojawienie się dziecka w niewielkim domostwie kapitana Lorenza. Koloniści byli zbyt pochłonięci walką o przetrwanie, by zastanawiać się nad prywatnymi sprawami innych. Kiedy czyniono uwagi na temat ciemnej skóry córki Luisy, ta, sama mająca jasną cerę, mówiła po prostu, że dziewczynka wdała się w matkę Lorenza, która miała oliwkową karnację. Kłamstwa tego nie uważała za grzech, ponieważ wierzyła, iż zawiera ono ziarno prawdy. Luisa w skrytości ducha święcie wierzyła, że Angela nie jest czystej krwi Indianką. Chociaż łączyło ją podobieństwo z tubylcami mieszkającymi w misji, jej skóra była jaśniejsza, a twarz mniej okrągła. Luisa przypuszczała, że dziecko może być potomkiem jakiegoś hiszpańskiego żołnierza.

Niesione wiatrem głosy gości Lorenza napływały do ogrodu i krążyły wokół Luisy. Gardziła tymi mężczyznami. Zachowywali się bezczelnie i pyszałkowato, choć ani jedna rasowo czysta kropla krwi nie płynęła w ich żyłach.

Luisa była wysoko urodzoną hiszpańską damą, wychowaną w kraju, gdzie granice podziałów klasowych zostały wytyczone bardzo wyraźnie; społeczeństwo dzieliło się na arystokrację, bogatą warstwę kupiecką oraz chłopów. Klasy rzadko mieszały się ze sobą. Krew decydowała o wszystkim. Nawet w Nowej Hiszpanii, gdzie hiszpańscy przybysze panowali przez zaledwie dwieście lat od chwili podboju tubylczych ludów, utrzymywano ścisłe linie podziału rasowego. Nową arystokrację w Meksyku stanowili *peninsulares* – biali urodzeni w Hiszpanii – co budziło niezadowolenie potomków białych, ale urodzonych w Meksyku, czyli *criollos*. Jedynie do *peninsulares* można było zwracać się per don i doña, oni zaś nie zawierali małżeństw poza własną klasą. Niżej stali *mestizos* – Meksykanie pochodzenia hiszpańsko-indiańskiego – tworzący liczną, niespójną klasę składającą się ze sklepikarzy, rzemieślników, służących. Najniższy szczebel drabiny społecznej zajmowali *indígenas* – miejscowi Indianie – których wykorzystywano do najcięższych prac. Podziałem rasowym i klasowym rządziły reguły tak surowe, że jeśli przyłapano *indígena* ubranego w europejski strój, karano go chłostą. Luisa, jako *peninsulara*, bardzo dobrze czuła się w meksykańskiej strukturze klasowej.

W Alta California jednak linie podziału społecznego nie rysowały się tak wyraźnie. Tutaj prawie każdy był mieszańcem, a białych Europejczyków osiedlało się niewielu. Trudno było określić własną pozycję społeczną. Chociaż doña Luisa nie miała wątpliwości, że wraz z Lorenzem zajmuje wysokie miejsce w społeczności pogranicza, to przecież inni tutejsi zamożni ranczerzy pochodzenia indiańsko-hiszpańskiego przedtem w Meksyku byli zwykłymi chłopami! Przypominało to kocioł z zupą, w którym mieszano rozmaite rodzaje krwi. Jej poczucie klasowości zostało naruszone. Lorenza, właściciela pięciu tysięcy sztuk bydła, członka hiszpańskiej arystokracji, no i wreszcie emerytowanego oficera, traktowano z należytym szacunkiem. A jednak na tym ogarniętym obłędem pograniczu takim samym szacunkiem otaczano Antonia Castilla, człowieka pochodzenia meksykańsko-afrykańskiego, który ożenił się z miejscową Indianką. I to tylko dlatego, że był kowalem w pueblo! Tutaj bowiem wykonywany zawód liczył się bardziej niż pochodzenie, co zdaniem Luisy stanowiło przejaw wstecznictwa i niezdrowych dla młodego społeczeństwa tendencji.

Coraz bardziej zaniepokojona widokiem gości Lorenza – do jej ucieczki z Kalifornii pozostało niecałe dwadzieścia godzin – Luisa przeniosła się z ogrodu w chłód werandy, gdzie przechowywała swe pokaźne zapasy ziół i lekarstw.

Dom nie był tak wielki, jak obiecywał Lorenzo przed dziesięciu laty, jednak wystarczająco duży, by podkreślać ich wysoką pozycję społeczną. Zbudowany z suszonej cegły i kryty strzechą, składał się z czterech sypialni, pokoju jadalnego, salonu i obszernej kuchni, która żywiła nie tylko kapitana, jego żonę i córkę, lecz także Indianki zajmujące się praniem, szyciem, gotowaniem i wyrobem świec, oraz ich mężów – *vaqueros* i *caballeros*.

„Mężczyźni i ich czcze przyrzeczenia" – pomyślała pogardliwie Luisa, porządkując łodygi i liście i rozkładając je do koszy. Nie tylko Lorenzo nie zdołał dotrzymać obietnicy i obdarzyć żony okazałym domem; także walczące o przetrwanie pueblo nie sprostało pierwotnym wyobrażeniom gubernatora Neve. Podczas uroczystości poświęcenia placu jedenaście lat temu obwieścił on, że oto nadarza się okazja, by zaprojektować miasto inne niż jakakolwiek europejska metropolia, jego plan miał bowiem zostać sporządzony, zanim jeszcze wprowadzi się tu pierwszy mieszkaniec. Gubernator przedstawił projekt puebla – usytuowanie rynku, pól, pastwisk i ziem należących do państwa. Przyrzekał, że Los Angeles nigdy nie będzie się rozrastać w sposób niekontrolowany. A tymczasem nowi przybysze budowali domy gdzie popadnie! Luisa już wyobrażała sobie chaos, jaki wkroczy kiedyś do tego przytulnego miasteczka.

Rozkładając opium do wyschnięcia – potem, w postaci lepkiej czarnej kulki miało ono spocząć w skórzanym etui – Luisa raz jeszcze wejrzała w swe sumienie i nie znalazła powodu, żeby się obwiniać za planowanie ucieczki. Czyż nie wypełniła obietnicy złożonej Najświętszej Marii Pannie?

Była dumna z ilości indiańskich kobiet, które udało jej się nawrócić. Indianki chodziły do kaplicy co niedziela, ubierały się skromnie, a jeśli chciały wyjść za mąż, przyszli małżonkowie także musieli przyjąć chrzest. Ponieważ była sprawiedliwą i łaskawą panią, większość służących odwdzięczała się jej lojalnością. Niektóre nawet próbowały ją naśladować. Doña Luisa zaplatała swoje długie czarne włosy w warkocz, upinała go nad karkiem w węzeł i przy-krywała małą mantylką z czarnej hiszpańskiej koronki, zdejmując ją tylko do spania. Służące również zaczęły okrywać włosy chustami. Odmawiały różaniec, a swym córkom nadawały imiona Maria lub Luisa. Rzadko która decydowała się na ucieczkę do rodzimej wioski i powrót do dawnego życia. Na terenach rancz pojawiało się coraz więcej obozów zakładanych przez Indian, którzy porzucili tubylczy żywot, by pracować dla osadników, i stawali się wytrawnymi jeźdźcami, kowbojami, złotnikami i stolarzami. Codziennie na kolację jedli wołowinę, nie widzieli już zatem potrzeby odbywania corocznej wędrówki w góry i zbierania żołędzi. Niektórzy wciąż jeszcze podtrzymywali ten zwyczaj po to, by wysłuchać opowieści lub aranżować małżeństwa, ale leśne spotkania z roku na rok gromadziły coraz mniej ludzi. Miejsce pięciodniowego święta, które od wielu pokoleń urządzano na cześć Czinigczinicza, zajęły obchody

Bożego Narodzenia i uroczystości ku czci św. Santiaga, patrona Hiszpanii.

Weranda Luisy pełna była uplecionych przez indiańskie służące koszy – niektóre miały bardzo kunsztowne sploty, a w ich wzorach zapewne kryły się opowieści. Indianki z radością przekazywały Luisie swoje legendy, wyjaśniając, jak powstał świat i jak Dziadek Żółw sprowadził trzęsienie ziemi. Początkowo mała Angela opowiadała te same historie o kojotach i żółwiach, o Pierwszej Matce, która przybyła ze wschodu, by założyć nowe plemię, lecz doña Luisa wytrzebiła z umysłu dziewczynki te pogańskie mity, wpajając jej chrześcijańskie przypowieści i hiszpańskie baśnie: historię dwóch sióstr, Eleny i Rosy, które mieszkały w Szafirowym Królestwie i zostały zaczarowane przez swą matkę chrzestną, Wróżkę Szczęścia; opowieść o młodym Gonzalicie, który z pomocą zaczarowanych zwierząt uratował księżniczkę i jej królestwo przed złym karłem; a także pełną przygód baśń o czterech książętach starających się o rękę księżniczki Aurory. Na tych opowieściach wychowała się Luisa, a teraz należały one także do Angeli.

Wyjrzała przez otwarte okno i spostrzegła, że Lorenzo wciąż pije ze swymi gośćmi w cieniu różanej altany. Jej uwagę przykuł jeden z mężczyzn, o głowę wyższy od pozostałych – Juan Navarro. Nie podobał się jej. Miał dziwne, zimne oczy, które Luisie przywodziły na myśl ślepia morskiego stwora. Jego uśmiech zaś nie wydawał się naturalny, przypominał raczej rozciągnięcie ust w celu odsłonięcia zębów. Chodziły pogłoski, że Navarro schronił się w Alta California przed Inkwizycją, która ścigała go pod zarzutem czytania zakazanych ksiąg. Człowiek ten wzbogacił się kosztem zmarłych. Navarro łupił niegdyś grobowce Azteków i w ten sposób zgromadził wielki majątek w złocie, srebrze, turkusach i jadeicie. Ponieważ okradał groby pogańskie, nikt oczywiście nie mówił o profanacji. Mimo to ściągnięcie pierścienia z dłoni trupa, a potem noszenie go na własnym palcu wydawało się Luisie upiorne. Wiedziała dobrze, jaki cel wytyczył sobie Navarro w Kalifornii: był człowiekiem nisko urodzonym i pragnął wżenić się w arystokratyczną rodzinę.

Znowu poczuła nagły przypływ lęku, ale szybko go stłumiła. Niechże nawet Navarro prosi Lorenza o rękę Angeli. Luisa nie miała się czym martwić. Chętnie zgodzi się na zaręczyny, ale pod warunkiem, że ślub odbędzie się dopiero po ich powrocie z Hiszpanii.

Opuściła werandę i weszła do domu, gdzie kobiety polerowały meble i czyściły wykładane kafelkami podłogi, po czym udała się do swej prywatnej sypialni. A tam czekały już gotowe do drogi spakowane kufry. Pokój ten był prywatnym sanktuarium Luisy i od chwili, gdy zbudowano dom, Lorenzo nigdy nie przekroczył jego progu. Noce spędzał we własnej sypialni, a żonę i córkę widywał dopiero przy wieczornym posiłku. Luisa wiedziała, że nie będzie za nią długo tęsknił. Być może najpierw, kiedy zrozumie, że ona już nie wróci, Lorenzo poczuje wściekłość, zaraz jednak przyjdą jego towarzysze, by zagrać w kości, poleje się wino, a dwie kobiety, które niegdyś zajmowały miejsce w jego domu, wkrótce odejdą w zapomnienie. Lorenzo z pewnością się pocieszy. Luisa wiedziała nie tylko o jego indiańskich kochankach, lecz także o indiańskich bękartach, które spłodził.

Usiadła przy toaletce, uniosła wieko małej drewnianej skrzyneczki i odsunęła aksamit, którym było wysłane jej wnętrze. Pod spodem spoczywał mosiężny kluczyk. Położyła go na dłoni i zacisnęła palce, czując, że z metalu wypływa nadzieja i na nowo przepełnia jej ciało. Kluczyk otwierał szkatułkę, którą Luisa oddała na przechowanie ojcu Xavierowi.

Historia jej tajemnej skrytki zaczęła się zupełnie przypadkowo dziesięć lat temu, kiedy Antonio Castillo, kowal, przygalopował jak oszalały z puebla, oznajmił Luisie, że jego dziecko dostało wysokiej gorączki, i poprosił ją o pomoc. Dzięki specjalnej mieszance ziół Luisa uratowała dziecko od niechybnej śmierci, uszczęśliwiając żonę Castilla do tego stopnia, że ta uparła się, by w dowód

227

wdzięczności całej rodziny podarować Luisie złoty pierścionek. Luisa z początku odmówiła, lecz tak bardzo nalegano, że musiała go przyjąć, co wprawiło żonę Castilla w jeszcze radośniejszy nastrój. Innym razem, gdy Luisa pomogła młodej kobiecie w trudnym porodzie, stosując leki, których sporządzania nauczyła się od pewnej starej Indianki, pełen wdzięczności i szacunku mąż złożył jej w darze małą srebrną broszkę. Po pewnym czasie Luisa przestała odmawiać przyjmowania prezentów. Nie widziała powodu, dla którego nie powinno się czynić dobra w imię Matki Boskiej, a jednocześnie otrzymywać za to zapłaty. Czyż ojcowie z misji nie zbierali na tacę podczas mszy?

Lorenzo nie miał pojęcia o tajemnej skrytce Luisy. Zebrawszy kilka wartościowych przedmiotów, zaczęła się obawiać, że mąż znajdzie je i natychmiast przegra. Z grupą innych osadników oraz żołnierzy Lorenzo grywał w kości i w karty, a z Indianami zakładał się choćby o liczbę palców trzymanych za plecami. Czasami, kiedy w towarzystwie ranczerów wypoczywał pod drzewem, obserwując *el camino viejo* – stary szlak – potrafił zakładać się nawet o maść następnego konia, który przekłusuje obok. Dlatego Luisa zaniosła swój mały skarbiec do misji i powierzyła go opiece ojca Xaviera. Potem zaś przez wiele miesięcy, a w końcu lat, kiedy tylko Lorenzo oddawał się hazardowi lub jeździł na polowania, Luisa składała wizytę w misji i, niczym w banku, deponowała swoje najnowsze skarby u ojca Xaviera. Szkatułka zawierała też monety: srebrniki, meksykańskie pesos, hiszpańskie reale, a nawet kilka złotych dublonów – iście królewski łup.

Wszystko to przeznaczyła dla swej córki. Angela miała być niezależna, nawet jeśli wyjdzie za mąż. Gdyby Luisa miała te pieniądze na pustyni, gdy zmarła ich córeczka, bez wahania zawróciłaby do Meksyku. Wówczas była jednak zależna od Lorenza. Angelę czekał inny los. Postanowiła przekazać córce cały majątek w Madrycie, gdzie zamierzała sporządzić dokumenty prawne stwierdzające, że mąż Angeli, kimkolwiek będzie, nie ma prawa tknąć jej pieniędzy.

228

Kiedy rozległo się pukanie do drzwi, Luisa szybko schowała kluczyk z powrotem do kryjówki, włożyła skrzyneczkę do szuflady i pozwoliła wejść pukającemu.

Ku jej zdumieniu okazał się nim Lorenzo. Mimo że stał w drugim końcu pokoju, natychmiast poznała, że jest pijany. Zacisnęła złożone na kolanach dłonie. Do ucieczki został niecały dzień, więc bała się ryzykować, że jej plan właśnie teraz legnie w gruzach. Gdy jednak spostrzegła jego wzrok błądzący po kufrach wypełnionych ubraniami i mnóstwem podarunków dla bliskich w ojczyźnie, jej serce podskoczyło. Musiał zmienić zdanie!

Siedziała sztywno wyprostowana. To bez znaczenia, czy dowiedział się o jej zamiarze pozostania w Hiszpanii. Lorenzo nigdy nie wstawał przed południem. Ona i Angela wymkną się o świcie i dotrą na wybrzeże…

– Być może nie najlepiej się między nami układało – powiedział stłumionym głosem, jakby wciąż jeszcze nie przywykł do rozmów z nią. – Na pewno nie tak, jak powinno między mężem i żoną, ale kochałem cię, Luiso. *Dios mio*, kochałem cię.

Chociaż włosy miał już przyprószone siwizną, a skórę ogorzałą od słońca, Lorenzo wciąż był przystojnym mężczyzną o żołnierskiej posturze. Lecz nie pociągał jej już tak jak niegdyś w Meksyku, kiedy byli młodzi i zakochani. W dniu, gdy pogrzebali córeczkę, Luisa zamknęła przed nim swoje ciało. A kiedy przed jedenastu laty modliła się o dziecko do Najświętszej Marii Panny, błagała o cud, bowiem nawet wtedy, nawet przez wzgląd na nowe dziecko, Luisa nie wpuściłaby Lorenza do swego łoża. Dziewica zaś obdarzyła ją odchowaną już córeczką, dzięki czemu uniknęła poniżającej konieczności zbliżenia z mężczyzną oraz bólów porodowych.

Luisa milczała. Mówił jak ktoś, kto pragnie uczynić wyznanie. Przygotowała się wewnętrznie na to, co miała za chwilę usłyszeć.

– Nie możesz pojechać do Hiszpanii.

– To znaczy, że „Estrella" nie wypływa? – spytała, zachowując spokój.

– „Estrella" wypływa, ale wy zostajecie.

– Nie rozumiem.

– Nie stać nas na waszą podróż.

– Ale ja już zapłaciłam kapitanowi Rodriguezowi.

– Odebrałem pieniądze.

Spojrzała na niego w osłupieniu.

– Jak to, odebrałeś?

– Byłem je komuś winien. Mam jeszcze sporo do spłacenia. – Lorenzo w zakłopotaniu przestąpił z nogi na nogę. W tym pokoju, pełnym kwiatów, kolorowych makatek i portretów świętych, czuł się nieswojo. – Ostatnio nie miałem szczęścia. Popadłem w długi. I jeszcze ten statek, w który zainwestowałem znaczną sumę. Płynął do Chin z ładunkiem futer, które miał wymienić na przyprawy, ale zatonął w pobliżu Filipin... – Przerwał i zaczął się rozglądać, starannie omijając wzrokiem żonę.

– Straciłeś wszystkie pieniądze? – zapytała, usiłując ukryć wściekłość. Głupiec! Jakim prawem roztrwonił ich majątek? Luisa zachowała jednak zimną krew. Nie może się teraz zdenerwować. Trzeba go udobruchać. Uspokoić. Byle tylko dotrwać do rana, kiedy wejdzie z Angelą na pokład „Estrelli". – W takim razie sprzedajmy coś.

Zwiesił głowę.

– Nie mamy nic do sprzedania.

– Ależ Lorenzo, przecież posiadamy wiele rzeczy – powiedziała łagodnie i rozłożyła ręce, wskazując piękne meble, pościel, srebro i zasłony.

– Żono, nawet guziki tej sukni nie należą do ciebie. – W jego głosie nie było urazy, zniecierpliwienia ani złości. Stwierdzał tylko fakt, zupełnie jakby mówił o pogodzie.

Spojrzała na perłowe guziki przy gorsie swej sukni. Podniosła na niego zdumione oczy.

– Jak to możliwe, że straciłeś wszystko?

– Straciłem i już. Nic na to nie poradzę.

Jego oczy wyrażały smutek, bezradność i rozczarowanie. Gdzież podział się ten odważny kapitan, który tyle jej obiecywał? Czy i własną dumę przegrał w karty?

– Czy straciliśmy... n a w e t r a n c z o? – szepnęła.

Twarz Lorenza rozpromieniła się.

– I to jest właśnie najwspanialsze, Luiso! Pewien dobrze sytuowany człowiek zgodził się spłacić mój dług. W zamian otrzyma tytuł własności rancza i wszystko, co w nim jest, ale pozwoli nam dalej tutaj mieszkać!

Zmarszczyła brwi.

– Jak to? On spłaca twoje długi, a ty dajesz mu dom. Dlaczego miałby pozwolić nam tu zostać?

– Ponieważ... oddałem mu też Angelę. Za żonę.

Luisa znieruchomiała.

– Kiedyś obie mi za to podziękujecie – dodał pospiesznie. – W Europie robi się niebezpiecznie, rewolucyjna gorączka rozprzestrzenia się jak pożar. Wieśniacy obcinają głowy królom. Najlepiej będzie, jeśli zostaniesz z dziewczyną tu, gdzie nic wam nie grozi.

– Kto... – Głos jej się załamał. W głębi serca znała już przerażającą prawdę. Wiedziała, kto jest owym mężczyzną: jeden tylko człowiek w Pueblo Los Angeles był wystarczająco bogaty. – Kto ma zostać mężem mojej córki?

– Navarro.

Zamknęła oczy i przeżegnała się.

– *Santa Maria* – szepnęła. Człowiek, który okradał zmarłych.

– Przykro mi, ale tak być musi.

Milczała przez kilka sekund, a potem powoli skinęła głową.

– Dobrze, niech tak będzie. Angela wyjdzie za Navarro. Ale po naszym powrocie z Hiszpanii.

– Już ci tłumaczyłem, że nie możecie pojechać. Nie stać nas na opłacenie podróży.

– Mam własne pieniądze – oświadczyła, przygotowana, że ujrzy zdziwienie na jego twarzy, doświadczając jednocześnie chwilowego uczucia triumfu. Chwila jednak przeciągała się, a oczy Lorenza przybrały jakiś dziwny wyraz. Nagle przeszyło ją ostrze panicznego strachu.

– Co się stało? – zapytała.

Lorenzo westchnął ciężko. W tym momencie poczuł przytłaczający ciężar swych pięćdziesięciu lat.

– Tych pieniędzy też już nie ma.

Zaczęła skubać podbródek.

– Nie wiesz, o jakich pieniądzach mówię.

– Ależ wiem, na Boga – odparł, a odrobina jego męskiej dumy powróciła wraz z rumieńcem wzburzenia na policzkach. – Jeszcze tego samego dnia, gdy postanowiłaś wciągnąć ojca Xaviera w swój tajemny plan, on przyszedł do mnie i wszystko mi wyjawił. Wiedziałem o tym od jedenastu lat.

Wpatrywała się w niego, wstrząśnięta. Jej szkatułka!

– Nie miał prawa ci mówić!

– Oczywiście, że miał! – zagrzmiał Lorenzo. – Na Boga, jesteś przecież moją żoną i wszystko, co masz, należy do mnie. Nic nie zostało – dodał ciszej, czując się nieswojo pod jej spojrzeniem. – Już dawno zabrałem twoje złoto i tyle. I nie będziemy więcej o tym rozmawiać.

Luisa zerwała się na nogi.

– Nie oddam ci Angeli!

– Czyżbyś zapomniała, kobieto? – ryknął. – Angela jest moja! To ja ją znalazłem! I dlatego mogę z nią robić, co mi się podoba!

Wypadł z pokoju, trzaskając drzwiami, a ogarnięta paniką Luisa gorączkowo zastanawiała się, co robić. Musi uciekać z Angelą. Ale nie mają pieniędzy! Żaden kapitan statku nie zgodzi się im pomóc. Jeśli spróbują uciec do innego miasta, natychmiast zostaną złapane i sprowadzone z powrotem.

Wtem pomyślała o bulwach jicama, które właśnie zebrała Angela, i o ich silnie trujących nasionach. To byłoby takie proste. Należało tylko namoczyć nasiona w wodzie, żeby wydzieliły toksynę, a potem dolać ją do wina, które Lorenzo wypijał przed snem. Rankiem byłyby już wolne.

Ta nikczemna myśl uleciała jednak równie szybko, jak się pojawiła. Nie mogłaby zamordować Lorenza.

Ręce jej opadły, gdy zrozumiała, jak bardzo jest bezsilna. W następnej chwili pojęła straszliwy błąd, który popełniła przed laty, odrzucając Lorenza w odwecie za to, że ściągnął ją na to odludzie. W mgnieniu oka ujrzała ostatnie jedenaście lat... Gdyby tylko mogła cofnąć czas, przebaczyłaby mu, wzięła w ramiona i obdarzyła potomstwem, a on stałby się kochającym mężem i ojcem, który troszczyłby się przede wszystkim o rodzinę, a nie o ten swój uwielbiany hazard i inwestowanie w tonące statki.

Luisa rozumiała jednak, że nie ma odwrotu. Nie ma ucieczki. Teraz nie uratują jej już żadne modlitwy do Najświętszej Marii Panny. I może obwiniać tylko samą siebie.

Pogrążona w odrętwieniu, ponownie wydobyła z szuflady drewnianą skrzyneczkę, ale tym razem nie interesowało jej już aksamitne obicie i schowany pod nim bezużyteczny kluczyk. Wyjęła za to przedmiot, który spoczywał w skrzynce od jedenastu lat.

Kiedy Lorenzo znalazł Angelę w górach, dziewczynka miała zawieszony na szyi mały czarny kamień owinięty w skrawek jeleniej skóry. Luisa nie mogła się zdobyć na to, żeby go wyrzucić. Być może wiedziała, że pewnego dnia przedmiot ten przypomni jej prawdę – że Angela n i e j e s t jej córką, że pochodzi od innej kobiety.

Przez te wszystkie lata Luisie udawało się odsuwać od siebie myśl, że Angela jest Indianką misyjną. A teraz kamień przypomniał jej o tym. Dla matki musiał mieć znaczenie lub przedstawiać jakąś wartość, skoro zawiesiła go swej córce na szyi. I oto po raz pierwszy na tej spalonej południowym słońcem ziemi, do której nigdy się nie przywiązała i której nigdy nie obdarzyła miłością, Luisa pomyślała o matce dziewczynki. Dlaczego znalazły się w górach? Dlaczego matka nie wróciła do misji, żeby odszukać córkę? Nie żyła, czy może od jedenastu lat rozpaczała po utracie swego dziecka, tak samo jak Luisa opłakiwała swoje, pozostawiwszy na pustyni maleńki grób?

Próbowała wyobrazić sobie kobietę, która urodziła Angelę. Chociaż na Ranczu Paloma pracowało wiele Indianek, Luisa nigdy tak naprawdę nie p a t r z y ł a na nie. A gdy podczas konnej przejażdżki zdarzyło jej się napotkać małe wioski zamieszkane przez nieochrzczonych Indian, którzy chodzili nago i palili te swoje dziwaczne fajki, uznawała, że są to stworzenia postawione niewiele wyżej niż bezmyślne zwierzęta.

„Ale zwierzęta nie wieszają talizmanów na szyjach swoich córek, by je chronić".

„Święta Boża Rodzicielko! – załkało jej serce. – Czyżbym popełniła grzech, odbierając dziecko innej kobiecie? Kiedy Lorenzo przyniósł mi dziewczynkę, z rozpaczy odchodziłam od zmysłów, a kolana miałam odrętwiałe od wielogodzinnej modlitwy na klęczkach. Dziecko objawiło mi się jako dar od Ciebie. Ale czy rzeczywiście nim było? Może tak naprawdę był to sprawdzian mojej siły i uczciwości, ja zaś zawiodłam?

Boże, przebacz mi! Złamałam przysięgę małżeńską i odepchnęłam własnego męża. Ukradłam dziecko innej kobiecie. A teraz zostanę ukarana. Angela musi poślubić Navarra, a ja już nigdy nie ujrzę Hiszpanii".

☆

Kapitan Lorenzo galopował po równinie, pragnąc znaleźć się jak najdalej od spojrzenia oczu Luisy. Czyżby sądziła, że łatwo jest zamienić ugór w przynoszące zyski ranczo? A przecież to cholernie ciężka robota. Pomijając letnie susze i ulewne deszcze, które zatapiały dolinę, pożary wymykające się spod kontroli, choroby dziesiątkujące bydło, czy zniszczone uprawy – trzeba jeszcze było borykać się z dzikusami! Po pierwsze Lorenzo musiał ukrócić ten ich zwyczaj corocznego gromadzenia się przy złożach smoły. W miejscu, gdzie zasiał kukurydzę, Indianie rozbili olbrzymi obóz, tak że całe pole uległo zniszczeniu, a Lorenzo wpadł w taką wściekłość, że miał ochotę zmieść tę dziką bandę z powierzchni ziemi. Postawił ogrodzenie, lecz Indianie je zburzyli. Przybywali z daleka, przemierzając wiele mil starym szlakiem, który biegł wzdłuż północnej granicy jego posiadłości, łamali gałęzie jego drzew, by zbudować z nich szałasy, wykradali owce i kozy z jego stad. Indianie nie potrafili pojąć, że ziemia ta należała teraz do niego, a zwierzęta, które zabijali i jedli, nie były dzikie, lecz stanowiły jego własność.

I jeszcze te nocne porwania bydła, nie z głodu, lecz na znak buntu! Ojcowie, nawracając tubylców, wcielali ich do społeczeństwa o wiele za wolno. Ogniska oporu wciąż tliły się pośród nieochrzczonych Indian, a ich przywódcy od czasu do czasu organizowali masowe rewolty przeciw osadnikom. Na czele jednej z nich stała nawet kobieta – i to w dodatku młoda! – pochodząca z plemienia Gabrielino: podjudziła wodzów i wojowników z sześciu plemion do buntu przeciw żołnierzom oraz ojcom z misji. Lorenzo i inni ranczerzy zmuszeni więc byli zatrudnić strażników, którzy objeżdżali granice ich ziem. Miał już tego dosyć.

A Luisa nie była niczego świadoma. W bezpiecznym domowym zaciszu, pod opieką służących, wiodła beztroskie życie. I chowała przed nim pieniądze na tę swoją niedorzeczną podróż do Hiszpanii! Nie miała prawa obarczać go poczuciem winy za to, że starał się wzbogacić. Czy to jego wina, że zabrakło mu szczęścia? Powinna być wdzięczna, że Navarro zechciał przyjąć ranczo i rękę ich córki. Teraz będą mogli żyć jak do tej pory. Nie groziło im ubóstwo.

„Kobiety!" – pomyślał Lorenzo ze złością. Zwolnił z galopu do spokojnego kłusa i skierował się w stronę osady Los Angeles, która liczyła obecnie dwustu mieszkańców. I gdy tak jechał, rozkoszując się ciepłym słońcem ogrzewającym mu kości, zapachem pylistej ziemi i brzęczeniem owadów, nagle poczuł, że gniew jego topnieje. Cieszył się, że Navarro przejmie ranczo. Wszystkie problemy będą od tej pory spoczywać na jego barkach.

Z radością oczekując nadejścia popołudnia, które spędzi w towarzystwie alkada Francisca Reyesa na grze w kości, sączeniu madery i zapominaniu o troskach dotyczących rancza, które staną się teraz udziałem Juana Navarro, kapitan Lorenzo doszedł do wniosku, że bankructwo bywa czasami darem niebios.

☆

– Obowiązek małżeński trudno nazwać przyjemnością – Luisa z powagą tłumaczyła córce – na szczęście jednak trwa bardzo krótko. Twój mąż szybko zrobi swoje, a potem zaśnie. – Luisa sądziła, że jej opis dotyczy wszystkich mężczyzn, nie wzięła bowiem pod uwagę, że wychodząc za Lorenza, była dziewicą, i nigdy nie zaznała bliskości z innym.

Siedziały w sypialni przygotowanej zawczasu dla młodej pary. Przysięga małżeńska została już złożona w obliczu kapłana, akt zaślubin spisany w oficjalnym rejestrze, więc po upływie stosownego czasu Luisa wzięła córkę za rękę i wyprowadziła ją z grona zaproszonych na wesele gości. Przy pomocy indiańskiej służącej pomagała teraz Angeli zdjąć suknię ślubną, podczas gdy na zewnątrz, w cieple letniego wieczoru, trwały weselne obchody.

Angela zaś nie myślała wcale o małżeńskim łożu, gdzie na poduszkach rozsypano płatki bugenwilli. Była całkowicie pochłonięta wizją gajów cytrynowych i pomarańczowych, które zamierzała założyć. „Opowiedziałam o tym señorowi Navarro, a jemu spodobał się mój pomysł. Uważa nawet, że moglibyśmy uprawiać winnicę".

Przed trzema miesiącami, w dniu, gdy „Estrella" wypłynęła bez dwóch pasażerek na pokładzie, Navarro ruszył w konkury pod czujnym okiem przyzwoitki. Przychodził codziennie, by siadywać z Angelą pod drzewem o nazwie kuflik, które Lorenzo ogromnym kosztem sprowadził z Australii. Wymieniali uwagi na temat pogody, ostatniego kazania ojca Xaviera lub nowej rasy koni, kurtuazyjnie tytułując się nawzajem „señor" i „señorita". Czasami siedzieli w milczeniu. Po trzech miesiącach wciąż pozostawali parą uprzejmych, obcych sobie ludzi.

Luisa westchnęła tęsknie, odkładając na bok halki Angeli.

– Masz szczęście – powiedziała. – Navarro jest bardzo hojnym człowiekiem.

Starała się nie myśleć o długich, złotych kolczykach, które miała w uszach. Był to podarunek Navarra dla przyszłej teściowej. Jak twierdził, zabrał je mumii azteckiej księżniczki. Ten człowiek sprowadził duchy w progi tego domu. Wkrótce dusze meksykańskich Indian z pewnością upomną się o swój zrabowany skarb.

Zerknęła na toaletkę, gdzie stała nabijana mosiężnymi ćwiekami skrzynka. W środku był ślubny prezent Navarra dla Angeli. Ani Luisa, ani panna młoda nie wiedziały, co to jest; skrzynka miała zostać otwarta później, kiedy nowożeńcy zostaną w sypialni sam na sam.

I wtedy przyszła jej do głowy pocieszająca myśl: „ten Navarro pozostanie wierny Angeli". Luisa wiedziała, że nie interesuje go podbój, lecz posiadanie, że nie rządzą nim uczucia, lecz umysł, i nie kieruje nim gorące serce, lecz chłodny, wyrachowany rozum. Żona zaspokoi jego potrzeby cielesne, nie będą mu więc potrzebne inne kobiety.

– Wszystko będzie dobrze, mamo – odparła Angela, biorąc matkę za rękę.

Luisa odczuła nagle ironię tej sytuacji, w której córka pociesza matkę, mimo że powinno być na odwrót. Popatrzyła w pełne spokoju oczy Angeli, zastanawiając się, czy mądrość, której się w nich czasem dopatrywała, nie jest jedynie zwykłą cierpliwością.

– Może z czasem, moja mała, zdołasz pokochać Navarra.

– Najważniejsze, że będziemy mogli zachować ranczo. Tutaj jest moje miejsce i tu pragnę umrzeć.

Luisa była wstrząśnięta. Żeby szesnastoletnia panna młoda mówiła o śmierci w swą noc poślubną! Być może przemawiała przez nią jej indiańska krew.

Angela żałowała, że nie potrafi przekazać matce, jak bardzo czuje się tutaj szczęśliwa i jaką miłością darzy Alta California i Ranczo Paloma. Tu na zawsze miała pozostawić swe serce. Czasami, podczas przejażdżki, przywiązywała Sirocco do drzewa i kładła się

237

na trawie, by patrzeć na niebo. Miała wtedy wrażenie, że ziemia wyciąga ku niej ramiona i bierze ją w objęcia. Wydawało jej się, że jest częścią tej ziemi, chociaż przyszła na świat w Meksyku. Nie pamiętała jednak miejsca swych narodzin ani długiej wędrówki, którą odbyli jej rodzice wraz z innymi osadnikami po to, by założyć nowe pueblo. Było tak, jakby jej życie rozpoczęło się, kiedy miała pięć lat – dalej bowiem nie sięgała pamięcią.

A przecież zdarzało się, że w snach, lub też w chwili gdy złapała w nozdrza zapach wiatru czy usłyszała jakiś dźwięk, dziwne obrazy przemykały przez jej umysł i miewała osobliwe, krótkotrwałe wrażenie, że jest kimś innym.

Ponieważ wesele było bardzo huczne, z misji przysłano Indianki do pomocy. Jedna z nich pomagała teraz Angeli przy zdejmowaniu ślubnego stroju. Kiedy na szyi kobiety Angela dostrzegła prosty blaszany krzyżyk zawieszony na sznurku, nagle powróciły owe dziwne obrazy, przybierając niemal postać wspomnień. Jaskinia. Kobieta, która mówi jej, żeby pamiętała opowieści. „Czyżby mama zabrała ją do jaskini, gdy była jeszcze dzieckiem? Ale w jakim celu?".

Rozebrawszy się z sukni ślubnej – obcisłego gorsu z jedwabiu w różowym kolorze i białej bufiastej spódnicy haftowanej w maleńkie różyczki – Angela włożyła obszerną bawełnianą koszulę nocną i usiadła, pozwalając matce rozczesać swe długie, gęste włosy. Z każdego pociągnięcia szczotki wyzierał smutek, podobnie jak z oczu zapatrzonej nieruchomo w dal Luisy.

Potem Luisa z Indianką wyszły i zostawiły Angelę oczekującą nadejścia Navarra.

Zgodnie z zapowiedzią matki zapukał najpierw do drzwi, lecz zamiast zgasić lampę i rozebrać się po ciemku, ku zdumieniu dziewczyny Navarro zdjął kurtkę i buty w pełnym świetle. Podczas gdy Angela siedziała skromnie na brzegu łóżka z dłońmi złożonymi na kolanach, czując, że serce zaczyna bić jej coraz szybciej, Navarro nalał sobie brandy i usadowił się wygodnie w fotelu przy kominku. W blasku ognia jego skóra przybrała nienaturalny, blady odcień.

Wyciągnął do niej rękę.

– Co tam robisz? Chodź tu i pokaż mi się – powiedział.

Zanim usiadł, przeniósł puzderko z prezentem ślubnym na mały stolik między fotelami i teraz uchylił wieko, a Angela, stojąca przed nim w zakłopotaniu, dostrzegła ognisty połysk złota. Spojrzał na dziewczynę i przyglądał jej się przez długą chwilę, powoli wędrując wzrokiem po jej ciele; najdłużej zatrzymał się na włosach.

– Możesz to zdjąć – rzekł w końcu.

– „To", señor?

– To, co masz na sobie. – Machnął dłonią. – Zdejmij to.

Zmarszczyła brwi.

– Nie rozumiem.

– Czyżby matka niczego ci nie wyjaśniła? – rzucił z irytacją, wstając z fotela. – Jesteśmy małżeństwem. Mężem i żoną. Koszula nocna nie będzie potrzebna.

Z płonącymi czerwienią policzkami Angela odwróciła się i zaczęła rozpinać guziki pod szyją.

– Nie – rozkazał. – Przodem do mnie.

Usiadł z powrotem w fotelu i zaczął popijać brandy, gdy tymczasem palce Angeli niezdarnie zmagały się z guzikami. A kiedy z wahaniem zsunęła koszulę z obu ramion, po raz pierwszy dojrzała w jego oczach dziwny chłód. Powoli wyswobodziła ramiona z rękawów i, z bijącym jak oszalałe sercem, zsunęła z siebie koszulę, po czym zebrała ją z przodu, wstydliwie przysłaniając swą nagość.

Navarro podniósł się i wyrwał jej koszulę z rąk.

– Od dzisiaj nie będzie ci potrzebna.

Pomimo gorąca bijącego od ognia Angela gwałtownie zadrżała. Obronnym gestem zasłoniła ramionami piersi, lecz przenikliwe spojrzenie Navarra sprawiło, że opuściła ręce. Zuchwale pożerał ją wzrokiem, odzierając z resztek wstydu. Potem otworzył skrzyneczkę i wyjął parę złotych kolczyków, jeszcze wspanialszych niż te, które podarował Luisie.

– Kiedy byłem w Peru – powiedział, delikatnie wieszając je w uszach Angeli – udało mi się odkryć w Andach starożytne miasto, o którego istnieniu nikt nie wie. Miesiącami kopałem tam ze swoimi ludźmi, aż znaleźliśmy grobowce, gdzie spoczywały setki mumii. Zadziwiające było to, że pochowano tam prawie same kobiety, a wszystkie z arystokracji lub rodu królewskiego, sądząc po ilości złota, którym wypełniono ich groby.

Angela zastygła w bezruchu, a on wyjął srebrne bransolety wysadzane szmaragdami i wsunął je na obydwa nadgarstki dziewczyny.

– Kobiety mumifikowano w pozycji siedzącej – ciągnął – i po owinięciu słomą spowijano w najcenniejsze tkaniny, po czym obwieszano złotem, srebrem i klejnotami.

Na koniec wydobył ze skrzynki zapierający dech w piersiach platynowy naszyjnik, kapiący od złota, jadeitów i turkusowej inkrustacji. Wyciągnął ręce i zanurzywszy dłonie we włosach Angeli, zapiął naszyjnik na jej karku.

– Powiem ci, kim jestem. Kiedy Cortez podbijał Azteków dwieście czterdzieści lat temu, wśród ludzi, którzy wraz z nim palili i równali z ziemią miasta, był niejaki Navarro. A potem syn owego Navarra oraz jego wnuk widzieli na własne oczy, jak tubylcy z Nowej Hiszpanii padają ofiarą ospy, febry i influency. Umierały miliony Indian, pustoszały całe wioski i miasta.

Długimi, szczupłymi palcami ułożył kolię na jej piersiach. Angela zadrżała, czując jego dotyk i chłód metalu na skórze.

– Moi przodkowie – mówił dalej, wodząc palcem po krągłościach jej piersi – zajęli opustoszałe ziemie i w ten sposób ród się wzbogacił. Posiadaliśmy kopalnie i niewolników, byliśmy władcami Nowej Hiszpanii. Mam we krwi, Angelo, owo dziedzictwo silnych, którzy zabierają słabym, żywych, którzy zabierają umarłym. Jest przeznaczeniem moim i moich synów, którymi mnie obdarzysz, zdobywać władzę i panować nad innymi.

Cofnął się o krok, by ocenić swe dzieło. Angela stała przed nim naga, jej młode ciało jaśniało w blasku ognia, a śniada skóra

240

stanowiła zmysłowe tło dla drogocennego kruszcu i klejnotów, którymi ją ustroił.

– Nie jestem zdolny do miłości, Angelo. Nie oczekuj ode mnie czułych słów ani sentymentów. Zdolny jestem zaś do tego, by uczynić cię kobietą, której zazdrościć będzie cała Alta California.

Zbliżył się do niej ponownie i ujął z tyłu jej gęste włosy, po czym przełożył je do przodu nad prawym ramieniem i zaczął układać ich obfite sploty, tak jak przedtem układał złoto i drogie kamienie.

– Moja matka była wielką pięknością. Zawsze przyciągała wzrok mężczyzn. Pewnego dnia uciekła z kochankiem. Ojciec szukał jej przez pięć lat, aż w końcu ich znalazł, gdy ukryli się na wyspie Hispañola. Zabił oboje, do czego miał pełne prawo. Mnie nie spotka to nigdy. – Przykrył piersi Angeli jej długimi włosami, dotykając przy tym sutek i patrząc, jaka reakcja odmaluje się na jej twarzy. – Posiadasz wielką urodę, Angelo, i teraz należy ona do mnie. Te włosy, to ciało… są moje.

Oddychał coraz szybciej. Na czoło wystąpiły mu krople potu.

– Włosy były pierwszą rzeczą, jaką w tobie dostrzegłem, miękkie niczym najdelikatniejszy aksamit, wyjątkowe jak najczarniejszy opal. To właśnie te włosy najpierw postanowiłem posiąść na własność. – Zanurzył w nich palce, uniósł w górę i z powrotem udrapował na jej ramieniu. – Teraz, jako mężatka, musisz nosić upięte włosy, ale kiedy będziemy sami, zawsze mają być rozpuszczone.

Obszedł ją i stanął z tyłu, tak blisko, że czuła na szyi jego oddech.

– Pochyl się – szepnął ochryple.

Głos uwiązł jej w gardle.

– Señor…? – wykrztusiła.

Szorstkie dłonie dotknęły jej ramion.

– Rób, co mówię!

Gdy spełniła polecenie, Navarro nagle chwycił jej włosy i pociągnął do tyłu.

– Nie ruszaj się! – rozkazał.

Zaczęła się wyrywać, lecz wówczas poczuła niespodziewane, bolesne pchnięcie i krzyknęła. Kiedy kazał jej się uciszyć, przypominając o gościach weselnych na dziedzińcu, Angela zagryzła usta, by stłumić krzyk. Navarro szarpnął ją mocno za włosy, jakby to były końskie lejce, i odciągnął jej głowę do tyłu tak daleko, że ledwie mogła oddychać.

Nacierał na nią dalej. Angela zaś z całej siły zacisnęła powieki i szczęki, by znieść przeszywający ból i upokorzenie. Gdy wydała jęk, pociągnął ją za włosy z taką siłą, że niemal złamał jej wygiętą do tyłu szyję. Pod powiekami Angeli rozlała się plama czerwieni. Nie mogła oddychać. Jego pchnięcia były brutalne, niczym ciosy noża. Piekące łzy napłynęły jej do oczu.

Kiedy wreszcie ją uwolnił, bezwładnie padła na podłogę, dysząc ciężko.

Navarro zapiął spodnie i dolał sobie brandy.

– A o wszystkich głupich pomysłach z sadami i winnicami możesz zapomnieć. Teraz ja jestem właścicielem tej ziemi i tylko ja mogę decydować, co z nią zrobić. Sprowadzę więcej bydła i owiec i założę nowe pastwiska. Twoja domena, żono, ograniczy się do sypialni i kuchni.

Na oślep złapała za krawędź łóżka i zaczęła podciągać się w górę, lecz Navarro rozkazał jej zostać na kolanach.

– Od tej pory koniec także z jazdą konną. Żonie Navarra nie przystoi galopować po polach, jak jakiemuś *caballero*. Znalazłem już kupca na Sirocco. Człowiek ten przyjdzie tu rano i zabierze konia.

– Och nie! Proszę, señor…

Ruszył z powrotem do butelki brandy.

– Nie pozwolę, żebyś nazywała mnie señor. Jesteśmy małżeństwem. Tak być nie może. Przy ludziach możesz mówić do mnie Navarro. Ale w sypialni, kiedy będziemy sami, masz zwracać się do mnie „panie".

Spojrzała na niego, wstrząśnięta. I wtedy w jego zimnych, beznamiętnych oczach zobaczyła własną przyszłość, zrozumiała, w jakiej bezsilności przyjdzie jej teraz żyć. Zaczęła gorączkowo myśleć.

– Zrobię, jak każesz, señor – powiedziała, czując suchość w ustach. – Zrobię wszystko, o co mnie poprosisz, jeśli ty zrobisz coś dla mnie. Pozwól mojej matce pojechać do Hiszpanii.

Potrząsnął głową.

– Obecność matki tutaj stanowi gwarancję twego posłuszeństwa. Zarówno ona, jak twój nic niewart, godny pogardy ojciec będą mieszkać tu tak długo, jak ja zechcę.

Angela wybuchnęła płaczem.

– A zatem zacznę cię nienawidzić – szepnęła, szlochając gorzko.

Wzruszył ramionami.

– Możesz nienawidzić mnie i teraz. Dla mnie to nie ma znaczenia. Nie pragnę twej miłości. Chcę tylko, żebyś dała mi synów i zachowała swą urodę. Na tym szczególnie mi zależy – żebyś nigdy nie straciła urody. A teraz powiedz do mnie „Panie".

Dziewczyna milczała.

– Bardzo dobrze. W takim razie jeszcze dziś w nocy wygnam z domu twoich rodziców. Ciekawe, jak długo uda im się przeżyć bez grosza przy duszy.

– Nie! Proszę! Błagam cię.

– Rób więc, co każę, a będę nadal wypłacał twojemu ojcu pensję na pokrycie jego zakładów, a twojej matce niczego nie zabraknie. Czy wyrażam się jasno?

– Tak... P a n i e... – odparła przez łzy.

Wciąż przed nim klęczała. Navarro pogładził jej włosy.

– Bardzo dobrze. No cóż, moja droga, noc jest jeszcze młoda. Czego teraz spróbujemy?

☆

Angela przebudziła się w łóżku, naga i obolała. Navarro spał obok niej, chrapiąc. Gdy tak leżała, starając się nie myśleć o upokarzających rzeczach, do których zmuszał ją mąż, ujrzała przed sobą przyszłość swego małżeństwa, wszystkie długie lata i mroczne noce.

Szloch wyrwał jej się z krtani. Stłumiła go szybko i z niepokojem spojrzała na Navarra. Spał nadal.

Ani drgnął, kiedy Angela, cicho wyśliznąwszy się z łóżka, przemknęła do drugiego pokoju. Umyła się, świadoma, że nigdy już nie będzie czysta, i zaczęła się ubierać, lecz nie w koszulę nocną. Wiedziała, że po raz ostatni wkłada strój do konnej jazdy. Robiła to spokojnie, bez emocji. Zaplotła włosy w warkocz, niepomna, że uwięzły w nich kruche płatki bugenwilli, które rozsypano na poduszce. Potem wymknęła się z uśpionego wciąż domu, po cichu osiodłała Sirocco w stajni i wyprowadziła go na pole, by pogalopować na zachód po El Camino Viejo, poza złoża smoły, mokradła i dalej przed siebie ku niskim, poszarpanym zboczom gór majaczących na tle gwiaździstego nieba. Nie wiedziała, dokąd ani dlaczego jedzie. Prowadziły ją instynkt, lęk i uczucie poniżenia. Nikomu nie mogła powiedzieć, co wydarzyło się tej nocy. Pędziła, mimo że jazda sprawiała jej ból, a może właśnie dlatego, a każdy krok galopującego konia przypominał Angeli to, co zrobił jej Navarro i co zapewne zamierzał robić do końca ich małżeńskiego życia. Poczuła, że jej bezsilność zmienia się we wściekłość. Gnała przed siebie, jakby wraz z ukochanym Sirocco pragnęła dotrzeć na kraniec świata.

Minąwszy wioskę, gdzie nieochrzczeni Indianie wciąż żyli tak jak przed wiekami, znalazła się u podnóża gór. Przez pewien czas podążała starym szlakiem, aż dotarła do dziwnego spiętrzenia głazów, na których wyryte były niezwykłe obrazy. Coś mówiło jej, że są to podobizny kruka i księżyca. Odszukała wejście do wąskiego kanionu i nie pojmując, co przygnało ją w to miejsce, poprowadziła konia w górę skalistej pochyłości.

Znalazła jaskinię, choć nie potrafiłaby powiedzieć, skąd wie o jej istnieniu, a gdy weszła do środka, owładnęło nią poczucie, że dobrze zna to miejsce. „Już tu kiedyś byłam".

Angela przyszła tu tylko po to, by odpocząć. Teraz jednak zrozumiała, że chce uciec, że musi po prostu jechać przed siebie, aż znajdzie bezpieczną kryjówkę w głuszy, z dala od Navarra i jego okrucieństwa.

W końcu łzy i szloch, które do tej pory tłumiła w sobie, znalazły ujście – Angela wybuchnęła gwałtownym płaczem. Przypadła do ziemi i łkając, jakby serce miało wyskoczyć jej z piersi, zaczęła modlić się do Najświętszej Marii Panny, po chwili zaś usłyszała wewnętrzny głos, który szeptał: „Nie możesz uciec, córko. Masz teraz obowiązki, których nie wolno ci zlekceważyć. Ale masz w sobie odwagę. To odwaga tych, które były przed tobą".

Usiadła i zamyśliła się głęboko. Uświadomiła sobie, że nie może porzucić matki. Uciekając, nie tylko przysporzyłaby jej cierpienia, ale także okryłaby hańbą swoją rodzinę. Navarro mógłby wówczas wygnać z domu Luisę i Lorenza.

W ciszy i samotności jaskini Angela poczuła nagle, że jej myśli i uczucia uspokajają się, na podobieństwo ptaków, które po szaleń- stwach dnia zlatują się na gałąź, by przetrwać długą, ciemną noc. Doznała niespodziewanej, dziwnej jasności umysłu.

Wiedziała, co musi zrobić.

Wróciła do Sirocco, który skubał trawę przy wejściu do jaskini, wydobyła nóż z pochwy przy siodle, z powrotem zagłębiła się w mroczną ciszę groty i ujawszy swój długi warkocz, ucięła go nad karkiem. Gdy splot włosów spoczął w jej dłoniach jak nieruchomy wąż, a podmuch chłodnego powietrza musnął jej odsłoniętą szyję, Angela pomyślała: „Oto odebrałam mu władzę".

Grzebiąc warkocz w zimnej ziemi jaskini, nie czuła dreszczu triumfu ani radości zwycięstwa, nie wątpiła bowiem, że Navarro ukarze ją za to, co uczyniła. Musiała jednak dopuścić się tego aktu nieposłuszeństwa po to, by ocalić swą duszę, albowiem wiedziała, że jest to jedyny akt nieposłuszeństwa wobec męża, jaki popełni w życiu. A wspomnienie tej chwili miało pomóc jej przetrwać nadchodzące lata.

Rozdział jedenasty

Mężczyźni zebrani tego rześkiego poranka w eleganckiej sali posiedzeń zarządu emanowali spokojną pewnością siebie. Swobodni, świadomi swej władzy, siedzieli w swoich drogich garniturach i omawiali wyniki rozgrywek golfa. Trzech rozmawiało przez telefony komórkowe, dwóch wymieniało się ostatnimi notowaniami giełdowymi, Sam Carter wydawał instrukcje kobiecie, która miała protokołować zebranie, a siódmy mężczyzna, o długich białych włosach zaplecionych w indiańskie warkocze, ze stoickim spokojem wyglądał przez okno sali konferencyjnej, która mieściła się na trzydziestym piętrze wieżowca górującego nad prestiżowym centrum biznesu Century City. Na mahoniowym kredensie ustawiono srebrny termos z kawą, rząd porcelanowych filiżanek na porcelanowych spodeczkach, kryształowe szklanki z wodą i plasterkami cytryny, półmiski wędlin, pieczywo i świeże owoce. Serwetki były lniane, a sztućce srebrne. W sali panowała atmosfera dostatku i elitarności. Sam Carter, patrząc na zegarek i widząc, że nikogo nie brakuje, poczuł się niezwykle zadowolony z siebie. To on bowiem zwołał zebranie i nie wątpił w jego pomyślny wynik. Uściski rąk i nieoficjalne obietnice były tego dostateczną gwarancją.

– Panowie, myślę, że możemy już zaczynać. Jestem pewien, że każdy z nas ma jeszcze wiele spraw do załatwienia dzisiejszego popołudnia.

Wade Dimarco, który miał przedstawić propozycję budowy muzeum na terenie wykopalisk w Topaangna, zwrócił się po cichu do Sama:

– Mam nadzieję, że nie musimy obawiać się żadnych problemów ze strony doktor Tyler.

– Erica jest moim pracownikiem, Wade, i wykonuje moje polecenia. – Sam dopilnował zresztą, żeby Erica nie dowiedziała się o tym spotkaniu. Kiedy odkryje prawdę, będzie już za późno. – Nie martw się – dodał i poklepał go po plecach. – Mogę wręcz zagwarantować, że nie wyjdziemy stąd bez osiągnięcia bardzo zadowalającego porozumienia.

Gdy wszyscy zajęli miejsca, a Sam poprosił zebranych, by zapoznali się z porządkiem obrad, który leżał przed każdym z nich, rozległo się pukanie do drzwi. Siedmiu mężczyzn przy stole konferencyjnym ze zdumieniem ujrzało kobietę o bardzo stanowczym wyglądzie, która zdecydowanie wkroczyła do sali. Sam i Wade Dimarco wymienili spojrzenia, Harmon Zimmerman natychmiast spochmurniał, trzech z pozostałych mężczyzn obojętnym wzrokiem patrzyło na nieznajomą, Jared Black natomiast uśmiechnął się.

Erica zignorowała jego uśmiech.

– Mam nadzieję, że się nie spóźniłam, panowie. Dopiero przed chwilą powiadomiono mnie o tym zebraniu.

Miała na sobie dopasowany granatowy żakiet, białą jedwabną bluzkę, spódnicę do kolan i proste czółenka. Obcięte na pazia, orzechowe lśniące włosy muskały jej ramiona.

Bez zaproszenia zajęła jedyne wolne miejsce naprzeciwko Sama, po drugiej stronie owalnego stołu. Kilku mężczyzn uprzejmie wstało. Sam zerkał na nią spode łba.

– To jest doktor Tyler, moja asystentka. Będzie o b s e r w o w a ć nasze spotkanie.

Erica splotła dłonie na blacie stołu i usiłowała nie okazywać po sobie złości, gdy Harmon Zimmerman zabrał głos. Starała się też nie patrzeć na Sama z obawy, że straci panowanie nad sobą i powie coś, czego będzie potem żałować. Z tego samego powodu unikała widoku Jareda.

Harmon Zimmerman jako reprezentant mieszkańców dzielnicy przedstawiał ich sytuację, posługując się przeróżnymi tabelami; stosy papierów, które rozdał obecnym, miały wesprzeć jego sprawę. Do Eriki nie dotarła ani jedna kopia. Mężczyźni nie spodziewali się ósmego uczestnika zebrania. Siwowłosy człowiek z indiańskimi warkoczami, siedzący po jej prawej stronie, podzielił się z nią materiałami.

Erica była tak wściekła, że ledwie słuchała Zimmermana. Sam i Jared najwyraźniej zmówili się, żeby spotkanie to utrzymać przed nią w tajemnicy.

Rankiem następnego dnia po koktajlu u Dimarców Erica ze zdumieniem spostrzegła, że Sam oprowadza po obozie Ginny i Wade'a. Byli z nimi inni ludzie, jeden z mężczyzn robił zdjęcia, a drugi zapisywał coś w notesie. Kiedy Erica zapytała Sama, co to ma znaczyć, odparł: „Są po prostu ciekawi, jak wszyscy". Państwo Dimarco nie byli pierwszymi znanymi osobistościami, którym Sam pokazywał wykopaliska – swego rodzaju zaszczytem stało się bowiem uzyskanie prawa wstępu na teren obozu, niedostępnego dla szerszej publiczności. Wizyta Dimarców różniła się jednak od innych tym, że goście ani razu nie weszli do jaskini. „Czyżby to nie ona była tu najważniejsza?" – zastanawiała się Erica. I gdy zaczęła odtwarzać w pamięci przebieg przyjęcia u Dimarców, które opuściła tak raptownie, dostrzegła coś, co wówczas umknęło jej uwadze: Sam i Wade Dimarco nachyleni ku sobie i rozprawiający z przejęciem, niczym spiskowcy.

Wtedy narodziły się jej podejrzenia. Sam z pewnością coś knuł. W ciągu następnych dni wydawał się odrobinę nazbyt wesoły i pełen werwy, jakby chciał ukryć zdenerwowanie. A tego ranka w swym najlepszym garniturze opuścił obóz, gwiżdżąc wesoło pod nosem. Kilka minut później wyjechał Jared, ubrany jak spod igły, z teczką w ręku. Na szczęście w winnebago Jareda była jeszcze jego sekretarka. Wyjaśniwszy kobiecie, że zgubiła adres miejsca, w którym ma odbyć się zebranie, a chciałaby zdążyć na czas, Erica dowiedziała się, że Jared i Sam pojechali do jednego z wieżowców w Century City, gdzie kancelaria prawnicza sekretarki użyczyła im sali konferencyjnej na zorganizowanie zebrania.

Podczas gdy Zimmerman wyliczał straty finansowe, jakie ponosili mieszkańcy dzielnicy z powodu prac wykopaliskowych, uniemożliwiających wszczęcie postępowania sądowego przeciw firmie budowlanej i spółkom ubezpieczeniowym, Erica wreszcie spojrzała na Jareda. Ciekawe, czy owego wieczora po przyjęciu u Dimarców, kiedy bandażowała mu żebra, a on opowiadał o tragicznej śmierci swej żony, wiedział już o tym potajemnym zebraniu. Czy już wtedy, gdy perfidnie próbował zaskarbić sobie jej zaufanie, zawarł tajny sojusz z ludźmi zebranymi w tej sali? Erica miała poważne podejrzenia co do decyzji, które miały tu dzisiaj zapaść.

Potem Barney Voorhees, szef firmy budowlanej, która zbudowała dzielnicę Emerald Hills, wystąpił z pokazem slajdów, przedstawiając mapy, ekspertyzy, akty własności i zezwolenia – a wszystko to miało dowodzić, że kanion zagospodarowano właściwie i zgodnie z prawem, zatem nie z jego winy w aktach urzędu miasta zabrakło wymaganych analiz gleby i ekspertyz geologicznych. Oświadczył także, iż kontynuowanie prac wykopaliskowych nie pozwoli osiągnąć porozumienia, które byłoby korzystne finansowo dla wszystkich zainteresowanych stron. Archeolodzy, jak stwierdził bez ogródek, mieli go wkrótce doprowadzić do bankructwa.

Następnie głos zabrał przedstawiciel Urzędu Zarządzania Gruntami, który na środku sali ustawił tablicę, po czym przeprowadził świetnie przygotowaną prezentację, pełną wykresów i tabel, podobnie jak Zimmerman i Voorhees posługując się wyliczonymi co do centa sumami, na koniec zaś zgłosił propozycję, by władze stanowe Kalifornii wstrzymały prace archeologiczne w Topaangna, a w zamian opracowały projekt konserwacji i ochrony kanionu.

Potem nadeszła kolej Wade'a Dimarco, który zaimponował wszystkim, przyciemniając światło i powodując, że środek stołu uniósł się w górę, a przed każdym uczestnikiem zebrania wyrósł monitor. Podczas jego dziesięciominutowej prezentacji wideo – arcydzieła grafiki komputerowej i efektów specjalnych – widownia odbyła wirtualną wycieczkę po muzeum, które chciał zbudować w Emerald Hills. Narrator niejednokrotnie użył zwrotu „źródło dochodu dla podatników stanu Kalifornia". Sugestia pozostawała zatem ta sama: im szybciej prace wykopaliskowe w jaskini zostaną wstrzymane, tym prędzej nowe muzeum zacznie przynosić korzyści skarbowi państwa.

Następny w kolejności był wódz Antonio Rivera z plemienia Gabrielino. Erica rozpoznała w nim mężczyznę, którego tuż po dokonaniu odkrycia Jared sprowadził do jaskini w nadziei, że zidentyfikuje on malowidło. Sędziwy ten człowiek – o śniadej, ogorzałej twarzy poznaczonej milionem zmarszczek i bruzd, o małych, bystrych oczach – przemawiał cicho i z powagą na temat miejsc kultu Indian Amerykańskich. Mówił z dziwacznym akcentem latynoskich dzielnic Los Angeles; był to skutek wychowywania się w hiszpańskojęzycznym domu oraz wielu lat spędzonych przed telewizorem na oglądaniu amerykańskich filmów. Wódz Rivera rozdał materiały zawierające kolorowe fotografie świętych miejsc na obszarze Południowego Zachodu – wszystkie znajdowały się w różnych stadiach zaniedbania, rozkładu i zniszczenia.

– To dlatego, że nikt ich nie chronił – stwierdził ze smutkiem. – Moi ludzie są biedni... I jest nas niewielu. To były kiedyś nasze świątynie. – Drżącą ręką uniósł zdjęcie przedstawiające spiętrzenie głazów pokrytych mistycznymi petroglifami, które zeszpecono obscenicznym graffiti. – Jaskinia w Topaangna była naszym kościołem. Jej kamienne ściany, podłoga, święte symbole wymalowane na skale to są nasze świętości. Proszę, pozwólcie nam odzyskać naszą świątynię.

Po nim przemawiał Jared. Indianie, których reprezentował, chcieli wstrzymania prac wykopaliskowych, aby móc godnie i z należytym szacunkiem pochować swego przodka na indiańskim cmentarzu. Rozdawszy materiały zawierające petycję z tysiącami podpisów oraz listy przywódców plemiennych, którzy odwoływali się do dobrej woli wszystkich ludzi wierzących, zarówno Indian, jak białych, Jared wygłosił wzruszającą mowę:

– Jak wiadomo niektórym z was, Komisja do spraw Dziedzictwa Rdzennych Amerykanów powstała w 1976 roku, gdy plemiona Indian kalifornijskich wystosowały prośbę o ochronę ich miejsc pochówku. Podczas budowy osiedli i dróg odkopywano bowiem prastare ludzkie szczątki, po czym bezdusznie pozwalano im rozkładać się w słońcu. Pojawiły się grupy archeologów i kolekcjonerów amatorów, którzy zabierali kości, za nic mając uczucia oraz wierzenia religijne rdzennych Amerykanów. Intensywnie i masowo niszczono miejsca pochówku. Ale to nie wszystko. Archeolodzy przenosili także owe szczątki do różnych zakątków Kalifornii, by w przyszłości prowadzić nad nimi badania.

Powiódł spojrzeniem po twarzach słuchaczy, zatrzymując się na Erice o ułamek sekundy dłużej.

– Grabież kości stanowiła jedynie kontynuację tego, jak postępowano z rdzennymi Amerykanami w latach 1850–1900, kiedy dziewięćdziesiąt procent indiańskiej populacji Kalifornii wymarło na skutek chorób, głodu, zatruć i ran postrzałowych. Żywi czy martwi, rdzenni mieszkańcy tego stanu nigdy nie zaznali szacunku ani choćby najzwyklejszego godnego traktowania.

Moim zadaniem jest dopilnować, aby los ten nie spotkał Kobiety z Emerald Hills. Żądamy natychmiastowego zabrania jej szczątków z jaskini i pochowania ich na wyznaczonym cmentarzu indiańskim.

Gdy Jared przemawiał, Erica poczuła, że jej serce i ciało reagują na jego widok i dźwięk głosu. Jako kobieta pożądała go, lecz rozsądek kazał jej odrzucić tego człowieka. Znowu znalazła się w rozpędzonej emocjonalnej kolejce górskiej, a przecież już dawno sobie obiecała, że nigdy więcej nie wybierze się na taką przejażdżkę. „Słowa matki zastępczej, którą Erica nierozważnie bardzo polubiła:

251

«Chcemy cię zaadoptować, Erico. Pan Gordon i ja chcemy, żebyś była naszą córką». Potem uściski, pocałunki, łzy i obietnice. Marzenia i fantazje jedenastoletniej Eriki, nadzieje rozbudzone wieścią, że wreszcie stanie się członkiem prawdziwej rodziny, będzie miała młodszego braciszka, psa i własny pokój. A więc koniec wizyt u kuratora, koniec z ciągłym przyzwyczajaniem się do nowych opiekunów społecznych, którzy zmieniali się częściej niż pory roku. A potem: «Przykro mi, Erico, ale musimy jednak zmienić plany. Skoro więc nie możemy cię zaadoptować, ja i pan Gordon uważamy, że najlepiej będzie, jeśli przeniesiesz się do innej rodziny zastępczej»".

Uznała więc, że wszelkie wygórowane nadzieje, jakie niesie ze sobą na przykład zakochanie się, nie są warte gorzkich rozczarowań, które muszą potem niezawodnie nastąpić.

Na koniec głos zabrał Sam, przedstawiając własny zestaw wykresów i kolumn liczb, które miały odzwierciedlić wysokość kosztów ponoszonych przez podatnika w przypadku kontynuacji prac wykopaliskowych, jak również przewidywane straty finansowe w porównaniu do spodziewanych korzyści naukowych.

– To studnia bez dna dla naszych pieniędzy – oświadczył, spoglądając po kolei na wszystkich obecnych. – Studnia bez dna – powtórzył, jakby po długich poszukiwaniach znalazł wreszcie odpowiednie określenie.

A zatem podejrzenia Eriki co do celu tego tajnego spotkania okazały się słuszne. Każdy mężczyzna w tej sali miał powód, by dążyć do wstrzymania prac nad Projektem Emerald Hills: mieszkańcy dzielnicy oczekiwali sowitego odszkodowania za poniesione straty, firma budowlana chciała uniknąć bankructwa, Indianie pragnęli przejąć kontrolę nad jaskinią i być może uczynić z niej dochodową atrakcję turystyczną, a państwo Dimarco planowali budowę muzeum ich imienia. Nie była pewna, jakim osobistym motywem kierował się Jared. Możliwe, że nie miał w tym żadnego celu. Erica zaś wmówiła sobie, że jej to nie obchodzi. Sama przyszła tutaj z jednego tylko powodu i na nim zamierzała się teraz skupić.

– Panowie – powiedział Sam, zamykając porządek obrad. – Wysłuchaliśmy już wszystkich opinii. A ponieważ wydaje mi się, że jesteśmy podobnego zdania, proponuję przyjęcie wniosku. Czy ktoś się przychyla?

Zimmerman podniósł rękę, ale zanim zdążył wyrazić swe poparcie, Erica zabrała głos.

– Ja w kwestii formalnej – oznajmiła.

Siedem par oczu zwróciło się ku niej.

Sam zmarszczył czoło.

– Cóż to za kwestia formalna, doktor Tyler?

– Do tej pory nie pozwolono mi przedstawić m o j e g o stanowiska.

Krzaczaste brwi Sama podskoczyły do góry.

– Doktor Tyler, jest pani pracownikiem państwowym, a ja już przedstawiłem stanowisko państwa w tej sprawie. Wszystkie zainteresowane strony już się wypowiedziały. Możemy zacząć głosowanie.

– Czy mogę zapytać, gdzie opublikowano program tego zebrania?

Sam wytrzeszczył oczy. Po jego szyi pełzła ku górze plama czerwieni.

– Jest pan z pewnością świadom, doktorze Carter – naciskała dalej Erica – że w stanie Kalifornia każda komisja lub agencja, jeśli zamierza podjąć jakiekolwiek działanie, jest zobowiązana zawczasu podać swój program do publicznej wiadomości. Ja zaś nie znalazłam takiego zawiadomienia ani w miejscowej gazecie, ani w holu tego budynku. Czyżbym je przeoczyła?

– Nie było go – odparł Sam, prostując plecy. – To jest tylko pierwsze czytanie. Przy pierwszym czytaniu nie trzeba publikować żadnego programu.

– W takim razie dzisiaj nie może się odbyć głosowanie i żadne działania nie mogą być podjęte. Zgadza się?

Ich oczy spotkały się nad stołem. Pozostali zebrani czekali w milczeniu.

– Tak – odrzekł.

– Chciałabym zatem coś powiedzieć. – Erica wstała z godnością i zaczęła mówić dobitnym głosem: – Tego ranka przedstawiono nam wiele danych liczbowych i statystycznych. Mówiliśmy o ekologii i prawach Indian, badaniach nad przekształcaniem środowiska naturalnego, o stratach i zyskach finansowych. Wysłuchaliśmy tych, którzy reprezentują interes człowieka, i tych, którzy mają na względzie dobro przyrody. Jeden z nas – tu z szacunkiem skinęła głową ku wodzowi Riverze – przemawiał nawet w imieniu jaskini. Ja natomiast pragnę zabrać głos w imieniu tej, która nie może obronić się sama. Kobiety z Emerald Hills.

– Co takiego? – parsknął Zimmerman. – Droga pani, czyżby nie słuchała pani tego, co on mówił? – spytał, wskazując Jareda. – Ten człowiek powiedział, że Indianie chcą dostać te kości z powrotem. Pochowają je na własnym cmentarzu.

– To nie wystarczy. Kobieta z jaskini pełniła niegdyś ważną rolę w swym plemieniu i była czczona przez następne pokolenia. Ma prawo odzyskać swe imię. O to właśnie chcę...

– Przecież to tylko kupa kości, na litość boską.

Erica posłała Zimmermanowi chłodne spojrzenie.

– Ja panu nie przeszkadzałam, kiedy prezentował pan swoje stanowisko. Czy mógłby pan łaskawie okazać mi podobną uprzejmość?

Zimmerman zwrócił się do Sama.

– Sądziłem, że sprawa jest zamknięta. Zamierza pan wpuszczać tu byle kogo i przeciągać to zebranie w nieskończoność?

Zanim Sam zdążył odpowiedzieć, wtrącił się czyjś cichy głos:

– Chciałbym usłyszeć, co ma do powiedzenia ta młoda dama.

Erica spojrzała na sędziwego Indianina.

– Dziękuję, wodzu Rivera.

– Ja także chciałbym usłyszeć, co ma do powiedzenia doktor Tyler – oznajmił Jared z uśmiechem, którego Erica nie odwzajemniła.

– A więc dobrze, doktor Tyler – zgodził się Sam, niezbyt uszczęśliwiony. – Proszę mówić, ale krótko. – Ostentacyjnie popatrzył na zegarek.

Tym razem Erica wyprostowała plecy.

– Panowie, ja nie przyniosłam żadnych tabel ani wykresów, nie przygotowałam pokazu slajdów ani wideo, nie mam też wymyślnych segregatorów wypełnionych drogocennymi słowami. Mam tylko to. – Sięgnęła do torby i wyjęła szarą kopertę formatu A4. Wręczyła ją siedzącemu po jej lewej stronie Voorheesowi. – Czy zechciałby pan to obejrzeć, a potem podać dalej?

Podczas gdy reszta zebranych czekała – jedni ze zniecierpliwieniem, inni zaciekawieni – Voorhees otworzył kopertę i wydobył jej zawartość.

– Boże drogi! – wykrztusił, wpatrując się w osłupieniu w czarno-biłą fotografię. – Czy to jakiś żart?

– Proszę puścić zdjęcie po sali, panie Voorhees.

Pospiesznie podał fotografię przedstawicielowi Urzędu Zarządzania Gruntami, który raz tylko rzucił na nią okiem.

– Co to jest u diabła? – zapytał.

– Erico... – odezwał się Sam. – Co ty tam masz? Coś ty przyniosła? – Wyciągnął rękę, ale zdjęcie powędrowało najpierw do Jareda, który był nie mniej wstrząśnięty niż jego poprzednicy.

– Fotografia, którą w tej chwili oglądacie – powiedziała Erica – pochodzi z kostnicy miejskiej. Na odwrocie znajduje się urzędowa pieczątka. Zdjęcie przedstawia zwłoki dwudziestokilkuletniej białej kobiety znalezione na polu trzy dni temu. Prawdopodobnie jest to ofiara przemocy. Tożsamość nieznana. Sklasyfikowano ją jako N.N. 38511. Policja próbuje ustalić, kim była.

Erica rozważała możliwość zrobienia odbitek fotografii, po jednej dla każdego uczestnika zebrania, lecz potem uznała, że pojedyncze zdjęcie wywrze większe wrażenie, jeśli każdy mężczyzna z osobna będzie musiał stawić mu czoło i uporać się z nim; samotna ofiara, podawana z ręki do ręki, pozbawiona towarzystwa choćby swych sklonowanych sióstr. Młoda kobieta miała zamknięte oczy, ale nie wydawała się pogrążona we śnie. Było oczywiste, że nie zmarła spokojną śmiercią. Cierpienia, których musiała doznać, rzucały cień na jej piękną niegdyś twarz. Ślady duszenia na jej szyi odznaczały się wyraźnie niczym potworna płaskorzeźba.

Jared podał zdjęcie Samowi, który tylko zerknął na nie, a następnie wcisnął Zimmermanowi.

– Jezu! – wrzasnął producent filmowy i podskoczył, jakby Sam włożył mu do ręki węża.

– Ta młoda kobieta – mówiła dalej Erica – leży na stole w kostnicy naga i bezimienna. Kiedyś była czyjąś córką. A może ukochaną siostrą lub żoną. Zasługuje na żałobę i ludzką pamięć.

– A ja powtarzam, że tamto to tylko kupa kości – mruknął Zimmerman.

– Pod tym ciałem, panie Zimmerman – powiedziała Erica, wskazując zdjęcie z kostnicy, które trzymał w dłoni – też jest tylko kupa kości, jak pan to określa. Ta kobieta nie żyje od trzech dni. Kobieta z Emerald Hills nie żyje od dwóch tysięcy lat. Nie dostrzegam między nimi żadnej różnicy. Proponuję poddać szczątki z Emerald Hills testom DNA, w celu ustalenia plemiennej…

– Testom DNA?! – oburzył się Wade Dimarco. – Czy zdaje sobie pani sprawę z kosztów takich badań? Kosztów, jakie poniesie podatnik, trzeba dodać.

– Ile czasu by to zabrało? – warknął Voorhees.

– Sam, powiedziałeś przecież, że ten projekt to studnia bez dna – zauważył wzburzony Dimarco. – Ile jeszcze czasu i pieniędzy w niego władujemy? – Po czym spytał Jareda: – Mówił pan, że poczynił już przygotowania do ponownego pochówku szkieletu, prawda?

Jared przytaknął.

– Konfederacja Plemion Południowej Kalifornii pragnie objąć pieczę nad szczątkami.

– Nie mamy prawa skazywać tej kobiety na zapomnienie z powodu kilku dolarów – broniła się Erica. – Świadectwa historyczne znalezione w jaskini dowodzą, że jej potomkowie pragnęli podtrzymać pamięć o zmarłej. Panie komisarzu – zwróciła się do

Blacka, wyjmując z torby kartkę papieru – czy mogę coś panu przeczytać?

Po sali rozszedł się pomruk zniecierpliwienia, lecz Jared skinął przyzwalająco głową.

„Komisja do spraw Dziedzictwa Rdzennych Amerykanów – zaczęła czytać na głos – ma za zadanie chronić indiańskie miejsca pochówku przed aktami wandalizmu oraz nieumyślnym zniszczeniem; umożliwiać postępowanie mające na celu powiadomienie najbardziej prawdopodobnych potomków o odkryciu szczątków ludzkich oraz przedmiotów grobowych; na drodze prawnej zapobiegać wyrządzaniu poważnych i nieodwracalnych szkód w świątyniach, miejscach obrządku i kultu religijnego oraz na uświęconych cmentarzach na terenach stanowiących mienie publiczne; prowadzić rejestr miejsc świętych". Oto fragment deklaracji celów pańskiej komisji, panie Black.

– Jest mi ona znana.

– Sądziłam, że może nie pamięta pan, iż pańskim głównym dążeniem powinno być odszukanie najbardziej prawdopodobnego potomka. Nie wydaje się panu, że natychmiastowe pogrzebanie szkieletu pozostaje w bezpośredniej sprzeczności z tą deklaracją?

Erica uniosła w górę zdjęcie, które zdążyło już do niej wrócić.

– Pozwólcie, że ujmę to w ten sposób. Czy wolelibyście, żeby władze nie podjęły żadnych kroków w celu ustalenia, kim była ta kobieta? – Popatrzyła w oczy każdemu z siedzących przy stole mężczyzn. – A gdyby była pańską żoną, panie Zimmerman, pańską córką, panie Dimarco, albo twoją siostrą, Sam... Czy wówczas nie chcielibyście, żeby władze obchodziły się z jej szczątkami z szacunkiem i zrobiły wszystko, co w ich mocy, żeby przywrócić ją rodzinie?

Oparła dłonie na blacie i pochyliła się nad stołem.

– Pozwólcie mi dokończyć prace w jaskini. To już nie potrwa długo. Kiedy otrzymamy zgodę na przeprowadzenie testów DNA, będziemy mogli określić przynajmniej przynależność plemienną szkieletu. Możliwe, że plemię, z którego pochodzą szczątki, posiada w swej mitologii opowieść o kobiecie, która przywędrowała ze wschodu, z ziem położonych za pustynią. Może nawet poznamy jej imię.

Małe, przenikliwe oczy Sama Cartera błądziły po twarzy Eriki, odnajdując na niej tak dobrze znaną żarliwość i entuzjazm. Zaczął żałować, że nie wysłał jej z powrotem do Gavioty i ślimaczych muszli.

– Nie dostanie pani tego zezwolenia, doktor Tyler. To, co pani proponuje, oznacza czerpanie pełną garścią z kieszeni podatnika na cel, który opinia publiczna uzna niechybnie za stratę czasu i pieniędzy.

– Zamierzam zdobyć poparcie podatników. – Erica sięgnęła do torebki i wyjęła wycinek z gazety. – Ta kobieta zgodziła się mi pomóc.

Wycinek obiegł stół, a gdy dotarł do Sama, ten zmarszczył brwi na jego widok. Sam znał felietonistkę z „Los Angeles Times", która była także założycielką i przewodniczącą Stowarzyszenia do Walki z Przemocą Wobec Kobiet. Słynęła z tego, że od czasu do czasu zamieszczała w swojej rubryce zdjęcia niezidentyfikowanych ciał kobiet z podpisem: „Czy ktoś mnie zna?".

– Zgodziła się opublikować fotografię Kobiety z Emerald Hills – powiedziała Erica.

☆

Jared dogonił ją, gdy była już na dole, w holu.

– Bardzo przekonująca prezentacja, doktor Tyler.

– Naprawdę pan sądził, że się wam upiecze? – napadła na niego. Otworzył usta ze zdumienia.

– Nie bardzo rozumiem.

– Pan i pańscy kolesie, i to wasze tajne zebranko...

– Moi kolesie? O czym pani mówi? To zebranie wcale nie było utajnione.

– To dlaczego nikt mnie o nim nie powiadomił?

Jared spojrzał na nią z konsternacją.

– Myślałem, że pani wie. Sam powiedział, że poinformował panią, ale nie mogła pani przyjść.

Drzwi windy rozsunęły się i wyszedł z nich Sam w towarzystwie Zimmermana i Dimarco. Erica zatarasowała mu drogę.

– Co się dzieje, Sam? Co to wszystko miało znaczyć?

Gestem nakazał swym towarzyszom iść dalej bez niego.

– Zwołałem zebranie ze względu na inne zainteresowane strony, a zresztą nie mam obowiązku tłumaczyć się przed tobą.

– Cholera, Sam, to nie było pierwsze czytanie. Zamierzaliście dzisiaj głosować, prawda? Z naruszeniem zasad Małej Komisji Hoovera[1]. Spotykając się za zamkniętymi drzwiami, żeby przegłosować decyzję, która ma wpłynąć na życie społeczne, nie podaliście tego do publicznej wiadomości.

Sam chciał ją wyminąć, lecz nie ustąpiła.

– To sprawka tych Dimarców, prawda? Co oni ci obiecali? Że zostaniesz kustoszem ich muzeum?

– Co sugerujesz? – zapytał, mrużąc podejrzliwie oczy.

– Kiedy zobaczyłam cię z nimi, pomyślałam, że coś się kroi. Pewnie jednak dałabym sobie spokój, gdybym pewnego ranka, szukając cię, nie weszła do twojego namiotu w momencie, gdy przychodził do ciebie jakiś faks. Nie mam zwyczaju wtykać nosa w cudze sprawy, ale zauważyłam, że list jest opatrzony urzędową pieczątką, nie była to więc korespondencja osobista. Uznałam, że mam prawo go przeczytać. I wiesz co, Sam? Zadziwiło mnie to pismo. List był podpisany przez sekretarza skarbu i zawierał zezwolenie na „podjęcie proponowanych działań". Zastanowiło mnie oczywiście, j a k i c h działań. Czy to, co robiliśmy w jaskini, nie było oficjalną działalnością? Czego jeszcze mogłeś chcieć? Wtedy przypomniałam sobie, jak mi kiedyś mówiłeś, że chciałbyś

---

[1] Mała Komisja Hoovera – organ założony w 1962 r. przez senatora Miltona Marksa, mający wgląd w działalność kalifornijskich władz stanowych i dążący do usprawnienia prac instytucji publicznych (przyp. tłum.).

skończyć już z pracą w terenie i znaleźć sobie jakąś spokojną posadę w biurze albo w muzeum. Cóż za szczęśliwy zbieg okoliczności, że państwo Dimarco właśnie zapragnęli wybudować muzeum.

– Więc poszłaś do kostnicy miejskiej i znalazłaś to szokujące zdjęcie, które musiało wywołać wstrząs.

– To może mi powiesz, jak mam z wami walczyć? Czy było jakieś inne wyjście? Zamierzam opublikować tę fotografię, Sam. I zaręczam ci, że zdobędę społeczne poparcie.

– Ale dlaczego zależy ci na tym aż do tego stopnia, że kładziesz na szali swoją pracę i karierę?

– Dlatego, że przed laty byłam równie bezbronna jak Kobieta z Emerald Hills. I pozbawiona tożsamości, tak jak ona teraz. Byłam tylko numerem w kartotece, Sam; nikt nawet nie zwracał się do mnie po imieniu. Już miałam zostać wchłonięta przez nieczuły i bezduszny system dziecięcej opieki społecznej, kiedy pojawił się pewien obcy człowiek i stanął w obronie moich praw. Przyrzekłam sobie, że kiedyś odwdzięczę mu się, pomagając komuś w ten sam sposób. Tak czy inaczej, zamierzam to zrobić, Sam. Nawet jeśli będę musiała pojechać do Waszyngtonu i przeprowadzić kampanię w Kongresie Stanów Zjednoczonych, to i tak dopnę swego.

☆

„Pomimo sprzeciwu ze strony miejscowych plemion – oświadczył głos prezentera wiadomości, dobiegający z głośników radia samochodowego – rząd federalny zezwolił wczoraj na zbadanie DNA szkieletu z Emerald Hills. Decyzja ta jest zwieńczeniem wielodniowej dyskusji z udziałem przedstawicieli plemion południowej Kalifornii, funkcjonariuszy Departamentu Spraw Wewnętrznych oraz Departamentu Sprawiedliwości, jak również Kalifornijskiej Komisji do spraw Dziedzictwa Rdzennych Amerykanów. Eksperci w dziedzinie badań nad prehistorycznym materiałem genetycznym stwierdzili, że będzie to procedura skomplikowana i czasochłonna, która może nie dostarczyć danych wystarczających do określenia przynależności plemiennej szkieletu. Konfederacja Plemion Południowej Kalifornii skrytykowała postanowienie rządu i nadal domaga się przeprowadzenia ponownego pochówku szczątków".

Jared wyłączył radio. Wracał właśnie do Topaangna po pięciodniowym pobycie w Sacramento, gdzie uczestniczył w nadzwyczajnym posiedzeniu Komisji do spraw Dziedzictwa Rdzennych Amerykanów. Sesję tę zwołano z powodu Kojota i jego Czerwonych Panter, którzy, na znak sprzeciwu wobec dalszych prac wykopaliskowych w jaskini, zorganizowali blokadę na nadbrzeżnej autostradzie, tworząc kilkukilometrowy korek. Zagrozili, że będą zaostrzać formy protestu, dopóki jaskinia ich przodków nie zostanie zapieczętowana. Na zebraniu pojawił się także Sam Carter, który, podobnie jak państwo Dimarco, zmienił taktykę i opowiadał się teraz za kontynuacją prac archeologicznych w jaskini do czasu, gdy znajdzie się najbardziej prawdopodobny potomek. Państwo Dimarco twierdzili, że ta nagła zmiana poglądów nie ma nic wspólnego z negatywnym rozgłosem i naciskami ze strony organizacji feministycznych, które były rezultatem krucjaty wszczętej przez Ericę. Fotografia z kostnicy zamieszczona – obok zdjęcia szkieletu z Emerald Hills – na łamach „Los Angeles Times" odniosła zamierzony skutek.

Kiedy Jared wysiadał z samochodu, jego uwagę przykuło coś żółto-szkarłatnego, przemykającego między drzewami. Azjatycki tygrys wyszyty na kurtce.

Co robił tutaj Kojot? Sąd wydał nakaz zabraniający jemu i jego ugrupowaniu wstępu na teren wykopalisk. Obserwując ukradkowe ruchy Charliego, Jared doszedł do wniosku, że knuje on jakiś podstęp. Olbrzym co chwila zerkał przez ramię w kierunku jaskini. Potem Jared zauważył, że wrzuca coś na tył swojej furgonetki.

– Hej! – zawołał, lecz Charlie siedział już za kierownicą i po chwili na pełnym gazie wyjeżdżał z parkingu w tumanie kurzu.

Jared ruszył w stronę jaskini. Szedł coraz szybciej, aż nagle zaczął biec. Instynkt podpowiadał mu, że Charlie zmalował coś złego. Ktokolwiek znajdował się w jaskini, był w niebezpieczeństwie.

☆

– Przypomina to święte fetysze noszone przez szamanów i szamanki. Ten przedmiot jest obdarzony wielką mocą – wyjaśniała Luke'owi Erica. Klęczeli właśnie nad wyrobiskiem, oglądając niewielki czarny kamień, który spoczywał pod ziemią w skórzanym woreczku.

– Wygląda na bardzo stary – powiedział Luke. – Może mieć dwieście, trzysta lat.

– Tak, ale o dziwo znaleźliśmy go na tym samym poziomie co monetę jednocentową, a to oznacza, że ten amulet zostawiono tutaj w roku 1814 albo później. Innymi słowy stało się to już po założeniu Los Angeles: mamy więc wskazówkę, że poszukiwane plemię praktykowało swoje obrzędy jeszcze w pierwszej połowie dziewiętnastego wieku.

– Erico? E r i c o!

Odwróciła się w stronę wejścia do jaskini.

– Czy to głos Jareda?

– Chyba tak. I chyba jest bardzo zdenerwowany.

Erica zerwała się na nogi i otrzepała kurz z dżinsów. Jared wrócił z Sacramento! Kiedy zdołał ją przekonać, że nie był w tajnej zmowie z Samem i naprawdę sądził, że powiadomiono ją o zebraniu w Century City, Erica ponownie wpadła w emocjonalną pułapkę. Ruszyła za Lukiem do wyjścia, nie mogąc się doczekać, aż usłyszy wieści, które przywiózł Jared, zobaczy jego uśmiech, stanie obok niego i poczuje dreszcz, wywołany jego bliskością, gdy wtem świat zakołysał się z nagłym, ogłuszającym hukiem. Fala uderzeniowa powaliła Ericę na ziemię. Potem rozległ się przejmujący ryk, jaskinia zadrżała, a żwir i kamienie runęły z łoskotem w dół.

– Luke! – krzyknęła.

Elektryczne światło zgasło, pogrążając wnętrze jaskini w całkowitej ciemności. Powietrze nagle wypełniło się pyłem. Erica zaczęła po omacku pełznąć na czworakach.

– Luke? – zapytała, kaszląc.

Wytężyła wzrok, ale nie dostrzegła nawet punkcika światła. Jeszcze nigdy nie otaczała jej tak nieprzenikniona ciemność. Pełzła ostrożnie, jedną ręką badając przestrzeń przed sobą. W końcu dotarła do skały, której nie powinno być w tym miejscu. Nasłuchiwała. Ze sklepienia wciąż opadał kurz. Zaczęła na ślepo obmacywać przeszkodę. Z góry stoczyło się jeszcze kilka kamieni.

– Luke? – powtórzyła. – L u k e!

Jedyną odpowiedzią był jej własny chrapliwy oddech pośród absolutnej ciszy, która przywodziła jej na myśl cichość grobowca.

Rozdział dwunasty

MARINA
1830 rok

„Spraw, Panie – modliła się w duchu Angela – aby wszystko przebiegło pomyślnie. Spraw, by nic nie przeszkodziło w ceremonii ślubnej".

Jej ukochana córka wychodziła za mąż z miłości – było to wydarzenie graniczące z cudem. Ale Navarro wciąż jeszcze mógł coś popsuć. Nawet teraz, w ostatniej chwili, był zdolny obrócić wszystko wniwecz.

Angela nauczyła się przewidywać zagrożenia i w ten sposób zdołała przetrwać wraz z dziećmi – dzięki sprytowi i niesłabnącej czujności. Odgadując nastroje męża, obserwowała ich oznaki i zawsze postępowała zgodnie z nimi. Jeśli przy próbowaniu zupy brwi Navarra zaczynały wędrować do góry, Angela natychmiast wzywała służącą i nakazywała jej zabrać to paskudztwo, choć sama w głębi duszy uważała, że zupa jest pyszna. Albo widząc gniewne spojrzenie męża skierowane na ślady błota na wypolerowanej podłodze, pozostawione przez jednego z ich małych synków, Angela spieszyła oznajmić, że lekkomyślnie zapomniała wytrzeć nogi przed wejściem. Dłoń Navarra lądowała wówczas na jej policzku, zamiast na twarzy chłopca. Na szczęście Navarro nie zdawał sobie sprawy, że jest przedmiotem manipulacji. Angela jednak musiała być bezustannie w pogotowiu. Kilka błędów, które popełniła, kosztowało bardzo wiele i ją, i jej dzieci. Wystarczyło jedno nieostrożne słowo, jedno spojrzenie, które nie spodobało się mężowi, a Navarro sięgał po swój pas i okładał nim bezlitośnie zarówno żonę i dzieci, jak służących.

Przez lata małżeństwa nauczyła się wyczuwać, kiedy jest odpowiedni moment, by zabrać mu dzieci sprzed oczu, kiedy je zganić, zanim zrobi to Navarro, jak zażegnać zbliżający się wybuch gniewu, kiedy besztać samą siebie, by zapobiec awanturze, jak brać winę na siebie, aby uchronić służbę i dzieci przed jego wściekłością. Wiedziała, kiedy jej uległość go uspokaja, a kiedy rozjusza, i nauczyła się szybko dostosowywać do jego humorów. Mogło się wydawać, że prowadzą jakąś skomplikowaną grę, tylko że Navarro nie miał o niej pojęcia. W końcu jednak zmęczyła ją konieczność ciągłego chronienia dzieci przed jego przemocą, zapobiegania katastrofom, rezygnacji z samej siebie, by stać się jedynie barometrem reagującym na jego kaprysy. Teraz zaś, kiedy Marina miała odejść, Angela mogła się wreszcie odprężyć. Chociaż nie mając już ani jednego dziecka do wychowania, nie wiedziała, co pocznie z czasem. Już dawno zarzuciła stare marzenie, by założyć na ranczu sad cytrusowy i winnicę. Przez te wszystkie lata bowiem najważniejsze były dzieci i ich oraz jej własne przetrwanie.

Angela z troską nadzorowała właśnie prace w ogarniętej chaosem kuchni, która była o wiele większa niż skromne pomieszczenie za czasów jej matki, a dziś wypełniła się gorącem i dymem z wielkich otwartych rożnów, na których obracało się mięso, oraz z ogromnych piekarników, gdzie piekł się chleb i dusiły potrawki. Postanowiła jednak na chwilę oderwać się od pracy i wyjrzała przez okno. Tak dużo jeszcze było do zrobienia przed jutrzejszym weselem, że Angela nie miała nawet czasu dokończyć swej porannej czekolady, więc teraz popijała ją powoli, delektując się bogatym aromatem gęstego napoju przyrządzonego z kakao, cukru, mleka, mąki kukurydzianej, jajek i wanilii. Chciała ukoić trochę nerwy i przekonać samą siebie, że wszystko będzie dobrze.

Patrząc przez okno, pozwoliła swej duszy ulecieć na pola i łąki, tak jak to czyniła przez wszystkie minione lata, oddając się wspomnieniom szczęśliwych dni, gdy wolna i radosna galopowała na grzbiecie Sirocco. W owych czasach mniej było drzew, ludzi i kowbojów. Teraz po El Camino Viejo ciągnęło coraz więcej furgonów, koni i mułów. Angela pamiętała jeszcze te dziwne coroczne migracje Indian, którzy wędrowali Starym Szlakiem na zachód, w góry, gdzie odbywały się jesienne zbiory żołędzi. Tysiące tubylców niosło cały swój dobytek, dążąc ku morzu, jakby w odpowiedzi na jakiś pradawny zew. Już od długiego czasu nie widywała Indian idących jesienią na zachód. Zastanawiała się, czy w ogóle jeszcze zbierają żołędzie.

Jej wzrok padł na ogromne stada bydła, które aż po horyzont wznieciło kopytami tumany kurzu; widok ten zmącił nagle spokojne myśli Angeli.

Navarro zbytnio eksploatował pastwiska. Nie pozwalał ziemi odpocząć ani się zregenerować. Zapominał najwyraźniej, że bydło, sprowadzone zza morza, nie żyło tu w swym naturalnym środowisku i dlatego należało dokładać szczególnych starań, by utrzymać równowagę w przyrodzie. Angela oczywiście nie śmiała mu zasugerować, żeby zmniejszył liczebność stada i kilka akrów zostawił nietkniętych, jedyną bowiem odpowiedzią, jakiej mogła się spodziewać, było natychmiastowe, mocne uderzenie w twarz.

Przypomniała sobie jednak, że ten dzień ma być radosny, więc po raz kolejny odsunęła zmartwienia na bok. Odwróciła się i ujrzała Marinę, która nieprzerwanie czuwała przy wychodzącym na południowy wschód oknie kuchni.

Osiemnastoletnia, zakochana do szaleństwa dziewczyna obserwowała bacznie El Camino Viejo, którym wozy i konie wędrowały z miasteczka Los Angeles do przełęczy w górach Santa Monica, zatrzymując się po drodze przy złożach smoły. Angela wiedziała, że jej najmłodsza córka wypatruje swojego narzeczonego, Pabla Quiñonesa, zdolnego złotnika, który urodził się w Kalifornii w rodzinie meksykańskiej.

266

Angela nigdy jeszcze nie widziała tak zakochanej dziewczyny! Marina tęsknie wychylała się z okna, jak kwiat spragniony słońca, czując w swym szczupłym ciele drżenie niecierpliwości i podniecenia. A jej twarz! Oczy szeroko rozwarte, usta rozchylone, oddech wstrzymany w oczekiwaniu na chwilę, gdy ukochany Pablo pojawi się na drodze. Ileż to razy Marina przybiegała do domu zarumieniona, z roziskrzonymi oczyma po tym, jak wraz z Pablem siedziała w cieniu pieprzowca! Spędzali tam wiele godzin pod bacznym spojrzeniem starej przyzwoitki, gawędząc, śmiejąc się, młodzi i pełni życia. Tak bardzo różniło się to od krótkiego okresu zalotów Angeli i Navarra, którzy najczęściej siedzieli w milczeniu. A Marina oznajmiała: „Och, mamo, Pablo odwiedził tyle miejsc. Wyobraź sobie, że był w San Diego!".

Lecz Angela nie potrafiła sobie tego wyobrazić. Dla niej miasto odległe o trzysta kilometrów mogło równie dobrze leżeć trzy tysiące kilometrów stąd. Jakiż urok mogło mieć dla osiemnastoletniej dziewczyny, skoro jej dom i wszystko, co znała, było w zasięgu ręki?

Angela nie miała oczywiście pojęcia, co to znaczy być zakochaną. Kiedyś, dawno temu, byłaby może zdolna zakochać się w Juanie Navarro, ale wówczas nie była tą samą Angelą.

Z zamyślenia wyrwał ją wrzask dzieci. Podeszła do okna, które wychodziło na podwórze, pomieszczenia dla owiec i stajnie. Ujrzała swoich wnuków i wnuczki wspinających się po ogrodzeniu, by zobaczyć mężczyzn na koniach, którzy właśnie zaganiali do zagrody dzikiego niedźwiedzia grizzly.

Vaqueros schwycili zwierza w górach Santa Monica i zawlekli go żywcem na Ranczo Paloma, gdzie następnego wieczora, dla uświetnienia uroczystości weselnych, niedźwiedź miał stanąć do walki z bykiem. Teraz grizzly bronił się wściekle, obnażając kły i pazury i rycząc dziko, gdy tymczasem jeźdźcy usiłowali utrzymać krępujące go liny, znarowione konie rżały i wzbijały kopytami tumany kurzu, a dzieci, klaszcząc, popiskiwały z zachwytu.

Gdy Angela patrzyła na swe wnuki, które niczym zgraja psiaków obległy ogrodzenie, by oglądać widowisko – zdrowa mała gromadka, od raczkujących berbeci do szesnastolatków – jej myśli powróciły do Mariny, a smutek połączony z radością ścisnął ją za serce. Smutek dlatego, że jej najmłodsza córka miała nazajutrz wyjść za mąż i opuścić dom, radość zaś spowodowana tym, że nie wyprowadzała się daleko.

Miał to być już ostatni ślub w tym domu. Pierwsze wesele, jej własne, odbyło się przed trzydziestu ośmiu laty, kiedy zmuszono ją do poślubienia mężczyzny o zimnym umyśle i jeszcze zimniejszym sercu. Prawie cztery dziesięciolecia upłynęły od chwili, gdy Angela ucięła swój warkocz w górskiej jaskini, a jednak wciąż jeszcze czuła bolesne ciosy, które wymierzył jej Navarro następnego ranka, kiedy po przebudzeniu odkrył, że obcięła włosy. Na tym zresztą kara się nie skończyła. Navarro karał ją wciąż od nowa, obmyślając różne sposoby, by przypominać żonie, kto jest jej panem i władcą. Kazał Angeli rozbierać się, po czym przywiązywał ją do krzesła i zostawiał tak na całą noc. Zmuszał ją do robienia rzeczy sprośnych i poniżających, lecz upokorzenia te znosiła w milczeniu, gdyż zdarzały się tylko nocą, gdy była z nim sam na sam. Kiedy nastawał nowy dzień, Angela mogła niemal wyobrażać sobie, że okrucieństwa Navarra to jedynie senne koszmary. On zaś dokładał starań, by ślady jego brutalnych poczynań były niewidoczne nawet dla służącej Angeli, która rano pomagała jej się ubierać. Czasami, gdy sądziła, że już dłużej tego nie zniesie, przypominała sobie o dzieciach, o dobrobycie, jaki zapewnił im Navarro, i o pięknym domu, który wybudował.

Angela nie czuła nienawiści do Navarra. Litowała się nad nim, ponieważ nie potrafił kochać, a to sprawiło, że i jego nikt nie darzył miłością, nawet własne dzieci. Angela odczuwała wobec niego jakąś niewyjaśnioną wdzięczność – za dzieci, którymi ją obdarzył, za to, że spełnił obietnicę i pozwolił jej rodzicom mieszkać pod swym dachem aż do śmierci, za to, że jej ukochane ranczo uczynił najpiękniejszą i najbogatszą posiadłością w Alta California. W zamian Angela także dotrzymała warunków umowy – w wieku pięćdziesięciu czterech lat nadal była piękna.

Hałas i zamieszanie panujące w ogromnej kuchni przerwały jej rozmyślania. Kobiety pracowicie mełły mąkę, przygotowywały tortille, obierały warzywa, ugniatały ciasto, śmiejąc się i gawędząc, a wciąż jeszcze tyle zostało do zrobienia! Przygotowania w hacjendzie trwały już od wielu tygodni. Najpierw okazały, konny orszak weselny z ubranymi w odświętne stroje nowożeńcami na czele – Marina w kapeluszu z szerokim rondem ozdobionym piórami i w jasnych aksamitnych spódnicach, Pablo w haftowanych spodniach i płaszczu, na ustrojonym srebrem wierzchowcu – miał przejść przez osadę Los Angeles, a potem wrócić na ranczo. Tam zaś, pośród sprowadzonych z zagranicy jacarand, kuflików i pieprzowców czekała uczta weselna, uświetniona występami orkiestry mariachi, tancerzy oraz pokazami fajerwerków.

Na uroczystość przybyła cała rodzina Navarra. Stawili się też bracia i siostry Mariny ze swoimi małżonkami i dziećmi. Nawet siostra Mariny Carlotta, starsza od niej o osiemnaście lat, odbyła długą podróż z miasta Meksyk wraz ze swym drugim mężem, hrabią D'Arcy, i ich sześcioletnią córką, Angelique.

Angela przystanęła, by sprawdzić smak bulgoczącego w wielkim rondlu czerwonego sosu, złożonego z cebuli, czosnku, papryczek chili, oregano oraz mąki. Nie była zadowolona. Wybrała małego pomidora, szybko go posiekała i wrzuciła do rondla. Teraz sos był doskonały. Odwróciwszy głowę od pieca, Angela ujrzała przez okno wysokiego mężczyznę o gniewnym obliczu, który wkroczył na dziedziniec i zdjął z ogrodzenia jedną z dziewczynek. Był to Jacques D'Arcy, drugi mąż Carlotty i kochający ojciec Angelique. Potem zaś, chcąc oszczędzić swej córce okrutnego widowiska z udziałem niedźwiedzia, zabrał ją do cienistej, różanej altanki i posadziwszy sobie na kolanie, wsunął jej we włosy kwiat róży.

Angela znowu się zatroskała. Navarro nienawidził drugiego męża Carlotty. Kiedy jej pierwszy małżonek, wybrany przez niego Kalifornijczyk, zmarł w Meksyku, Navarro spodziewał się, że najstarsza córka wróci do Alta California i wyjdzie za jednego z tutejszych ranczerów. Ona tymczasem zakochała się w mężczyźnie, którego rodzina uciekła z Francji przed rewolucją i znalazła schronienie w Meksyku. Navarro nie znosił Francuzów i nie chciał rozmawiać z Jacques'em D'Arcy, a oburzony D'Arcy oświadczył, że zgadza się przyjechać tylko ze względu na Carlottę.

Pomimo ciepłego dnia Angelą wstrząsnął dreszcz. Pospiesznie obrzuciła wzrokiem dziedziniec w poszukiwaniu oznak obecności Navarra. Niewiele mu było trzeba – kilka szklanek wina, jakiejś urojonej obrazy – by wyzwać D'Arcy'ego na pojedynek. Navarro już kiedyś zrobił podobną rzecz. Jego przeciwnik przegrał.

Obserwując, jak czule obchodzi się D'Arcy ze swą córeczką, Angela zaczęła podejrzewać, że postanowił przyjechać na wesele nie po to, by sprawić przyjemność Carlotcie, lecz raczej by dostarczyć rozrywki swej małej „księżniczce". Sześcioletnią dziewczynką, która otrzymała imię na cześć babki Angeli, opiekowała się aztecka kobieta o ponurym wyglądzie. Była ona kimś więcej niż niańką, była *curandera* – uzdrowicielką – obeznaną z tajemnicami medycyny starożytnych Azteków. Posępna kobieta nosiła osobliwe odzienie; długą kolorową spódnicę i uszytą z innej barwnej tkaniny tunikę bez rękawów, sięgającą do połowy uda. Długie włosy związała w dwa omotane materiałem węzły, które sterczały jej nad czołem niczym rogi. Małżowiny przebite złotymi ćwiekami tak się wyciągnęły, że dotykały jej ramion. Carlotta wyjaśniła, że kobieta ta pochodzi z wioski, gdzie ludzie żyją tak jak ich przodkowie sprzed czasów Corteza, z pokolenia na pokolenie przekazując tajniki leczenia, których nigdy nie zdradzili swym najeźdźcom. Carlotta i D'Arcy postanowili ją zatrudnić ze względu na chorobę Angelique. Była to ta sama przypadłość, na którą cierpiała Angela. I Marina.

Spośród wszystkich jej dzieci tylko Marinie przypadła w udziale ta dziedziczna klątwa. Biedna mała Marina! Podczas swego pierwszego ataku miała przerażające wizje. Płakała wtedy i tuliła się do matki. Łączyła je przez to wyjątkowa więź, której nikt nie potrafił zrozumieć. Pablo Quiñones zapewnił Angelę, że będzie się opiekował Mariną, kiedy dopadnie ją choroba. Angela jednak czuła, że jest jedyną osobą, która może przyjść córce z pomocą. Dlatego też dziękowała Bogu, że dziewczyna, zakochawszy się w miejscowym chłopcu, zamieszka niedaleko od rodzinnego domu.

Choć matka nie powinna kochać jednego dziecka bardziej niż pozostałych, serce Angeli rządziło się własnymi prawami. Oto jej dwie najukochańsze córki – najstarsza i najmłodsza. Carlotta urodziła się pierwsza, kiedy Angela miała zaledwie osiemnaście lat. Potem powiła jeszcze wiele dzieci, a niektóre z nich nie przeżyły i spoczęły na małym rodzinnym cmentarzu pod drzewem pieprzowca. Byli więc silni, wytrzymali chłopcy, teraz już mężczyźni: trzech aroganckich jak Navarro, jeden nieśmiały i jeden, który śmiał się bez ustanku. I były też córki – a wśród nich dwie rozsądne kobiety, które dobrze wyszły za mąż. Dziewięcioro dzieci z czternastu ciąż. Najmłodsza zaś, Marina, pojawiła się na świecie, gdy Angela miała trzydzieści sześć lat. Po niej jeszcze trzy razy zaszła w ciążę, lecz dwoje dzieci nie dożyło pierwszych urodzin, a trzecie Angela poroniła. Potem nie mogła już więcej rodzić, więc Marina na zawsze pozostała jej najdroższym „maleństwem", zwłaszcza wtedy, gdy starsze dzieci dorosły, założyły rodziny i wyprowadziły się.

Imię Mariny objawiło się Angeli we śnie, gdy nosiła ją w swoim łonie i nie mogła jeszcze wiedzieć, że dziecko będzie dziewczynką. Było to niezwykłe imię. We śnie jednak nie usłyszała go wyraźnie. Znajdowała się w jakimś ciemnym, przerażającym pomieszczeniu o ścianach pokrytych dziwnym malowidłem i gorączkowo, gołymi rękami zagrzebywała w ziemi krucyfiks. Stłumiony głos przyzywał ją jakimś imieniem... Marini? Mamiri? To w ogóle nie przypomniało imienia. Marina! Tak, to właśnie usłyszała we śnie. Piękne imię.

Nie mogąc już dłużej słuchać wrzasków przerażenia i wściekłości, które wydawał niedźwiedź, odwróciła oczy od okrutnego widowiska – biedne zwierzę leżało na grzbiecie, usiłując wyswobodzić się z więzów. Nagle zaświtała jej niezwykła myśl: „niedźwiedź nie zgodził się przecież, żeby złapano go na lasso i przywleczono tutaj dla uciechy weselników".

Skąd przyszło jej to do głowy? Czasami, w najbardziej niespodziewanych momentach, miewała osobliwe myśli – krótkie przebłyski, które jak wyskakujące ze strumienia ryby pojawiały się na chwilę w pełnym słońcu, by natychmiast zniknąć z powrotem w odmętach. Niekiedy te zbłąkane wizje przemykały przez jej umysł tak szybko, że nie mogła ich zapamiętać, nie miała żadnego punktu zaczepienia. Czasem były to słowa, czasem zaś obrazy.

Odpędzając dziwaczne myśli, Angela wróciła do swych kuchennych obowiązków – wszak czekało ją przygotowanie uroczystej uczty dla niezliczonej rzeszy gości i służby.

Ranczo Paloma było teraz okazałą hacjendą, zatrudniającą mnóstwo ludzi. W majątku zajmowano się uprawą roli i hodowlą, a także różnymi dziedzinami produkcji. Gdy Navarro w czasie nocy poślubnej obiecał, że pomnoży wielokrotnie majątek jej rodziców, nie rzucał słów na wiatr. Osada Los Angeles także świetnie prosperowała. Wszędzie wokół pojawiały się farmy, sady, ogrody i winnice. Ranczo Paloma miało teraz sąsiadów: rancza La Brea, La Cienegas, San Vicente y Santa Monica. Dalej zaś rozciągały się większe posiadłości – Los Palos Verdes, San Pedro, Los Feliz – setki tysięcy akrów należące do rodzin o znakomitych nazwiskach: Dominguez, Sepúlveda, Verdugo. Pueblo Los Angeles liczyło już blisko ośmiuset mieszkańców.

Widząc, że Marina nagłym, niespokojnym ruchem chwyta za framugę okna, Angela wyjrzała, by sprawdzić, co tak przykuło uwagę jej córki. Czyżby Pablo już przyjechał? Lecz nie, jeźdźcem, który właśnie ukazał się w bramie, nie był Quiñones, tylko pewien *Americano*, z którym Navarro prowadził ostatnio interesy.

Był to kapitan statku Daniel Goodside, który z niewyjaśnionych przyczyn niepokoił Angelę.

Kiedyś, gdy interesy z jankesami uznawano za nielegalne, Navarro spotykał się z nim potajemnie na przełęczach gór Santa Barbara, gdzie wymieniał skóry bydlęce na złoto. Teraz jednak można było handlować bez przeszkód. Jak na ironię Navarro gardził Amerykanami nawet bardziej niż Francuzami, i traktował ich jak zło konieczne – w jego mniemaniu niewiele różnili się od pasożytów, lecz stanowili bogate źródło wymiany handlowej i zysku. Angela natomiast uważała *Americanos* za osobliwą rasę. Przypomniała sobie, jak pierwszy z nich pojawił się w Los Angeles dwanaście lat temu, gdy Kalifornia wciąż pozostawała pod panowaniem hiszpańskim. Schwytano wówczas „Pirata Joego", gdy grasował u wybrzeży Monterey. Kiedy okazało się, że jest utalentowanym stolarzem, wypuszczono go z więzienia i wysłano do Los Angeles, by nadzorował tam budowę nowego kościoła na głównym placu miasta. Angela miała wtedy czterdzieści dwa lata i po raz pierwszy w życiu zobaczyła jasne włosy. Wokół placu budowy zgromadził się tłum, a wysoki, jasnowłosy cudzoziemiec wydawał rozkazy Indianom, którzy znosili drewno z gór. Kiedy kościół był gotowy, Joseph Chapman ożenił się z meksykańską señoritą i zamieszkał w Los Angeles. Siedem lat później, po tym jak Hiszpania oddała swe ziemie w Kalifornii, w misji San Gabriel pojawił się człowiek z gór, niejaki Jedediah Smith, lecz nie został aresztowany, ponieważ cudzoziemcy mogli już legalnie przekraczać granice Kalifornii.

Przed ośmiu laty, kiedy do Kalifornijczyków dotarła wiadomość o odłączeniu Meksyku od Hiszpanii, uznali oni zwierzchnictwo rządu meksykańskiego, który natychmiast zezwolił angielskim i amerykańskim statkom handlowym przybijać do wybrzeży prowincji. Głównym towarem stały się skóry i łój. Skóry wołowe z Rancza Paloma transportowano do Nowej Anglii, gdzie sporządzano z nich siodła, uprzęże i buty, a tutejszy łój wytapiano, by potem wykorzystywać go do wyrobu świec. Rozkwit handlu ściągał do Kalifornii coraz więcej cudzoziemców, dlatego dzisiaj widok *Americano* na ulicy Los Angeles już nikogo nie dziwił.

Ciekawe, co powiedziałaby na te zmiany jej matka, doña Luisa, która leżała w grobie na rodzinnym cmentarzu. Luisa zmarła w tym samym roku, kiedy Meksyk odłączył się od Hiszpanii, tak jakby to jej własne więzy z ukochaną ojczyzną zostały na zawsze zerwane, a ona straciła chęć życia. Luisa miała wówczas sześćdziesiąt dziewięć lat. Lorenzo, który spoczywał obok niej, zginął podczas karcianej utarczki.

Angela patrzyła, jak kapitan Goodside zsiada z konia i zdejmuje kapelusz. Podobnie jak „Pirat Joe", miał włosy barwy dojrzałej pszenicy.

– Pablo przyjedzie – powiedziała do córki, widząc wyraz jej twarzy. Biedna dziewczyna wypatrywała narzeczonego przez cały ranek, gdy tymczasem w bramie pojawiali się sami obcy.

– Och, mamo... – westchnęła Marina i odwróciła się od okna, by w nagłym porywie uczuć wybiec z kuchni.

Wymieniwszy spojrzenie z Carlottą, która właśnie nadzorowała przygotowanie *dulce de calabaza* – kandyzowanej dyni – i która pamiętała jeszcze, jak to jest, kiedy ma się osiemnaście lat i niecierpliwe serce, Angela wyszła z kuchni i znalazła się na zewnętrznej kolumnadzie, której urocze arkady prowadziły prosto do ogrodów pełnych kwiatów, krzewów, pieprzowców i nisko zwieszających się wierzb. Przystanęła, by spojrzeć na rząd krzeseł ukrytych pod ochronną płachtą.

Był to prezent ślubny dla Mariny i Pabla – komplet czterech obitych tapicerką antyków z 1736 roku, wykonanych na wzór foteli z Pałacu Królewskiego w Madrycie. Meble, nawiązujące do francuskiego stylu z czasów Ludwika XV, fornirowane były drzewem różanym z hebanową intarsją i obite szkarłatnym jedwabiem przetykanym złotą nitką i wykończonym złotymi frędzlami. Doña Luisa przywiozła je do Meksyku w 1773 roku, a potem, po ślubie z don Lorenzem, kazała przyciągnąć wołami do Alta California wraz z pozostałym dobytkiem. Krzesła uznano za najwspanialsze meble w całej prowincji, a teraz miały przejść na własność Mariny.

Idąc wzdłuż arkady, Angela zobaczyła przy stajniach trzech mężczyzn podziwiających konia, którego niedawno nabył Navarro.

Choć przekroczył sześćdziesiątkę, a jego włosy zupełnie posiwiały, Navarro wciąż był dziarski jak byk. Tuż przy nim stał jego przyszły zięć Pablo – niski, niemal krępy, o chłopięcej twarzy. Trzecim mężczyzną okazał się kapitan Goodside, nieco wyższy od Navarra; szerokie rondo dziwnego słomianego kapelusza rzucało cień na jego twarz.

Przyglądając się mężczyznom, Angela próbowała odgadnąć nastrój Navarra. Kiedyś, kierowany kaprysem, odwołał ślub w ostatniej chwili, sprawiając, że ich syn pogrążył się w bezsilnej, bezgłośnej furii, a rodzina narzeczonej zagroziła krwawą zemstą. Dziś jednak Angela nie dostrzegała w zachowaniu męża śladu mrocznych emocji. Tak naprawdę Pablo Quiñones budził w nim jedynie wesołość.

Wtedy ujrzała Marinę, która, ukryta w cieniu altany, obserwowała mężczyzn. Angela zastygła w bezruchu. Wiedziała, że jej porywcza córka pragnie podbiec do Pabla, ale na to przecież będzie miała dużo czasu już po zaślubinach. „Bądź ostrożna, moje dziecko – przestrzegła ją w myślach. – Nie pozwól, żeby ojciec cię zobaczył".

W duszy Navarra kryło się coś, co kazało mu nienawidzić widoku szczęścia innych ludzi, nawet własnych dzieci. Zbyt wielka radość psuła mu humor.

Angela zauważyła, że jankes znowu ma ze sobą wąską, kwadratową skrzynkę. Zabierał ją wszędzie i nosił przewieszoną przez ramię na skórzanym pasku. Cóż tak ważnego było w środku, że nigdy się z tym nie rozstawał? Chociaż *Americanos* mieli teraz prawo osiedlać się w Kalifornii, Angela nadal im nie ufała. Po latach uprawiania nielegalnego handlu człowiek nie stawał się przecież uczciwy z dnia na dzień.

Już miała wejść z powrotem do domu, kiedy kątem oka dostrzegła postać nadchodzącą drogą od strony Starego Szlaku. Po brązowym franciszkańskim habicie rozpoznała ojca z misji, który nadjeżdżał na mule. Gdy przybysz zwolnił i zaczął bacznie przyglądać się twarzom *vaqueros*, Angela wiedziała już, w jakim celu przyjechał. Znowu musiało mu uciec kilku Indian.

Nietrudno było znaleźć chętnych do pracy na czterech tysiącach akrów Rancza Paloma. Indianie woleli życie na farmach niż w misji, a wielu z nich zaczynało nawet uciekać do miasta. Pueblo Los Angeles liczyło teraz kilkuset mieszkańców, którzy często potrzebowali służących i najemnych pracowników. Chcąc zatem uchronić ojców przed utratą kolejnych Indian – któż by bowiem został, żeby doglądać bydła i dbać o winnice należące do Kościoła, tkać sukna i wyrabiać świece na użytek ojców? – gubernator Kalifornii wyznaczył karę dziesięciu batów dla każdego ochrzczonego Indianina, który będzie przebywał w mieście bez pozwolenia misji.

Przybysz zsiadał z muła, a Angela patrzyła na niego, zastanawiając się, czy on i jego bracia toczą walkę, która jest z góry skazana na przegraną. Chodziły bowiem pogłoski, że władze Meksyku zamierzają znieść tak szanowany przez Hiszpanów system misji i sprzedać ich ziemie prywatnym właścicielom. Ale gdzie wtedy podzialiby się Indianie? Większość z nich mieszkała w misjach od urodzenia i nie znała innego życia. A przecież Angela musiała przyznać, że tak naprawdę nie pojmuje tych ludzi. Dla niej były to tylko postaci na stałe wtopione w krajobraz – mężczyźni w sombrerach i pledach, kobiety w długich spódnicach i szalach. Między Kalifornijczykami a Indianami wciąż jednak toczyły się krwawe walki o ziemię. Niedawno napadnięto na ranczo w San Diego i porwano córki właścicieli, które zaginęły bez wieści; w Santa Barbara Czumasze wywołali rebelię, a Indianie Temecula splądrowali San Bernardino.

Sądząc ze sposobu, w jaki zakonnik przyglądał się twarzom Indian, musiał szukać konkretnego uciekiniera.

Osłoniwszy oczy przed słońcem, Angela szybko zlustrowała ogród, gdzie mężczyźni pracowali przy pieleniu i rozsypywaniu nawozu, a potem omiotła wzrokiem podwórze i zagrody dla zwierząt, mleczarnię i spichlerz, pralnię i garbarnię – wszędzie trwała pracowita krzątanina. W końcu spojrzenie jej padło na prasę do oliwy – stary człowiek cierpliwie popędzał chodzącego w kółko osiołka, podczas gdy wielki kamień zgniatał oliwki na papkę i wyciskał

276

z nich oliwę. Mężczyzna był siwy i zgarbiony. Nie znała go. Lecz kiedy znalazł się w blasku słońca, spostrzegła jego wyraziste, indiańskie rysy.

Zanim zdążyła zareagować, starzec podniósł wzrok i ujrzał zakonnika. Na ułamek sekundy zamarł w bezruchu. A potem rzucił się do ucieczki.

Duchowny zaś podwinął habit, odsłaniając gołe stopy w sandałach, i ruszył w pogoń, krzycząc za mężczyzną, by się zatrzymał, a robotnicy, członkowie rodziny i goście natychmiast zbiegli się tłumnie, chcąc zobaczyć, co też doprowadziło ojca do takiego stanu.

Angela dopadła go pierwsza: zakonnik właśnie doścignął Indianina pod arkadą prowadzącą do ogródka z lawendą. Starzec padł na kolana i w błagalnym geście wzniósł do kapłana złożone dłonie.

– Ojcze, proszę! – powiedziała zadyszana Angela. – Nie potraktuj go zbyt surowo.

– Ten człowiek jest chrześcijaninem, señora. Należy do misji – odparł ojciec, lecz po chwili złagodniał. – Oni są jak dzieci, señora, i trzeba ich wychowywać. Czyż nie karała pani własnych synów i córek, kiedy zaszła taka potrzeba?

– Ale ten człowiek jest stary, ojcze. On się boi.

Nagle ku jej zaskoczeniu starzec zaczął szaleńczo szarpać ją za spódnicę, błagając o pomoc mieszaniną hiszpańskiego i własnego narzecza. Bez wątpienia był przerażony.

– A może pozwoliłby mu ojciec wrócić do wioski?

Zakonnik pokręcił głową ze smutkiem.

– Kiedy rodzina Sepúlveda weszła w posiadanie majątku San Vicente y Santa Monica, oczyściła ziemię pod pastwisko. Człowieka tego znaleziono, gdy grzebał wśród ruin opustoszałej wioski u podnóża gór. Był nagi, señora, i bliski śmierci z wygłodzenia. Przyprowadzono go do nas, a my daliśmy mu strawę i odzienie i przyjęliśmy na łono Kościoła.

„To nie jest zły człowiek" – uznała Angela, patrząc na franciszkanina.

A potem opuściła wzrok na starca. „On chce po prostu być wolny".

Wtedy przyszło jej do głowy, że jest władna go ocalić. Jeśli powie ojcu, że życzy sobie, aby ten człowiek tutaj został, zakonnik będzie musiał jej posłuchać. W końcu była żoną Juana Navarro.

I w tej samej chwili ujrzała kroczącego ku nim z wściekłością Navarra. Zdążył już ocenić sytuację i rolę, jaką odgrywała w niej Angela. Pozwoliwszy zakonnikowi zabrać Indianina, Navarro jednym warknięciem kazał rozejść się zebranym. Kiedy znaleźli się sami pod arkadą – Pablo podszedł do Mariny, a *Americano* taktownie wycofał się do stajni – Navarro chwycił Angelę za ramię i ścisnął je boleśnie.

– Na tym ranczu to ja podejmuję decyzje, a nie ty. Upokorzyłaś mnie – wysyczał ściszonym głosem.

☆

Szczupła sylwetka Mariny rzucała długi cień w blasku księżyca, gdy dziewczyna cicho stąpała po dziedzińcu, starając się bezszelestnie przemykać wzdłuż kamiennych ścian domu i nie potknąć o jakąś nierówność terenu lub pozostawione na ziemi narzędzie. Bała się nawet myśleć o karze, jaką wymierzyłby ojciec, gdyby wiedział, co planuje jego córka. Marina nie kierowała się jednak rozumem – to poryw serca kazał jej wymknąć się z domu o tej późnej porze. Młode jej ciało płonęło gorączką miłości, a myśli o jutrzejszych uroczystościach i mającej potem nastąpić nocy poślubnej, przyprawiały ją o zawrót głowy.

Obeszła dziedziniec rzeźni, gdzie za dnia ubijano bydło i obdzierano je ze skóry, by potem oskrobywać z niej resztki mięsa i rozłożyć do wyschnięcia na słońcu. W nocy odór nie był taki silny, a muchy spały. Jedynym śladem krwawych poczynań były wielkie stosy sztywnych skór – „jankeskich dolarów" – oczekujących załadunku na statki handlowe. Przed składem łoju zaś stały olbrzymie żelazne kadzie, w których z ubitych wołów wytapiano tłuszcz przeznaczony do wyrobu świec i mydła, a łój zmagazynowany w ogromnych skórzanych workach sprzedawano zagranicznym handlarzom. Marina wśliznęła się do szopy, gdzie setki długich, cienkich knotów wisiały w rzędach na ścianach i pod sufitem. Pośrodku pomieszczenia stało niezgrabne urządzenie do wyrobu świec, a z jego drewnianych ramion zwieszały się sznurki pokryte warstwami tłuszczu różnej grubości. Teraz machina była cicha i nieruchoma, lecz za dnia jej skrzypienie nie ustawało ani na chwilę, gdy drewniane ramiona napędzane korbą przez Indianina bez przerwy obracały się i zanurzały w tłuszczu, produkując setki świec naraz.

„Cóż za ironia – pomyślała Marina – że w miejscu, gdzie jest tyle świec, panuje tak nieprzenikniona ciemność".

– Jesteś tu? – szepnęła w mrok. – Przyszedłeś, ukochany?

Na kamiennej podłodze zaszurały buty. Po chwili rozbłysła zapałka, a potem ciemność rozproszył łagodny blask lampy.

Marina niemal się zachłysnęła, widząc postać, która wyłoniła się przed nią z mroku – był to *Americano*, Daniel Goodside. Stała tak przez moment, porażona widokiem mężczyzny – światło okalało jego jasną głowę bladą aureolą, błękit jego oczu przypominał barwę nieba w słoneczne południe, wargi zaś miał rozchylone, jakby w wyrazie zdziwienia. Po chwili jednak biegła ku niemu, pokonując dzielącą ich przestrzeń po to, by paść mu w ramiona, całować jego usta i tulić się do ukochanego rozpaczliwie, chcąc zatrzymać go na zawsze w objęciach.

Do końca życia miała pamiętać ów dzień, gdy trzy miesiące temu wybrała się na konną przejażdżkę i na skraju posiadłości spotkała obcego mężczyznę, który siedział na stołku i szkicował coś w wielkim notatniku. Na trawie leżała schludnie złożona kurtka nieznajomego, jego koszula jaśniała w słońcu oślepiającą bielą, a szerokie rondo słomkowego kapelusza przesłaniało rysy jego twarzy. Słysząc kroki Mariny, odwrócił się, wstał powoli, po czym zerwał z głowy kapelusz, odsłaniając włosy o barwie dojrzałej pszenicy i oczy błękitne niczym chabry. A jego broda! Przypominała owczą wełnę, była krótko przystrzyżona i okalała tajemniczy uśmiech. Fular miał poluzowany, rozchylony kołnierz ukazywał opaloną szyję, a bryczesy ciasno opinały mocne, umięśnione nogi. Mężczyzna wyglądał jak młody bóg.

I wtedy pozdrowił ją po hiszpańsku! Marina sądziła, że jankesi mówią tylko po angielsku. On tymczasem posługiwał się jej językiem z niezwykłą swobodą i prawie bez akcentu! Był więcej niż bogiem – był magikiem, czarodziejem. Tego dnia oboje trwali w bezruchu i milczeniu, zniewoleni niezwykłością tej chwili, gdy tymczasem delikatny powiew letniej bryzy zmierzwił jego włosy o barwie słońca, a Marina poczuła, że serce rozkwita w jej piersi niczym kwiat powoju otwierający swój kielich w pierwszych promieniach świtu. Wówczas nieznajomy przemówił:

– Proszę wybaczyć, że się przyglądam, señorita, ale odwiedzając wasze Miasto Aniołów, ciekaw byłem, skąd wzięło swą nazwę. Dziś już wiem.

Teraz zaś tuliła się do niego ze wszystkich sił, wdychając jego zapach, czując na ciele dotyk jego silnych dłoni i słuchając głębokiego brzmienia głosu ukochanego, który mocno przyciskał jej głowę do swej piersi.

– Co teraz zrobimy? – zapytał Daniel.

Marina czuła, że w gardle narasta jej szloch i dławi ją, nie pozwalając oddychać. Przez trzy miesiące przeżywała na zmianę radość i cierpienie, niepewność i cudowne marzenia. Sądziła, że kocha Pabla, dopóki nie poznała Daniela. Lecz została już przyrzeczona Pablowi, a cud, który uwolniłby ją od złożonej obietnicy – choć modliła się o niego co noc – do tej pory się nie wydarzył. A Daniel odchodził; jego statek miał odbić od brzegu z jutrzejszym odpływem.

– Umrę – szepnęła, z twarzą wtuloną w jego pierś. – Nie mogę bez ciebie żyć.

– Ja także, najdroższa Marino – odparł, gładząc jej włosy i z zachwytem patrząc na tę anielską istotę, którą trzymał w ramionach. – Bóg powołał mnie, bym głosił Jego słowo w dalekich krajach, będę więc potrzebował twej siły i łagodności, które poprowadzą mnie tą trudną drogą. Zanim cię poznałem, dręczył mnie lęk.

280

Patrzyłem na morze, a serce moje drżało na myśl o tym, że mógłbym wpaść w ręce barbarzyńców. A wówczas ty, dobra, anielska dusza, wkroczyłaś w moje życie i obdarzyłaś spokojem. Codziennie przypominasz mi o istnieniu łaski bożej i o tym, że człowiek nigdy nie jest sam. Widzę przed sobą dni ciężkiej próby i lękam się, że bez ciebie poniosę klęskę.

Przez trzy baśniowe miesiące snuli wspólnie piękne marzenia, gdy trzymając się za ręce, spacerowali po skraju mokradeł, ukryci przed ludzkim spojrzeniem. Daniel opowiadał o cudach dalekiego świata, a Marina widziała je oczyma wyobraźni. Kiedy mówił o niezliczonych wspaniałościach, które zamierzał jej pokazać, Marina wierzyła jego słowom. Przez krótki czas oboje żyli w świecie fantazji. Ale rzeczywistość była tak nieunikniona, jak jej małżeństwo z Quiñonesem. Z nadejściem nowego dnia ich wyśniony świat miał lec w gruzach.

Marina wstrzymała oddech. Wiedziała, co za chwilę usłyszy – zakazane, jeszcze nie wypowiedziane słowa, które Daniel musiał teraz wyrzec.

– Ucieknij ze mną – poprosił. – Zostań moją żoną.

Fala miłości zalała ją niczym wody oceanu, lecz towarzyszyły jej ból, i żal, i lęk. Niczego pod słońcem nie pragnęła bardziej niż poślubić Daniela i podróżować po świecie u jego boku. Wiedziała jednak, jaką cenę przyjdzie jej zapłacić za tak samolubny czyn.

Odsunęła się od ukochanego, niechętnie opuszczając bezpieczne schronienie jego ramion. Czuła, że to, co musi mu powiedzieć, wymaga choćby niewielkiego dystansu.

– Nie mogę pójść za tobą, kochany Danielu. Mój ojciec jest dumnym i porywczym człowiekiem. Jego gniew nie znałby granic, gdybym mu się przeciwstawiła i okryła hańbą naszą rodzinę.

– Ale przecież byłabyś daleko stąd, Marino.

– Nie o siebie się boję. To matka poniosłaby karę za moje przewinienie. A on ukarałby ją surowo i dręczył do końca życia. Jak mogłabym być szczęśliwa z tobą, Danielu, mając świadomość, że ona cierpi?

– Miłość to wielka tajemnica i pojawia się, nie pytając o pozwolenie – mruknął, ujmując w dłonie jej twarz.

Pocałował ją znowu, tym razem namiętniej, a ciało dziewczyny zadrżało w odpowiedzi.

– Boże miłosierny... – powiedział ochryple, wiedząc, że zbliżają się do niebezpiecznej granicy. To by było takie łatwe. Na podłodze leżało dużo słomy. I nikt by się nie dowiedział. – Nie mogę – szepnął jej do ucha. – Nie pozwolę na to. Jeśli nie możemy zostać mężem i żoną, zadowolę się tylko pocałunkiem.

Gdy znowu przytulili się do siebie, w ciszy nocy dobiegły ich żałosne porykiwania uwięzionego w zagrodzie niedźwiedzia, który dzwonił łańcuchami, usiłując wyrwać się na wolność.

Marina jeszcze przez chwilę płakała cicho, a potem odsunęła się od Daniela. Patrzyła na niego, po raz ostatni sycąc oczy widokiem ukochanego.

– Muszę już iść. Ojciec mógłby nas tu przyłapać.

Wtedy on chwycił ją za ramiona i mówił w uniesieniu:

– Będę w domu Francisca Marqueza do jutra, lecz o północy muszę wyruszyć wraz z odpływem. Z całego serca i z całej duszy błagam cię, moja ukochana, żebyś znalazła w sobie siłę i przyszła do mnie. Jeśli się nie zjawisz, uznam, że taka jest wola boża i nie jest nam pisane być razem. A jeśli poślubisz Quiñonesa, życzę ci, żebyś żyła z nim długo i szczęśliwie. Nigdy cię nie zapomnę i nigdy nie pokocham innej tak jak ciebie, moja droga, najdroższa Marino.

☆

– Chodź tu szybko, mamo! Coś złego dzieje się z Mariną. To chyba jeden z jej ataków!

Carlotta nie musiała nic więcej dodawać. Angela wybiegła z kuchni, gdzie służba napełniała gąsiory winem dla gości, którzy właśnie zaczynali się schodzić. Ceremonia ślubna miała rozpocząć się za godzinę.

Wchodząc do pokoju Mariny, zobaczyła, że jej córka leży na wznak na łóżku i zanosi się szlochem. Nie włożyła jeszcze sukni ślubnej! Angela poleciła wyjść z sypialni wszystkim, włącznie z Carlottą, która przyszła, żeby pomóc Marinie ubrać się do ślubu. Potem uniosła córkę, trzymając ją za ramiona.

– Jesteś chora, moje dziecko? – zapytała łagodnie. – Mam przynieść laudanum?

– Nie jestem chora, mamo! Jestem nieszczęśliwa!

Angela otarła łzy z policzków dziewczyny.

– Ależ to powinna być najszczęśliwsza chwila w twoim życiu. Jak możesz płakać? Powiedz mi, co się stało, dziecko.

Marina padła w objęcia matki i przytulona do jej piersi wyrzuciła z siebie to, co leżało jej na sercu. Angela słuchała w osłupieniu. Marina zakochana w *Americano*? Kiedy mieli czas i okazję obdarzyć się uczuciem?

– Marino – rzekła surowym tonem, odsuwając od siebie córkę, i badawczo przyjrzała się jej twarzy, szukając oznak nieszczerości. – Powiedz mi prawdę, byłaś z nim sam na sam?

Marina zwiesiła głowę.

– Tak, w czasie sjesty, kiedy wszyscy spali.

– Byłaś sama z Amerykaninem?

– Ale on jest prawdziwym dżentelmenem, mamo! Tylko rozmawialiśmy. Cóż to były za cudowne rozmowy! – Słowa zaczęły płynąć z ust Mariny wartkim potokiem, tak szybko, że oniemiała Angela nie była w stanie jej przerwać. – Daniel nie jest handlarzem, jak inni jankesi, mamo, on jest odkrywcą. Podróżuje po świecie, ogląda niezwykłe cuda i zwiedza nowe, wspaniałe miejsca. Potem uwiecznia to wszystko na obrazach, chcąc upamiętnić ludzi, których spotyka. Opowiedział mi o miejscu, gdzie ludzie jeżdżą na ogromnych zwierzętach z garbami na grzbietach, i o krainie, której mieszkańcy budują domy ze śniegu.

– Ależ to nonsens, Marino.

– Och nie, mamo! To nie są krainy z baśni, ale prawdziwe miejsca. I chcę je zobaczyć. Och, jak bardzo chciałabym pojechać do Chin, do Indii, do Bostonu. Pragnę pić herbatę i kawę, nosić peleryny i turbany, tańczyć przy ognisku i jeździć saniami. Ty i ja, mamo, tylko w i d z i a ł y ś m y śnieg w oddali, na szczytach gór. A Daniel c h o d z i ł po nim i spał pośród zasp.

Marina chwyciła ręce matki i trzymała je w swych rozpalonych dłoniach.

– Daniel opisywał budynki tak wysokie, że ich szczyty giną w chmurach, kościoły wielkie jak miasta i pałace o stu komnatach! Chodził drogami, które zbudowano dwa tysiące lat temu, i opowiadał, że nad rzeką o nazwie Nil stoją olbrzymie kamienne lwy . wzniesione przez mityczne istoty u zarania dziejów.

Angela nie pojmowała nawet połowy z tego, co mówiła jej córka, lecz słowa nie miały znaczenia. Zadziwiło ją natomiast światło w oczach Mariny, blask młodości i nadziei, tęsknota za wiedzą i nowymi wrażeniami. Światła tego Angela nigdy nie dostrzegła we własnych oczach, gdy patrzyła w lustro, ani w oczach żadnego z pozostałych dzieci.

I wtedy poraziła ją okrutna prawda ukryta w słowach dziewczyny – *Americano* chciał zabrać Marinę daleko stąd!

– A cóż takiego jest w tych dalekich krainach, czego nie mamy tutaj?

– Mamo, kiedy patrzysz na horyzont, czy nie ciekawi cię, co leży poza nim?

Angela nagle poczuła wściekłość na Goodside'a za to, że nakładł głupstw do głowy jej córki.

– Za horyzontem nie ma nic. Istnieje tylko tutaj, ten świat, nasz świat. To, co jest poza nim, należy do innych, nie do nas. Nasze serca są związane z tym miejscem i tu pragnie pozostać na zawsze nasza dusza.

– T w o j a dusza, mamo, nie moja.

Słowa Mariny spadły na nią niczym cios i pomyślała: „Czyżbym była jedyną, która słyszy poezję w szepcie wiatru pośród gałęzi drzew? Czyżby tylko moje serce znało odzew na wołanie szybującego pod niebem jastrzębia o czerwonym ogonie? Czyżbym była jedyną, która nie lęka się trzęsień ziemi, bowiem wyobraża sobie, że to tylko sędziwy, zaspany olbrzym przewraca się w swym łożu na drugi bok?".

– Spójrz, mamo – powiedziała Marina, opadając na kolana, by wyciągnąć spod łóżka drewnianą skrzynkę. Wyjęła z niej wielkie arkusze grubego papieru, na których widniały kolorowe obrazy. – To są akwarele. Popatrz, jakie piękno tworzy Daniel.

Angela była oczarowana. W swych malowidłach Amerykanin zdołał uchwycić nie tylko krajobraz Kalifornii, lecz także jej atmosferę. Oglądając pejzaż za pejzażem, wdychała woń upalnego lata, słyszała brzęczenie owadów, czuła w ustach suchość powietrza. Namalował też parę przepiórek, które pochylały ku sobie główki ze sterczącymi czubkami piór. I jeszcze spokojne, błękitne wody Pacyfiku, z białymi żaglami na horyzoncie. „To subtelne obrazy – pomyślała – stworzone przez serce, które potrafi kochać".

– Daniel mówi, że takiego światła jak w Kalifornii nie ma nigdzie na świecie. Twierdzi, że jest ostrzejsze i czystsze, a barwy bardziej wyraziste. – Marina westchnęła, po czym dodała cicho: – Mój Daniel jest artystą.

Angela spojrzała na nią ze zdumieniem. Mój Daniel? Na zewnątrz muzycy zaczęli stroić instrumenty, a gwar głosów stawał się coraz głośniejszy, w miarę jak przybywali kolejni goście. Angelę ogarnęło nagle złowrogie przeczucie.

– Ale pomyśl o Pablu. Przecież to miły chłopiec. Będzie ci przy nim dobrze. – Mówiąc to, usłyszała w swoim głosie nutę paniki i uświadomiła sobie, że serce wali jej jak oszalałe. Gdyby Navarro się dowiedział…

Marina opuściła głowę.

– Tak, mamo, wiem. Wyjdę za Pabla.

– Poślubisz go? Po tym wszystkim?

Dziewczyna podniosła na nią oczy pełne łez.

– Poślubię Pabla, ponieważ złożyłam obietnicę. Nie okryję cię hańbą, mamo.

– Ale... nie będziesz szczęśliwa.

Marina znowu zwiesiła głowę.

– Moje serce będzie zawsze należeć do Daniela. Ale Pablo jest zacnym człowiekiem i postaram się być mu dobrą żoną.

Angela patrzyła na opuszczoną głowę córki i nie mogła wyjść ze zdumienia, że tak piękny i silny duch mógł być owocem jej związku z Navarrem.

– W takim razie musisz się ubrać, zanim ludzie zaczną się dziwić.

Kiedy Angela odsuwała na bok pudełko z przyborami do szycia, które przyniesiono, by dokonać ostatnich poprawek w sukni ślubnej, nagle powróciły do niej dawne wspomnienia – matka pakująca się przed ich podróżą do Hiszpanii i jej rozpacz, gdy okazało się, że nie mogą jechać. Rozważając to teraz, Angela doszła do wniosku, że doña Luisa zaplanowała wyjazd nie tylko z myślą o sobie. Wtedy, mając szesnaście lat i żyjąc we własnym świecie, Angela sądziła, że wybierają się w podróż ze względu na matkę. Ale czyż matka nie powiedziała jej: „Chcę, żebyś miała lepsze życie?". A potem Luisa stawała się coraz cichsza, tak jakby jej dusza kurczyła się, niczym dogasający płomyk świecy.

I wtem przyszła jej do głowy porażająca myśl, że matka wcale nie zamierzała wrócić z Hiszpanii. A przecież opuszczenie męża było pogwałceniem prawa ludzkiego i kościelnego. Luisę, tak pobożną kobietę, czekałaby ekskomunika. A może nawet więzienie. „Robiła to dla mnie".

Potem napłynął kolejny obraz z przeszłości – Navarro szydzący z imienia, które wybrała dla córeczki: „Marina? Chcesz nazwać córkę jak flotę statków?".

Ale dla Angeli imię to znaczyło wiele więcej. Wiązało się z oceanem, z morzem... przywoływało obrazy morskich stworzeń pływających swobodnie pośród odmętów. Cóż za ironia, że Marina zakochała się w żeglarzu! Być może więc sen był proroczy.

Wciąż wpatrywała się w zwieszoną głowę córki i ramiona opuszczone na znak rezygnacji. Tak samo wyglądał tamten stary

Indianin, kiedy odchodził, prowadzony przez franciszkanina. A zza otwartych okiennic, zmieszane z dźwiękami muzyki i śmiechem gości, dobiegały krzyki niedźwiedzia, sprowadzonego tu wbrew własnej woli, który ryczał żałośnie w swej zagrodzie, tęskniąc za wolnością.

– Czy ten Daniel – zapytała, czując, że serce pęka jej na pół – jest protestantem?

Marina podniosła głowę, a w jej oczach znowu rozbłysło światło.

– On jest dobrym i pobożnym człowiekiem. Chce szerzyć słowo boże pośród ludzi, którzy nigdy nie słyszeli o Jezusie Chrystusie. Ale... Dlaczego o to pytasz?

Angela słuchała odgłosów wesołej zabawy napływających przez otwarte okno, chłonęła ciepło słodkiego, balsamicznego wieczoru, wiedząc, że każdy najmniejszy szczegół tej chwili utkwi jej w pamięci na długie lata: fałszywą nuta muzykanta, wybuch petardy, tubalny śmiech ojca Pabla i błysk świecy w oku świętej Teresy, której mały wizerunek wisiał na ścianie.

– Nie możesz jechać do miasta – powiedziała w końcu. – Musisz ustalić miejsce spotkania z Danielem.

Marina spojrzała na nią w zdumieniu.

– O czym ty mówisz?

– Gdzie jest teraz Daniel Goodside? Czy możesz przesłać mu wiadomość, zanim wypłynie o północy?

– Nie wyjadę z nim – oświadczyła stanowczo Marina, choć do oczu napłynęły jej łzy i zaczęły ściekać po policzkach, a głos załamywał się od powstrzymywanego szlochu.

Angela schwyciła ją mocno za ramiona.

– Dziecko, otrzymałaś rzadki i piękny dar. Niewielu z nas jest dane przeżyć prawdziwą miłość, nie masz więc prawa wypuścić z rąk takiej szansy.

Możliwe, że gdzieś na dnie jej serca także tlił się podobny żar namiętności, lecz do tej pory nie zjawił się mężczyzna który rozniećiłby z niego płomień i zapewne nigdy już nie miał się pojawić. Ale Marina musiała wykorzystać swą szansę i poznać smak głębokiej, nieprzemijającej miłości.

Marina odwróciła oczy.

– Nie pójdę do niego – oświadczyła cicho.

– Ale dlaczego? Jeśli pozwolisz Danielowi odpłynąć, będziesz nieszczęśliwa, to pewne.

Marina popatrzyła na matkę w napięciu, a Angela dostrzegła w jej oczach lęk i żal.

– O co chodzi, dziecko? Dlaczego nie chcesz mi powiedzieć?

– Nie mogę cię opuścić, mamo.

Angela spojrzała na nią pytająco.

– Myślę o ojcu – wyjaśniła Marina. – Nie mogę cię z nim zostawić.

Angela zakryła twarz dłońmi.

– Co ty opowiadasz, córko?

– Ja wszystko wiem, mamo. O tobie i o ojcu. Wiem, jak on cię traktuje.

– Sama nie wiesz, co mówisz! – Angela poczuła ból tak dojmujący, jakby jej ciało rozdzierało się na pół. „Boże drogi, nie możesz przecież na to pozwolić. Moja tajemnica na zawsze musi pozostać tajemnicą!".

Z oczu córki wyczytała jednak straszliwą prawdę. Marina wiedziała o okrucieństwach Navarra. Być może inne dzieci także. Owładnięta nagłym uczuciem wstydu i upokorzenia, Angela złapała się za brzuch i odwróciła głowę.

– Mamo… – Marina położyła dłoń na jej ramieniu.

Kiedy Angela znów spojrzała na córkę, jej twarz była blada, głowa uniesiona, a w głębi oczu kryło się stłumione cierpienie, które przez lata nauczyła się dobrze maskować.

– Tym bardziej więc powinnaś jechać… – mówiła, przełykając łzy. – Całe cierpienie, którego doznałam od chwili, gdy wyszłam za twego ojca, stanie się tysiąc razy cięższe do zniesienia, jeśli postanowisz zostać. Będę w stanie z nim żyć tylko wówczas, gdy wyjedziesz z mężczyzną, którego kochasz.

Marina padła matce w ramiona i obydwie zaczęły płakać cichutko, choć ściany były grube na metr i nikt nie mógł ich usłyszeć. Wylewały łzy i tuliły się do siebie, wiedząc, że robią to po raz ostatni. Potem Angela zapytała:

– Czy możesz jakoś powiadomić Daniela, że chcesz się z nim spotkać?

– On jest teraz u Francisca Marqueza. Powiedział, że będzie czekał na wiadomość ode mnie, ale o północy musi wypłynąć.

– W takim razie musimy się spieszyć. Nie ma zbyt dużo czasu.

Podeszła do drzwi prowadzących na kolumnadę i wyjrzała na zewnątrz. Tak jak miała nadzieję, Carlotta czekała nieopodal, przechadzając się nerwowo. Angela przywołała ją gestem do środka, zamknęła drzwi i pokrótce wyjaśniła, co się stało.

– *Santa Maria!* – wyszeptała Carlotta, spoglądając na swą młodszą siostrę z zaskoczeniem i niekłamanym podziwem.

– Chciałabym, żebyś znalazła kogoś, kto zaniósłby wiadomość do domu Francisca Marqueza – powiedziała Angela, podchodząc do sekretarzyka Mariny i wyjmując przybory do pisania. – Najważniejsze, żeby list został dostarczony przed północą. – Złożyła kartkę papieru, zapieczętowała ją i wręczyła Carlotcie. – Komu możemy zaufać?

Carlotta, porwana romantyzmem chwili i całej intrygi, uśmiechnęła się z podekscytowaniem.

– Nikt nie nadaje się do tego lepiej niż mój drogi małżonek, Jacques! – odparła. – Jest pierwszy do przekazywania sekretnych listów miłosnych i ostatni do tego, by zdradzić tajemnicę!

– Więc pospiesz się i uważaj, żeby nikt cię nie widział. Kiedy D'Arcy wyruszy z listem, powiedz wszystkim, że Marinę boli głowa i że ceremonia się opóźni.

Po wyjściu Carlotty Angela wróciła do sekretarzyka.

– Znam pewną jaskinię, w której możesz spotkać się z Danielem. – Pospiesznie nakreśliła mapkę. – Grota ta znajduje się w wąwozie, obok głazów pokrytych takimi oto rytami. – Podała kartkę Marinie.

Dziewczyna popatrzyła na rysunek zdumiona.

289

– Skąd znasz to miejsce, matko?

– Poszłam tam przed laty, kiedy dręczył mnie lęk, tak jak ciebie teraz. Chyba… byłam tam też wcześniej, chociaż tego nie pamiętam. Obawiam się, że nie mogę dać ci żadnych pieniędzy, ale musisz zabrać to. – Sięgnęła do kieszeni ukrytej w fałdach spódnicy. – Twoja babka, niech spoczywa w pokoju, dała mi to w noc swej śmierci. Powiedziała, że to wyjątkowy przedmiot, talizman na szczęście… – Angela umilkła.

Tamtej nocy, tuż przed śmiercią, doña Luisa mówiła dziwne rzeczy. Wydawało się, że męczą ją wyrzuty sumienia, że żałuje za jakieś winy, których Angela nie pojmowała. Czyżby miało to związek z osobliwymi snami, które nawiedzały Angelę przez całe życie, gdy śniła o jaskini pokrytej tajemniczym malowidłem i o dzikim mężczyźnie schodzącym z gór i ginącym od strzału? Czy to wydarzyło się naprawdę, czy też było wytworem dziecięcej wyobraźni, echem zasłyszanych opowieści?

Angela zacisnęła palce Mariny na amulecie.

– Idź już. Tam możesz bezpiecznie poczekać na przybycie Daniela.

Matka i córka szybko się uściskały, obcierając łzy z policzków, lecz gdy Marina zapinała pelerynę i sięgała po rękawiczki, drzwi otwarły się gwałtownie i stanął w nich Navarro, niczym gniewny bóg.

– Co się dzieje? – zapytał. – Słyszałem, jak Carlotta mówiła D'Arcy'emu, że coś jest nie w porządku z Mariną. – Wtedy zauważył pelerynę i torbę podróżną. – Postradałaś zmysły, dziewczyno? – zagrzmiał.

– Ona nie wyjdzie za Quiñonesa – oświadczyła Angela.

– Milcz, kobieto. Z tobą rozprawię się później. – Następnie zwrócił się do Mariny: – Wkładaj suknię ślubną.

– Nie mogę, papo.

– *Dios mio*, nie tak cię chyba wychowałem!

– Nie wychowywałeś jej – powiedziała Angela. – To ja ją wychowałam. I ja pozwalam jej odejść.

Zamierzył się na nią tak szybko, że Angela nie zdążyła nawet zauważyć, kiedy znalazła się niemal w drugim końcu pokoju, powalona potworną siłą jego ciosu. Potem ruszył do Mariny.

Angela z trudem podniosła się z podłogi i potrząsnęła głową, żeby oprzytomnieć, a wtedy wzrok jej padł na nożyce pozostawione przez krawcową na toaletce. Przebiegła przez pokój jak błyskawica. Po chwili trzymała w dłoniach ostrza, które uniosły się w powietrzu do góry i utkwiły głęboko w plecach Navarra.

Ryknął niczym niedźwiedź grizzly, odwrócił się powoli i spojrzał na Angelę z wyrazem szczerego zdziwienia w oczach. Po czym runął na wznak, twarzą do podłogi, nieruchomy i milczący.

Dwie kobiety przyglądały mu się przez moment, a potem Marina uklękła i położyła dłoń na szyi ojca. Podniosła na matkę wielkie, przerażone oczy.

– Nie żyje – szepnęła.

Uklęknąwszy obok niej, Angela bez słowa przeszukała kieszenie Navarra. Znalazła garść monet i wrzuciła je do torby, którą wcisnęła córce w ręce.

– Idź już. Pospiesz się. Uważaj, żeby nikt cię nie zobaczył. Kiedy Quiñones dowie się o wszystkim, będzie cię ścigać.

– Ale mamo…

Angela popchnęła córkę ku drzwiom prowadzącym na wewnętrzny dziedziniec, przez który Marina mogła przemknąć się niezauważona.

– Idź, nie możesz dać się złapać. – I ze łzami w oczach dodała:
– Nie wolno ci tu wrócić. Nigdy. Skoro wybrałaś tę drogę, musisz podążać nią do końca. Twoi bracia i Quiñonesowie będą zapewne twierdzić, że znieważyłaś obie nasze rodziny. Ja jednak uważam, że gorszą rzeczą jest znieważyć własne serce. Kiedy już będziesz bezpieczna, wyślij wiadomość Carlotcie do Meksyku, a ona znajdzie jakiś sposób, żeby mi ją przekazać. Ale miejsce twojego pobytu musi pozostać tajemnicą jeszcze przez długi czas. Idź już. Idź z Bogiem i moim błogosławieństwem.

Marina przystanęła na chwilę, patrząc, jak matka przysuwa krzesło do ciała Navarra.

– A ty? Co teraz zrobisz?

– Poczekam tu, dopóki nie upewnię się, że jesteś bezpieczna – odparła Angela. Potem usiadła i złożyła dłonie na podołku.

☆

Marina pędziła jak wicher, prowadzona blaskiem księżyca w pełni, a serce dudniło jej w rytmie galopujących kopyt konia. Gorączkowo modliła się, by Daniel otrzymał wiadomość i przybył po nią do jaskini.

Jej ojciec martwy, na podłodze! I mama, na krześle, ponuro czekająca, aż wypełni się jej los.

Dotarłszy do końca El Camino Viejo, szła dalej zgodnie z instrukcjami matki, aż znalazła mały kanion i jaskinię ukrytą za stosem głazów. Weszła do środka, usiadła przy wejściu oświetlonym nieziemską poświatą księżyca i, w oczekiwaniu na Daniela, zaczęła liczyć pieniądze. Były to monety z kieszeni ojca – pesos, reale i amerykańska jednocentówka. Dłonie drżały jej ze strachu, a serce podskakiwało na każdy dochodzący z zewnątrz dźwięk. Po wąwozie hulał zimny wiatr i wpadał do jaskini niczym lodowaty oddech upiora.

Robiło się późno, a lęk Mariny narastał. Która mogła być godzina? Czy D'Arcy zdołał dotrzeć do domu Marqueza? A może go zatrzymano?

Wtem dobiegł ją chrzęst kopyt na kamieniach.

Marina wstrzymała oddech.

Jeździec zsiadł z konia.

Wstała, pospiesznie wkładając pieniądze z powrotem do torebki, a wówczas jedna z monet i amulet spadły na ziemię.

– Daniel? – zawołała. – Czy to ty?

Rozdział trzynasty

Wokół panowała nieprzenikniona ciemność.

Erica usiłowała przypomnieć sobie, gdzie jest, i ocenić sytuację. W głowie miała dziwny zamęt, a na piersi czuła ciężar, który utrudniał jej oddychanie. Bolały ją dłonie.

Po chwili uświadomiła sobie, że leży na gołej ziemi. I wtedy wszystko jej się przypomniało: była w jaskini. Nastąpił wybuch i skały się zawaliły. Luke pogrzebany pod gruzami. A ona szaleńczo próbowała przekopać się na zewnątrz. Dlatego miała obolałe ręce. Poraniła i pokaleczyła sobie palce. Od jak dawna tu leży, nieprzytomna? Powietrze było niepokojąco rozrzedzone. Ile tlenu jeszcze zostało? Gdzie są ratownicy, którzy na pewno przebijali się już przez skalne złomowisko?

Chciała usiąść, ale okazało się, że jest zbyt osłabiona. Opadła więc z powrotem na plecy, wdychając woń wciskającego się w nozdrza pyłu.

– Pomocy... – szepnęła. Nie starczyło jej tchu w płucach, by krzyczeć.

Nagle zobaczyła, że stoi nad nią postać o zaciśniętych ustach i grozi jej palcem. Była to pani Manion, która uczyła Ericę w czwartej klasie podstawówki. Skąd wzięła się w jaskini? „Chyba mam halucynacje. A może całe życie przemknie mi zaraz przed oczami? Ale to chyba przytrafia się tylko tonącym". Do nauczycielki dołączyły jeszcze inne osoby z przeszłości, ludzie prawdziwi i wymyśleni. Wszyscy usiłowali jej coś powiedzieć.

A potem zemdlała.

☆

Ponownie odzyskawszy przytomność, zaczęła uważnie nasłuchiwać. Wokół panowała grobowa cisza. Czyżby nikt nie próbował jej uratować? Czyżby dali za wygraną?

Przed jej oczami zmaterializowały się kolejne postacie, upiorne, przyzywające.

– Nie… – wyszeptała, sądząc, że przybyły po to, by poprowadzić ją do krainy umarłych. A może chciały zabrać ją gdzieś indziej? W przeszłość…

„Nazywał się Chip Masters i był jednym z łobuzów ze szkoły średniej w Reseda. Kiedy zaprosił Ericę, jej koleżankę i jeszcze kilka innych dzieciaków na przejażdżkę nowym samochodem swojego ojca, jak mogła się oprzeć? W wieku szesnastu lat Erica buntowała się przeciw surowym regułom domu opieki dla dziewcząt, w którym ją wówczas umieszczono. Chip natomiast uosabiał tajemnicę i przygodę.

W samochodzie było piwo. Chociaż nie lubiła jego smaku, wypiła trochę, żeby dopasować się do towarzystwa. Prowadzili na zmianę, mijając Venturę, White Oak, Sherman Way. Potem wjechali na autostradę. Zjazd był w Studio City. A gdy Erica usiadła za kierownicą, ruszył za nimi wóz policyjny na sygnale i kazał jej się zatrzymać. Erica wpadła w panikę. Nie miała prawa jazdy. Reszta dzieciaków błyskawicznie wyskoczyła z samochodu i uciekła, zostawiając w środku przerażoną Ericę.

Na komisariacie usiłowała przekonać gliniarzy, że nie miała pojęcia, iż wóz był skradziony. Skąd więc miała kluczyki? Czyj to był samochód, jej zdaniem? Kim byli jej towarzysze, którzy uciekli, gdy zjechała na pobocze? Ale z rodzin zastępczych i domów opieki Erica wyniosła kodeks honorowy nastolatków, który surowo zabraniał donoszenia na przyjaciół.

294

Została oskarżona o kradzież samochodu i osadzona w areszcie dla nieletnich do czasu przesłuchania. Tam spotkała młodych twardzieli, którzy opowiadali jej przerażające historie o zakładach wychowawczych dla młodzieży. «Jesteś ładna i biała – mówili. – Lepiej uważaj, idąc do łazienki».

Przesłuchanie nie było dla Eriki niczym nowym. Jako nieletnia, pozostająca pod kuratelą państwa, musiała stawiać się u kuratora zawsze, gdy jej status miał ulec zmianie. Tyle że tym razem znalazła się w prawdziwym sądzie dla nieletnich, i gdyby skazano ją na pobyt w zakładzie wychowawczym, miałaby «przerąbane», jak ostrzegały dzieciaki w areszcie.

Był wrzesień, najgorsza pora w dolinie San Fernando, kiedy upał i smog sięgały szczytu. Erica czuła się przerażona i przygnębiona bardziej niż kiedykolwiek. Chip Masters i reszta nie przyszli jej z pomocą, a na domiar złego kobieta prowadząca dom opieki oświadczyła, że nie zamierza tolerować chuligaństwa, i odmówiła wystawienia Erice pozytywnej opinii. Dziewczyna była więc tak samotna jak nigdy przedtem. W dodatku groził jej surowy wyrok, kraty w oknach i drut kolczasty.

Erica czekała właśnie na korytarzu Sądu Najwyższego na rozpoczęcie przesłuchania. Miało ono zdecydować, czy powinna zostać osądzona jako nieletnia czy jako dorosła. Obok przebiegł jakiś dzieciak i wytrącił starszej pani torebkę z ręki. Świadkowie zdarzenia pospieszyli kobiecie z pomocą, pomogli wstać i zaprowadzili do windy. Siedząca na ławce Erica zauważyła, że portmonetka, która wypadła z torebki, leży pod krzesłem. Podniosła ją, spojrzała na zawartość, po czym podbiegła do staruszki i dopadła jej w chwili, gdy drzwi windy właśnie miały się zamknąć.

Wynik przesłuchania był fatalny. Sędzia uznał, że Erica jest cwana i dojrzała, a zatem należy ją osądzić jak osobę dorosłą. Kiedy opiekunka społeczna wyprowadzała ją z sali sądowej, Erica nagle poczuła mdłości. Poszła do toalety, a opiekunka pozostała na korytarzu. I właśnie tam, w wyłożonej białymi kafelkami łazience pachnącej środkiem dezynfekującym, gdy Erica zalewała się łzami, sądząc, że oto życie jej dobiegło kresu – skoro bowiem nikt nie uwierzył w jej zeznanie, z pewnością czeka ją kara więzienia za ciężkie przestępstwo – pojawiła się dobrze ubrana pani z teczką i zapytała, co się stało. Erica ze ściśniętym gardłem opowiedziała całą historię, a kobieta ku jej zdumieniu oświadczyła, że może pomóc. «Widziałam dziś rano, jak oddałaś pieniądze tej kobiecie. Mogłaś je przecież zachować. Nikt cię nie widział. Nie zauważyłaś mnie, bo stałam za stoiskiem z gazetami. Taka postawa świadczy o twoim charakterze. Dziewczyna, która oddaje portmonetkę pełną pieniędzy, nie jest zdolna ukraść samochodu».

Okazało się, że kobieta jest prawnikiem i pozostaje w przyjaznych stosunkach z sędzią. Zabrała Ericę z powrotem do sali sądowej i wyjaśniła, że nieletnia otrzymała obrońcę z urzędu, a zatem nie była reprezentowana zgodnie z literą prawa. Poprosiła, by mianowano ją opiekunem na czas sprawy, i zażądała natychmiastowego przesłuchania dziewczyny. Sędzia spojrzał na Ericę i powiedział:

– Ta pani chce się tobą zająć. Czy to ci odpowiada?

– Tak.

– W takim razie uchylam swoje poprzednie orzeczenie, mianuję panią opiekunem na czas sprawy i odsyłam akta do sądu dla nieletnich. To twoja ostatnia szansa, młoda damo. Mam nadzieję, że zdajesz sobie sprawę, jakie masz szczęście".

☆

Oprzytomniała znowu i zaczęła wsłuchiwać się w niesamowitą ciszę. Czyżby ratownicy dali za wygraną? Czy sądzą, że zginęła, przygnieciona rumowiskiem skał? Nagle poczuła, że trzyma w dłoni coś twardego, przypominającego kamień. Skąd się wziął i dlaczego ściska go tak kurczowo?

A potem coś usłyszała… Hałas! Łomot. Kopanie. Stłumione głosy.

– Tak… – szept dobył się z jej wyschniętego gardła. – Jestem tutaj… nie przestawajcie kopać…

– Pospieszcie się! – krzyknął Jared. – Szybko! Kończy jej się powietrze!

Erica była uwięziona w jaskini od blisko ośmiu godzin.

Ratownicy gorączkowo odgarniali zwały ziemi i gruzu tarasujące wejście do jaskini. W ruch poszły szpadle, wiadra, kielnie, a nawet gołe ręce. Obok stali sanitariusze.

– Czekajcie! – powiedział nagle Jared, uniesioną dłonią uciszając wszystkich. – Chyba coś słyszałem...

Z drugiej strony rumowiska dobiegało stłumione wołanie:

– Halo! Czy ktoś mnie słyszy?

– To Erica! Żyje! Kopcie dalej!

W końcu w zwałach ziemi ukazał się mały otwór.

– Widzicie mnie? Jared, czy to ty? – wołała Erica słabym głosem.

Jared przypadł do szczeliny i zaczął kopać szaleńczo, aż powstał otwór na tyle duży, że zdołał wyciągnąć przezeń Ericę i pomógł jej wstać. Była roztrzęsiona i uwalana ziemią.

– Co z Lukiem? Czy coś mu się stało?

– Nic mu nie jest. Zdążył wybiec, zanim wejście się zawaliło. Ale co z tobą? Wszystko w porządku, Erico?

– Tak, tak – potwierdziła wątłym głosem. Potem otworzyła dłoń i ze zdziwieniem spojrzała na małą różową figurkę, którą cały czas ściskała w palcach. – Usiłowałam dokopać się do wyjścia... Nie wiem, na którym to było poziomie... Czy to aztecki posążek? Jak to możliwe, że zawędrował aż tak daleko na północ...

Wtem usta Jareda przywarły do jej warg w mocnym i namiętnym pocałunku.

Erica objęła go, lecz po chwili nogi się pod nią ugięły.

– Na pewno nic ci nie jest? – powtórzył.

– Och nie. Czuję się świetnie – odparła.

I straciła przytomność.

Rozdział czternasty

ANGELIQUE
1850 rok

Wystawili kobiety na licytację. Znowu.

Seth Hopkins uważał to za odrażającą praktykę. W Kalifornii niewolnictwo było rzekomo nielegalne, lecz władze San Francisco nie mogły interweniować, ponieważ kapitanowie statków mieli prawo żądać nieuiszczonej zapłaty za bilet, nawet jeśli oznaczało to sprzedaż pasażerek tym, którzy oferują najwyższą cenę.

Seth miał wrażenie, że liczba statków porzuconych w zatoce powiększyła się znacznie od czasu, gdy był tu po raz ostatni. Po wpłynięciu do portu kapitan i załoga natychmiast opuszczali łódź, ruszając na poszukiwanie złota. Kilku przedsiębiorczych ludzi wciągnęło na brzeg parę kliperów i urządziło w nich hotele, ale las masztów około pięciuset porzuconych statków nadal sięgał aż do połowy zatoki San Francisco. Dlatego właśnie „Betsy Lain" musiała zarzucić kotwicę tak daleko, a ładunek i pasażerów trzeba było dowieźć na brzeg szalupami. Seth przerwał na chwilę ładowanie swego furgonu, by popatrzeć na mężczyzn, którzy rzucili się do pomostu wyładunkowego „Betsy Lain". Rozeszła się bowiem pogłoska, że na pokładzie klipera z Bostonu są k o b i e t y.

Po przejściu przez kontrolę celną niektóre natychmiast odchodziły; Seth wiedział, że wiele z nich przypłynęło, by odnaleźć swych mężów, którzy porzucili rodziny ogarnięci gorączką złota. Pozostałe, nie zapłaciwszy za bilet, miały stać się własnością każdego, kto postanowił spłacić ich dług. W ten sposób nieszczęsne kobiety trafiały do prawnie usankcjonowanej niewoli.

Kobiety, podobnie jak mężczyźni, przybywały do Kalifornii z całego świata w nadziei na lepsze życie. Niektóre uciekały tu przed swymi mężami, inne pragnęły znaleźć sobie małżonków. Jedne przyjeżdżały, by się zatracić, inne zaś, by się odnaleźć. W Kalifornii wszystko było możliwe. Niewyczerpane zasoby naturalne, bezkresne połacie ziemi i góry złota w zasięgu ręki. A co najważniejsze, żadne reguły nie ograniczały tu człowieka do jego warstwy społecznej. Tutaj chłop był równy królowi, jeśli tylko miał pieniądze. I nikt nie zadawał pytań. „Nawet były skazaniec – pomyślał posępnie Seth – może pozbyć się swego piętna".

Seth patrzył z odrazą, jak kobiety podróżujące na „Betsy Lain" zapędzono niczym bydło na odgrodzony linami fragment nadbrzeża, gdzie stały teraz pośród beli materiałów, bagaży i skrzynek, podczas gdy coraz większa gromada mężczyzn tłoczyła się wokół, niecierpliwie wyczekując rozpoczęcia licytacji. Wielu z nich było właścicielami burdeli, tancbud i domów hazardu. Ci wybierali najmłodsze i najładniejsze kobiety, by zmuszać je do prostytucji, póki nie spłacą swego długu. W tłumie znaleźli się także przyzwoici, ciężko pracujący mężczyźni, traperzy i górnicy, którym doskwierała samotność i tęsknota za kojącym kobiecym dotykiem. Ci oferowali uczciwe małżeństwo.

Seth Hopkins, liczący sobie trzydzieści dwa lata, jeszcze się nie ożenił i nie miał zamiaru tego robić. Doświadczenie nauczyło go, że stan małżeński jest po prostu jedną z form zniewolenia. Jego powołaniem było samotne życie pośród drzew i zielonych pastwisk, jak najdalej od kopalń węgla w Wirginii.

Odwrócił się i zaczął mocować linami zapasy spiętrzone z tyłu furgonu. Nie lubił zamętu panującego w porcie San Francisco – wyładowywane ze statków świnie kwiczały donośnie, bydło porykiwało, psy szczekały, skrzypiały przejeżdżające powozy i furgony, ludzie krzyczeli, kłócili się i targowali, a konie, głośno stukając kopytami, zostawiały odchody gdzie popadnie. W powietrzu unosił się dym oraz odór stęchłej wody i zgniłych ryb, spotęgowany jeszcze upałem letniego południa. Seth nie mógł się doczekać powrotu do obozu w górach. Tam powietrze jest świeże i czyste, a człowiek słyszy własne myśli.

Kapitan klipera – niski, krępy mężczyzna w niebieskim mundurze marynarza – wspiął się na skrzynkę i rozpoczął licytację. Wskazał pierwszą z brzegu kobietę, przysadzistą panią po czterdziestce o zagniewanej, a jednocześnie przestraszonej minie.

– Ta jest winna pięćdziesiąt dolarów. Kto da tyle?

– Czy ona potrafi gotować? Potrzebuję kucharki! – zawołała jakaś niewiasta, w której Seth rozpoznał panią Armitage, właścicielkę hotelu Armitage na Market Street.

– Macie jakieś krawcowe? – pytała inna kobieta. – Zapłacę każdą cenę za taką, co umie obchodzić się z igłą!

Podjechał ciągnięty przez konia wózek i grupka dwunastu kolorowo odzianych kobiet, które stały dotychczas z boku, radośnie wspięła się do pojazdu. Seth wiedział, że jadą do burdelu mieszczącego się na piętrze Klubu Fandango, którego właścicielem jest niejaki Finch.

Przez tłum przepchał się posiwiały mężczyzna o steranym wyglądzie poszukiwacza złota.

– Ile za tę blondynkę? – zapytał. – Potrzebuję żony i to zaraz! – Tłum ryknął śmiechem.

Kobiet zaczęło szybko ubywać, w miarę jak mężczyźni oferowali swe sumy, a pieniądze przechodziły z rąk do rąk. Niektóre oddalały się chętnie, inne stawiały opór, kilka nawet płakało. Seth miał właśnie wskoczyć na swój furgon, gdy jego wzrok padł na kobietę, która różniła się od pozostałych. Nie chcąc uczestniczyć w licytacji, siedziała na swym wielkim kufrze sztywno wyprostowana, z dłońmi złożonymi na kolanach. Jej twarz zasłaniało rondo dużego, ozdobionego piórami czepka, zawiązanego pod brodą na kokardę. Uwagę Setha przykuła jednak jej suknia. Nigdy dotąd nie widział jedwabiu o takim kolorze, a raczej kolorach, ponieważ materiał połyskiwał i mienił się barwami za każdym razem, kiedy kobieta poruszyła się lub gdy powiew bryzy znad morza marszczył tkaninę. Z każdym jej oddechem gorset z zieleni morskiej przechodził w turkus, a kiedy wstała, materiał spódnicy zmienił barwę z akwamaryny na szafirowy błękit. Sethowi przypominało to pawie pióra, skrzydła motyla lub powierzchnię morskiej zatoczki w letni dzień. Efekt był hipnotyzujący.

Zauważył, że kobieta próbuje wyjaśnić coś spokojnie kasjerowi ze statku, a gdy wiatr powiał mocniej, Seth usłyszał słowa wypowiedziane z silnym hiszpańskim akcentem.

– Powiedziałam przecież, że señor Boggs zapłaci za mój bilet.

Kasjer, człowiek o czerwonej twarzy i ponurym, skwaszonym spojrzeniu, obrzucił wzrokiem tłum.

– Nie widzę tu Boggsa. Pewnie wyjechał. Przykro mi, moja pani, ale muszę dostać tę forsę. Będę musiał oddać panią jednemu z tych mężczyzn.

– Co to znaczy „oddać"?

– Ten, który zechce zapłacić za pani bilet, będzie mógł panią zabrać. Stanie się pani jego własnością, dopóki nie odpracuje pani długu.

Podniosła dumnie głowę, a Seth ujrzał błysk w jej ciemnych oczach.

– Nie należę do tego rodzaju kobiet, señor, i gdyby żył mój mąż, wyzwałby pana na pojedynek w obronie mojej czci.

Na kasjerze nie zrobiło to większego wrażenia.

– Takie reguły panują w żegludze, moja pani. Od każdego pasażera muszę uzyskać pełną opłatę. Skąd pochodzą pieniądze – to już nie moje zmartwienie. A do księgi coś wpisać trzeba.

– W takim razie zapłaci za mnie ojciec!

Kasjer zmarszczył nos.

– A gdzie on jest?

– No… jeszcze nie wiem. Ale jest tutaj.

– Gdzie?

– W Kalifornii.

Mężczyzna wydał pomruk zniecierpliwienia.

– Słuchaj pani, Boggsa nie ma, więc ktoś spośród nich musi mi zapłacić. Takie są reguły. – Złapał ją za ramię.

– Nie może pan tego zrobić, señor!

– Nie widzę tu Boggsa i nie mam czasu. W południe muszę dostarczyć rachunki do biura.

– Proszę zabrać ode mnie ręce!

Kasjer zerknął na listę pasażerów.

– Nazwisko D'Arcy, tak? Panowie, słuchajcie! Mamy tu prawdziwą Francuzeczkę. Na imię jej An-że-lik. Kto zaczyna licytację?

– Na taką właśnie czekałem – oświadczył stojący w pobliżu mężczyzna. – Hej, mała… – zawołał. – Podnieś spódnicę i pokaż nam nóżkę!

Seth wdrapał się na wóz i sięgnął po lejce. Więzienie nauczyło go tylko jednej rzeczy: że życie jest niesprawiedliwe. Poza tym uświadomiło mu, że mądry człowiek nie miesza się w cudze sprawy. Zresztą ta kobieta należała już do Boggsa. Wiedziała zatem, w co się pakuje.

Już miał popędzić konie, kiedy coś go powstrzymało. Jeszcze raz spojrzał na kobietę. Kasjer zostawił ją na chwilę, żeby rozstrzygnąć kłótnię, która wybuchła między dwoma klientami. Seth wiedział, co to za jeden, ten Boggs. Dwa lata temu Cyrus Boggs pojawił się tu jako kaznodzieja, ale potem znalazł sobie bardziej popłatne zajęcie. Obecnie był właścicielem burdelu na Clay Street i słynął z tego, że zamieszczał w gazecie ogłoszenia o zatrudnieniu dla nauczycielek i opiekunek do dzieci, czym zwabiał do San Francisco niczego niepodejrzewające kobiety. Obiecywał opłacić im podróż po przyjeździe, a następnie zamykał je w maleńkich pokoikach bez okien, gdzie bezbronne kobiety musiały obsługiwać nawet po trzydziestu mężczyzn dziennie.

Westchnąwszy, Seth wypuścił lejce, zeskoczył na ziemię i podszedł z powrotem do nabrzeża.

– Wybaczy pani – powiedział. – Czy padło tu nazwisko Boggs?

– *Sí* – odparła i zaczęła szukać czegoś w torebce. Zauważył, że ma małe dłonie, a rękawiczki z miękkiej koźlęcej skórki. – Mój mąż umarł – wyjaśniła – a rząd odebrał nam ziemię za niezapłacone podatki. Mało zostało. A potem znalazłam to. – Podała mu wycinek z gazety.

– Przykro mi, nie znam hiszpańskiego. Co tu jest napisane?

– To jest, jak to powiedzieć, *anuncio*. Ten człowiek pisze, że szuka nauczycielek dla młodych dziewcząt. Oto jego nazwisko i adres. Napisałam do niego. – Wyciągnęła złożoną kartkę papieru. Była to odpowiedź Boggsa, pełna fałszywych obietnic.

Seth oddał jej list.

– Ogłoszenie i list są oszustwem. Boggs sprowadził tu panią podstępem.

Popatrzyła na niego z konsternacją. Ujrzał ciemne oczy przysłonięte czarnymi rzęsami i wymykające się spod czepka kruczoczarne loki.

Odchrząknął. Nie wiedział, jak ująć to delikatnie.

– Boggs jest przestępcą. On pani nie pomoże. Czy nie wspominała pani, że jest tu jej ojciec?

– *Sí!* To z jego powodu przyjechałam. Jest bogaty. Zapłaci za mój bilet.

Seth spostrzegł, w jaki sposób przyglądają się jej zebrani mężczyźni, i nagle przypomniał sobie, że w zeszłym tygodniu samozwańcza straż obywatelska, złożona głównie ze zdemobilizowanych żołnierzy amerykańskich, którzy nie mieli co ze sobą zrobić po zakończeniu wojny z Meksykiem, napadła na obozowisko namiotów na Telegraph Hill zwane Małym Chile, by zgwałcić i zabić tam matkę i córkę. Ludzie pochodzenia hiszpańskiego nie byli teraz bezpieczni w San Francisco, a zwłaszcza pozbawione opieki hiszpańskie kobiety. Jeśli jej ojciec nie pojawi się wkrótce, nadejdzie z pewnością Boggs, a jeśli nie on, to jeden z obecnych tu mężczyzn zapłaci za tę panią D'Arcy i uwięzi ją Bóg wie gdzie.

– Ej, ty! – krzyknął kasjer, podchodząc do Setha. – Zabieraj się stąd!

Pomimo swej niezłomnej zasady, by do niczego się nie mieszać, Seth nie mógł przyglądać się spokojnie cudzej krzywdzie.

Zaproponował, że zapłaci za bilet, i wyjął z kieszeni zwitek banknotów. Ktoś inny natychmiast podbił stawkę, a kasjer przyjął wyższą cenę. Wtedy Seth złapał go za ramię.

– Nie chcę kłopotów, przyjacielu – szepnął mu prosto w twarz. – Ale prosiłeś o równowartość biletu, a ja chciałem ją zapłacić.

Kasjer zerknął na palce boleśnie ściskające jego ramię, a potem w oczy rosłego mężczyzny, który wpatrywał się weń nieruchomym wzrokiem. Wyszarpnął rękę.

– Dobra, idź i dogadaj się z kapitanem.

– Dziękuję, señor – powiedziała Angelique, gdy Seth wyniósł jej kufer zza ogrodzenia z lin. – Jestem pańską dłużniczką. Jak mogę zwrócić panu pieniądze?

Spojrzał w słońce, mrużąc oczy. Bardzo chciał już jechać.

– Mieszkam w Diabelskim Zakątku, na północ od Sacramento. Kiedy znajdzie pani ojca, odda mi pani pieniądze. – Trącił palcem rondo kapelusza i ruszył w stronę swego wozu.

Wdrapując się na furgon, jeszcze raz popatrzył za siebie. Stała wciąż obok kufra i wyglądała na zagubioną. Wokół niej zaczęli tłoczyć się mężczyźni.

– Naprawdę jesteś Francuzką? – pytali. – Nie masz gdzie zanocować? Mogę obiecać, że zarobisz tu kupę forsy.

Seth wrócił, rozpychając na boki protestujących mężczyzn.

– Rzeczywiście nie ma pani dokąd iść?

– Tylko do señora Boggsa...

– Niech pani posłucha... – wtrącił się ktoś z tłumu.

– I nie ma pani pojęcia, gdzie jest jej ojciec?

– Przyjechałam, żeby go szukać. Dlatego odpowiedziałam na anuncio pana Boggsa. Przyjechałam do Kalifornii szukać ojca. A przez ten czas byłabym nauczycielką, rozumie pan?

– Czy pani ojciec jest poszukiwaczem złota?

Widząc, że nieznajomy traktuje ją jak własność, mężczyźni wrócili do licytacji. Właśnie oferowano trzydzieści dolarów za kobietę z niemowlęciem.

– Nie, nie – tłumaczyła Sethowi Angelique. – Po śmierci matki ojciec pojechał do Nowego Orleanu, gdzie mieszkał jego brat. Napisał w liście, że jadą do Kalifornii, żeby polować i handlować futrami.

Znowu wyjęła kartkę papieru. Seth rzucił okiem na pismo, po czym oddał jej list.

– Francuskiego też nie znam. Mówi pani, że jest traperem? W takim razie powinien być na północy. Chyba że postanowił poszukać złota... Wówczas byłby w jednym z tysiąca obozów poszukiwaczy. – Seth potarł szczękę. – W Sacramento będzie pani miała większą szansę go odnaleźć. Mogę tam panią zabrać. – Westchnął, zdziwiony, że w ogóle pakuje się w coś takiego. Od upału musiało mu się pomieszać w głowie.

– Och! Pan i tak już tyle dla mnie zrobił, señor! Ci mężczyźni na pewno mi pomogą.

– Ci mężczyźni... Nieważne. Sacramento jest najlepszym miejscem do rozpoczęcia poszukiwań, proszę mi uwierzyć. Stamtąd jest bliżej do złotodajnych terenów. Może się tam pani wypytać o swojego ojca. Przez te osady przewijają się osobnicy przeróżnego autoramentu: wędrowni kaznodzieje i sędziowie, śpiewacy i sztukmistrze, poszukiwacze złota. Wieści rozchodzą się między nimi błyskawicznie. Pani ojciec wkrótce usłyszy, że go pani szuka. Jak on się nazywa?

– Jacques D'Arcy. – I dodała z dumą: – Jest hrabią.

Seth chciałby dostać choć po dwadzieścia centów za każdego „hrabiego", „barona" czy „księcia" w San Francisco; byli to oszuści, co do jednego. Podejrzewał, że połowa ludzi zebranych na nadbrzeżu nie posługuje się nawet swym prawdziwym nazwiskiem.

– Och… – westchnęła na widok furgonu. – Czy Sacramento jest daleko stąd?

– Nie będziemy jechać wozem aż do Sacramento. Musimy tylko dostać się do przystani, a potem popłyniemy parowcem w górę rzeki.

☆

Podczas gdy Seth krążył swym furgonem po ulicach Sacramento w poszukiwaniu jakiegoś przyzwoitego miejsca, w którym mogłaby się zatrzymać panna D'Arcy, Angelique cieszyła się w duchu, że nie jest już na pokładzie parowca. Kiedy pan Hopkins powiedział, że czeka ich całonocna podróż parostatkiem, wyobraziła sobie, że dostanie własną kabinę, gdzie będzie mogła poluzować trochę gorset, być może wykąpać się i napić herbaty.

Podróż z Meksyku była straszna. Gdy weszła na pokład „Betsy Lain" w Acapulco, okazało się, że płynący z Bostonu statek jest już po brzegi wypełniony pasażerami. Jednakże nocny rejs parowcem był jeszcze okropniejszym przeżyciem. Ponieważ wszystkie kabiny już wcześniej zajęto, Angelique i pan Hopkins musieli spać na pokładzie ze swoim dobytkiem, w towarzystwie setek ludzi – w większości mężczyzn – a nawet koni, osłów i świń! Tylko myśl o tym, że odnajdzie ojca, podtrzymywała ją na duchu. Papa sprawi, że wszystko będzie dobrze. Zawsze się o nią troszczył i teraz znowu weźmie ją pod opiekę.

Sacramento było nowym miastem, które wyrosło u zbiegu dwóch rzek. Angelique, urodzona w trzystuletniej metropolii, którą zbudowano na gruzach jeszcze starszego miasta, nie mogła się nadziwić, że zaledwie przed rokiem znajdowało się tu jedynie skupisko namiotów, przedtem zaś indiańska wioska. Teraz jej oczom ukazały się budynki z cegły, drewniane domy, wieże kościelne i wybrukowane ulice. Znalezienie hotelu lub pensjonatu, gdzie mogłaby przenocować, stanowiło jednak nie lada wyzwanie.

Po godzinie spędzonej na objeżdżaniu wynajętym wozem pensjonatów i hoteli, z których każdy wydawał mu się nieodpowiedni,

Seth zaczął uświadamiać sobie, że podobnie jak w San Francisco, tak i tutaj nie może zostawić panny D'Arcy samej. Wszędzie w oknach widniały tabliczki z napisem: NIE PRZYJMUJEMY MEKSYKANÓW ANI CUDZOZIEMCÓW. Seth zauważył też, że ludzie otwarcie i dość nachalnie gapią się na nich: tworzyli bowiem wysoce niedobraną parę – on w koszuli z samodziału i dżinsach, dama u jego boku zaś w połyskującej, błękitnozielonej sukni, która nie mogła zdecydować się, jaki przybrać kolor. Dobrze wiedział, co sobie myślą, i zaczął się obawiać, że reputacja Angelique, jako młodej, atrakcyjnej, samotnej kobiety, może zostać podana w wątpliwość. Nie mógł zatem porzucić jej tutaj, tak samo jak nie mógł tego zrobić w San Francisco. Mimo że to ona zaciągnęła u niego dług, czuł się za nią odpowiedzialny. Pozostało więc tylko jedno rozwiązanie. Angelique najbezpieczniejsza będzie w Diabelskim Zakątku. „A zresztą – powtarzał sobie – tam będzie miała lepszy dostęp do poczty pantoflowej, która być może doprowadzi ją do ojca".

– W obozie jest kilka porządnych kobiet – powiedział – i jestem pewien, że jedna z nich chętnie udzieli pani gościny.

Angelique łaskawie przyjęła propozycję i jadąc dumnie u boku Setha Hopkinsa, z radością myślała o gorącej kąpieli, przyzwoitym posiłku i śnie w czysto zasłanym łóżku. Cały czas jednak spoglądała niespokojnie w twarz każdego mijanego mężczyzny w nadziei na radosne spotkanie z ojcem. Wciąż miała w pamięci przyjęcia urodzinowe, kiedy była małą dziewczynką, a papa robił dla niej koronę i specjalny tron, na którym zasiadała jak królowa. Gdy dorosła, wybrał nawet dla niej męża, lecz inaczej, niż zrobiłby to pospolity człowiek. Jeden z D'Arcych, jej daleki kuzyn, musiał przyrzec, że będzie traktował Angelique tak, jak była przyzwyczajona od najwcześniejszych lat. Pierre dotrzymał obietnicy i nie złamał jej aż do dnia, w którym zginął z rąk amerykańskich żołnierzy.

– Czy pojedzie pani do swej rodziny w Los Angeles? – zapytał ojciec Gomez, kiedy wyjeżdżała z Meksyku.

Lecz Angelique nie miała zamiaru odwiedzać rodziny swej matki. W dzieciństwie tyle razy słuchała opowieści o tym, jak niegodziwie traktował jej ojca dziadek Navarro, że nie chciała mieć z tymi ludźmi do czynienia. Dziwne to było uczucie, gdy „Betsy Lain" zawinęła do portu w Los Angeles, a ona, patrząc na zadymioną równinę, zastanawiała się, czy jej krewni wciąż jeszcze tam mieszkają. Bardzo mgliście pamiętała swoją ostatnią wizytę na Ranczu Paloma dwadzieścia lat temu, gdy była sześcioletnim dzieckiem. Miał się wówczas odbyć ślub, ale coś stanęło na przeszkodzie – ciocia Marina zniknęła i wszystkim kazano rozjechać się do domów. Od tamtego czasu kontakt z rodziną jej matki urwał się całkowicie.

Podczas gdy furgon wiózł ich po płaskiej, porośniętej gdzieniegdzie dębami okolicy, która przypominała park, Angelique rzucała ukradkowe spojrzenia na siedzącego obok niej mężczyznę. Pan Hopkins miał interesującą twarz. Była ogorzała i pokryta zmarszczkami od słońca. Nos duży i prosty, głęboko osadzone, zamyślone oczy. Kiedy zdjął kapelusz, by otrzeć pot z czoła, ujrzała czuprynę gęstych, falujących włosów, które w promieniach słońca miały złotobrązowy odcień. Podobało jej się brzmienie jego głosu o aksamitnej barwie. Mężczyzna zawsze mówił powoli, starannie dobierając słowa. Miał w sobie jakąś rzetelność i szczerość. Uznała, że przy Secie Hopkinsie może czuć się bezpieczna.

Setha natomiast zaprzątały myśli zupełnie innej natury. Gdy tak jechali w milczeniu przez zalaną słońcem równinę, a droga – w miarę jak oddalali się od obszarów zamieszkanych – stawała się coraz węższa, usiłował nie przyglądać się swej niespodziewanej towarzyszce podróży. Siedziała obok niego jak królowa, wyprostowana dumnie, z ustawionym pod idealnym kątem parasolem od słońca. Przez trzydzieści dwa lata swego życia nie oglądał tak egzotycznego widoku. Poza tym ta kobieta zbijała go z tropu. Trudno uwierzyć, że jest aż tak naiwna, jak wydawała się w porcie w San Francisco. Mogła mieć około dwudziestu pięciu lat i była już mężatką, więc powinna wiedzieć coś o zwyczajach tego świata. Tymczasem niemal dziecinnie reagowała na to, co ją spotykało.

Starał się jednak pamiętać, że to nie dziecko, lecz kobieta, i nie patrzeć zbyt długo na jej szczupłą talię przechodzącą w kobiecą krągłość bioder i na opięte błękitnozielonym jedwabiem piersi. Pod tą falbaniastą spódnicą musiało kryć się ze sto halek. Na czole i wokół różowych ust pojawiła się lśniąca warstewka wilgoci. Delikatnie pachniała różami. Próbował określić odcień jej karnacji. Nie była Anglosaską, więc nie miała jasnej cery. Nie była też brązowa ani smagła jak Cyganka. Ma skórę barwy miodu, zdecydował wreszcie i poczuł, że żółć go zalewa na myśl o tym, co zamierzał z nią zrobić „wielebny" Cyrus Boggs.

Kiedy wyjęła z torebki niedużą fiolkę z lekarstwem i pociągnęła z niej mały łyk, Seth spojrzał na nią pytająco. Wrzuciła buteleczkę z powrotem do torebki i powiedziała:

— To lek sporządzony według recepty mojej prababki. Aptekarz w Meksyku zrobił go dla mnie przed podróżą. Kiedy zbliża się ból głowy, wypijam trochę. To pomaga.

— A gdyby pani nie wypiła?

— Proszę się nie martwić, señor, nic mi nie jest. — Nie miała zamiaru mówić mu o wizjach i głosach, które nawiedzały ją podczas ataków. Pomyślałby, że jest wariatką albo jeszcze czymś gorszym.

— Niech pani posłucha — rzekł ściszonym głosem, mimo że byli sami na drodze i tylko konie mogły słyszeć ich rozmowę. — Proszę dać spokój z tym „señor". Tutaj nikt nie przepada za Meksykanami. Wojna jest dla ludzi jeszcze zbyt świeżym wspomnieniem.

Angelique też odczuwała jej skutki. Jej mąż poległ w bitwie pod Chepultepec, a lęk, który czuła, gdy wojsko amerykańskie triumfalnie wkroczyło do Meksyku, miał na zawsze pozostać w jej pamięci.

— Ale ja jestem Hiszpanką — odparła. — Rodzina mojej matki pochodzi z Kalifornii. Moi krewni z Los Angeles pierwsi się tutaj osiedlili. — Sięgnęła do torebki i wyjęła dagerotyp oprawiony w owalną ramkę. — Jak pan widzi, moja matka była piękną kobietą.

Seth ogarnął wzrokiem wysokie kości policzkowe, oczy kształtu migdałów, zmysłowe usta i oliwkową cerę Carlotty Navarro D'Arcy. Miała w sobie coś więcej niż tylko hiszpańską krew. Trzeba być ślepym, żeby tego nie dostrzec. A córka wdała się w matkę. Bez słowa oddał zdjęcie, wiedząc o jej egzotycznych rysach coś, z czego dziewczyna może nie zdawała sobie nawet sprawy – wiązało się to z przybyciem jej rodziny do Kalifornii w czasach, gdy zamieszkiwali ją tylko Indianie.

Wreszcie znaleźli się w porośniętej wysokimi sosnami krainie głębokich wąwozów i stromych górskich zboczy, gdzie powietrze było świeże i czyste. Do Diabelskiego Zakątka dotarli tuż przed zapadnięciem nocy.

Angelique wychylała się do przodu, niecierpliwie czekając chwili, kiedy ujrzy to górskie miasto. Podczas długiej podróży stworzyła sobie w wyobraźni jego obraz: domy z cegły i sklepy ciągnące się wzdłuż wyłożonych kocimi łbami uliczek, pośrodku głównego placu z fontanną kościół, brukowane chodniki, ocienione drzewami dziedzińce domów. Bo skoro mieszkali tu poszukiwacze złota – a to przecież bogacze! – miasto mogło być jeszcze wspanialsze, niż sobie wyobrażała.

Gdy pokonali zakręt, las ustąpił ogołoconemu z drzew zboczu wzgórza. Cały stok pokrywały zaś…

Angelique aż otworzyła usta ze zdziwienia.

N a m i o t y.

Rzędy płóciennych namiotów, a między nimi z rzadka rozsiane chaty z bali lub inne drewniane konstrukcje. Niebrukowane ulice, jeśli w ogóle można je tak nazwać, pokrywały stosy odpadków, w których buszowały psy, a w rozgrzanym upałem powietrzu bzyczały chmary much. Nie było chodników. Ani fontanny, ani kościoła. Żadnego cienistego dziedzińca, na którym dama mogłaby napić się herbaty. Jak okiem sięgnąć ani jednej cegły, ani jednej murowanej ściany.

No a ci ludzie! Mężczyźni w brudnych ubraniach roboczych, ze sfatygowanymi czapkami nasuniętymi na oczy, a kobiety w prostych bawełnianych sukniach włóczących się po ziemi. Wydawało się, że każdy, nie wyłączając kobiet, coś dźwiga – ciężkie worki, łopaty lub kilofy, wiadra z wodą, naręcza drewna. Skoro byli bogaci, to dlaczego żyli w takim ubóstwie? Zobaczyła, jak kilku mężczyzn zbija deski na trumnę. Nieco wyżej, na stoku wzgórza, dojrzała polanę gęsto usianą drewnianymi krzyżami i nagrobkami.

Angelique opanowało przygnębienie, gdy tak chłonęła ten wymalowany w szarościach i brązach pejzaż, nagie zbocza poznaczone pniami po ściętych drzewach, połacie pożółkłej trawy, mizerne leśne kwiatki. I ten zapach – niemal równie dokuczliwy jak upał. Nad niewielką doliną unosiła się chmura gęstego dymu. Angelique wyjęła perfumowaną chusteczkę i przyłożyła ją do nosa.

Nagle obok nich przegalopowało kilku mężczyzn, krzycząc „Eureka!" i strzelając w powietrze z pistoletów. Błoto rozbryzgiwało się pod kopytami ich koni, a jedna gruda wylądowała na kolanach Angelique.

– Och! – krzyknęła przerażona. – Czy to są *banditos*?

Seth roześmiał się.

– Nie, to tylko poszukiwacze złota, którym się poszczęściło. Dziś wieczorem będą stawiać kolejki w barze!

Na odgłos wjeżdżającego do obozu furgonu ludzie powychodzili z namiotów, by zobaczyć, co się dzieje.

– Seth Hopkins! – wołali. – A więc wróciłeś!

Kiedy Seth zatrzymał wóz przed drewnianym jednopiętrowym budynkiem, na którym widniał szyld: HOTEL W DIABELSKIM ZAKĄTKU. ELIZA GIBBONS – WŁAŚCICIELKA, wokół nich natychmiast pojawił się tłum ciekawskich, wybałuszających oczy na widok młodej kobiety u boku Setha. Angelique siedziała na koźle, podczas gdy on wyładowywał skrzynie i pudła, a ludzie podchodzili doń, by odebrać zakupy, które zrobił dla nich w San Francisco. Z radością brali zamówione towary, wyrażając radość z powrotu Setha. Wszyscy gapili się na Angelique, lecz nikt nie odezwał się do niej słowem.

Z hoteliku wyszła kobieta i uśmiechnęła się szeroko, wycierając ręcznikiem dłonie. Powiedziała do Setha coś, czego Angelique nie dosłyszała. Seth parsknął śmiechem, a kobieta rozpromieniła się jeszcze bardziej. Średniego wzrostu, miała około trzydziestu lat, włosy związane w ciasny kok, bardzo prostą suknię i obuwie, które przypominało męskie buty. W jej geście, kiedy dotknęła ramienia Setha, kryła się jakaś poufałość.

Gdy z furgonu zniknął cały towar, Seth przyprowadził do Angelique kobietę i przedstawił jako Elizę Gibbons, właścicielkę hotelu. Eliza lekko skinęła głową i chociaż się uśmiechała, Angelique dostrzegła w jej spojrzeniu zdumiewającą surowość.

– Miałem nadzieję… – zaczął Seth, lecz nie dokończył.

Nagle zauważył, że tutejsi mężczyźni przypatrują się pannie D'Arcy zupełnie tak samo, jak ci w San Francisco, i uświadomił sobie, że tutaj wcale nie będzie bardziej bezpieczna. Nie przyszło mu to do głowy w Sacramento, kiedy postanowił przywieźć ją do Diabelskiego Zakątka. Uznał wówczas, że znajdzie dla niej miejsce u którejś z kobiet, teraz jednak spostrzegł, jak poważne niedociągnięcia miał ten plan. Żadna z mężatek nie zgodziłaby się jej przyjąć, widząc, jak patrzą na nią ich mężowie. Sądząc z tego, jak mężczyźni pożerali ją wzrokiem, nie mógł też zostawić jej bez opieki. Były jeszcze kobiety niezamężne. Tyle że oprócz Elizy Gibbons, właścicielki czteropokojowego hotelu, wszystkie te panie mieszkały nad barem. Znając zaś Elizę, Seth miał pewność, że na widok drogiej sukni panny D'Arcy natychmiast trzykrotnie podniesie cenę za pokój. A płacić musiałby on sam dopóty, dopóki panna D'Arcy nie znajdzie swego ojca. I zrozumiał, że ratowanie damy w niedoli nie jest tak łatwe, jak mu się zdawało.

W całym Diabelskim Zakątku było tylko jedno miejsce, które zapewniłoby jej całkowite bezpieczeństwo – jego własna chata. Machając przyjaciołom na pożegnanie, wdrapał się na kozioł i ujął lejce.

– Proszę posłuchać – zwrócił się do Angelique. – Pracuję na swej działce od rana do nocy i nie mam czasu zajmować się domem, więc opłacam kobietę, która mi pomaga. Czy mogłaby pani poprowadzić dla mnie gospodarstwo? Płaciłbym pani tyle, ile Elizie Gibbons za jedną z jej pokojówek.

Twarz Angelique rozjaśniła się w uśmiechu.

– Señor Hopkins, w Meksyku musiałam zarządzać dużą hacjendą, kiedy mój mąż był na wojnie. Bardzo dużo potrafię.

Odjechali sprzed hotelu, pozostawiając za sobą tłum szepczących i snujących domysły ludzi. Eliza Gibbons zaś patrzyła zagadkowym wzrokiem za oddalającym się furgonem.

Chata Setha leżała daleko w głębi wąwozu – była jednym z ostatnich domostw położonych przy zakurzonej drodze. Pomógł Angelique zejść, po czym odsunął przed nią brezentową płachtę, która służyła jako drzwi. Chata składała się tylko z jednej izby – Angelique stała pośrodku, oniemiała, ogarniając spojrzeniem ściany z nieociosanych bali, okopcony kominek, gołe klepisko zamiast podłogi, pokryty sadzą pękaty piecyk, wąskie łóżko i stół, który wyglądał tak, jakby nikt nie czyścił go od czasów, gdy był jeszcze drzewem. Pomieszczenie nie miało okien, tylko drugie drzwi po przeciwległej stronie domu.

– Może pani tu dziś przenocować, a ja prześpię się u Charliego Bigelowa. Jutro wszystko załatwimy – powiedział i ruszył do wyjścia.

– Wychodzi pan?

– Wóz i konie nie są moje. Wynajmuję je na cały dzień. Proszę brać, co tylko pani zechce. Jedzenie jest tam, w spiżarni. Studnię znajdzie pani z tyłu domu, za tymi drzwiami… – Przerwał i odchrząknął z zakłopotaniem. – A to… no wie pani, jest pod łóżkiem. Opróżnia się to przy strumieniu.

Odwróciła głowę i zerknęła w ciemność pod łóżkiem, gdzie połyskiwała biel emaliowanego nocnika. Wstrząśnięta, nie była w stanie wykrztusić słowa.

Seth wyszedł, zamykając drzwi, a Angelique pochłonął mrok. Stała tak dalej, nieruchomo i w zadziwieniu, gdy wtem dobiegły ją dochodzące z zewnątrz głosy.

– To jest porządna kobieta, wdowa – wyjaśniał Seth grupce ludzi, którzy przyszli za nimi aż do chaty. – Przyjechała, żeby szukać ojca. Czy ktoś słyszał o Jacku D'Arcym, francuskim handlarzu futer? Rozpytajcie się o niego. Musimy go znaleźć.

– Ominęła cię niezła zabawa, Seth. Przejeżdżała tędy banda samozwańczych strażników z Johnston's Creek, ścigająca Indian, którzy napadli na ich obóz. Tydzień później strażnicy wracali, mówiąc, że udało im się przyskrzynić tę złodziejską hołotę na Randolph Island. Wystrzelali ich podobno jak stado świń w chlewie. Już nas ta banda nie będzie niepokoić.

Angelique usłyszała oddalające się kroki i cichnące głosy, aż w końcu została zupełnie sama w prymitywnej chacie, do której przez szpary w ścianach wpadały ostatnie promienie zamierającego światła dnia.

☆

Angelique, zbyt otępiała po doznanym szoku i zbyt wykończona, żeby cokolwiek robić, skuliwszy się na łóżku pod jedynym kocem, jaki znalazła w chacie, spędziła pełną snów i koszmarów noc, by o świcie przebudzić się na dźwięk głosu Setha, który przyszedł pod drzwi i dawał jej o tym znać.

Przez chwilę nie mogła sobie przypomnieć, gdzie jest. Jej pierwszą myślą, jeszcze zanim otworzyła oczy, było to, że trzeba nakazać służącym, by zmieniły pościel w całej hacjendzie, ponieważ jej koc zalatuje stęchlizną. Przewietrzy także porządnie wszystkie pokoje i zapędzi kobiety z oliwą i szmatkami do polerowania mebli. Świeże kwiaty w każdym pomieszczeniu także pomogą rozproszyć zatęchłą woń. I cóż to za ludzie tak hałasowali na zewnątrz, nawołując się po angielsku i zbyt blisko przejeżdżając na koniach? Gdzie się podziały ptaki, które zawsze witały ją śpiewem, usadowione na gałęzi kuflika za oknem jej sypialni?

– Panno D'Arcy? Nie śpi już pani?

Rzeczywistość wróciła niczym zły sen. Angelique szybko wstała i przygładziła włosy, z niesmakiem patrząc na swą suknię. Spała

314

w ubraniu, a teraz czuła, że całe ciało swędzi ją od słomianego materaca.

– Proszę wejść, señor.

Seth odsunął brezentową zasłonę, a mleczne światło świtu wdarło się do środka wraz z nim, gdy wszedł, wypełniając niewielkie pomieszczenie swą rosłą, męską postacią. Rzucił Angelique krótki, zakłopotany uśmiech, po czym ze zdumieniem spojrzał na stół i zimny piec.

– Przyszedłem na śniadanie, ale zdaje się, że nie wiedziała pani, o której godzinie jadam. Nie zna pani moich zwyczajów. Zawsze wyruszam do pracy tuż po wschodzie słońca. Na śniadanie jem jajka i suchary, popijam kawą. Czasem mogę sobie pozwolić na bekon. Dziś jeszcze zjem u Elizy, a od jutra możemy wrócić do starych przyzwyczajeń.

Potem poświęcił chwilę, by zaprowadzić ją do strumienia na tyłach domu i nauczyć, jak wyciąga się wodę ze studni. Pokazał jej skrzynię, w której przechowywał ziemniaki, cebulę, rzepę i marchew. Od zeszłej jesieni zostały mu też żołędzie. Kiedy wrócili do chaty, pokazał jej dwie lampy i poprosił, żeby codziennie przycinała knoty i dolewała nafty. Miała także wymiatać popiół z kuchennego pieca, przyrządzać poranną kawę, prać i prasować. Angelique podążała za nim w milczeniu. Od chwili, gdy się obudziła i zdała sobie sprawę, że służąca nie przyniesie jej gorącej wody do mycia ani filiżanki czekolady na śniadanie i że sama musi opróżnić nocnik, popadła w otępienie.

Seth otworzył niewielką książkę rachunkową, odwrócił stronę i u góry czystej kartki napisał: „Angelique".

– Stawka za pranie i prasowanie koszul wynosi dolara od sztuki – oświadczył, wskazując na stos brudnych ubrań w kącie. – Miałem zanieść je dziś do Elizy, ale teraz pani się tym zajmie. Jestem uczciwym człowiekiem, panno D'Arcy. Nie oszukam pani nawet na jednego centa. – Zamknął książkę i schował ją do szuflady. – Muszę sprawdzić, co się dzieje na mojej działce. Poprosiłem, żeby

Charlie Bigelow miał na nią oko. Wrócę na kolację. Zjem, cokolwiek pani ugotuje.

Powiedziawszy to, wyszedł.

Angelique osłupiała. Kiedy zapytał ją, czy potrafi prowadzić dom, sądziła, że ma na myśli wydawanie poleceń służbie.

W chacie, z powodu braku okien, panowała ciemność. Angelique odsłoniła wejście, odsunęła też płachtę na tylnych drzwiach, ale mimo to do izby wpadało wciąż zbyt mało porannego światła. Postanowiła więc zapalić lampy. Przyglądając się im, uświadomiła sobie jednak, że nigdy nie musiała robić tego sama i nie ma pojęcia, jak się do tego zabrać. Zdecydowała, że zostawi otwarte drzwi i zadowoli się światłem dziennym.

Pozostawał zatem problem jedzenia. Angelique była głodna jak wilk.

Przyjrzała się zaskorupiałej patelni, którą pokazywał Seth. Co miała z nią zrobić? W szafce znalazła worki z ryżem i mąką, sól i przyprawy, oliwę z oliwek, kawę, sodę do pieczenia, cukier, słoik wołowego tłuszczu, kilka konserw, weki z owocami i soloną rybę w glinianym garnku. Nie miała pojęcia, co z tym wszystkim począć. Oderwała z bochenka kawałek chleba, odkroiła gruby plaster twardego sera i zaczęła jeść żarłocznie, przyglądając się brudnym ubraniom spiętrzonym w kącie. Czyżby naprawdę oczekiwał, że mu je upierze? W domu musiała tyko nadzorować gromadzenie brudnej bielizny, a potem układanie upranych rzeczy. Angelique nie wiedziała, co dzieje się z nimi w międzyczasie. Jedząc łapczywie chleb z serem i tęskniąc za poranną filiżanką czekolady, słuchała odgłosów budzącego się do życia obozu. Były to dziwne i obce dźwięki, w niczym nieprzypominające cichych, łagodnych poranków w jej meksykańskiej hacjendzie leżącej poza obrębem miasta. Ponownie zdziwiona tym, że nie słychać tu śpiewu ptaków, przypomniała sobie nagie zbocza wzgórz otaczające dolinę, upstrzone pniami ściętych drzew.

„Ptaki stąd uciekły, więc i ja powinnam".

I wtedy – w tej małej, brudnej chacie, należącej do zupełnie obcego człowieka, w nędznej osadzie poszukiwaczy złota, która wyrosła pośród zapomnianej przez Boga głuszy – Angelique zaczęła pojmować, jak straszny popełniła błąd. Nie był nim przyjazd do Kalifornii. Innego bowiem wyboru nie miała. Po śmierci jej męża rząd meksykański skonfiskował cały ich majątek – hacjendę, pola i trzodę – na pokrycie zaległych podatków, zostawiając Angelique tylko kufer z ubraniami. Błędem natomiast okazał się przyjazd do Diabelskiego Zakątka.

Musi koniecznie znaleźć jakiś sposób, by wrócić do Sacramento, a tam wynająć pokój w hotelu i czekać, aż ojciec ją odszuka. Po chwili jednak przypomniał jej się dług, który zaciągnęła u Setha Hopkinsa. Nie było to tylko sto dolarów za bilet – uratował ją z rąk człowieka o zbrodniczych zamiarach, a przynajmniej tak twierdził.

Wyprostowała plecy i ramiona – rodzina D'Arcych zawsze spłacała swe długi. „Czy to może być aż tak trudne?".

Najpierw przydźwigała ze strumienia wodę na kąpiel, odkrywając ze zdumieniem, że jest taka ciężka. Wyjęła z kufra świeżą odzież, starannie dobierając odpowiedni strój; nieco czasu poświęciła też na szukanie kolczyków dopasowanych do czerwieni sukni. Samodzielne ubranie się było już pewnym wyzwaniem. Angelique nigdy nie musiała robić tego sama. W jaki sposób miała zawiązać sobie gorset? Potem zaczęła trudzić się nad fryzurą – wpierw rozczesała włosy, po czym upięła je do góry za pomocą grzebieni. Nałożyła krem na twarz i dłonie, wypolerowała sobie buty, oczyściła suknię podróżną i powiesiła ją na wieszaku, a upraną bieliznę rozwiesiła do wyschnięcia.

Nim uporała się z toaletą osobistą, nastało południe, ale wnętrze chaty wciąż spowijał mrok. Po wielu próbach, i wielu zużytych zapałkach, nauczyła się zapalać lampy tak, by nie gasły przez resztę dnia. Kiedy jednak ich blask zalał izbę, Angelique zobaczyła, że podłoga jest strasznie brudna. Wzięła więc szczotkę i zaczęła zamiatać klepisko, gdy nagle pod ścianą obok kuchennego pieca natknęła się na coś dziwnego. Na wysokość kilkunastu centymetrów od podłogi wznosił się stożkowaty kopczyk niezidentyfikowanej substancji. Pochyliła się nisko, chcąc mu się przyjrzeć, a potem powędrowała wzrokiem w górę po ścianie, aż dotarła do haka, na którym wisiała patelnia.

– *Santo cielo!*[1] – krzyknęła. Najwyraźniej Seth Hopkins nie zadawał sobie trudu, by myć patelnię po posiłkach, tylko wieszał ją od razu na haku, a tłuszcz ściekał na podłogę!

Niewiele znalazła w chacie jego osobistych rzeczy: oprócz kubka, pędzelka do golenia i brzytwy zauważyła jeszcze dagerotyp przedstawiający kobietę, do której Seth przejawiał podobieństwo, oraz cztery sfatygowane książki. Wybrawszy *Skarbiec poezji*, przewracała szybko strony z wierszami Burnsa i Keatsa, Shakespeare'a i Coleridge'a, gdy książka sama otworzyła się na Shelleyu, jakby Seth właśnie tam najczęściej zaglądał:

„Wstaję z łoża, śniąc o tobie

W pierwszym słodkim nocy śnie"[2].

Rzuciła też okiem na pozostałe książki – *Hodowlę zwierząt*, *Życie Napoleona* i *Galerię obrazów życia ludzkiego* Washingtona Irvinga, w której skrawkiem papieru zaznaczono *Legendę o sennej dolinie*. Angelique stanęła z rękami na biodrach i wodząc wzrokiem po małym, prymitywnym domostwie, które jej zdaniem nie nadawało się nawet na lokum dla świń, postanowiła, że musi coś z tym zrobić. Pracowała przez godzinę. A gdy uznała, że chata jako tako przypomina miejsce, w którym można mieszkać, zmierzyła się z niełatwym zadaniem przyrządzenia wieczerzy.

Seth Hopkins wrócił do domu krótko po zachodzie słońca. Najpierw obwieścił z zewnątrz swoje przybycie, a wszedłszy do chaty, stanął jak oniemiały, otwierając usta ze zdumienia. Osaczyły go kolory. Jaskrawy haft hiszpańskiego szala udrapowanego na łóżku, malowane figurki świętych, malutki portret Najświętszej Marii Panny i podobizna Dzieciątka Jezus oprawione w złote ramy.

---

[1] *Santo cielo!* (hiszp.) – wielkie nieba!
[2] Fragment *Serenady indyjskiej* w przekładzie Antoniego Lange.

W małych czerwonych słoiczkach migotały świece wotywne. Do ściany przyczepiony był rozpostarty damski wachlarz, na którym widniały żółte kwiaty. Z haka zwisał jasnoniebieski czepek ozdobiony różowymi wstążkami i piórami flaminga. Na ustawionej do góry dnem beczułce po prochu, służącej za stolik nocny, pojawiły się: aztecka figurka rzeźbiona w różowym jadeicie, duży kryształ górski o barwie najgłębszego lazuru i niewielki wazon pomalowany w różowe różyczki. Sama beczułka zaś nakryta była damskim szalem z połyskującego szmaragdowozielonego jedwabiu. Turkusowa parasolka z jasnozieloną falbaną stała oparta w nogach łóżka. Krwistoczerwone hiacynty, które rosły przy strumieniu, pojawiły w słoju z wodą.

Seth musiał kilka razy zamrugać oczami, żeby upewnić się, że dobrze widzi. Co ta kobieta zrobiła z jego izbą?

Potem zauważył, że z pieca buchają kłęby dymu.

– Co się stało? Gdzie moja kolacja?

Opuściła bezradnie ręce.

– Próbowałam, señor. Ale nie potrafię.

Wpatrywał się w nią w oszołomieniu.

– Jak to możliwe, że nie wie pani, jak ugotować prosty posiłek?

– A skąd miałabym wiedzieć?

– Bo jest pani kobietą i… Boże drogi, zużyła pani prawie całą naftę!

– Tutaj jest *un calabozo*. Ciemno jak w lochu! Muszę mieć światło!

– To niech pani trzyma otwarte drzwi.

– Ale wtedy wlatują muchy!

Seth zmierzył ją wzrokiem od góry do dołu.

– Dlaczego jest pani cała w sadzy?

Kiedy wyjaśniła mu, że próbowała rozpalić w piecu, lecz buchnęły z niego kłęby dymu, pouczył ją, że najpierw należy wybrać stary popiół i zsypać go do wiadra, a potem ustawić odpowiednio wylot dymny.

– Nie ma pani fartucha?

Bezradnie wzruszyła ramionami.

– Trzeba zrobić kawę na kolację… – Westchnął, po czym pokazał jej, jak obchodzić się z rondlem. Potem rozpalił ogień pod kuchnią i wyszedł. Po kilku minutach wrócił, niosąc pierogi z mięsem i smażone ziemniaki. – To z kuchni Elizy. – Położył je na stole. – Kosztowały cztery dolary.

– Czy to dużo pieniędzy? – Angelique nie miała najmniejszego pojęcia o cenie czegokolwiek.

Usiadł do stołu, nie czekając, aż ona usiądzie pierwsza.

– Ależ to majątek! Tu nie poszukiwacze złota się bogacą, lecz ci, którzy mają coś na sprzedaż. W Wirginii chustka do nosa kosztuje pięć centów. A tutaj pięćdziesiąt!

Nalał kawy najpierw sobie, a potem do jej kubka. Spróbował i skrzywił się.

– Co pani zrobiła z tą kawą?

– Zrobiłam tak, jak pan mówił, señor. Wsypałam kawę do koszyczka i postawiłam rondel na piecu.

Seth uniósł pokrywkę i wybałuszył oczy ze zdziwienia.

– Wsypała pani całe ziarna! Najpierw trzeba je zemleć. Cóż, trudno… To po prostu wpadka. Drugi raz już się pani nie zdarzy.

Gdy tylko zaczęli jeść, w ciszę wdarł się przeraźliwy dźwięk. Angelique skoczyła na równe nogi, ale Seth nie przerwał posiłku. Na zewnątrz, w wieczornym mroku, ujrzała mężczyznę grającego na szkockiej kobzie.

– To Rupert MacDougal – wyjaśnił Seth, kiedy wróciła do stołu. – Na zakończenie dnia lubi sobie pograć. Niestety zna tylko melodię *Nadchodzą Campbellowie*.

Obserwowała jego dziwaczne maniery: łokcie oparł na stole, a widelec trzymał jak łopatę. W domu nie znalazła żadnych serwetek ani obrusu, i najwidoczniej ich nie potrzebował, bo świetnie sobie radził, ocierając usta wierzchem dłoni.

Angelique ugryzła ziemniaka i ze zdumieniem stwierdziła, że jest przepyszny.

– Gdzie leży pańska kopalnia złota, señor Hopkins?

– Ja nie mam kopalni, bo nie wykopuję złota z ziemi. Szukam go w złożach okruchowych. Po przesianiu piasku z dna strumienia wybieram z niego grudki złota. Nie jestem zwolennikiem wiercenia dziur w glebie i poszukiwania złotych żył, tak jak niektórzy. Dosyć tego miałem w Wirginii, gdzie kopalnie węgla zabijają ziemię i ludzi. Uważam, że jeśli natura postanowiła rozsypać złoto po powierzchni, mamy prawo je zbierać. Nie lubię natomiast, gdy człowiek wdziera się w ziemię będącą dziełem Boga.

Popatrzyła na mały słoiczek wypełniony wodą, który przyniósł dziś do domu. W środku pływały płatki złota.

– Co pan zrobi ze znalezionym złotem?

Seth otarł usta palcami i zatopił zęby w drugim pierogu.

– Chyba chciałbym kupić farmę. Ale nie hodowałbym zwierząt. Nie, to raczej nie dla mnie. Pragnę spokoju i zieleni. Może zająłbym się uprawą roli.

– Ma pan w tym doświadczenie?

– Pochodzę z górniczej rodziny. Mogę się jednak nauczyć pracy w polu.

– W Meksyku uprawialiśmy awokado – powiedziała rozmarzonym głosem. – Ale to są bardzo wrażliwe drzewa. Za duży wiatr i zbyt silne słońce mogą im zaszkodzić. A może pomarańcze? Albo cytryny. To zależy od tego, gdzie będzie pańska farma. Mandarynki i grejpfruty potrzebują gorąca, cytryny kochają mgłę. Znam pewien gatunek pomarańczy, która jest tym słodsza, im dalej dojrzewa od wybrzeża oceanu.

– Skąd pani to wszystko wie? – zapytał, podnosząc na nią wzrok.

– Po prostu wiem. – Wzruszyła ramionami.

Po kolacji Seth otworzył blaszaną puszkę, w której trzymał książkę rachunkową, kałamarz, pióra oraz rozmaite świstki papieru. Wziął krótki ołówek i na odwrocie ulotki obwieszczającej przyjazd cyrku sporządził listę zakupów.

– Rano proszę zanieść to do Billa Ostlera. Niech mu pani powie, żeby wydał towar, a należność dopisał mi do rachunku. Dziś znowu zanocuję u Charliego Bigelowa i prawdopodobnie będę tam spał do końca pani pobytu tutaj.

Przyszedłszy nazajutrz rano, ujrzał śniadanie złożone z jajek i tostów, które Angelique doprowadziła do zupełnej ruiny.

– Pójdę do Elizy na kawę i tosty – oznajmił. – Na kolację niech pani zrobi ryż z bekonem. Ryżu przecież nie może pani popsuć. Gotuje się go w wodzie nad ogniem. – Wskazał palenisko, nad którym wisiał na haku duży czarny garnek. – W tamtej beczce znajdzie pani bekon. Przechowuję go w otrębach, dzięki czemu nie psuje się tak szybko podczas upałów. – Umilkł na chwilę, po czym spytał: – Potrafi pani upiec chleb? Proszę poprosić Ostlera, a da pani wszystko, co potrzeba.

Sklep Ostlera stał przy piaszczystej drodze, za rzędami namiotów, chat i sznurów obwieszonych praniem. Składał się z czterech zbudowanych z bali ścian oraz brezentowego dachu, i zapchany był półkami pełnymi słoików, puszek, pudełek, butelek, narzędzi, naczyń i sprzętów kuchennych, lekarstw, a nawet zwojów rozmaitych tkanin. Z okazji wyprawy do sklepu Angelique włożyła perłowoszarą jedwabną suknię z różową koronką. Ciemnoróżowe pióra na jej czepku pasowały do rękawiczek oraz parasolki. Wszedłszy do sklepu Ostlera, gdzie trzy kobiety przebierały w pudełkach z guzikami i nićmi, które Seth Hopkins przywiózł z San Francisco, przystanęła na moment, by przyzwyczaić oczy do panującego we wnętrzu półmroku.

Na jej widok Bill Ostler, który wyróżniał się bujną rudą czupryną i wydatnym brzuchem, wystękał: „Wielkie nieba!" i z takim pośpiechem wybiegł zza lady, aby ją powitać, że niemal przewrócił się o beczkę z piklami.

– Pani D'Arcy! Co za zaszczyt! Czym mogę pani służyć?

Czując na sobie wzrok trzech kobiet, wręczyła Ostlerowi listę. Kiedy po cichu zapytała go, jak się piecze chleb, usłyszała szept jednej z nich: „To nie do wiary, żeby kobieta nie potrafiła upiec bochenka chleba".

322

Już miała wychodzić z zakupami, gdy spostrzegła belę perkalu – gestami rąk pokazała, ile jej potrzeba.

Po powrocie do chaty pocięła perkal na kawałki i przybiła je do ściany tak, że pokrywały prostokąt o powierzchni około sześćdziesięciu na dziewięćdziesiąt centymetrów. Resztę materiału rozłożyła na stole.

Potem postanowiła ugotować ryż. Nalała wodę do garnka i nabrała trochę ryżu z worka za pomocą blaszanego kubka, na którym zaznaczono miary objętości. Jedna miarka wydała jej się zbyt mała. Uznała więc, że cztery wystarczą w sam raz na porządny posiłek dla niej i pana Hopkinsa. Przykryła kociołek i powiesiła go na haku nad paleniskiem. Właśnie udało jej się rozpalić ogień w piecu, odkroić wielki płat bekonu i ułożyć go na patelni, gdy nagle rozległ się głośny brzęk – z kociołka spadła pokrywka i uderzyła o kamienną obudowę pieca. Ku swemu przerażeniu zobaczyła, że ryż przelewa się przez brzeg garnka i spada prosto w płomienie.

– *Santa Maria!* – wrzasnęła, rzuciła się na garnek z nożem, który trzymała w dłoni, i zaczęła okładać go, niczym w śmiertelnym pojedynku.

Kiedy Seth wrócił pod koniec dnia, w chacie unosiła się woń przypalonego ryżu i zwęglonego bekonu, Angelique zaś stała w tylnych drzwiach i próbowała wypędzić dym, wachlując powietrze swym nowym fartuchem.

– To przez to diabelstwo! – krzyknęła i kopnęła piec.

Seth wpatrywał się w pobojowisko na patelni.

– Zużyła pani c a ł y bekon? Trzeba odkroić plaster albo dwa. – Jego wzrok zatrzymał się na perkalu przyczepionym do ściany. – A to co?

– Zasłony – odparła z rozdrażnieniem, pocierając nos. Pozostała na nim czarna smuga.

– Ale przecież tu nie ma okna.

– *Sí*, ale teraz wygląda tak, jakby było, prawda?

Spojrzał na perkalowy obrus i słoik ze świeżymi kwiatami na stole.

– Skąd wzięła pani jabłka? Sprzedawca przyjeżdża dopiero w sobotę.

– Ze sklepu u señora Ostlera.

– Co takiego?! On je kupuje od sprzedawcy owoców i warzyw, a potem potraja cenę! Proszę więcej nie brać takich rzeczy u Ostlera. Niech pani zaczeka do soboty, na dostawcę z farmy.

Poszedł do spiżarni i przyniósł suchary i suszone mięso.

– Nic się nie stało – powiedział, widząc jej strapioną minę. – Bywało gorzej.

Rozejrzała się po wnętrzu chaty.

– Czy może być coś gorszego niż to?

Popatrzył na nią w zamyśleniu. W ustach kogoś innego takie pytanie mogłoby zabrzmieć jak obraza. Ona jednak nie miała zamiaru go urazić.

– Więzienie – odparł, kiedy usiedli do stołu.

– Był pan w więzieniu? – zapytała, szeroko otwierając oczy ze zdumienia.

Obrał jabłko i podał jej połowę.

– Zobaczyłem, że mężczyzna bije kobietę. Kazałem mu przestać, ale on wpadł w szał. Gotów był ją zabić. Więc go powstrzymałem.

– Pan... go zabił?

Seth pokręcił głową.

– Złamałem mu kręgosłup. Teraz może tylko siedzieć, nogi ma do niczego. Już nigdy nikogo nie pobije.

Przeżuł kęs. Przełknął.

– Oskarżyli mnie o usiłowanie zabójstwa. Odsiedziałem rok w stanowej kolonii karnej. Ale nie pracowałem. Osadzono mnie w odosobnionej celi. Posiłki wsuwali mi pod drzwiami. Przez rok nie widziałem żywej duszy i nie rozmawiałem z człowiekiem.

Skończyli kolację w milczeniu, a potem Seth wstał i ujął w palce róg obrusa.

– To ma wrócić do Billa Ostlera – oświadczył.

– Ale materiał jest pocięty. Nie zechce przyjąć go z powrotem.

– W takim razie będę musiał doliczyć jego koszt do pani długu. – Lecz gdy zobaczył, że podbródek zaczyna jej drżeć, dodał: – Bardzo ładnie tu pani urządziła. – Spojrzał na aztecką figurkę ustawioną na beczułce, wziął ją do ręki i obejrzał uważnie. – To różowy jadeit. Bardzo rzadka i cenna rzecz.

– To coś więcej, señor Hopkins. Ten talizman należał kiedyś do małżonki króla Montezumy. Posążek przedstawia boginię pomyślności. To amulet przynoszący szczęście, który dostałam od mojej azteckiej niani. Posiada wielką moc.

– Myśli pani, że ta bogini przyniesie pani szczęście?

– Zaprowadzi mnie do ojca – stwierdziła Angelique z przekonaniem.

– Niech ją pani lepiej poprosi, żeby nauczyła panią gotować.

Chociaż powiedział to z uśmiechem, a ona wiedziała, że nie chce jej dokuczyć, mimo wszystko poczuła przypływ złości. Po prostu zbyt wiele od niej oczekiwał. Ta poniżająca sytuacja nie była warta stu dolarów, które była mu winna.

Kiedy już wychodził do Charliego Bigelowa, coś przyszło jej do głowy.

– Proszę poczekać chwilę – poprosiła. – Chciałabym się czegoś dowiedzieć.

– Tak?

– Chodzi o señora Boggsa.

– Słucham – odparł, zaciskając szczęki.

– Powiedział pan, że to zły człowiek.

– Tak – przyznał i zamilkł. Po czym, westchnąwszy, dorzucił: – Długo by pani u niego nie pociągnęła. Takie kobiety jak pani nie wytrzymują tego.

– Zmusiłby mnie do pracy?

Popatrzył w jej szeroko otwarte, niewinne oczy, nie wiedząc, jak jej to powiedzieć.

– Panie mieszkające nad barem – rzekł w końcu. – Do tego zmusiłby panią Cyrus Boggs.

Minęła pełna napięcia chwila. Angelique pokryła się nagle głębokim rumieńcem, a potem zbladła jak ściana.

– Jutro – oświadczyła – nie przypalę ryżu na kolację.

☆

Seth nadal sypiał w namiocie Charliego Bigelowa, lecz codziennie rano przychodził do swojej chaty, żeby zjeść śniadanie i wziąć czystą koszulę oraz wiaderko z lunchem, który przygotowywała dla niego panna D'Arcy. Kiedy jednak okazało się, że Angelique nie umie zrobić prania, koszulę musiał kupić u Ostlera za astronomiczną sumę. Później nauczył ją gotować wodę nad ogniem, wlewać wrzątek do drewnianej balii przed domem, odkrawać płatki mydlane z kostki mydła i mieszać ubrania w gorącej wodzie. Zdołał też ją nauczyć, jak przyrządzić śniadanie, ale szybko musiał się zadowolić monotonnym jadłem w postaci spalonego albo niedopieczonego chleba i zbyt słabej lub zbyt mocnej kawy. Lunch natomiast niezmiennie składał się z kiełbasy, ocalałych resztek pieczywa i jabłek kupionych u sobotniego dostawcy. Pod koniec każdego dnia Seth wracał na kolację, która najczęściej była niejadalna, po czym szedł do Elizy po dwie porcje jedzenia na wynos. Po kolacji, gdy Angelique zmywała naczynia, brał słoik zawierający jego dzienny urobek, czyli płatki złota, złoty pył i samorodki pływające w wodzie. Czyścił je, suszył, kładł na malutkiej wadze, a następnie wsypywał do skórzanego woreczka, który chował do zamykanej na klucz szkatułki. Kiedy nadchodziła pora snu, żegnał się i szedł do Charliego. Poza tym jego życie w Diabelskim Zakątku biegło takim samym rytmem, jak przed pojawieniem się nieoczekiwanego gościa. Nadal jeździł co tydzień do American Fork, gdzie zanosił złoto do oznaczenia próby i deponował je w banku. W sobotnie wieczory brał wielką drewnianą kadź, napełniał ją gorącą wodą znad paleniska i zdrapywał z ciała brud całego tygodnia. Potem wkładał czyste ubranie i szedł do baru, gdzie pił whisky i grał w karty z Llewellynem, Ostlerem i Bigelowem, następnie przenosił się do hotelu i tam, po zamknięciu jadalni, „siadywał na chwilkę" z Elizą Gibbons, jak zwykł to określać. Co robiła w wolnym czasie panna D'Arcy, nie miał pojęcia. Nie przypuszczał jednak, żeby brała lekcje gotowania.

Gdy klęczał nad brzegiem strumienia z plecami wystawionymi na palące promienie słońca, sypiąc do miski ziemię ze żwirem i zanurzając ją w wodzie, modlił się w duchu o bryłkę złota, która wystarczyłaby na pokrycie kosztów, w jakie wpędzała go panna D'Arcy. Wiedział, że to nie jej wina. Starała się, jak mogła, i niewiele narzekała, ale wciąż było tak samo – zmarnowane jedzenie, koszule przypalone żelazkiem i zbyt dużo zużytej nafty. Seth miał szczerą nadzieję, że do dnia, gdy Angelique odnajdzie swego ojca, Jack D'Arcy zdąży zarobić na skórach dostatecznie dużo, by zaopiekować się swą kosztowną córką.

Po raz kolejny zanurzył miskę w wodzie. A gdy wyjął ją i potrząsał w przód i w tył, uderzając jednocześnie o nadgarstek, żeby wysypać trochę żwiru, zaczął rozmyślać o Francuzie. Kiedy tylko w obozie pokazywał się ktoś nowy, Seth nigdy nie omieszkał zapytać go o trapera nazwiskiem D'Arcy. Zaczynał się bowiem martwić. Docierały doń wieści, że Indianie napadają traperów, gdyż ci rabują ich zapasy pożywienia. Na północy dochodziło do krwawych utarczek, w których ginęło wielu białych.

Seth opuszczał krawędź miski pod coraz większym kątem, aż prawie cały żwir wysypał się i pozostały tylko drobinki złota i czarny muł, którymi potrząsał teraz delikatnie, a tymczasem jego wzrok padł na ciemnobrązowe, połyskujące w słońcu kamyczki na dnie strumienia i nagle przypomniały mu się oczy Angelique, a zwłaszcza błysk, jaki pojawiał się w nich podczas jej krótkich napadów złości, kiedy szepcząc: *Santa Maria!*, wymierzała cios niewyrośniętemu bochenkowi chleba albo przypalonemu puddingowi. A szmer wody na kamieniach przywiódł mu na myśl jej śmiech, który następował natychmiast po wybuchach złości, gdy beształa samą siebie, odgarniając z twarzy kosmyk czarnych włosów.

Kiedy zaś na zwieszonej nad wodą gałęzi przysiadł zimorodek i wypatrywał ryb, których nie było już w potoku, Seth doszedł do wniosku, że jego błękitnoszare pióra przypominają swą barwą jedną z sukni Angelique – tę, na którą rozlała sos, a potem przez wiele godzin usiłowała wyczyścić.

Potrząsnął głową. Angelique prześladowała go w myślach tak często, że miał wrażenie, jakby przyszła za nim aż tutaj.

Próbował skupić się na innych sprawach: jakie zmiany może przynieść Kalifornii status stanu, gdzie należałoby kupić ziemię i założyć farmę, czy zima nadejdzie wcześnie tego roku. Jego umysł rządził się jednak własnymi prawami; wyglądało na to, że nie pragnie myśleć o niczym innym prócz Angelique D'Arcy. Ostatniej niedzieli na przykład, kiedy w Diabelskim Zakątku pojawił się wędrowny kaznodzieja i bar zamieniono w kościół, panna D'Arcy spóźniła się na nabożeństwo. Gdy stanęła w drzwiach, wszystkie oczy zwróciły się ku niej, po czym zapadła cisza. Miała na sobie jedną ze swych pięknych sukien, jej ramiona i głowę spowijał wspaniały welon z hiszpańskiej koronki, a w okrytych rękawiczkami dłoniach trzymała modlitewnik i różaniec. Kiedy cisza przeciągała się – w tej głównie protestanckiej osadzie na katolików spoglądano nieco podejrzliwie – panna D'Arcy, zamiast ruszyć do przodu, zajęła miejsce z tyłu, pośród prostytutek.

Złoto, cięższe niż piasek, zbierało się w środku miski, piasek natomiast odsuwał na boki, dzięki czemu Seth mógł wydobyć bryłki i płatki kruszcu za pomocą pęsety. Następnie ostrożnie odcedził resztę wody i przytknął czysty, suchy palec do pozostałych na dnie drobinek złota, podniósł je i upuścił do słoika. Była to ciężka, czasochłonna, wyczerpująca praca. Czasem nawet cały dzień płukania nie przynosił żadnych efektów. Niekiedy zaś Seth znajdował samorodki, które wydawały się wielkie i świetliste jak tarcza słoneczna.

Po wypłukaniu kolejnej miski usiadł na piętach i otarł czoło chustką. Popatrzył na drugi brzeg potoku, gdzie widać było ruiny indiańskiej wioski. Seth jako jeden z pierwszych wytyczył sobie działkę na tej odnodze rzeki. Gdy tu przyjechał, wioska tętniła życiem. Indianie gromadzili się na przeciwległym brzegu i w milczeniu obserwowali szalonych białych ludzi przesiewających piach. Później przybyli następni biali z kilofami i łopatami i zaczęli budować śluzy oraz wielkie drewniane pogłębiarki do wydobywania żwiru z dna strumienia. Wkrótce potem z potoku zniknęły ryby, a Indianie odeszli w poszukiwaniu innego źródła pożywienia.

Niektórzy z nich zaczęli nawet szukać złota, bo chociaż sami nie potrafili go wykorzystać, zorientowali się, że można za nie kupić jedzenie i koce. Inni najęli się do pracy na farmach białyćh ludzi i w miejscach takich jak tartak Suttera. Kiedy Seth i panna D'Arcy, jadąc z Sacramento, zatrzymali się w tartaku, by napoić konie, ujrzeli setki Indian siedzących w kucki w południowym słońcu. Gdy tylko wyniesiono kubły z jedzeniem i postawiono na ziemi, Indianie rzucili się na nie, padli na klęczki i zaczęli szaleńczo napychać sobie usta strawą, jakby wiedzieli, że nie wystarczy dla wszystkich.

Jednak większość Indian ukrywała się w górach. Niektórzy biali, uznawszy, że dla tubylców nie ma już miejsca w Kalifornii, polowali na nich ze strzelbami. A rząd federalny usiłował zapędzić Indian w jedno miejsce i osadzić ich na wyznaczonym terenie. Jedyne istniejące jeszcze wioski zamieszkiwały kobiety, lecz nawet one zaczynały padać ofiarą szerzących się w okolicy porwań. Kiedy rozeszła się wieść o złocie, mężczyźni i kobiety w Kalifornii porzucali swoje zajęcia, ruszając ku złotonośnym terenom. Z farm i rancz nagle znikali wszyscy robotnicy, bogacze tracili swoich służących. Kwitł zatem niezwykle dochodowy handel porwanymi indiańskimi kobietami i dziećmi, które wywożono na południe i sprzedawano jako siłę roboczą.

Odpoczywając w ciepłych promieniach słońca, Seth kontemplował barwy leśnych kwiatów i błękit nieba – były to rzeczy, które dawno już przestał zauważać. Opadły go wspomnienia… Wschodnia Kolonia Karna i jej eksperymentalny program resocjalizacji więźniów poprzez odosobnienie. Władze więzienia nie zdawały sobie jednak sprawy, że dla Setha Hopkinsa samotna cela nie różniła się zbytnio od pogrążonego w ciszy domu jego ojca lub spowitej mrokiem kopalni. W dniu, kiedy wychodził na wolność, strażnik powiedział do niego: „Mam nadzieję, że czegoś się tutaj nauczyłeś". Tymczasem jedyną rzeczą, jakiej nauczył się Seth, było to, że każdy człowiek jest samotny na tym świecie. Każdy rodzi się sam i musi w samotności walczyć o przetrwanie. I nikt nie powinien uzależnić się od pomocy innych ludzi.

Gdy sięgał po miskę, rozpoczynając kolejną godzinę znojnej pracy, przed oczami stanął mu niespodziewany obraz: panna Angelique D'Arcy śpiąca w jego łóżku, a jej gęste czarne włosy rozsypane w nieładzie na jego poduszce.

☆

Na mieszkańców Diabelskiego Zakątka rzucono urok. Eliza Gibbons nie miała co do tego wątpliwości. Była to sprawka przebiegłej panny D'Arcy, pięknej francuskiej wdowy, którą Seth znalazł w dokach San Francisco i przywiózł do domu jak zabłąkanego kociaka. Eliza nie była głupia ani ślepa i zapewne dlatego jako jedyna potrafiła oprzeć się mocy tego stworzenia. Mogło się wydawać, że społeczność Diabelskiego Zakątka padła ofiarą masowego obłędu.

Że dzieje się coś złego, Eliza zaczęła podejrzewać pewnego sobotniego ranka, gdy stworzenie zadziwiło wszystkich, pojawiając się w hotelu Elizy, kiedy Seth wyjechał do American Fork, by złożyć swą cotygodniową wizytę w banku. W małym holu i w jadalni panował duży ruch. Obywatele Diabelskiego Zakątka raczyli się wyborną kawą Elizy, odbierali pocztę i gazety, które przywieziono porannym dyliżansem. Hotel był miejscem zebrań i spotkań, gdzie można wymienić plotki i najświeższe wiadomości, a także pozbyć się zmęczenia po tygodniu pracy na złotodajnych działkach. Francuska wdowa Setha nagle zjawiła się w drzwiach wejściowych, a w hotelu zapanowała grobowa cisza.

Eliza na zawsze miała zapamiętać chwilę, gdy wszystkie głowy odwróciły się i każdy z obecnych utkwił spojrzenie w przybyłej.

A potem, w następnej minucie, mężczyźni zrobili coś, co sprawiło, że Eliza otworzyła usta ze zdziwienia: podnieśli się z krzeseł i zdjęli kapelusze! Żadnej kobiety w obozie nie spotkały do tej pory takie względy. Zwłaszcza zaś samej Elizy, która była przekonana, że jeśli ktokolwiek w ogóle zasługuje na królewskie traktowanie, to właśnie ona, Eliza Gibbons. „Czyż to nie ja, jako jedyna, wpadłam na pomysł zawarcia umowy z dyliżansem, żeby pocztę i prasę dostarczał do mojego hotelu? Czy to nie ja własną przemyślnością doprowadziłam do zbudowania chłodni, dzięki której ludziom nie psują się wędliny i masło, a upolowane ptactwo można przechowywać na specjalne okazje, podobnie jak tajemną butelkę szampana Billa Ostlera? Czyż sława moich pierogów z mięsem nie sięga aż do Nevady? I cóż dostaję w zamian? Tylko narzekania, że moje ceny są zbyt wysokie".

Zachowanie mężczyzn tego sobotniego poranka przeraziło Elizę. Szczególnie wówczas, gdy pani Ostler powiedziała stworzeniu „dzień dobry", a inne panie poszły w jej ślady!

Panna D'Arcy wyjaśniła, że pragnie kupić coś na kolację dla pana Hopkinsa. Nabyła z kuchni Elizy smażonego kurczaka z purée ziemniaczanym i sosem z podrobów. Eliza miała ochotę poinformować stworzenie, że posiłki są przeznaczone tylko dla klientów hotelu, lecz nie mogła przecież skłamać w tak oczywisty sposób na oczach wszystkich zebranych! Nie miała więc innego wyjścia, jak tylko pozwolić dziewczynie odejść z koszykiem pełnym swych najlepszych specjałów, które stworzenie to bez wątpienia zamierzało podać jako własne dzieło.

Na tym zresztą nie koniec. Pewnego sobotniego wieczora, kiedy do obozu przywędrowała grupa grajków, by urządzić staroświecką potańcówkę w szopie, tyle że bez szopy, zabawa zakończyła się bójką, ponieważ wszyscy mężczyźni chcieli tańczyć z Angelique. Innym razem w hotelu Elizy zjawili się mężczyźni z gór ze swymi indiańskimi kobietami, a Eliza właśnie zamierzała ich wyprosić, kiedy przybiegła Angelique, która na wieść o ich przybyciu zapragnęła zapytać o ojca. Gdy okazało się, że są Francuzami, wszyscy zaczęli paplać jak małpy w tym swoim cudzoziemskim języku, a potem ten durny Walijczyk, Llewellyn, poprosił ją o lekcje francuskiego! Ingvar Swenson posłał jej w powitalnym prezencie tuzin świeżych jaj, pani Ostler zasięgnęła jej opinii co do koloru przędzy, którą wybrała na nowy szal, a Cora Holmsby poprosiła pannę D'Arcy o poradę w sprawie perfum.

Miary dopełnił jednak incydent z brzoskwiniami.

Eliza potajemnie zmówiła się z farmerem mieszkającym w pobliskiej dolinie, który przyjeżdżał do osady z wozem pełnym brzoskwiń. Zagwarantowała mu, że wszyscy będą kupować owoce, a w zamian miała otrzymywać pewien procent utargu. I rzeczywiście, brzoskwinie były tak rzadkim przysmakiem, że ludzie tłoczyli się wokół furgonu, wciskając handlarzowi banknoty i woreczki ze złotym pyłem. Pewnego razu jednak nadeszło stworzenie Setha i przepychając się przez tłum, zaczęło pleść, że owoce są niedobre i po zjedzeniu ich można się poważnie rozchorować.

Wtedy wybuchła awantura; farmer krzyczał ze złości i wymachiwał rękami, panna D'Arcy próbowała powstrzymać ludzi od sięgania po brzoskwinie, aż w końcu przyszedł Seth Hopkins i usiłował wszystkich uspokoić. Kiedy zapytano ją, dlaczego uważa, że owoce są niedobre, nie potrafiła nawet rozsądnie odpowiedzieć. Patrzyła tylko na Setha tym swoim zniewalającym spojrzeniem, powtarzając: „Proszę, nie jedzcie ich, bo zachorujecie".

Ku zaskoczeniu Elizy, Seth odparł: „No cóż, może rzeczywiście nie powinniśmy kupować tych brzoskwiń", a wówczas ci, którzy wybrali już owoce, odłożyli je na miejsce.

Podczas gdy inni stali wokoło, nie wiedząc, co robić, a farmer wykrzykiwał obelgi w języku, którego nikt nie rozpoznawał, Eliza podeszła do wozu i kupiła cały buszel[1] brzoskwiń. Pozostali natychmiast poszli za jej przykładem i prawie opróżnili furgon, a farmer odjechał zadowolony.

---

[1] Buszel – anglosaska miara objętości równa około 35,2 l.

Z całego zajścia w pamięć Elizy najdotkliwiej wryło się to, jak potulnie Seth zastosował się do wskazówek stworzenia, jakby ta dziewczyna pozbawiła go siły woli. Wtedy właśnie Eliza uświadomiła sobie, że nadszedł czas, by wziąć sprawy we własne ręce.

Pewnego sobotniego wieczora u schyłku lata, kiedy cykały świerszcze, a powietrze miało już posmak jesieni, Eliza uraczyła Setha drugą, pokaźną porcją swego brzoskwiniowego placka.

– Ona wie pewne rzeczy – powiedział między kęsami, popijając słodkie, soczyste ciasto zimnym mlekiem. – Nie wiem jak i skąd, ale panna D'Arcy czasem po prostu coś wie. Twierdzi, że widziała, jak cały obóz choruje po zjedzeniu tych brzoskwiń. To było jak wizja. – Zgarnął na łyżkę resztki syropu i kruszonki. – Niektórzy ludzie mają taki dar. Zwłaszcza kobiety.

Eliza nie wiedziała nic o wizjach ani darach, ale przebiegłą i chytrą kobietę potrafiła rozpoznać bezbłędnie. Po odjeździe sprzedawcy brzoskwiń napiekła mnóstwo placków i poczęstowała tych, którzy spóźnili się i nie mogli kupić owoców. Posłała również placek do chaty Setha, by następnego dnia dowiedzieć się, że stworzenie go wyrzuciło! Wszyscy w obozie wprost przepadali za brzoskwiniowymi plackami Elizy i twierdzili, że lepszych nie ma na całym terytorium. Za kogo uważało się to stworzenie, sądząc, że może wyrzucać jej ciasto? Jedno nie ulegało wątpliwości – ten gest niewiele miał wspólnego z troską panny D'Arcy o jakość owoców. Oznaczał raczej przywłaszczenie sobie Setha Hopkinsa. Eliza doskonale wiedziała, co knuje stworzenie, nawet jeśli Seth nie wyczuwał, co się święci.

Przez kilka ostatnich sobotnich wieczorów, gdy siadywali razem na ganku hotelu, Seth wysyłał sprzeczne sygnały. Najpierw opowiadał jej, że traci już cierpliwość do panny D'Arcy i że jej utrzymanie kosztuje go majątek, a po chwili rozwodził się o jej perfumach i czarującym śmiechu. Eliza widziała to, czego sam nie dostrzegał: także i on powoli ulegał urokowi stworzenia.

Eliza nie spodziewała się, że w swych zabiegach o względy Setha będzie miała konkurencję. Był to jeden z powodów, dla których przyjechała ze wschodu do Kalifornii: tutaj bowiem mężczyźni przeważali liczebnie nad kobietami co najmniej dziesięciokrotnie. Nawet kobieta taka jak ona, która „nie załapała się" i w wieku trzydziestu lat tkwiła w staropanieństwie, miała sporą szansę upolować wspaniałą zdobycz, jaką był Seth Hopkins. Od ośmiu miesięcy usiłowała skłonić Setha, by spojrzał na nią w „matrymonialny" sposób, uwodząc go plackami z konfiturą, pierogami z mięsem i wyrażaniem podziwu dla jego męskiej siły za każdym razem, gdy pomagał jej naprawić coś w hotelu. Nigdy nie robiła mu wyrzutów, także wówczas, gdy wycierał sobie usta jej obrusem, zamiast własnym rękawem, lub bekał bezceremonialnie. Nie wspominała, że jej zdaniem powinien powiększyć swoją działkę o część parceli Charliego Bigelowa, który nie wykorzystywał jej w stu procentach. Nie zamierzała też grać na jego ambicji, sugerując, że wydobędzie więcej złota, jeśli użyje śluzy zamiast miski. Jego zdaniem ci, którzy pracują w górnym biegu strumienia, nie powinni być zbyt zachłanni, bo wtedy nie zostałoby nic dla tych z dołu. Gryzła się w język, kiedy oświadczał, że pragnie zarobić tylko tyle, żeby zapewnić sobie wygodne życie, podczas gdy każdy z pozostałych mieszkańców Diabelskiego Zakątka aż palił się, by zgromadzić więcej złota niż sam król Midas. Eliza czuła, że nadchodzi odpowiedni moment, by zasiać nowe ziarno w jego umyśle: znali się już długo, byli dobrymi przyjaciółmi i pomagali sobie wzajemnie, jak przystało na sąsiadów, on zaś potrzebował przecież kobiety, a i jej przydałby się mężczyzna w domu, z czego wysnuć można jedyny logiczny wniosek. Teraz jednak panna D'Arcy uwodziła go jaskrawymi sukniami i swą kobiecą bezradnością.

– Już niedługo – powiedział, nabijając sobie fajkę – Kalifornia będzie stanem.

– Mam nadzieję, że wtedy zrobią coś z tymi cudzoziemcami, których coraz więcej tu przyjeżdża. Doszły mnie słuchy, że w American Fork są Chińczycy.

Seth podniósł na nią wzrok.

– A czyż i my nie jesteśmy cudzoziemcami, Elizo?

Uśmiech nie zniknął jej z twarzy.

– Oczywiście! Żartowałam tylko!

Skinął głową i zabrał się do zapalania fajki.

– Wszyscy przybyliśmy tu z innych miejsc. Oprócz Indian. Bóg chyba tutaj ich stworzył.

Eliza nie odpowiedziała. Nienawidziła kalifornijskich tubylców i uważała, że należy się ich jak najprędzej pozbyć. Dzięki Bogu ludzie tacy jak Taffy Llewellyn i Rupert MacDougal co jakiś czas przeprowadzali czystki w okolicy. Gdyby miało to zależeć od Setha Hopkinsa, Diabelski Zakątek opanowałyby tłumy dzikusów.

– Czy panna D'Arcy robi jakieś postępy? – zapytała, przypominając sobie o innym znienawidzonym stworzeniu.

Seth wydmuchnął chmurę dymu.

– Jestem w rozterce, Elizo. Ładna to ona jest, że aż miło popatrzeć, ale nie ma z niej żadnego pożytku. Próbowałem nauczyć ją kilku rzeczy, ale wygląda na to, że boi się pieca. Kiedy bekon skwierczy, odskakuje. Nie chce poplamić tłuszczem swoich pięknych sukni. Wszystkie szopy i lisy uwielbiają moją chatę, tyle jedzenia wyrzuca. Przychodzę raz do domu, a tu panna D'Arcy wybiega na dwór z płonącą patelnią w ręku. Cisnęła wszystko do strumienia. Musiałem kupić nową patelnię u Billa Ostlera, a sama wiesz, jaki to wydatek!

Wyciągnął nogi i skrzyżował je w kostkach.

– Nigdy jeszcze nie spotkałem kobiety, która nie potrafiłaby gotować ani szyć. Nie to, co ty, Elizo. Jesteś bardzo zaradną kobietą. I nie martwisz się o urodę ani o to, żeby ładnie wyglądać. Potrafisz też docenić wartość dolara.

Usta Elizy zacisnęły się, tworząc cienką linię.

– Może nie wytrzyma tu długo i będziesz miał ją z głowy.

– To raczej niemożliwe. Ona odpracowuje dług, który u mnie zaciągnęła. I szuka swego ojca. Nie mogę jej wyrzucić i zostawić samej sobie. Jest zbyt bezradna.

Eliza pragnęła powiedzieć, co myśli o pannie D'Arcy i jej bezradności, ale powstrzymała się w porę.

– Jesteś pewien, że ten ojciec w ogóle istnieje?

Spojrzał na nią ze szczerym zdumieniem.

– Dlaczego miałaby kłamać?

Eliza nie odpowiedziała. Jak to możliwe, że Seth przeżył trzydzieści dwa lata i dotąd nie wiedział, że są na tym świecie kobiety gotowe uciec się do każdego kłamstwa, byle tylko zapewnić sobie opiekę mężczyzny?

– A tymczasem – rzekł – chyba będę musiał znosić chrapanie Charliego Bigelowa i przypalone ziemniaki na kolację.

– Zawsze możesz przyjść tutaj i zjeść dobry posiłek. Smażonego kurczaka, tosty i sos. To, co najbardziej lubisz.

Zaśmiał się.

– Elizo, kolacja u ciebie kosztuje majątek.

– Dałabym ci specjalną zniżkę, wiesz przecież.

– Nie. To byłoby niesprawiedliwe wobec innych, którzy pracują tak samo ciężko jak ja. Płaciłbym pełną cenę i koniec.

Eliza zachowała swe myśli dla siebie. Czasami poczucie sprawiedliwości Setha Hopkinsa doprowadzało ją do szału.

– No cóż, to godne pochwały, że wypełniasz swój chrześcijański obowiązek i ratujesz to biedne stworzenie.

– Bycie chrześcijaninem nie ma tu nic do rzeczy. Nie mogłem jej zostawić na łasce Boggsa i jemu podobnych. Każdy mężczyzna na moim miejscu zrobiłby to samo.

Każdy mężczyzna przyprowadziłby to stworzenie do domu, zamknął w złotej klatce i rozpływałby się z zachwytu. Ale nie Seth Hopkins. Gdy szło o kobiety, miał klapki na oczach. Eliza zaczynała podejrzewać, że należy on do mężczyzn niezdolnych do miłości. Kobieta nie mogłaby wówczas wymagać od Setha niczego prócz lojalności i opieki. Cóż, Eliza wcale nie oczekiwała więcej... Nie była pewna, czy romantyczna miłość, taka, o której piszą poeci, w ogóle istnieje. Wspominała z goryczą mężczyzn, którzy potrafili czarować pięknymi słówkami, kiedy myśleli, że kobietę czeka pokaźny spadek, lecz ulatniali się natychmiast, gdy tylko okazywało się, że jest bez grosza. Nie, Eliza wolała już obcesowość Setha. Wiedziała przynajmniej, na czym stoi. Gdyby się pobrali, nie oczekiwałaby miłosnych uniesień.

– Chciałbyś, żebym spróbowała jej pomóc? Nauczyłabym pannę D'Arcy chociaż podstaw gotowania.

Sethowi najwyraźniej ulżyło.

– Och, Elizo, byłbym ci taki wdzięczny! Sądzę, że Angelique bardzo przydałaby się pomoc starszej kobiety.

Twarz Elizy Gibbons, która była tylko pięć lat starsza od panny D'Arcy i o dwa lata młodsza od Setha, stężała nagle, a oczy błysnęły jak czarne węgielki. Udało jej się jednak zachować uśmiech na ustach.

– Zdaj się na mnie. Już ja nauczę biedną pannę D'Arcy obchodzić się z piecem.

☆

To wprost nie do wiary. Znowu przypaliła ziemniaki!

Wpatrując się w spaloną breję w garnku, Angelique poczuła, że do oczu napływają jej łzy. Jak radziły sobie z tym inne kobiety? Ona rozpalała zbyt silny ogień albo nie potrafiła dostatecznie rozgrzać pieca. Kiedy pilnowała mięsa na patelni, przypalały się warzywa. Jeśli właśnie mieszała potrawkę, chleb w piecu stawał w płomieniach. Jak mogła żonglować wszystkim naraz? Wyrzucając na dwór poczerniałe ziemniaki, z których szopy i lisy miały sobie później urządzić ucztę, przewidywała reakcję pana Hopkinsa: gdy podała mu niejadalną kolację albo wypaliła żelazkiem dziurę w koszuli, nigdy nie złościł się ani nie robił jej wymówek. Mówił po prostu: „Następnym razem pójdzie pani lepiej". Seth Hopkins to najbardziej opanowany człowiek, jakiego znała. Trudno było uwierzyć, że kiedyś prawie zabił człowieka. A przecież sam wyznał, że siedział za to w więzieniu. Nie wydawał się zdolny do takiego porywu wściekłości. Chyba że stanął wtedy w obronie kobiety, którą kochał. Czyżby więc w Secie Hopkinsie drzemało jakieś ukryte źródło namiętności, które czekało, aż zjawi się odpowiednia kobieta – taka jak ona – która wie, czym jest żar miłości, i pobudzi je do życia?

Besztając się za takie myśli – ostatnio bowiem coraz częściej oddawała się marzeniom o Secie Hopkinsie, jego rosłej postaci, jego sile i przystojnej twarzy, a nawet pocałunku jego ust – wróciła do mrocznej chaty, do jej stęchłej woni i do samotności. Na kołkach przybitych do ścian rozwiesiła swoje suknie, dzięki czemu mogła łatwiej wywabiać z nich plamy i cerować drobne rozdarcia. Utrzymywanie garderoby w nieskazitelnym stanie było zadaniem niezwykle czasochłonnym. Pozwalało jej jednak pozostać przy zdrowych zmysłach.

Angelique nigdy nie przypuszczała, że życie może być aż tak ciężkie. Na dłoniach wyskakiwały jej pęcherze, a skóra stawała się szorstka; wciąż miała obolałe mięśnie. Cały czas tylko praca, ciężka praca i żadnej rozrywki ani zabawy. Nawet wędrowny cyrk nie zatrzymywał się w Diabelskim Zakątku, ponieważ cyrkowcom szkoda było czasu na występy w tak małym obozie. Jedyne pianino znajdowało się w barze, do którego kobiety miały zakaz wstępu. Atrakcji dostarczały awantury w sobotnie wieczory, bójki na pięści wybuchające co jakiś czas na ulicy lub wydarzenia takie jak eksplozja w bimbrowni Walijczyka Llewellyna, która w środku nocy postawiła na nogi cały obóz, oraz ów wieczór, gdy Charlie Bigelow, nie mogąc znieść kolejnego koncertu na kobzie w wykonaniu Ruperta MacDougala, wybiegł z namiotu ze strzelbą, wycelował ją w instrument i oświadczył: „Naucz się innej melodii, bo inaczej poślę na tamten świat ciebie i tę piekielną machinę".

Jedynym radosnym wydarzeniem były narodziny dziecka Swensonów. Dzieci stanowiły taką rzadkość w tym rejonie, że z całej okolicy schodzili się poszukiwacze złota, by złożyć maleństwu uszanowanie i przynieść mu prezenty. Nawet Indianie przynosili w darze koraliki i pióra. Angelique patrzyła, jak dorośli mężczyźni płaczą ze wzruszenia na widok niemowlęcia, a chwila była tak podniosła, że przypominała jej scenę narodzenia Jezusa (chociaż potem wszyscy mężczyźni upili się i zdemolowali obóz, wywołując bijatyki i strzelaninę).

Nade wszystko jednak dręczyła ją tęsknota za domem. Marzyła o papryczkach chili i tortillach. Jej uszy tęskniły za dźwiękami hiszpańskiej gitary. Brakowało jej spacerów po ogromnych targowiskach Meksyku i oglądania ceramiki, tkanin i unikatowych drewnianych rzeźb. Żałowała, że nie ma tu nikogo, z kim mogłaby rozmawiać po hiszpańsku.

Wziąwszy do ręki aztecki posążek, zacisnęła palce na znajomym kształcie, który niósł jej pocieszenie i przypominał o domu, po czym w myślach zmówiła modlitwę do malutkiej bogini, prosząc, by obdarzyła ją siłą. Ucałowała chłodny jadeit i z powrotem postawiła figurkę przy łóżku.

– Halo! Panno D'Arcy!

W otwartych drzwiach Angelique ujrzała Elizę Gibbons.

– Och! Panna Gibbons! – Rzuciła się, by przysunąć jej krzesło, szybko otrzepując siedzenie z kurzu. – To prawdziwy zaszczyt. Proszę wejść.

Eliza obejrzała zieloną satynową suknię młodszej kobiety nałożoną na niezliczone halki oraz kolczyki z błyszczących, niebiesko-zielonych kamieni. „Jakby wybierała się na wielki bal" – pomyślała Eliza z pogardą. Twarz i włosy jednak miała uwalane mąką, a z bliska można było zauważyć na jej sukni plamy, których żadna ilość mydła nie zdołałaby wywabić. Nic dziwnego, że stworzenie nie potrafiło gotować. Bardziej przejmowało się stanem swoich ubrań niż karmieniem Setha Hopkinsa.

– Przyznaję, że to z mojej strony duże zaniedbanie, iż do tej pory pani nie odwiedziłam – powiedziała Eliza, wciąż stojąc. – Pan Hopkins dał mi do zrozumienia, że przebywa pani tutaj tymczasowo.

– Sądziłam, że mój ojciec odszuka mnie do tej pory.

– A zima już blisko. Kiedy zaczną się deszcze, podróżowanie stanie się trudne, a właściwie wręcz niemożliwe.

Zima! Angelique opadły czarne myśli. Za nic nie przetrzyma zimy w tym miejscu.

– Chyba przeszkodziłam pani w gotowaniu – zauważyła Eliza.

– Jestem do niczego, jeśli o to chodzi. Przysparzam panu Hopkinsowi samych kłopotów, zamiast mu pomagać.

– Zgaduję, że robi pani zupę?

– Już kiedyś próbowałam. Ale pan Hopkins mówi, że moja zupa jest bez smaku.

Eliza zdjęła czepek.

– A jak ją pani przyprawia?

– Señora Ostler radziła mi dodawać dwie szczypty soli. I tak też robię.

– Tylko tyle? Dwie szczypty na cały garnek?

– *Sí.*

– I w tym sęk. Pani Ostler miała na myśli dwie szczypty na k a ż d ą p o r c j ę. To duży garnek, będzie co najmniej dziesięć porcji. Proszę wysypać na dłoń trochę soli. No właśnie. Tyle trzeba dodać do zupy.

Angelique wybałuszyła oczy.

– Mam wsypać to wszystko?

Eliza uśmiechnęła się.

– Dzięki temu zupa nabierze smaku. A teraz zdradzę pani pewien mały sekret, który pomaga mi w gotowaniu – powiedziała, sięgając po słoik melasy. – A pan Hopkins twierdzi, że to najlepszy sos, jakiego w życiu próbował...

Do czasu gdy Seth wrócił do domu, serce Angelique wypełniła nowa nadzieja. Mężczyzna usiadł przy stole, patrząc z ukosa na Angelique, gdy ta stawiała przed nim talerz. Puściła przy tym do niego oko, co wprawiło go w zdumienie. Zerknął na sos, po czym podniósł talerz i powąchał.

– Czy coś jest nie w porządku? – zapytała.

– Ten sos… wygląda jakoś inaczej. I pachnie inaczej.

– Dodałam do niego pewien tajemny składnik – wyjaśniła z uśmiechem.

Najpierw spróbował zupy, wlewając pełną łyżkę do wygłodniałych ust. Nie minęła sekunda, gdy parsknął, wypluwając wszystko na stół. Szybko napił się wody, po czym wytarł ręką usta.

– Co pani zrobiła z tą zupą?

Patrzyła na niego zdziwiona.

– Czy jest niedobra?

– Jest okropna!

Zapadła cisza: słychać było jedynie bzyczenie much. Po chwili pobladła Angelique, usiłując zachować spokój, położyła dłonie płasko na stole i powoli wstała.

– Panie Hopkins, ocalił mnie pan od potwornego losu i zawsze będę panu wdzięczna. Ale ta sytuacja nie jest dobra dla żadnego z nas. Uważam, że powinnam odejść.

Spojrzał na nią ze zdumieniem.

– Odejść?! Ja tylko pytałem, co pani zrobiła z tą zupą. Ona smakuje…

– Źle smakuje. Wszystko robię źle. I nigdy nie będzie lepiej. – Sztywno wyprostowana, podeszła z godnością do beczułki obok łóżka, wzięła różową jadeitową figurkę, powiodła po niej spojrzeniem, a potem wróciła do stołu i delikatnie postawiła nań posążek. – Oto spłata mojego długu. To warte więcej, niż jestem panu winna. Ale płacę i chcę, żebyśmy byli kwita. Za trzy dni będzie przejeżdżał tędy dyliżans, a ja zabiorę się nim do Sacramento.

☆

Nie miała sukni, na której nie widniałaby przynajmniej jedna mała plamka. Choć tak bardzo starała się utrzymać swoje stroje w czystości, niemożliwością okazało się uchronić je przed tłuszczem i sosem, kawą i sokiem, sadzą i ziemią. Nawet fartuchy nie

pomagały, a Bill Ostler nie miał w sklepie odpowiedniego wywabia-
cza plam. Postanowiła, że po przyjeździe do Sacramento wszystkie
siły poświęci na odnowę swej pięknej garderoby.

Ostrożnie układając suknie w kufrze, Angelique usiłowała nie
myśleć o mężczyźnie, którego miała opuścić. Seth pojawiał się
dzień i noc w jej snach i marzeniach na jawie, czasem był jej
łagodnym wybawcą, kiedy indziej znów namiętnym kochankiem.
Kiedy zdążył wkraść się w jej serce? Jak mogła tego nie zauważyć?

Ostatnie trzy dni Seth spędził poza domem; gdy w końcu usłyszała
kroki na zewnątrz, serce jej podskoczyło. Ale to tylko Bill Ostler
wpadł z wizytą.

– Słyszałem, że pani wyjeżdża. Przyszedłbym wcześniej, ale żona
się przeziębiła. Całą noc przy niej siedziałem. – Dostrzegła, że
sklepikarz ma cienie pod oczami i rumieńce na policzkach. – Źle,
że pani wyjeżdża, panno D'Arcy. Dla Setha byłaby pani zbawieniem.
Przydałoby mu się wreszcie trochę szczęścia. Mówił pani, że
siedział w więzieniu?

– Tak. Podobno omal nie zabił człowieka, który znęcał się nad
jakąś kobietą.

– A czy mówił pani, że ten mężczyzna był jego ojcem, a kobieta
jego matką? Stary Hopkins tak potężnie zdzielił ją w głowę, że
prawie oślepła. I wtedy Seth uznał, że czas skończyć z terrorem ojca.
Nie okazał skruchy. Dlatego tak mu dali w kość w więzieniu. Czy
mógłbym prosić o szklankę wody? Okropnie zaschło mi w gardle.

Podała mu kubek.

– A więc do widzenia, panno D'Arcy. Miło było panią gościć.

Właśnie zawiązywała czepek pod brodą, kiedy w drzwiach stanął
wreszcie Seth. Wyglądał tak, jakby od kilku dni męczyła go
bezsenność.

Patrzył na jej strój podróżny, czepek i rękawiczki, kufer przy
drzwiach czekający na zaniesienie do dyliżansu, po czym rzekł
zmęczonym głosem:

– Trochę rozmyślałem przez ostatnie trzy dni.

Ujął jej dłoń, umieścił w niej jadeitowy talizman i zaplótł jej palce wokół małej azteckiej bogini. Potem wyjął księgę rachunków i wyrwał stronę zatytułowaną „Angelique".

– Popełniłem błąd, przywożąc panią tutaj. Nie wiedziałem, że będzie pani aż tak ciężko. Nie zdawałem sobie sprawy, jak odmienny jest świat, z którego pani pochodzi. Cóż, wie pani, gdzie mnie szukać. Gdy odnajdzie pani ojca, on będzie mógł tu przyjechać i spłacić dług. Ale nie domagam się zwrotu. – Rozejrzał się. Wnętrze chaty wyglądało ponuro. Zabrała wszystkie kolorowe rzeczy, nawet perkalowe zasłony z nieistniejącego okna. – Pojadę z panią do Sacramento i dopilnuję, żeby znalazła pani jakąś przyzwoitą kwaterę. – Przycisnął dłoń do czoła.

– Dobrze się pan czuje, panie Hopkins? – zapytała z nagłą troską, ponieważ przypomniała sobie Billa Ostlera.

– Szczerze mówiąc, bywało lepiej. Charlie Bigelow złapał jakieś paskudne przeziębienie. Pewnie się zaraziłem. Może usiądę sobie na chwilę...

Przysunęła mu krzesło i podała kubek wody.

– Od jak dawna tak się pan czuje?

– Od dwóch, może trzech dni. Myślałem, że mi przejdzie, ale chyba jest coraz gorzej. A teraz jeszcze głowa...

– Powinien się pan położyć.

Nie oponował. I kiedy wstał z krzesła, zachwiał się, tak że musiała objąć go w pasie, żeby mógł ustać na nogach.

– Nic mi nie będzie – powiedział, kładąc głowę na poduszce. – Muszę tylko zamknąć oczy. A pani niech już lepiej idzie. Zaraz przyjedzie dyliżans. Proszę powiedzieć stangretowi, że dojdzie dwoje pasażerów.

Patrzyła, jak zamyka oczy, a potem zdjęła rękawiczkę i położyła dłoń na czole Setha. Trawiła go gorączka.

Pomyślała o Billu Ostlerze i jego żonie. Przypomniała sobie wizytę handlarza brzoskwiń sprzed ośmiu dni i wizję złożonego chorobą obozu, która ją wówczas nawiedziła.

Zerknęła ku wejściu. Dyliżans miał nadjechać za kilka minut. Wtedy Seth wydał z siebie bolesny jęk.

Zdjąwszy czepek, podsunęła krzesło do łóżka i usiadła. Piętnaście minut później z ulicy dobiegło ją skrzypienie i zgrzyt kół dyliżansu. Została u boku Setha.

Obudził się po zachodzie słońca, a wówczas udało jej się skłonić go do wypicia odrobiny letniej kawy. Nie miał jednak apetytu na owoce ani tosty, którymi chciała go nakarmić. Próbował wstać z łóżka, mówiąc, że pora iść do Charliego Bigelowa, ale był zbyt słaby. Angelique poprawiła mu więc pościel i poszła do Ostlera, gdzie nabyła parę koców i poduszkę, a po powrocie przygotowała sobie posłanie na podłodze.

Nazajutrz rano z Sethem było jeszcze gorzej.

Trzymając rękę na jego rozpalonym czole, Angelique zbadała mu puls. Był nienaturalnie wolny jak na tak wysoką gorączkę. Przerażenie nagle ścisnęło jej serce, gdy przypomniała sobie epidemię, która przed dziesięciu laty przetoczyła się przez miasto Meksyk. Wysoka temperatura i spowolnione tętno zaniepokoiły lekarzy, gdyż takie objawy miała tylko jedna, straszna choroba – tyfus brzuszny.

Zamknęła oczy, zlękniona. A więc nie myliła się co do sprzedawcy brzoskwiń. Był kimś, kogo meksykańscy *curanderas* nazywają nosicielem. Sprowadził chorobę do Diabelskiego Zakątka. Angelique stała sparaliżowana strachem i bezradnością. Tyfus brzuszny to śmiertelna choroba, zabija nawet młodych, zdrowych mężczyzn.

Gdy rozmyślała gorączkowo, co zrobić i kogo poprosić o pomoc, Seth obudził się i ze zdziwieniem spojrzał na nią rozognionymi oczami.

– Wciąż tu pani jest – szepnął. – Czy mogę prosić o wodę? – Wtem przechylił się przez krawędź łóżka i zwymiotował. – O Boże, przepraszam… – jęknął i opadł z powrotem na plecy.

Ku swemu przerażeniu zauważyła, że pobrudził także siebie.

I nagle wszystkie wydarzenia ostatnich tygodni – podróż na „Betsy Lain", licytacja, Diabelski Zakątek – natarły na nią złowrogą czarną falą. Nie mogła już dłużej tego znieść. Z płaczem wybiegła z chaty. Chciała znaleźć ojca. Nienawidziła tego miejsca i nienawidziła Setha Hopkinsa.

Wypadła na oślep z obozu. Rozbryzgując wodę, przebiegła przez potok i ruszyła w górę zbocza pokrytego pniami po ściętych drzewach.

Dotarłszy na szczyt, znalazła się w lesie, a tam przypadła do ziemi i zapłakała gorzko, wyrzucając z siebie całą swą samotność, poczucie bezsilności i tęsknotę za domem. Wówczas głowę jej wypełnił ból, ale lekarstwo było daleko i nie pozostało jej nic innego, jak tylko poddać się atakowi tej przeklętej choroby, którą odziedziczyła po babce Angeli.

Gdy tak leżała zdjęta bólem i odrętwiała, zaczęły nawiedzać ją wizje – jednakże nie proroctwa ani halucynacje, tylko wspomnienia sprzed wielu lat, kiedy była sześcioletnią dziewczynką: owe dziwne chwile na Ranczu Paloma, gdy miał się odbyć jakiś ślub, lecz coś stanęło na przeszkodzie i wszyscy się nagle rozjechali. Angelique nie wiedziała, co się wówczas wydarzyło, ale teraz przypomniała sobie histeryczne zachowanie swej matki. Carlotta, która wryła się w pamięć córki jako kobieta silna i mocno stąpająca po ziemi, ogarnięta histerią. Miało to związek z tajemniczym zniknięciem cioci Mariny i czymś, co przytrafiło się dziadkowi Navarro. Jedyną zaś rzeczą, która w umyśle Angelique odcinała się od reszty ostro niczym otaczające ją szczyty gór, była twarz babki Angeli – krągła, blada i piękna – oraz jej głos, czysty i dźwięczny jak śpiew ptaków w lesie, gdy mówiła: „Zrobiłam to, co należało uczynić". A potem krzyk przerażonej Carlotty: „Przyjdą po ciebie, matko! Powieszą cię! Musisz uciekać. Musisz się ukryć". I spokojna, stanowcza odpowiedź babki: „Nie będę ani uciekać, ani się chować. Przyjmę każdy boski wyrok. Kobiety Navarro nie są tchórzami".

Następnego dnia D'Arcy zabrał stamtąd żonę i córkę, więc wspomnienie zatarło się w pamięci Angelique. Teraz, nękana migreną, zaczęła rozmyślać o tym, co też wydarzyło się owego

345

pamiętnego wieczora i dlaczego jej matka przypuszczała, że babka Angela zostanie schwytana i powieszona? Gdzie się podziała ciocia Marina i czy kiedykolwiek ją odnaleziono?

„Kto wyjechał tej nocy pośród tętentu końskich kopyt?".

Wreszcie atak zaczął mijać. Ból głowy ustąpił, głosy i obrazy rozpłynęły się jak sny o świcie. Kiedy Angelique otworzyła oczy, wydało jej się, że po raz pierwszy widzi, słyszy i czuje otaczający ją las. Cóż za majestat. Co za piękno. Zaczerpnęła głęboko powietrza – było to jak wdychanie mocy. Wdychanie duszy lasu. „Kobiety Navarro nie są tchórzami". Angelique popatrzyła wokół po tym leśnym raju, w jakim niespodziewanie się znalazła, i między drzewami dojrzała nędzny obóz, którym przed chwilą jeszcze tak bardzo pogardzała. „Zrobię to, co należy uczynić" – postanowiła.

Wróciwszy do chaty, zastała Setha usiłującego się rozebrać. Nalał wody do miednicy, żeby się umyć, ale upadł na podłogę. Bielizna i koce były nie do użytku. Zaścieliła łóżko jedynym czystym prześcieradłem, położyła na nim Setha, przykrywając go kołdrą, którą oszczędzał na zimę, a potem poszła do hotelu Elizy. Tam zaś pokojówka poinformowała ją, że panna Gibbons jest chora, podobnie jak czterech gości. Na szczęście kucharka była w kuchni i dała Angelique chleb, zupę, pudding i kiełbasę. Od pokojówki dostała świeżą zmianę pościeli, po czym poszła do Billa Ostlera, który upierał się, że jest zdrów pomimo wyraźnych objawów gorączki. Ostrzegł ją jednak:

– Wysoka gorączka może być niebezpieczna, jeśli nie zbije się jej jak najszybciej. Czasami powoduje drgawki i trwałe uszkodzenie mózgu. A nawet śmierć. Proszę wciąż zwilżać skórę Setha i wachlować go. Niech go pani poi dużą ilością chłodnej wody. I nie wolno prać pościeli. Wszystko trzeba spalić – ubrania, bieliznę, wszystko.

Na koniec pożyczyła od Walijczyka Llewellyna łóżko polowe, żeby mieć na czym spać.

Kiedy wróciła, Seth trzymał się za brzuch i jęczał. Podgrzała mu kupione w hotelu jedzenie, ale wszystko zwymiotował.

Temperatura rosła mu przez trzy dni, a potem utrzymywała się na wysokim poziomie. Po atakach wymiotów następowała biegunka, więc Angelique musiała wrócić do hotelu po kolejne zmiany bielizny. Zabrudzoną pościel paliła za chatą. Seth leżał bezwładnie na łóżku, próbując nie okazywać bólu, lecz Bill Ostler powiedział jej, że tyfus brzuszny powoduje powstawanie wrzodów na jelitach, które są źródłem strasznych męczarni.

Należało go wykąpać. Odsunęła na bok wstyd i przypomniawszy sobie, że przecież miała męża, obmyła Setha w łóżku ciepłą wodą z miednicy, przykrywając kocem od pasa w dół, by ocalić godność mężczyzny. Gdy spostrzegła blizny na jego plecach, przysunęła lampę i przyjrzała się im z bliska. Pokrywały skórę w tylu miejscach, że nie można ich było zliczyć. Były to szramy sprzed kilku lat, a zatem z pewnością pochodziły od uderzeń więziennego bata. Na nadgarstkach i kostkach nóg miał blizny po kajdanach. Angelique rozpłakała się.

– Matko Boska Boleściwa – szepnęła, żegnając się i roniąc łzy na okaleczoną skórę mężczyzny. – Cóż za biedny, biedny człowiek.

Gorączka nie spadała, a Seth dygotał w malignie. Kiedy zapadł w przypominający śpiączkę sen, na piersi i brzuchu pojawiła mu się różowa wysypka. Zdjęta przerażeniem Angelique rozpaczliwie usiłowała obniżyć gorączkę chłodnymi okładami. Siedziała przy nim dzień i noc, przykładając zimne kompresy, wachlując go i skłaniając do picia chłodnej wody. Jeśli na chwilę morzył ją sen, budziła się raptownie i wracała do pracy. Przypomniawszy sobie, że w Meksyku podczas letnich upałów panie skrapiały nadgarstki i skronie wodą kolońską, natarła skórę Setha swymi pachnidłami i wodą toaletową: opary spirytusu odrobinę go ochłodziły. A gdy zużyła perfumy, udała się do opustoszałego teraz baru, zabrała ostatnią butelkę whisky i skropiła alkoholem ciało Setha.

Kiedy spaliła ostatnie prześcieradło i poszła do hotelu po następne, okazało się, że tam nie ma już pościeli; bielizny zabrakło także w sklepie Billa Ostlera. Diabelski Zakątek spowijały kłęby cuchnącego dymu z licznych ognisk, w których palono pościel i ubrania. Po powrocie do chaty otworzyła więc kufer i wyjęła zeń swoje halki. Były uszyte z miękkiej bawełny i wystarczyło ich, żeby przykryć łóżko. Kiedy halki się skończyły, podarła swoje suknie i przetoczyła Setha na bok, aby sporządzić mu posłanie ze szmaragdowego jedwabiu i różowej satyny. Gdy i one były brudne, zbierała je i ciskała na tlący się za domem stos. Angelique zapalała zapałki, patrząc, jak jej jedwabie i satyny czernieją i giną w płomieniach.

Ponieważ suknie wykorzystywała do słania łóżka, otworzyła skrzynię, gdzie Seth trzymał swoje ubrania i wybrała parę dziwacznych spodni uszytych z materiału zwanego dżinsem, z kieszeniami przyczepionymi za pomocą metalowych nitów. Wyjęła też jedną z jego samodziałowych koszul i wsunęła ją w spodnie przewiązane w pasie sznurkiem, żeby nie opadały. Nie miała już czasu zawracać sobie głowy układaniem fryzury – rozczesała tylko włosy i zaplotła je w dwa długie warkocze. Ujrzawszy ją, Bill Ostler nie krył zdziwienia.

– Sądziłem, że to indiańska squaw – powiedział.

Seth nie mógł jeść zwykłych pokarmów, musiała więc przezwyciężyć swój strach przed piecem. Gotowanie było teraz kwestią życia i śmierci. Podtrzymując ogień, odkryła, jak należy gotować ryż, aż uzyska odpowiednią konsystencję, a potem dodała soli i cukru, by stał się bardziej posilny. Robiła Sethowi owsiankę. Rosół wołowy i warzywny. Zimną herbatę.

Kiedy jedzenie się skończyło, znowu poszła do hotelu, lecz nie spotkała tam nikogo. Jadalnia i kuchnia świeciły pustkami. Z góry dobiegały jednak czyjeś jęki i odgłosy torsji. Na tyłach hotelu piętrzył się stos dymiących, cuchnących prześcieradeł. Wróciła do Billa Ostlera, który był już poważnie chory i z wielkim wysiłkiem dowlókł się do drzwi.

– Czy mogłabym panu jakoś pomóc? – zapytała.

– Wszystko w rękach Boga, pani D'Arcy. Z tyfusem nigdy nie wiadomo, kto przeżyje, a kto umrze. Ta decyzja należy do Wszechmogącego... – Upadł na podłogę. Angelique pomogła mu położyć się do łóżka. Wtedy też zobaczyła panią Ostler, będącą u progu śmierci. Nabrała więc towarów ze sklepu, zostawiając woreczek złotego pyłu.

Gdy przyszła do Swensonów, w nadziei że kupi od nich jajka, zastała Ingvara, który opiekował się swą żoną. Spojrzawszy na panią Swenson, Angelique zauważyła, że kobieta trzyma w ramionach uśpione niemowlę. Przyjrzała się uważniej i zrobiła znak krzyża.

– Panie Swenson, pańskie dziecko...

– Wiem. Ona nie pozwala mi go pochować, biednego małego nicponia.

W obozie nie było żywej duszy, oprócz buszujących wszędzie psów. Na stoku wzgórza Angelique dostrzegła nowe groby; zastanawiała się, kto w nich spoczywa i kto miał siłę je wykopać. Nad osadą zawisł odór choroby. Pamiętała tę woń sprzed wielu lat, gdy tyfus szalał w Meksyku, a także pogrzeby, które odbywały się bez przerwy, dzień i noc. A Diabelski Zakątek czekał jeszcze niejeden pochówek, zanim choroba zbierze do końca swe żniwo.

Angelique nie odstępowała Setha ani na chwilę. Kiedy przewracał się na łóżku w bólu i malignie, tuliła go w ramionach. A gdy unosiła chorego, by go nakarmić, gdy gładziła jego twarz, czuła, że ogarnia ją nieznana do tej pory tkliwość.

Co wieczór padała wykończona na swe polowe łóżko.

Siedemnastego dnia po odjeździe popołudniowego dyliżansu Angelique spojrzała na wychudłą twarz Setha i jego wyniszczone ciało, z którego została tylko skóra i kości. Oczy zapadły mu głęboko w czaszkę, włosy się przerzedziły. Od kilku dni nie otworzył oczu. Wiedziała, że człowiek nie jest w stanie przeżyć nawet dwóch tygodni z taką gorączką. Ale nic już więcej nie mogła zrobić. Wykończona i słaba z głodu, bliska obłędu z braku snu, wpatrywała się w leżącego mężczyznę oczami, w których buzował płomień niebędący gorączką, lecz szaleństwem duszy.

W Diabelskim Zakątku panowała martwa cisza. Angelique nie słyszała już jazgotliwego dźwięku pianina z baru, ciągłego stukotu kopyt końskich i skrzypienia kół furgonów ani ludzkich głosów.

Nie pamiętała już, kiedy ostatni raz rozmawiała z człowiekiem. Gdy poszła do Charliego Bigelowa, zastała go martwego, leżącego na łóżku we własnych nieczystościach, pozbawionego opieki, opuszczonego. Nikt już nie odwiedzał Diabelskiego Zakątka. Ostatni dyliżans przejechał tędy wiele dni temu. Świat odwrócił się od osady, skazując jej mieszkańców na pewną śmierć.

Tuż przed północą, gdy w lampie dopalała się reszta nafty, Angelique, siedząca przy łóżku Setha, nagle wyczuła wokół siebie dziwne nagromadzenie cieni. Z początku myślała, że są to duchy Charliego Bigelowa, niemowlęcia Swensonów i dwóch pokojówek Elizy Gibbons. Potem jednak uświadomiła sobie, że to nie dusze zmarłych ją nawiedzają, lecz wspomnienia; były to od dawna tłumione myśli, rzeczy, które w dzieciństwie matka mówiła jej o rodzinie z Kalifornii. Po tych opowieściach Angelique znienawidziła rodzinę Navarro za to, jak niegodziwie traktowała jej uwielbianego ojca. Ale teraz przypomniała sobie, że babka Angela przyjęła Jacques'a D'Arcy'ego jak własnego syna. Wspominała także chwilę, gdy do hacjendy przybył oficer z wieścią o śmierci jej męża w bitwie pod Chepultepec, a Angelique poczuła się bardziej samotna niż kiedykolwiek. Ojciec już wówczas wyjechał, matka nie żyła. Pozostała więc sama na świecie. Wtem zaczęła przypominać sobie kuzynów. I jakiegoś niedźwiedzia, którego zapędzono do zagrody, a Angelique patrzyła na to otoczona dziećmi, które były z nią spokrewnione. Choć nigdy wcześniej o tym nie rozmyślała, miała przecież liczną rodzinę. Jaką pociechą musi być rodzina w chwilach takich jak ta.

Tak naprawdę jednak jej bliscy byli tu z nią, we wspomnieniach, i przynosili ukojenie. Lecz nie tylko ukojenie: w tym tragicznym położeniu przyszli jej z pomocą.

„Babka Angela przy kuchennym stole, do którego ledwo dosięga sześcioletnia Angelique, przyrządza coś w filiżance, cierpliwie wyjaśniając dziecku, że wyciąg z magicznej kory łagodzi wysoką gorączkę".

Niewiele myśląc, Angelique wybiegła z chaty i popędziła do strumienia, po czym ruszyła wzdłuż niego, wiedziona blaskiem księżyca, aż dotarła do wierzby. Przypadła do drzewa i zaczęła szarpać korę, dopóki nie udało jej się oderwać kilku płatów. Potem, potykając się, wróciła do chaty, zagotowała wodę, wrzuciła do wrzątku korę wierzbową, a gdy wywar wystygł, spróbowała wlać trochę płynu między wargi Setha. Zakrztusił się i wszystko wypluł. Znów przyłożyła mu kubek do warg. Nie był w stanie pić. Zamoczyła więc chusteczkę w naparze i wycisnęła ją Sethowi do ust. Przez wiele godzin, kropla po kropli, wlewała wywar do gardła chorego.

Wreszcie, ściskając w dłoni różaniec, uklękła przy łóżku i położyła się na ciele Setha, przytuliwszy twarz do piersi mężczyzny, po czym zaczęła modlić się żarliwie ze wszystkich sił. W tej pozycji usnęła, by obudzić się, czując na włosach dotyk jego dłoni.

Gorączka zaczęła opadać. Kryzys minął.

☆

Chociaż Seth wciąż był chory, Angelique mogła go teraz zostawić samego i opiekować się innymi. Pomagała karmić i kąpać chorych, gotowała ogromne ilości fasoli dla zdrowych, asystowała przy pogrzebach i paleniu ubrań i pościeli oraz dzieliła się ze wszystkimi tajemnicą wierzbowego naparu. Wieczorami siedziała przy łóżku Setha i czytała mu fragmenty *Hodowli zwierząt*, a on najpierw uśmiechał się słabo, słysząc z jej ust słowa: „Jeśli chcemy hodować dobre nioski, najlepszą odmianą będzie biały leghorn", a potem, gdy nabrał już trochę sił, śmiał się głośno, słuchając, jak Angelique czyta ze śmiertelną powagą: „Krowa rasy holsztyńskiej daje cztery razy więcej mleka niż zwykła krowa opasowa...".

W końcu tyfus wyniósł się z Diabelskiego Zakątka. Od kilku dni nie odbył się żaden pogrzeb, ludzie wracali do normalnego życia, chodzili na swoje działki, próbując zapomnieć o pełnych grozy chwilach. Seth miał już dość siły, by siedzieć na krześle: podniósł na Angelique jasne oczy, które opuścił już cień choroby, i oznajmił:

— Umieram z głodu.

Przyrządziła mu więc normalny posiłek, a on ze zdziwieniem stwierdził, że jej placki ziemniaczane są doskonałe, miękkie w środku i chrupkie po bokach, przyprawione w sam raz. Jedząc, wypytywał ją o innych mieszkańców obozu.

– Ingvar Swenson stracił żonę i dziecko. Pani Ostler umarła. – Angelique trudno było mówić ze wzruszenia. Na zboczu wzgórza przybyły trzydzieści dwa nowe groby.

– Co z Elizą?

– Panna Gibbons jest ciągle bardzo chora.

– Kiedy stanę na nogi, złożę jej wizytę. Czy bredziłem w malignie? Uśmiechnęła się.

– Powinienem przeprosić?

– Raz przebudził się pan i spojrzał na mnie, mówiąc, że nie wiedział pan, iż w piekle są anioły. Mówił pan też o swojej matce. Czy wróci pan do domu?

– Nie mogę wrócić – odparł. – Nie chcą mnie tam.

– Jeśli chodzi o ojca, jestem w stanie to zrozumieć. Jest na pana zły, prawda? Ale matka na pewno będzie chciała, żeby wrócił pan do domu.

– Pojechałem tam zaraz po wyjściu z więzienia. Matka kazała mi odejść i nigdy więcej nie wracać. Powiedziała, że obarczyłem ją bezużytecznym kaleką i że powinienem był zabić go od razu albo zostawić w spokoju. Twierdzi, że uczyniłem jej życie sto razy gorszym, niż było przedtem.

– Zmieni zdanie. Jest przecież pańską matką.

– W zeszłym roku wysłałem jej pieniądze za całe złoto, które znalazłem w ciągu pierwszego miesiąca. Było tego z pięćset dolarów. Odpisała mi, żebym zachował swoje pieniądze, bo ojciec kupuje za nie alkohol. – Potrząsnął głową. – Nie chcą mnie. Jestem sam na świecie. Już się z tym pogodziłem.

Angelique poczuła, że ostry ból ściska jej serce. Zapragnęła wziąć go w ramiona, zapłakać nad nim i wyznać, że nie jest sam i że jest ktoś, kto go kocha. Nie była jednak w stanie poruszyć się ani dobyć odpowiednich słów, więc powiedziała tylko:

– Niech pan teraz odpocznie. Wkrótce wydobrzeje pan na tyle, żeby pójść nad potok i pracować na swej działce.

– Dlaczego my zachorowaliśmy, a pani nie?

– Nie jadłam brzoskwiń.

– Do końca swoich dni nie wezmę do ust brzoskwini. Skąd pani wiedziała, że nie powinniśmy ich jeść?

– W Meksyku nasi *curanderas* mówią, że są osoby, które noszą w sobie chorobę, lecz same nigdy na nią nie zapadają. Kto zje przyrządzone przez takiego człowieka jedzenie lub napije się wody, której on naleje, ten zachoruje. Miałam przeczucie, że tamten starzec jest takim nosicielem.

Seth obejrzał ją od stóp do głów.

– Gdyby nie te warkocze, wyglądałaby pani jak chłopiec.

– Nie mam już swoich sukni – odparła z uśmiechem. A potem ukryła twarz w dłoniach i wybuchnęła płaczem.

☆

Nabrawszy sił, Seth poszedł do Elizy Gibbons, która też już całkiem wydobrzała, a potem wybrał się na swoją działkę nad strumieniem.

Kiedy wrócił, zastał pakującą się Angelique. Nie potrzebowała już kufra, ponieważ wszystko, co posiadała, mieściło się w małej poszewce na poduszkę.

– Przyjechałam do San Francisco w nadziei, że ktoś się mną zaopiekuje – powiedziała. – Pan Boggs. Mój ojciec. Albo ktoś, kogo mogłabym poślubić. Nigdy nawet mi się nie śniło, że dam sobie radę sama. Ale teraz umiem już gotować, prać i prowadzić gospodarstwo. Nauczyłam się nawet mówić jak Amerykanka. Będę wędrować od obozu do obozu, od miasta do miasta, gotując, piorąc i jakoś radząc sobie dopóty, dopóki nie znajdę ojca.

– Nie może pani odejść!

Odwróciła głowę, a podbródek jej zadrżał.

– Tutaj nasze drogi się rozchodzą, panie Hopkins. Pan wróci do swojego złota i do Elizy Gibbons, która jest w panu zakochana. Ja muszę odszukać ojca.

Ku jej zaskoczeniu, Seth chwycił ją za ramiona i zaczął mówić:

– Angelique, ja cię potrzebuję. Zanim się pojawiłaś, żyłem w świecie bez barw. To był szary, brunatny, czarny świat. Lecz ty przyniosłaś mi tęcze, zachody słońca i wszystkie kwiaty, jakie rosną na tej ziemi. Dobry Boże, co się ze mną działo? Zamknąłem cię w ciemnej chacie, tak samo jak mnie kiedyś zamknięto w ciemnej kopalni, a potem w mrocznej więziennej celi. A ty powinnaś żyć w blasku słońca, Angelique. Codziennie rano chodziłem nad strumień, tam, gdzie są skały i drzewa, i słońce, a ciebie zostawiałem w ciemności. Powinienem był zabierać cię na spacery do lasu. Nigdy nie pokazałem ci swojej działki. Więziłem cię, jak i mnie kiedyś więziono.

Ujął jej twarz w dłonie i mówił dalej w uniesieniu:

– Posłuchaj mnie, Angelique. Dość mam szukania złota. Jest go jeszcze trochę w strumieniu, ale nie jestem chciwy, wystarczy mi to, co mam. Resztę zostawię dla następnego poszukiwacza. I tak jestem już bogaty. Mój majątek spoczywa w banku w American Fork i gotów jestem podzielić się nim z kobietą, którą bardzo kocham i z którą pragnę spędzić resztę życia. Proszę, powiedz, że zostaniesz moją żoną. A poza tym, jak mam założyć farmę bez twojej pomocy? Kto będzie wsłuchiwał się w szum wiatru i słuchał jego rad?

Jakże mogła mu odpowiedzieć, skoro zaczął całować ją tak namiętnie?

– Hej, wy tam! – rozległo się wołanie.

Odwróciwszy się, ujrzeli w drzwiach nieznajomego; był to biały mężczyzna odziany w koźle skóry i futrzaną czapę.

– Mówią, że szukacie Francuzika, co się nazywa D'Arcy – rzekł przybysz. – Jeśli chcecie, mogę was do niego zaprowadzić.

Ponieważ czekała ich daleka podróż, kupili juczne muły i zimowe odzienie, po czym ruszyli w stronę gór, zatrzymując się po drodze w American Fork, żeby złożyć przysięgę małżeńską przed sędzią pokoju. Kiedy zawędrowali na północ, do grobu D'Arcy'ego, ziemię pokrywał już pierwszy śnieg.

Angelique uklękła i zmówiła modlitwę, a potem zawiesiła na drewnianym krzyżu różaniec: ojciec podarował go jej z okazji pierwszej komunii świętej.

Łowca, który przyprowadził ich tutaj, pokazywał coś Angelique między drzewami.

– To jest squaw, z którą żył pani tata – powiedział.

Popatrzyła tam i ujrzała ubraną w skóry Indiankę o długich siwych warkoczach.

– Nigdy się nie pobrali – mówił łowca. – Ale Jack był jej bardzo oddany. – Westchnął i pokręcił głową. – Ciężko jej teraz będzie. Jest sama, bez opieki mężczyzny. – Wzruszył ramionami. – Trudno, nic się nie da zrobić. Jej ludzie i tak już prawie wszyscy wyginęli.

Patrzyły na siebie pośród ciszy lasu, kobieta z puszczy i kobieta z miasta, obydwie o długich włosach zaplecionych w warkocze i ciemnych oczach kształtu migdałów. Chwila ta miała w sobie coś magicznego, gdy stały tak, otulone zimową ciszą. Potem starsza odwróciła się i zniknęła wśród drzew.

Angelique wsunęła rękę w dłoń Setha.

– Chcę wrócić do Los Angeles. Pragnę zobaczyć, czy hacjenda wciąż tam stoi i czy babka Angela jeszcze żyje.

– Pojedziemy natychmiast, najdroższa. Założymy tam naszą farmę. Będziemy żyć w świetle i w blasku słońca i nigdy już nie zaznamy ciemności.

Rozdział piętnasty

Erica nie mogła przestać myśleć o pocałunku Jareda.

Był tak niespodziewany i elektryzujący, że przez chwilę czuła, iż zapali się i eksploduje. A potem zemdlała. Sanitariusze stwierdzili, że to z powodu niedotlenienia po długim uwięzieniu w jaskini.

Myślała wyłącznie o pocałunku. Nawet po dokonaniu zdumiewającego odkrycia tego ranka, gdy oczyszczali jaskinię z resztek gruzu. Nawet po tym, jak obejrzała zawartość tajemniczego woreczka z impregnowanego materiału i uświadomiła sobie, na co patrzy; nawet po tym, jak pokazała to Jaredowi, a on nie krył ekscytacji nowym znaleziskiem; nawet po tym, jak w pełni zdała sobie sprawę z wielkiej wagi odkrycia – nawet wówczas w głowie miała tylko namiętny pocałunek Jareda.

Policja ujęła Charliego „Kojota" Braddocka. Przyznał się do podłożenia w grocie materiałów wybuchowych, by udaremnić dalsze prace wykopaliskowe. Ponieważ w wyniku tego zajścia rozgorzał zaciekły spór po obu stronach – zarówno wśród tych, którzy pragnęli zapieczętowania jaskini, jak tych, którzy widzieli w niej turystyczną atrakcję – Erica i Jared nasilili poszukiwania najbardziej prawdopodobnego potomka osoby spoczywającej w jaskini. A ów impregnowany woreczek, znaleziony przez Ericę tego ranka, mógł dostarczyć im cennych wskazówek.

W środku był pergamin, spleśniały, lecz wciąż czytelny: okazał się on aktem własności dotyczącym majątku ziemskiego o nazwie

Ranczo Paloma, wystawionym na niejakiego Navarro. Punkty orientacyjne wymienione w dokumencie – *la cienegas* (mokradła), *la brea* (smoła), El Camino Viejo (Stary Szlak) – wytyczały fragment atrakcyjnej nieruchomości w Los Angeles, której granice do dziś pozostały niezmienione. Od czasu Hiszpanów El Camino Viejo wielokrotnie zmieniał nazwę: na Orange Street, Sixth Street, Los Angeles Avenue i Nevada Avenue, aż wreszcie ustalono tę, która obowiązywała obecnie: Wilshire Boulevard.

Erica i Jared od rana siedzieli w biurze archiwum miejskiego, przy stołach zawalonych stosem dokumentów, sprawozdań, ksiąg, map, fotografii, dyskietek i taśm wideo, przeglądając akta publiczne począwszy od roku 1827. Jared przeszukiwał tytuły prawne, akty i cesje własności, podczas gdy Erica śledziła rodowody.

Odchyliła się na krześle i przeciągnęła, korzystając z chwili przerwy, by popatrzeć na Jareda pochylonego w skupieniu nad starymi szpargałami. Pocałunek był namiętny i jednocześnie czuły, a kiedy rozchyliła usta, poczuła dotyk jego języka na swoim. Trwało to niezwykle krótko, wywarło jednak wrażenie silniejsze niż trzymanie się godzinami za ręce albo rzucanie ukradkowych spojrzeń. Jared rozpalił w niej ogień, który płonął nawet teraz – gdy sięgnął po kubek z kawą, stwierdziła, że to najseksowniejszy gest, jaki widziała w życiu.

– Masz coś? – zapytała.

Potarł kark i spojrzał na nią, a ona mogła przysiąc, że przeskoczyła między nimi iskra elektryczna. Jego ciemne źrenice wręcz płonęły ogniem.

– Z tego, co udało mi się ustalić, Ranczo Paloma zostało podzielone i sprzedane przyjezdnym Amerykanom w 1866 roku – odparł głosem, który zdradzał chęć rozmowy na temat nieco bardziej intymny niż zapiski historyczne. Przynajmniej tak się Erice zdawało. Nie wiedziała przecież, o czym myśli Jared. Po owym impulsywnym pocałunku nie nastąpił kolejny.

– A zatem wtedy właśnie zakopano dokument w jaskini? – spytała. – W 1866 roku? – Z powodu eksplozji i osunięcia się ściany oraz sprzątania rumowiska nie zdołano dokładnie określić, w której warstwie pogrzebano woreczek.

– Niewykluczone. Być może ktoś próbował powstrzymać sprzedaż ziemi i uważał, że zakopanie aktu własności załatwi sprawę.

– Ale dlaczego w n a s z e j jaskini? Po co zakopywać akt własności w jaskini Pierwszej Matki?

– Może zrobiła to związana z nią osoba, jej potomek?

Ich oczy spotkały się i obojgu przyszła do głowy ta sama myśl.

– Jeśli to prawda – powiedziała Erica, nagle podekscytowana – i jeśli uda nam się znaleźć dzisiejszych potomków rodziny Navarro, to istnieje szansa, że ustalimy tożsamość naszego szkieletu!

Jared odsunął krzesło i wstał, wyciągając w górę ramiona. Erica napawała się widokiem jego wyćwiczonych mięśni rysujących się pod koszulą.

– Co znalazłaś na temat tych Navarro? – Jared z wielkim trudem próbował skoncentrować się na zadaniu, które ich tu sprowadziło. Jego myśli zaprzątała niesamowita historia, jaką Erica opowiedziała mu po wydostaniu się z zasypanej groty.

Siedział przy niej, gdy dochodziła do siebie, i wtedy usłyszał od niej niezwykłą opowieść o tym, że została porzucona w wieku pięciu lat i żyła u kolejnych rodzin zastępczych, aż zajęła się nią nieznajoma prawniczka. Dlatego właśnie walczyła tak zaciekle o ocalenie Kobiety z Emerald Hills – bo nikt inny nie zamierzał tego zrobić. Teraz już rozumiał jej motywację. Zgodnie z prawem szesnastoletnia Erica miała się znajdować pod opieką państwa, a jednak na skutek poważnego wypaczenia faktów nastąpiła pomyłka sądowa, która mogła cisnąć dziewczynę w tryby systemu karnego, gdzie, być może, utknęłaby na zawsze. Owa prawniczka natomiast potrafiła dostrzec o s o b i s t y wymiar sprawy. Erica nie była wyłącznie numerem w rejestrze sądowym, lecz jednostką posiadającą prawa. Podobnie jak Kobieta z Emerald Hills, która powinna być pod opieką państwa, a mimo to miała zostać pogrzebana i na zawsze odejść w zapomnienie.

Jared żałował, że nie spotkał nigdy Lucy Tyler. Kiedy wyznaczono ją na opiekuna Eriki na czas sprawy, znalazła dla dziewczynki lepszą rodzinę zastępczą i regularnie ją odwiedzała. „Stała się moją mentorką – wyjaśniła Erica. – Trudno dociec, co dostrzegła we mnie wartego ocalenia. Ja zaś nade wszystko pragnęłam ją zadowolić. Chyba w głębi duszy brakowało mi poczucia własnej wartości, więc mój zapał, żeby coś osiągnąć, nie wynikał z wiary w siebie, lecz z wiary w nią. Po skończeniu szkoły średniej przyjęłam jej nazwisko. Umarła w tydzień po tym, jak zrobiłam doktorat. To był chłoniak. Ukrywała przede mną chorobę, żeby nie odrywać mnie od studiów".

– Niewiele – odparła Erica na pytanie Jareda. Przejrzała gruby tom zatytułowany *Założyciele Kalifornii*. – Tutaj piszą jedynie, że rodzina Navarro mieszkała na Ranczu Paloma. Poza tym nie ma o niej żadnych informacji. Obecnie w okręgu Los Angeles mieszka tysiące ludzi o tym nazwisku. Nawet jeśli postanowimy sprawdzić wszystkich po kolei, to tylko zakładając, że Navarro z Rancza Paloma nie wynieśli się z miasta.

Jared pokiwał głową.

– No cóż, zgłodniałem. Na dole sprzedają burrito[1]. Chcesz z wołowiną czy z fasolą?

– Z kurczakiem. I jakiś niskokaloryczny napój.

Erica patrzyła za wychodzącym Jaredem i nie mogła się nadziwić, jak nagły i niespodziewany obrót przybrało jej życie. Spośród wszystkich mężczyzn, którzy próbowali dotąd przebić się przez mur otaczający jej serce, Jared Black, jej odwieczny wróg, nie był tym, któremu wróżyłaby zwycięstwo. I co teraz? Czy do niej należał następny ruch? Czyż mogła mieć pewność, że pocałunek miał być początkiem czegoś poważniejszego? A jeśli Jared już tego żałował i chętnie cofnąłby go, gdyby tylko mógł? Przyszłość, zapowiadająca się tak tajemniczo i zaskakująco, nagle zaczęła ją ekscytować i przerażać zarazem.

---

[1] Burrito – placek z pszennej mąki wypełniony farszem.

Postanowiła jednak wrócić do rzeczywistości: co może łączyć akt nadania ziemi na własność z jaskinią?

Zadumała się nad olbrzymimi zasobami materiałów historycznych, którymi dysponowali, takich jak archiwa prasowe, akty urodzeń, zgonów i ślubów, dokumenty licencyjne, taksator okręgowy, kartoteki policji. Należało przeszukać tysiące akt, roczników, kronik, pamiątek, notatek, wykazów, statystyk, spisów, ksiąg rachunkowych, dokumentów publicznych i protokołów sądowych.

Od czego zacząć?

Zdecydowała, że najpierw sprawdzi statystyki w poszukiwaniu osób o nazwisku Navarro, które zmarły między 1865 a 1885 rokiem. Usiadła przy wolnym stanowisku komputerowym i wybrała bazę danych. Informacje z tak odległego okresu były jednak niepełne, a przy wielu nazwiskach widniały znaki zapytania. Jared wrócił z lunchem i usiadł obok niej, rozpakowując pachnące smakowicie burritos.

– Może powinniśmy po prostu zamieścić ogłoszenie w gazecie – powiedziała. – „Ktokolwiek posiada informacje na temat miejsca pobytu pani lub pana Navarro około roku 1866...".

Potrząsnął głową i roześmiał się.

Erica otworzyła puszkę coli light.

– Czuję się, jakbym dawała zgłoszenie do biura osób zaginionych!

Przez chwilę jedli w milczeniu, obserwując przewijających się przez archiwum ludzi – nauczycieli, historyków, pisarzy, osoby badające swoje drzewa genealogiczne – gdy nagle Erica uświadomiła sobie, że wpatruje się w młodą rudowłosą kobietę, która właśnie prosi jednego z pracowników o pomoc w odnalezieniu przodków rodziny McPherson przybyłej do Los Angeles na przełomie wieków.

– To moja rodzina ze strony matki – dobiegły ją słowa kobiety.

Serce Eriki gwałtownie podskoczyło.

Szybko odłożyła burrito, wróciła do komputera, zamknęła bazę danych statystycznych i otworzyła bazę danych Policji Los Angeles, po czym weszła do kartoteki spraw nieaktualnych lub zakończonych. Jako kryterium wyszukiwania można było wybrać wydział albo datę. Wybrawszy wydział osób zaginionych, wbiła wzrok w ekran i dopiero po jakimś czasie w pełni zdała sobie sprawę z formułującej się w jej głowie myśli: „Czy kiedykolwiek zgłoszono zaginięcie mojej matki?".

Przed laty podjęła próbę odnalezienia swojej rodziny, ale dostępna obecnie baza danych wówczas nie istniała, a poszukiwania polegały jedynie na wertowaniu niezliczonych kartotek i dokumentów, co było zajęciem czasochłonnym i najczęściej bezowocnym. Teraz jednak, w nagłym przypływie nadziei, zamiast szukać rodziny Navarro, Erica wpisała datę „1965" – był to rok, w którym jej matka pojawiła się w komunie hipisowskiej – po czym dodała: „kobieta", „biała", „ciężarna", „wiek: poniżej trzydziestu lat". Powtarzając sobie, że to przecież strzał w ciemno, nerwowo bębniła palcami o stół w oczekiwaniu na wynik. Jakie miała szanse dowiedzieć się czegokolwiek? Przecież to tylko domysł, że matka uciekła z domu, żeby zostać hipiską. Mogła opuścić dom za zgodą rodziców. Możliwe, że chętnie się jej pozbyli. I dlatego nie zgłoszono jej zaginięcia.

Kiedy na ekranie pojawił się wynik, z niepokojem przebiegła wzrokiem listę nazwisk zaginionych dziewcząt. Tego roku z domów uciekło wiele nastolatek, niektóre były w ciąży. „Każda z nich może być moją matką".

Ponownie przejrzała spis, tym razem uważniej, po cichu odczytując każde nazwisko, by sprawdzić, czy któreś zabrzmi znajomo.

I nagle...

„Monica Dockstader, lat 17, włosy ciemne, wzrost 167 cm, waga 63 kg, w czwartym miesiącu ciąży. Ostatnio widziana na dworcu autobusowym w Palm Springs".

Dockstader. Dźwięk tego nazwiska rozbudził jakieś odległe echo w najgłębszych warstwach jej pamięci. No i data zaginięcia! Czerwiec. A zatem dziecko Moniki Dockstader miało przyjść na świat w listopadzie. W tym miesiącu urodziła się Erica.

Wróciwszy do wypożyczalni, poprosiła o mikrofilmy z wydaniami gazet z roku 1965, zawężając pole poszukiwań do „Los Angeles

Times" i „Herald Examiner". Zaniosła je do przeglądarki i drżącymi rękami załadowała pierwszy mikrofilm.

Nie minęło więcej niż pięć minut.

– O mój Boże! – krzyknęła.

Jared podniósł wzrok.

– Znalazłaś coś? – zapytał.

– Chyba znalazłam... – Spojrzała na niego szeroko rozwartymi oczami. Głos lekko się jej załamał. – Moją matkę...

Stanął za nią i, marszcząc brwi, przeczytał gazetowy nagłówek widoczny w przeglądarce: „Zaginięcie dziedziczki imperium daktylowego z Palm Springs. Poszukiwania trwają. Za odnalezienie wyznaczono nagrodę". Artykuł sprzed trzydziestu pięciu lat był krótki i zawierał wypowiedzi rodziców dziewczyny, którzy prosili ją na łamach gazety, by wróciła do domu. „Obecnie występuje pod imieniem Promień Księżyca" – powiedziała policji Kathleen Dockstader, matka Moniki.

– Promień Księżyca... – szepnęła Erica. Przypomniała sobie łysiejącego mężczyznę, który trzydzieści lat temu informował pracownicę opieki społecznej: „Mówiono na nią Promień Księżyca".

– Nic nie wskazuje na to, żeby ktoś ją porwał – powiedział Jared. – Uciekła. Sprawa uzyskała taki rozgłos tylko dlatego, że dziewczyna pochodziła z zamożnej rodziny. Piszą tu, że Dockstaderowie byli najstarszymi i największymi eksporterami daktyli w Stanach Zjednoczonych. Ciekawe, czy nadal siedzą w branży.

Erica wyciągnęła rękę i dotknęła monitora. Czyżby ta para zrozpaczonych ludzi w średnim wieku na zdjęciu w gazecie... Czyżby to jej dziadkowie?

Jared przyjrzał się bliżej.

– Mój Boże, Erico. Spójrz na tę fotografię u dołu strony. To ona, Monica Dockstader. Przecież to twoja młodsza kopia!

☆

– Czy coś wydaje ci się znajome? – zapytał Jared, skręcając swym porsche z autostrady numer 111 w Dockstader Road.

Erica popatrzyła na szeregi dostojnych palm daktylowych, ciągnące się, jak miała wrażenie, przez całe mile, i dalej, na płową pustynię otoczoną górami, których zaśnieżone szczyty przybierały różową barwę w promieniach zachodzącego słońca.

– Nie. Urodziłam się w komunie na północy i z tego, co wiem, nie opuszczałam jej do chwili, gdy zabrano mnie do szpitala w San Francisco. Chyba nigdy tutaj nie byłam.

W Internecie znaleźli witrynę Farmy Dockstader. Był to majątek położony w dolinie Coachella w pobliżu Palm Springs, o ponad tysiącu akrów urodzajnych palm daktylowych, chlubiący się własną restauracją, sklepem z upominkami i organizowaniem wycieczek po terenie posiadłości i po pakowni, podczas których wszyscy zwiedzający otrzymywali darmowe owoce. Witryna internetowa zawierała również sekcję zatytułowaną: „O naszej rodzinie". Erica sądziła, że znajdzie w niej historię Dockstaderów. Był to jednak opis f i r m o w e j rodziny, począwszy od wiceprezesa po zbieraczy daktyli.

Kiedy zadzwoniła tam z archiwum, powiadomiono ją, że pani Dockstader nie umawia się na spotkania i że będzie nieosiągalna przed powrotem z sześciomiesięcznego urlopu. Erica przez chwilę wahała się, czy nie powiedzieć sekretarce, kim jest – bo dla utraconej przed laty wnuczki pani Dockstader z pewnością byłaby osiągalna – lecz doszła do wniosku, że lepiej będzie od razu tam pojechać. Wieści takiej jak ta nie powinno się przekazywać przez telefon lub za pośrednictwem sekretarki, a czas naglił, ponieważ pani Dockstader miała wyjechać nazajutrz.

Minąwszy tabliczkę z napisem: „Założono w roku 1890", a następnie parking dla gości, wjechali w wąską brukowaną alejkę, wzdłuż której rosły potężne dęby i wierzby. Potem ukazała się tablica: „Własność prywatna – zakaz wstępu", ale Jared jechał dalej. Erica zamknęła oczy i poczuła, że serce wali jej jak oszalałe. Wiedziała, co znajdą na końcu alei: ogromną wiktoriańską rezydencję wzniesioną pod koniec ubiegłego stulecia, wypełnioną antykami i rodzinną historią, a w samym jej sercu – babcię Kathleen Dockstader, miłą siedemdziesięciodwuletnią wdowę o siwych włosach i artretycznych dłoniach. Erica czuła już niemal zapach lawendy unoszący się wokół staruszki, gdy ta powie ze łzami w oczach: „Tak, jestem twoją babką" i przytuli ją do piersi.

Aleja kończyła się kolistym podjazdem, zamiast dębów i wierzb pojawiły się wspaniałe trawniki, eleganckie fontanny oraz dom, który wyglądał tak, jakby zbudowano go w przyszłości. Rezydencja Dockstaderów, wzniesiona w połowie z oślepiająco białych, gipsowanych ścian, a w połowie ze szkła, okazała się jednopiętrowym, skromnym domem o wyważonych, czystych liniach, pozbawionym przepychu i upiększeń. Stylem przypominał Erice po części posiadłości z Santa Fe, a po części szklarnię. Przed wejściem zobaczyli rolls-royce'a – mężczyzna w uniformie lokaja ładował do bagażnika komplet walizek i pokrowiec z kijami golfowymi.

Jared zatrzymał samochód i spojrzał na Ericę.

– Gotowa?

– Zdenerwowana. – Chwyciła go odruchowo za rękę. – Dziękuję, że ze mną przyjechałeś.

– Za nic nie chciałbym stracić takiego widoku – odparł, ściskając jej dłoń. – Ta kobieta szuka cię od trzydziestu pięciu lat. Za odnalezienie ciebie wyznaczyła nawet niemałą nagrodę. – Uśmiechnął się szeroko. – Mam nadzieję, że będzie miała pod ręką sole trzeźwiące.

Popatrzyła w oczy Jareda: nagle przestały jej się wydawać mroczne, tylko wyraziście szare i… szczere.

– Przez całe życie zastanawiałam się… czy moja matka wróciła kiedykolwiek do komuny, żeby mnie odnaleźć? Może nie wiedziała, że ten mężczyzna zabrał mnie i kobietę, która zmarła z przedawkowania narkotyków, do szpitala w San Francisco. A jeśli do tej pory mnie szuka?

– Może wróciła do domu i jest tutaj – powiedział, odwracając oczy ku szklano-gipsowej budowli, która sprawiała wrażenie makiety osadzonej pośród idealnie utrzymanych drzew i krzewów.

Przy drzwiach drogę zastąpił im lokaj.

– Bardzo proszę, to pilne – zwróciła się do niego Erica. – Proszę powiedzieć pani Dockstader, że przychodzimy w sprawie jej córki.

Wprowadził ich do holu – ściany pomalowane były na delikatny piaskowy odcień, podłoga lśniła jak szkło, świetlik w suficie zaś ukazywał fragment nieskazitelnego pustynnego błękitu. Czekali blisko pół godziny, a przez ten czas ściemniło się i w domu zapalono lampy, rozsiewające przytłumione światło.

Kobieta, która w końcu nadeszła, nie była miłą babcią.

– Jestem Kathleen Dockstader – rzuciła opryskliwie w stronę Jareda. – O co chodzi z moją córką?

Erica oniemiała. Opalona na brąz, w różowych bermudach i białej koszulce do gry w golfa, o blond włosach związanych pod czapką z daszkiem, na której widniał napis „Dinah Shore Golf Classic", wysportowana i atletyczna Kathleen Dockstader wyglądała na o wiele młodszą, niż była w rzeczywistości.

Po chwili Erica odzyskała głos.

– Nazywam się Erica Tyler i mam powód domniemywać, że jestem pani wnuczką.

Kobieta dopiero teraz obdarzyła Ericę spojrzeniem. Twarz jej stężała. Zmrużyła oczy.

– A to dlaczego? – Miała zimny głos.

Żałując, że nie mogą wejść do środka i usiąść, że nikt nie poczęstuje ich mrożoną herbatą, co pomogłoby stworzyć odpowiednią atmosferę, Erica opowiedziała pani Dockstader swą historię, kończąc tym, jak znalazła zgłoszenie w wydziale osób zaginionych oraz artykuł w archiwum.

– Panno Tyler – rzekła Kathleen niecierpliwie. – Właśnie przygotowuję się do wyjazdu na światowe rozgrywki golfa. Mój samolot odlatuje dziś wieczorem. Nie mam czasu na domysły. Proszę pokazać mi jakiś dowód. – Wyciągnęła pomarszczoną i żylastą dłoń: jedynie ona zdradzała jej prawdziwy wiek. – Akt urodzenia? Listy? Fotografie?

– Nie mam nic.

Kobieta zacisnęła usta.

– Tylko historyjkę. I ja miałabym ją kupić. – Odwróciła się, chcąc odejść. – Zabiera mi pani czas.

– Pani Dockstader – powiedziała pospiesznie Erica z rozpaczą w głosie. – Mam wspomnienia… żyłam w lesie, pośród dużej grupy ludzi. Przypuszczam, że była to komuna hipisowska. Pamiętam jazdę samochodem z lasu do miasta; długowłosy, brodaty mężczyzna, który prowadził, wiózł mnie i jakąś kobietę do szpitala. Nie został tam długo. Oświadczył, że nie jest mężem tej kobiety, a ja nie jestem jego dzieckiem i że nie zna jej prawdziwego nazwiska. Mgliście przypominam sobie miłą kobietę, pracownicę opieki społecznej, która zadawała mi pytania. Pytała o moje imię, datę urodzenia i tak dalej. Powiedziałam jej, że mam na imię Erica, ale nigdy nie miałam nazwiska. Podałam im jednak swój wiek, więc mogli sporządzić mój akt urodzenia. Przeprowadzono dochodzenie w tej komunie. Podsłuchałam potem, jak pewien mężczyzna donosił, że moja matka, która nazywała siebie Promieniem Księżyca, wyjechała z jakimś motocyklistą i zostawiła mnie z hipisami. Wtedy przeszłam pod opiekę państwa. To wszystko, co wiem. Nic więcej nie mogę pani powiedzieć.

Kathleen wykrzywiła usta w cierpkim uśmiechu.

– Sądzi pani, że nie wiem, co pani knuje? Znam ten typ, żerujący na bogatych starych wdowach.

– Proszę wybaczyć – wtrącił Jared – ale trudno nazwać panią starą.

Spiorunowała go spojrzeniem.

– Proszę nie robić ze mnie głupiej. Jestem stara i bogata, nie mam spadkobierców, co czyni ze mnie wyśmienity cel dla rozmaitych pseudoartystów i wydrwigroszy. Nie pani pierwsza podaje się za moją wnuczkę. Nawet Anastazja Romanow nie miała tylu wcieleń! Historia zaginięcia mojej córki w roku 1965 jest powszechnie znana, podobnie jak fakt, że była w ciąży. Zamieściłam ogłoszenia w gazetach całego kraju. Wyznaczyłam nagrodę. Nie uwierzyłaby pani, ile moich „wnuczek" nagle pojawiło się na świecie. Muszę przyznać, że pani opowieść o życiu w komunie hipisowskiej to coś nowego, choć jest odrobinę melodramatyczna. A teraz proszę mi wybaczyć.

– Ja nie chcę pieniędzy. Nie przyszłam tu po to, żeby rościć sobie prawo do czegokolwiek. Pragnę tylko dowiedzieć się, skąd pochodzę, odnaleźć swoją rodzinę. Chcę wiedzieć, kim jestem.

– Młoda kobieto, tyle razy rozbudzano na nowo moje nadzieje, by potem je niweczyć, że nadeszła w końcu chwila, kiedy przestało mi zależeć. Więc nie wciśnie mi pani żadnego kitu, czymkolwiek on jest.

– Ale... czy nie jestem podobna do pani córki? Wchodząc tu przed chwilą, spojrzała pani na mnie w taki sposób...

– Nie pani pierwsza zauważyła swoje podobieństwo do dziedziczki i próbuje wyciągnąć z tego korzyści. Moja córka nie miała wyrazistych rysów. Była tylko ładna, tak jak pani.

– Kim był mój ojciec?

Arystokratyczne brwi powędrowały do góry.

– Skąd mam wiedzieć, kim był pani ojciec?

– Chodzi mi o to, z kim zaszła w ciążę pani córka.

Kathleen wydała odgłos zniecierpliwienia.

– Jestem zmuszona wyprosić państwa.

– Pani Dockstader, czy moja matka cierpiała kiedykolwiek na silne bóle głowy, przypominające migrenę, podczas których miała wizje i słyszała głosy? A może p a n i też je miewa?

Kathleen podeszła do ściany i wcisnęła guzik na tablicy interkomu:

– Ochrona, proszę tu przyjść. Mamy gości, których należy wyprowadzić.

Po czym opuściła hol.

– Pani Dockstader – mówiła Erica, idąc za nią w głąb domu. – Niech mi pani uwierzy, wszystko, co powiedziałam, to prawda... – Nagle przystanęła.

Po przeciwległej stronie salonu pełnego białych dywanów i białych rzeźb, nad kominkiem z jasnego wapienia, wisiał ogromny obraz przedstawiający dwa słońca, jedno jaskrawoczerwone, drugie świetliście żółte.

Jared chwycił Ericę za ramię.

– Chodźmy stąd lepiej, bo każe nas zaaresztować – rzekł cicho. Lecz wówczas i on zatrzymał się i wlepił wzrok w płótno. – Mój Boże... Przecież to malowidło z jaskini!

Erica zaczęła rozglądać się za Kathleen Dockstader, ale kobieta zniknęła, a po chwili w drzwiach pojawił się potężny mężczyzna z odznaką, na której widniał napis „Ochrona Farmy Dockstader". Erica i Jared wyszli bez słowa, wskoczyli do samochodu i szybko odjechali aleją.

Włączywszy się do ruchu na autostradzie, Jared zerknął na Ericę. Z utkwionym nieruchomo w przednią szybę wzrokiem prezentowała mu zacięty profil, a oczy szkliły jej się od łez. Zapragnął zatrzymać się, porwać ją w ramiona i pocałować, tak jak wówczas, gdy wydobył ją z jaskini. Chciał zawrócić, pojechać z powrotem do pani Dockstader i wyłożyć jej dobitnie, jaką jest pozbawioną uczuć suką. Pragnął walczyć i zabijać smoki. Lecz odważył się jedynie na zadanie pytania:

– Wszystko w porządku?

Skinęła w milczeniu głową, zaciskając usta.

Kiedy stanęli na czerwonym świetle, Jared spojrzał w prawo – na kluby golfowe i ekskluzywne hotele skąpane w kosztownej iluminacji, jakby chciały rzucić wyzwanie zapalającym się właśnie gwiazdom – a potem przed siebie, gdzie sznur samochodów sunął ulicami pełnymi restauracji, sklepów i stacji benzynowych, a światła hamowania nieustannie migały na czerwono. Następnie popatrzył w lewo, na drogę stromo zagłębiającą się we wzniesienia pokryte zaroślami, głazami i dziką roślinnością. Gdy zapaliło się zielone światło, skręcił w lewo. Erica nie oponowała.

Niebo było już zupełnie rozgwieżdżone, a księżyc zaczął wschodzić, gdy dotarli na szczyt gęsto porośnięty sosnami i pogrążony w leśnej ciszy. Od wyjazdu z posiadłości Dockstaderów Erica nie odezwała się ani słowem i nadal siedziała w milczeniu, kiedy Jared zatrzymał się wreszcie na skraju lasu i wyłączył światła. Gwiazdy natychmiast rozbłysły jaśniej, a niebo wydało się bliższe. Owionął ich przenikliwy chłód.

Jared odwrócił się na fotelu i patrzył na Ericę wyczekująco.

– Ona jest moją babką – powiedziała po chwili cichym głosem. – I wie o tym. – Spojrzała na niego. Była niesamowicie blada. – Widziałeś wyraz jej twarzy, kiedy mnie zobaczyła? Rozpoznała mnie. Dlaczego odepchnęła swą wnuczkę po tym, jak włożyła tyle starań i pieniędzy w poszukiwania? – Erica opuściła wzrok na swoje dłonie. – W raporcie z wydziału osób zaginionych napisano, że Monica była w czwartym miesiącu ciąży, co oznacza, że jej dziecko miało przyjść na świat w listopadzie 1965 roku. To ja się urodziłam w listopadzie 1965. Dlaczego moja babka mnie odrzuciła?

– Trudno odgadnąć, co się kryje w sercu drugiego człowieka. – Jared otoczył ramieniem oparcie fotela Eriki, tak że palcami muskał jej włosy. Zdawało się, że leśny mrok gęstnieje wokół samochodu, jakby chciał zapewnić jego pasażerom większą intymność. Lub też podsłuchać, co mają sobie do powiedzenia. – Po śmierci Netsui – rzekł cicho – ukryłem się przed światem. Znalazła mnie grupa biologów. Gdy przywieziono mnie do domu, mój ojciec potrafił powiedzieć mi tylko, że przyniosłem wstyd rodzinie. Potem przepraszał mnie i próbował cofnąć swoje słowa, ale trudno jest cofnąć coś, co się powiedziało. Od tej pory nigdy nie było już między nami tak jak niegdyś.

Dotknął kosmyka włosów nad jej karkiem. Przeszył ją dreszcz. Noc pociemniała, a gwiazdy rozbłysły jaśniej. W zaroślach zaświeciła para złotych ślepi. W pobliżu odezwał się nocny ptak – był to samotny, pełen smutku głos.

– W młodości – ciągnął Jared – marzyłem, żeby zostać architektem, ale ojciec chciał, żebym był prawnikiem, więc nim zostałem. Zawsze darzyłem go podziwem i szacunkiem, ale w tamtej chwili, kiedy powiedział, że przyniosłem wstyd rodzinie, ujrzałem w nim obcego człowieka, którego nie lubiłem. I wydawało mi się, że nigdy mu nie wybaczę. Ale teraz... – Westchnął i spojrzał przed siebie, na gęstwinę drzew. – Po tym, jak poznałem twoją historię i zobaczyłem reakcję pani Dockstader, dochodzę do wniosku, że rodzice i dziadkowie, siostry i bracia są tylko ludźmi i nie mogą być doskonali. Daj jej trochę czasu, Erico. Przecież wiesz, że teraz o tym rozmyśla.

Popatrzyła na niego bursztynowymi oczami, podobnymi do ślepi obserwujących ich mieszkańców lasu.

– Ten obraz, Jared! To ono pojawiło się w wizji, która nawiedza moje sny od dzieciństwa.

Zmarszczył czoło.

– Wizja? O czym ty mówisz?

Otworzyła drzwi samochodu i wysiadła. Jared wyszedł za nią. Z tej wysokości widzieli dolinę Coachella rozciągającą się w dole aż po horyzont jak czarne morze migoczące w świetle gwiazd. Stali przez chwilę w milczeniu, wciągając do płuc zimne górskie powietrze, wdychając zapach sosen i piaszczystej ziemi. Potem Erica weszła na dziką ścieżkę oświetloną blaskiem księżyca.

Gdy Jared zrównał się z nią, zaczęła wyjaśniać:

– Od wczesnego dzieciństwa miałam powracający sen, w którym pojawiało się malowidło z jaskini. To dlatego, zobaczywszy je w telewizji, poprosiłam Sama, żeby przydzielił mi to zadanie. Pozwoliłam mu uwierzyć, że tak rozpaczliwie pragnę się tym zająć z powodu tamtej wpadki z wrakiem Chadwicka, bo chcę odbudować swoją reputację. Ale nie to było prawdziwą przyczyną. Śniłam o tym malowidle przez całe życie i pomyślałam, że może w jaskini uda mi się znaleźć wyjaśnienie tego snu. A tymczasem tajemnic jest coraz więcej.

Doszli do strumienia, który bulgotał i szemrał, jakby chciał zdradzić jakiś sekret. Erica zadrżała, a Jared zdjął marynarkę i narzucił jej na ramiona.

– Pytałaś panią Dockstader o bóle głowy. Dlaczego?

– Cierpię na nie, odkąd sięgam pamięcią. To nie są zwykłe bóle głowy, przypominają raczej migreny. Są bardzo silne, obezwładniające. Nauczyciele zawsze myśleli, że symuluję. Twierdzili, że udaję, żeby zwrócić na siebie uwagę albo wymigać się od klasówki. Jedna z pielęgniarek szkolnych uwierzyła mi i zaprowadziła mnie do lekarza. Ale byłam na państwowym garnuszku, więc całe badanie polegało na tym, że doktor zajrzał mi do ucha i kazał powiedzieć „aaa". Dopiero kiedy upadłam na terenie campusu uniwersyteckiego, moją przypadłość zaczęto traktować poważnie. Przeszłam wszelkiego rodzaju testy i programy leczenia, badali mnie specjaliści od migren, neurolodzy, a nawet psycholodzy. Nikt nie wie, co powoduje moje dolegliwości, ale najbardziej zdumiewają wszystkich zjawiska słuchowe i wizualne, które czasami towarzyszą bólom.

Polana, przez którą przepływał potok, tonęła w księżycowej poświacie, a głazy, bazie na gałęziach i szemrząca woda wyglądały jak utkane ze srebra lub rtęci. Świat zdawał się wymyty ze wszystkich kolorów – zostały tylko widmowe barwy.

– Jakiego rodzaju zjawiska? – zapytał Jared, zwracając uwagę na opaloną twarz Eriki: w blasku księżyca przybrała kolor kości słoniowej.

– Widzę różne rzeczy. Czasami słyszę głosy.

– Dlaczego nie powiedziałaś mi o snach?

– Bo myślałam, że będziesz się śmiał.

– Nie śmieję się.

Ich oczy spotkały się w świetle księżyca.

– Wiem.

– Jakie to są wizje?

Roztarła sobie ramiona.

– Pierwszy atak, jaki pamiętam, zaczął się od przejmującego bólu głowy. Nie wiem, czy zasnęłam, czy zemdlałam, ale nagle zobaczyłam w klasie tysiące motyli. Były piękne, olśniewające i wypełniały całe pomieszczenie. Odzyskawszy przytomność w gabinecie szkolnej pielęgniarki, natychmiast zapytałam: „Gdzie się podziały motyle?".

„Jakie motyle?" – zdziwiła się pielęgniarka. To dlatego nigdy mnie nie adoptowano. Z powodu bólów głowy. Nikt nie chce adoptować chorego dziecka.

Uważnym wzrokiem przebiegła pobliskie szczyty górskie, przesłaniające gwiazdy, jakby spodziewała się ujrzeć kogoś wysoko w górze.

– Przeszłam w życiu etap, kiedy cały czas byłam spakowana i gotowa do drogi, na wypadek, gdyby zjawili się moi rodzice. Za każdym razem, gdy przenoszono mnie do nowej rodziny zastępczej, dzwoniłam do opieki społecznej, by się upewnić, że w razie czego podadzą matce mój nowy adres. Czasem dzwoniłam, żeby zapytać, czy się nie odezwała. Ale to nigdy nie nastąpiło. – Głos Eriki stał się surowy. – Po prostu mnie nie chciała.

Jared dotknął jej łokcia.

– Tego nie możesz wiedzieć.

– No a ten motocyklista, z którym uciekła? – spytała wyzywającym tonem.

– To jest coś, co usłyszałaś przypadkiem od człowieka, który przytaczał pogłoskę. Może chciała wyjechać tylko na weekend. Może zamierzała wrócić po ciebie, ale coś stanęło jej na przeszkodzie. Erico, nie wiadomo, co naprawdę stało się z twoją matką.

Pokręciła głową z goryczą. Potem uklękła przy strumieniu i zanurzyła rękę w wodzie. Jared rozejrzał się bacznie wokół, próbując przywołać w pamięci to, co czytał o dzikich zwierzętach żyjących w tej okolicy. Wtedy uświadomił sobie, że choć niewiele oddalili się od samochodu, zniknął on zupełnie za zasłoną drzew, podobnie jak światła Palm Springs. Patrzył, jak Erica pije z dłoni krystaliczną górską wodę, a gdy wstała, ocierając ręce o spódnicę, zapytał:

– Jest jeszcze coś, prawda? Nie powiedziałaś mi wszystkiego.

Potrząsnęła głową, unikając jego wzroku.

– Erico, kiedy byłaś uwięziona w jaskini, odchodziłem od zmysłów, nie wiedząc, czy żyjesz. Wtedy, pierwszy raz od śmierci Netsui, zrozumiałem, że zależy mi na kimś. To się chyba zaczęło,

372

gdy zobaczyłem, jak atakujesz tomahawkiem Charliego Braddocka. Stałaś tam na wysokich obcasach, w koktajlowej sukience, wymachując toporkiem przed tym olbrzymem. I potem, kiedy na tajemnym zebraniu Sama przeciwstawiłaś się jemu i pozostałym, walcząc o prawa kobiety, która umarła dwa tysiące lat temu. Twoja waleczność, Erico, przypomniała mi, że i ja kiedyś byłem waleczny. Zanim odeszła Netsuya.

Odwróciła się i przeszedłszy kilka kroków, ujrzała wyryte na skale petroglify: były to sylwetki ludzi – z łukami i strzałami – polujących na wielkie zwierzęta. Przesunęła palcem po rytach.

– Są takie stare... – Podniosła na niego wypełnione łzami oczy. – Wszystko, czym się zajmuję, jest stare i martwe. A ja chcę ż y c i a, Jared.

Chwycił ją za ramiona.

– Więc otwórz się przede mną. Powiedz mi to, co ukrywasz do tej pory.

Rozpłakała się.

– Jared, czy matka porzuciła mnie z powodu mojej choroby?

Patrzył na nią ze zdumieniem.

– Boże, ty naprawdę tak myślisz?

– Przez te moje bóle głowy trudno było się mną opiekować! Dlatego nigdy mnie nie adoptowano! Jedna rodzina próbowała mnie przygarnąć – Gordonowie. Byli kochani i bardzo się starali, ale pani Gordon po prostu nie dawała sobie rady z atakami, które mogły przydarzyć się wszędzie. Oddali mnie więc z powrotem do opieki społecznej.

– Erico, nie możesz winić siebie za to, że opuściła cię matka. Byłaś małym dzieckiem! Czy to dlatego nie wyszłaś za mąż i nie wiążesz się z nikim? Z powodu bólów głowy i omdleń? Przez te tygodnie, kiedy pracujemy w Topaangna, nic nie zauważyłem.

– Jestem bardzo ostrożna – odparła, a łzy znów pociekły jej po policzkach. – Znam objawy. Kiedy czuję napięcie w szyi lub słyszę huczący dźwięk, wiem, że zaraz zacznie się atak. Idę więc szybko do namiotu i czekam w samotności, aż minie. Nie mogę obciążać innej ludzkiej istoty obowiązkiem opieki nade mną. Boję się mieć dzieci, bo to może być dziedziczne.

– Ja mógłbym się tobą zaopiekować. – Przyciągnął ją nagle do siebie i mocno pocałował. Otoczyła ramionami jego szyję. Trwała tak przy nim przez długą, pełną uniesienia chwilę.

Potem Jared odsunął się i powiedział:

– Erico, ja ostatnio tylko stwarzam pozory, że żyję. Wcale nie wkładam serca w walkę o jaskinię z Emerald Hills. To ty, jako jedyna, walczysz naprawdę. Podziwiałem cię cztery lata temu, kiedy starliśmy się w sprawie Reddmana. Podziwiałem cię też w zeszłym roku podczas tej całej historii z Chadwickiem. To nie była twoja wina, że wrak okazał się mistyfikacją. Chadwick zdołał wprowadzić w błąd największych specjalistów archeologii podwodnej. Ty miałaś tylko poświadczyć autentyczność chińskiej ceramiki i udało ci się to znakomicie, ponieważ ceramika ta wcale nie była fałszywa. I to, jak broniłaś swojego zdania, i twoje publiczne przeprosiny za udział w tym przedsięwzięciu – to też było godne podziwu. A ja, od śmierci Netsui nie zrobiłem nic. Kryłem twarz za maską i usta miałem pełne pustych frazesów. Dzięki tobie przypomniałem sobie, co to znaczy żyć i znowu walczyć w słusznej sprawie.

Ujął jej twarz w dłonie.

– Nie sądziłem, że jeszcze kiedykolwiek się zakocham, no i proszę, pojawiłaś się ty, kobieta-wojownik, dobra, silna i mądra.

Pocałował ją znowu, tym razem niespiesznie i czule, potem zaś pocałunek stał się bardziej zachłanny, aż obojgiem owładnęły namiętność i pożądanie. Jared położył Ericę na chłodnej, świeżej trawie, a wysoko nad nimi prastare gwiazdy zaświeciły nagle zupełnie nowym blaskiem.

Rozdział szesnasty

ANGELA
1866 rok

Nawiedzały ją duchy.

Nie tylko duchy ludzi, lecz widma wspomnień i minionych lat, duchy drzew i zachodów słońca, miłości i smutku, słów wypowiedzianych w gniewie i w ciemności. Nawet sama Angela była jednym z duchów, które nawiedzały ją tego poranka w dniu jej dziewięćdziesiątych urodzin, sunąc za nią i szeptem przywołując wydarzenia z odległej przeszłości.

Angela przez cały dzień chodziła po hacjendzie, która, przetrwawszy osiem dziesięcioleci powodzi, pożarów i trzęsień ziemi, była najstarszym domostwem w Los Angeles, i przypominała sobie pewne rzeczy po raz pierwszy od osiemdziesięciu pięciu lat. Wcześniejsze lata zawsze uważała za stracone, ponieważ nie sięgała pamięcią dalej niż do dnia swych szóstych urodzin, obchodzonych w tym domu. Teraz jej włosy były białe niczym śnieg, który zimą otula szczyty gór San Gabriel, lecz plecy miała wciąż proste i poruszała się samodzielnie, a umysł jej pozostał jasny i przejrzysty jak szkło. Jednakże w dzień swych dziewięćdziesiątych urodzin obudziła się o świcie z głową pełną niezrozumiałych, dawno zapomnianych obrazów.

Gdy leżała w łóżku, patrząc, jak promienie wschodzącego słońca rzucają nowe światło na jej sypialnię, wspomnienia wydarzeń

375

sprzed wielu dziesięcioleci, na podobieństwo nieproszonych gości na przyjęciu, zakłębiły się w jej głowie barwami i dźwiękami niczym w kalejdoskopie. Z niewyjaśnionych przyczyn zaczęła rozmyślać o koszykach wyplatanych przez Indianki i przypomniała sobie, że we wzorach plecionek kryją się opowieści. A potem usłyszała siebie, jako ośmioletnią dziewczynkę, która pyta donę Luisę: „Mamo, dlaczego nasza osada została nazwana od aniołów?". A Luisa odparła: „Bo zbudowano ją na świętej ziemi. Czy może być inny powód?". Do głowy napłynęły jej historie o Kojocie Oszuście i Dziadku Żółwiu, który wywoływał trzęsienia ziemi. Następnie w pamięci Angeli odżyło ciepłe popołudnie sprzed wielu lat, kiedy gubernator Neve poświęcał nowy plac i każdy dostał mały blaszany krzyżyk. Stała tam ze swymi rodzicami... a może tylko z matką? Tamtego dnia, osiemdziesiąt pięć lat temu, na placu zebrało się zaledwie czterdziestu czterech osadników z Meksyku. Cóż za skromna populacja... Zmarszczyła brwi. Lecz nie, byli tam przecież inni, stojący w pewnym oddaleniu, milczący obserwatorzy o obojętnych twarzach. Indianie. Wówczas były ich tysiące. Ilu zostało dzisiaj? Zaledwie kilkuset.

Pośród wspomnień pojawiła się jednak luka, tak jakby coś jej umknęło.

Umyła się i ubrała z pomocą osobistej służącej, potem wypiła swą poranną czekoladę i po cichu zmówiła pierwszą modlitwę tego dnia, po czym ruszyła prosto do kuchni, sądząc, że to, o czym zapomniała, dotyczyło jedzenia na dzisiejsze przyjęcie.

Ponieważ liczna rodzina Angeli stanowiła teraz kulturową mieszankę hiszpańsko-meksykańsko-amerykańską, trzeba było zadbać o wszystkie gusta. Oprócz tortilli, wieprzowiny i fasoli, na stole miały pojawić się owoce morza po hiszpańsku i wołowina na sposób amerykański. Ogromna kuchnia, wyposażona w trzy wielkie piece, potężne stoły i głębokie palenisko, już o tej wczesnej porze tętniła życiem – krzątające się w niej Indianki plotkowały, wypełniając powietrze egzotycznym aromatem i słowami. Angela przystanęła, żeby zajrzeć do *puchero*, potrawy z ułożonych warstwami warzyw, golonki, mięsa i owoców, która godzinami dusiła się na wolnym ogniu. Błędem było mieszanie. *Puchero* nie wolno zamieszać. Podniosła pokrywę i stwierdziła, że potrawa gotuje się prawidłowo.

Skoro w kuchni wszystko najwyraźniej przebiegało bez zakłóceń, Angela zaczęła się zastanawiać, czy nie zaniedbała przypadkiem czegoś, co dotyczy muzyków lub tancerzy. A może zapomniała kogoś zaprosić? Czy było dostatecznie dużo krzeseł, talerzy, lamp ogrodowych? Mimo że przyjęcie urządzano z okazji jej urodzin, Angela uparła się, że sama dopilnuje wszystkich przygotowań.

Stanęła przy oknie, by spojrzeć na łagodne wzgórza spowite oparami. Wiosna się skończyła, minęła pora deszczowa i nastało lato, pora dymu. Wkrótce nadciągną pustynne wiatry, które co roku oczyszczają powietrze, zwiewając dym ku morzu, potem zaś nadejdzie czas pożarów, ognia szalejącego wśród zarośli na zboczach gór. W następstwie pór roku i przewidywalnym cyklu przyrody było coś podnoszącego na duchu. „Łagodna Kalifornia" – pomyślała z rozrzewnieniem. Co jakiś czas jednak ziemia trzęsła się, by przypomnieć mieszkańcom Los Angeles, że są istotami śmiertelnymi.

Wędrowała dalej po domu w poszukiwaniu czegoś, co wypełniłoby lukę pośród jej bezładnych wspomnień. Przystanęła przed sypialnią, która przed trzydziestu sześciu laty należała do Mariny. To na tym łóżku osiemnastoletnia dziewczyna ze łzami wyznała jej swą miłość do jankesa. Od tamtego czasu Angela nie miała od córki żadnych wieści, lecz przez następne trzydzieści sześć lat nie było dnia, żeby choć na chwilę nie wybiegła myślami za odległy horyzont, modląc się w duchu do Najświętszej Marii Panny o opiekę nad Mariną.

W korytarzu natknęła się na komplet czterech obitych tapicerką antycznych krzeseł, które doña Luisa dawno temu sprowadziła do Kalifornii. Brokatowy jedwab był teraz zniszczony i spłowiały, a fornirowane oparcia i nogi poobijane na skutek poczynań wnuków i prawnuków. Krzesła miały stanowić prezent ślubny dla Mariny. Ale Marina uciekła, a krzesła zostały.

Przesunęła dłonią po starym drewnie i pomyślała: „I wy, i ja pochodzimy z Meksyku. Ale dlaczego nie pamiętam podróży stamtąd? Dlaczego moje wspomnienia zaczynają się w dniu szóstych urodzin?".

Rozmyślania Angeli zakłóciły czyjeś głosy. To rozmawiali jej dwaj wnukowie idący kolumnadą.

– Od czasu suszy bydło choruje.

Słowa te wywołały kolejne wspomnienie. Bydło. Angela ma pięć lat i obserwuje obcych ludzi, którzy prowadzą ogromne, przerażające zwierzęta. Nie było im przeznaczone żyć na tej ziemi. Sprowadzono je zza morza. Dlatego umierają.

– A na posiadłość kapitana Hancocka zaczęła przesączać się ropa. Niszczy ziemię przeznaczoną na uprawy i pastwiska. Złoża smoły są całkiem niedaleko. Może i u nas jest ropa. Musimy przekonać babcię, żeby sprzedała ranczo, póki jeszcze ziemia nadaje się do użytku.

– Wszyscy sprzedają. Rodziny Pico i Estrada sprzedały większość swojej ziemi przyjezdnym Amerykanom, George'owi Hearstowi i Patrickowi Murphy'emu. Najrozsądniej byłoby pójść za ich przykładem.

Mężczyznom towarzyszyły kobiety w obszernych, rozłożystych krynolinach. Angela nie nosiła pod suknią ciężkiego, niewygodnego stelażu, tylko zwykłą halkę. Gorset przestała nosić piętnaście lat temu. Jej zdaniem ostatnimi czasy moda coraz bardziej gnębiła kobiety.

Przywitała swych wnuków i ich żony z uśmiechem i otwartymi ramionami. Zawsze uwielbiała mieć przy sobie całą rodzinę.

Navarra oczywiście nie było. Umarł dwadzieścia lat temu, dokładnie szesnaście lat po owej nocy, kiedy Angela ugodziła go nożyczkami. Oprócz Carlotty nikt nie wiedział o tym wydarzeniu. Tamtej pamiętnej nocy, spostrzegłszy, że Navarro żyje, Angela wezwała lekarza, który opatrzył i zszył ranę, a także pomógł położyć jej męża do łóżka. Doktorowi zapłacono za zachowanie dyskrecji, a gdy Navarro odzyskał przytomność, zakazał swej żonie i najstarszej córce wspominać komukolwiek o prawdziwej przyczynie jego stanu. Mężczyzna zadźgany przez własną żonę – to było dla niego zbyt upokarzające.

Marina, ma się rozumieć, także nie przyjechała na jubileusz matki.

Sześć miesięcy po tym, jak jej siostra zniknęła w dniu swego ślubu, Carlotta dostała od niej list, w którym Marina donosiła, że jest bezpieczna. Carlotta odpisała jej, że ojciec nie zginął, gdyż rana nie była śmiertelna, i że nie wolno jej nigdy wrócić do domu, bo Navarro zabije ją za to, że uciekła z *Americano*. Potem Carlotta nie otrzymała już od siostry żadnych wieści, a kiedy Navarro umarł dwadzieścia lat temu, rodzina nie miała pojęcia, na jaki adres napisać do Mariny, że może już wrócić. Nie wiedzieli nawet, czy jeszcze żyje.

– Przyszliśmy, żeby zabrać cię do fotografa, babciu – oznajmili wnukowie, podchodząc do niej z dwóch stron, by ująć ją za wątłe ramiona. – Właśnie przygotowuje się do robienia zdjęć. Mówił, że chodzi o światło. Podobno teraz jest idealne.

Gdyby tylko mogła sobie przypomnieć to, co umknęło jej pamięci.

☆

We wrześniu 1846 roku, na początku wojny z Meksykiem, wybuchł bunt przeciw amerykańskim oddziałom okupującym Pueblo Los Angeles. Amerykański traper John Brown w sześć dni przebył osiemset kilometrów, by powiadomić o rebelii komandora Stocktona w Monterey. Natychmiast wysłano na pomoc wojsko, a wkrótce potem „New York Herald" wydelegował tam młodego reportera, Harveya Rydera, który miał zrelacjonować przebieg wydarzeń.

Było to przed dwudziestu laty. Ryder nigdy nie wrócił do Nowego Jorku.

– Sporo w tym ironii – powiedział teraz do fotografa, który ustawiał swój sprzęt pod drzewem figowca na hacjendzie rodziny Navarro. – Hiszpanie przybyli tu trzysta lat temu w poszukiwaniu złota, a kiedy nic nie znaleźli, spisali Kalifornię na straty. Oddali ją Meksykanom, a ci przegrali ją w wojnie z Amerykanami. I wtedy znaleziono złoto. – Parsknął śmiechem. – Założę się, że ich król pluje sobie w brodę, że pozbył się takiej żyły złota! Kalifornijczycy powinni się cieszyć, że przyszli tu Amerykanie. Gdyby nie my, nikt nie znalazłby kruszcu. Wciąż leżałby w ziemi, a Los Angeles byłoby zapadłą dziurą, liczącą pięciuset mieszkańców. – Zsunął melonik na tył głowy. – No cóż, to nadal zapadła dziura, tyle że teraz mieszka tu pięć tysięcy ludzi.

Wlepił wzrok w Indiankę o długich warkoczach, która przechodziła obok z koszykiem owoców.

– „New York Herald" przysłał mnie, żebym zrelacjonował wojnę z Meksykiem – mówił dalej do fotografa, lecz trudno było dociec, czy ten go słuchał. – Miałem pisać o wojnie, ale skończyła się, zanim tu dotarłem. Mimo to nie wróciłem do Nowego Jorku. Zaraz po podpisaniu rozejmu odkryto złoża złota, więc, tak jak wszyscy, pojechałem na północ, żeby się dorobić. Znalazłem trochę złota. Nie było tego dużo. Potem przez jakiś czas włóczyłem się po Oregonie. Ożeniłem się i rozwiodłem. Mam nawet gdzieś dwójkę dzieciaków. I wtedy spotkałem w San Francisco starego znajomego, który powiedział mi, że redakcja „Los Angeles Clarion" szuka reportera.

Służba przygotowywała ogród na przyjęcie gości. Rozstawiono już misy z owocami, którymi częstował się Ryder.

– To miejsce się rozwija – oświadczył, obierając pomarańczę. – To oczywiste. Wszyscy wykupują rancza i nazywają nowe miasta własnym imieniem. Spotkałem raz dentystę nazwiskiem Burbank, który kupił sobie akt własności hiszpańskiej ziemi we wschodniej części doliny San Fernando. A Downey, ten sam, który kilka lat temu był gubernatorem, rozparcelował swoje ranczo i sprzedaje działki. Niektórzy nawet zostawiają indiańskie nazwy, bo uważają, że to romantyczne. – Pokręcił głową. – Czy Pacoima albo Azusa brzmi romantycznie?

Oddzielił jedną cząstkę pomarańczy i wrzucił sobie do ust, a sok trysnął mu na brodę.

– Mieszkańcy Los Angeles to nieobliczalna rasa. Może się wydawać, że nie robią nic poza uprawianiem hazardu i zażywaniem sjesty. Ale trzeba ich było zobaczyć, kiedy wybuchła wojna między stanami. W mieście natychmiast rozgorzały spory na temat niewolnictwa i secesji. Mówię o zaciekłych, ognistych sporach, w których czasem lała się krew. Połowa mężczyzn pojechała walczyć po stronie Konfederacji albo Unii, a reszta została tutaj, nękając miasto bijatykami po pijanemu i strzelaninami. Ale dość szybko problem wojny przyćmiła susza z sześćdziesiątego drugiego, która wyrządziła ogromne szkody hodowcom bydła. Zaraz za nią przyszła epidemia ospy i zabrała połowę Indian. Jak na ironię, to właśnie Indianie pracowali przy stadach. Kiedy bydło pozdychało, mogło się wydawać, że Indianie przestali być potrzebni.

Uśmiechnął się i spojrzał na fotografa w oczekiwaniu na jego uznanie. Ten jednak nie przerywał pracy.

– Mieliśmy tu poważny problem z bandytami. Na mój gust to w większości nieudacznicy. Twierdzą, że mszczą się na jankesach za to, że ukradli im ziemię. Ale to nie jest kradzież, do diabła! Wiele tych dawnych hiszpańskich aktów własności było już nieaktualnych. Żaden sędzia amerykański nie uzna prymitywnej mapy, opatrzonej czyimś nazwiskiem, za tytuł prawny. Meksykanie nie prowadzili nawet porządnych pomiarów. Podjeżdżali do kępy drzew, rysowali je na mapie, potem jechali na południe do skały, rysowali ją, podjeżdżali do strumienia, nanosili go na papier i to nazywali dokumentem prawnym. W ten sposób odebrali ziemię Indianom. No, a Amerykanie zrobili to jak należy, przyszli z mierniczymi i prawnikami i przejęli te ziemie na dobre. Trudno to jednak wytłumaczyć tym *banditos*.

Zjadł jeszcze trochę pomarańczy i sprawdził, czy na eleganckiej satynowej kamizelce nie ma plam od soku.

– Sporo tu mieliśmy linczów. Grupa porywczych Teksańczyków, którzy nazywają siebie Strażnikami z El Monte, już prawie rozpętała cholerną wojnę domową w swoim mieście, kiedy na polu w pobliżu misji znaleziono zwłoki ich towarzysza o imieniu Bean, brata sędziego Roya. Chłopaki jeździli po okolicy, strzelając do wszystkiego, co nawinęło im się pod rękę, i wieszali wszystko, co się nie ruszało. Nie można jednak winić ludzi za to, że organizują samozwańczą straż. W całym okręgu mamy tylko jednego szeryfa i dwóch zastępców, a na każde miasteczko przypada tylko jeden urzędnik sądowy w charakterze prawnika. Los Angeles oczywiście nie jest już miasteczkiem. Awansowało. Pięć tysięcy ludzi mieszkających na obszarze ponad siedemdziesięciu kilometrów kwadratowych to już oficjalnie m i a s t o, przynajmniej według prawodawstwa Kalifornii. Ale powiem ci jedno, bracie – widziałem Paryż i widziałem Londyn. I wiem, że Los Angeles to żadne miasto.

Zdjął melonik i zaczął się nim wachlować.

– Ale przewiduję, że kiedyś nim będzie. Wkrótce pojawi się tu kolej, a wraz z nią całe rzesze nowych, głodnych ziemi imigrantów ze wschodu. Indian już prawie nie ma. Kiedyś były ich tysiące, ale w ciągu ostatniego ćwierćwiecza wyginęli, mimo zorganizowania kilku powstań. Misje się zlaicyzowały, Indian puszczono wolno, a oni po prostu przepadli. Większość pomarła.

Oblizał palce, wytarł je w chustkę i rozejrzał się po posiadłości, szukając wzrokiem członków rodziny, którzy powinni stawić się do zdjęcia. Posłał po nich dwóch ludzi. Sam miał przeprowadzić wywiad z głową rodu, señorą Angelą Navarro, i zapytać ją, jak człowiek się czuje, mając dziewięćdziesiąt lat.

– W 1830 roku w tej rodzinie wydarzyło się coś tajemniczego – powiedział, podczas gdy fotograf nadal ustawiał swoje urządzenia i szklane klisze, co chwila zerkając na słońce spod zmrużonych powiek. – Najmłodsza córka zniknęła w dniu swego ślubu, a Navarro, właściciel rancza, legł złożony niewyjaśnioną chorobą. Słyszałem, że przez kilka tygodni leżał obłożnie chory, a kiedy wyzdrowiał, był już innym człowiekiem. Stracił zainteresowanie prowadzeniem rancza, więc jego żona musiała przejąć dowodzenie.

Fama głosi, że z początku prawie nikt nie brał jej poważnie, ponieważ była tylko kobietą, a Navarro przecież nadal żył. Lecz któregoś roku, kiedy nadchodziła pora zimowych deszczów, señora ostrzegła wszystkich, że zbliża się straszna powódź. Kazała nawet swoim pracownikom kopać rowy odwadniające w niżej położonej części posiadłości. Ponieważ inni ranczerzy jej nie posłuchali, równinę zalała powódź i wszystkie uprawy zostały zniszczone. Rancho Paloma zaś ocalało dzięki kanałom odprowadzającym wodę. Potem zaczęli jej słuchać. Kiedy ograniczyła pogłowie bydła, by założyć na swej ziemi gaje cytrusowe oraz winnice, sądzili, że oszalała. Ale spójrz pan tylko, co się dzieje na innych ranczach. Bydło zdycha, a właściciele są zmuszeni sprzedawać ziemię. Oprócz Angeli Navarro. Chodzą słuchy, że jest najbogatszą kobietą w Kalifornii.

Pamiętam, jak zobaczyłem ją po raz pierwszy: było to w czterdziestym szóstym, tuż po moim przybyciu w te strony. Szedłem właśnie Starym Szlakiem, gdy ją ujrzałem. Wyglądała wspaniale. Och, w Nowym Jorku widywałem kobiety na koniach, ale ona jeździła jak mężczyzna. Nie potrzebowała damskiego siodła. Na głowie miała kapelusz z szerokim rondem, taki jakie noszą meksykańscy kowboje. Podobno codziennie objeżdżała cały majątek, przemierzając sady pomarańczowe i cytrynowe, winnice i gaje drzew awokado, aż stała się nieodłącznym elementem krajobrazu. Kiedy w końcu wiek dał się jej we znaki, musiała zmienić konia na powóz.

Reporter wyjął zegarek kieszonkowy i otworzył wieczko. – Na przyjęciu miały się zjawić stare rodziny kalifornijskie, a na dodatek nowo przybyli bogaci Amerykanie. I wszyscy traktowali ją z wielkimi honorami. Jakby była prawdziwą królową. – Zaśmiał się z własnego żartu. – Angela Navarro, Królowa Aniołów!

– Poza prowadzeniem rancza – mówił dalej, choć fotografa naj-wyraźniej o wiele bardziej interesowały chemikalia, co jednak wcale nie przeszkadzało Ryderowi, gdyż jego monolog był właściwie przygotowaniem się do napisania artykułu – z całą energią zajęła się spełnianiem dobrych uczynków i obowiązków obywatelskich. Tak, proszę pana, wdowa Navarro miała w tym mieście wielkie wpływy. To dzięki niej zbudowano drewniane chodniki, żeby panie mogły chodzić po ulicy, nie ciągnąc sukni w błocie i kurzu. W 1856 roku pomogła ufundować Stowarzyszenie Katolickich Sióstr Miło-sierdzia, które założyło sierociniec dla dzieci wszelkich wyznań. Dała też pieniądze na pierwszy szpital, a dwa razy do roku, na Boże Narodzenie i Wielkanoc, rozdaje żywność i ubrania wdowom i sierotom. Kiedy w 1853 roku rada miasta powołała komisję edukacji, Angela Navarro była jednym z pierwszych jej członków, a gdy otwarto Szkołę Publiczną nr 1 na rogu Spring Street, to Angela uparła się, żeby chodziły do niej zarówno dziewczynki, jak chłopcy. Więc pamiętaj pan, że nie robisz pan zdjęcia byle komu.

– Jestem gotowy – odezwał się wreszcie fotograf.

☆

Z dziewięciorga dzieci Angela miała ponad trzydzieścioro wnu-ków, a te z kolei dały jej niezliczoną liczbę prawnuków. Niektóre nie przeżyły, podobnie jak jej własne dzieci. Carlotta dawno już zmarła w Meksyku, ale Angelique ze swym mężem, Amerykaninem Sethem Hopkinsem, który znalazł złoto na północy i przyjechał do Kalifornii, by założyć tu uprawę cytrusów, przybyli wraz z dziećmi. Mimo posiadania tak licznej rodziny – Angela w duchu nazywała ją swym „małym plemieniem" – wciąż odczuwała dręczącą tęsknotę za Mariną.

Może to właśnie ona była tą brakującą częścią jej wspomnień. Marina.

Fotograf usadził Angelę na wielkim, bogato rzeźbionym krześle, które przypominało tron, a wokół niej zgromadził jej synów i córki, wnuczęta i prawnuki. Miała na sobie skromną czarną suknię ozdobioną kołnierzem i mankietami z białej koronki oraz biały koronkowy welonik przypięty do siwych włosów. Fotograf co chwila ustawiał i przestawiał na nowo zgromadzonych, chcąc zmieścić w kadrze całą rodzinę. Dzieci piszczały, niemowlęta uderzyły w płacz, a mężczyźni przeklinali upał, tak że pozowanie do zdjęcia zamieniło się w końcu w udrękę. Tylko Harvey Ryder najwyraźniej świetnie się bawił, siedząc w cieniu, zajadając pomarańczę i zerkając raz po raz na pulchne pośladki jednej z Indianek.

Pośród całego tego zgiełku, narzekań, zmian miejsca, zdejmowania i wkładania kapeluszy i dawania bezcennych rad fotografowi, Angela nagle zamarła. Ryder, którego instynkt wyostrzył się przez lata praktyki, natychmiast to spostrzegł i zerwał się na nogi. Oczy staruszki przybrały niezwykły wyraz.

Z początku nikt nie zauważył, że Angela wstała z krzesła. Lecz kiedy zaczęła oddalać się od grupy, a fotograf powiedział: „Proszę wybaczyć, pani musi być na zdjęciu", Angelique pospiesznie ruszyła za nią.

– Babciu? Czy wszystko w porządku?

Angela zatrzymała się na skraju ogrodu, gdzie niski kamienny murek oddzielał dom od zabudowań gospodarczych. Jej oczy, otoczone fałdami skóry i głębokimi zmarszczkami, choć wciąż błyszczące i bystre, utkwione były w aleję prowadzącą od strony Starego Szlaku.

Przybiegli pozostali członkowie rodziny i, ogromnie zatroskani, zaczęli nalegać, żeby babcia usiadła. Rozważano konieczność wezwania lekarza, czyniąc ogromne zamieszanie, podczas gdy Angela stała nieruchomo, wpatrzona w alejkę.

Po chwili wszyscy zamilkli, a wtedy dał się słyszeć – niesiony wiatrem – cichy odgłos końskich kopyt i skrzypienie kół furgonu. Zanim zdążyli się zorientować, kto to nadjeżdża, na usta Angeli wypłynął uśmiech, a ona wyszeptała tylko jedno słowo: „Marina".

W następnej chwili oczom zebranych, którzy stali jak urzeczeni, ukazały się wozy pełne ludzi i spiętrzonych bagaży. To musieli być przybysze z bardzo daleka. Na koźle pierwszego furgonu siedział jednoręki mężczyzna o białozłotych włosach i siwej brodzie, obok niego zaś ładna kobieta w średnim wieku, w niemodnej sukni i czepku na głowie. W drugim wozie jechał młody mężczyzna z kobietą, a między nimi siedziało dwoje dzieci. Trzecim furgonem powoził nastoletni chłopiec.

– *Dios mio!* – zawołał jeden z synów Angeli, mężczyzna po sześćdziesiątce, podobny do Navarra z wyglądu, lecz nie z zachowania. – Mamo! – krzyknął. – To Marina! Wróciła do domu!

Całe towarzystwo ruszyło na spotkanie gości, tłocząc się przy wozach niczym mieszkańcy wioski, którzy witają powracających z wojny żołnierzy. Angelique została wraz z Angelą z tyłu, pod murem ogrodu, obserwując tę scenę poprzez łzy napływające jej do oczu. Wziąwszy swą babkę pod ramię, poczuła, że staruszka drży z podniecenia, a na pomarszczonych policzkach Angeli dostrzegła połyskujące łzy.

– To rzeczywiście ciocia Marina – powiedziała Angelique ze zdumieniem.

Radosny pochód towarzyszył furgonom w drodze do hacjendy – dzieci wesoło biegały dookoła, dorośli cieszyli się. Tylko garstka z nich naprawdę pamiętała Marinę, ale każdy znał krążące o niej opowieści. Jej nagłe przybycie przypominało objawienie świętej. Wszyscy, nawet zdumiony fotograf i cyniczny reporter, wyczuwali magię tej chwili.

Wreszcie wozy zatrzymały się przy kamiennym murku. Marina przez moment siedziała bez ruchu, patrząc na matkę. Potem, z pomocą braci, zeszła z kozła i padła jej w ramiona, jakby rozstały się zaledwie wczoraj, a nie przed trzydziestu sześciu laty.

☆

Duchy wróciły. Szeptały, drażniły, przypominały dawno minione wydarzenia. Przez otwarte okiennice Angela widziała położenie księżyca na niebie.

Leżąc z otwartymi oczami w łożu z baldachimem, gdzie przyszły na świat jej dzieci, rozmyślała o wspaniałym dniu, który właśnie minął. Jedzenie, muzyka, tańce. I wszyscy przyjaciele, którzy przyszli na przyjęcie, starzy hiszpańscy *rancheros*, meksykańscy rzemieślnicy, nowo przybyli Amerykanie. Pojawił się nawet burmistrz Los Angeles, Cristóbal Aguilar, a gubernator przysłał jej z Sacramento telegram z życzeniami urodzinowymi. I Marina wróciła do domu! To szczęśliwy dzień dla kobiety. Lecz mimo to w jej pamięci nadal była jakaś luka, ta sama pustka, z którą obudziła się poprzedniego ranka.

W tej ciemnej i cichej godzinie, gdy myśli są jasne i przejrzyste, zaczęła uświadamiać sobie, że niekoniecznie jest to coś, o czym zapomniała, lecz coś, co powinna zrobić. Ale cóż to takiego?

Angela wstała z łóżka i wsunęła stopy w pantofle. Uśmiechnęła się na widok swych prezentów urodzinowych. Najcenniejsze były dla niej dwa podarunki: różowa aztecka figurka od Angelique i akwarele, które Daniel namalował w Chinach. Kiedy wyraziła swój żal z powodu tragedii, jaka go spotkała, gdy stracił rękę od bandyckiej kuli, Daniel odparł: „Dzięki Bogu, że została mi ta, którą maluję!".

Owinęła ramiona szalem, włożyła do kieszeni jadeitowy posążek, przeczuwając, że moc starożytnej bogini przynoszącej szczęście będzie jej potrzebna tej nocy, potem wzięła świecę i ruszyła mroczną, cichą kolumnadą, mijając drzwi, za którymi spali ludzie, aż dotarła do ostatniego pokoju.

Był to jej prywatny gabinet, a w nim masywny żelazny żyrandol, ciężkie meble, sięgające sufitu regały z książkami i kominek tak wielki, że mógłby w nim stanąć wysoki człowiek. Na biurku piętrzyły się stosy listów wymagających odpowiedzi. Ludzie prosili ją o pieniądze, o radę, chcieli prowadzić z nią interesy. Ponieważ wzrok jej nieco osłabł, a drżąca dłoń nie pozwalała już czytelnie pisać, Angela zatrudniła do pomocy sekretarkę. Codziennie jednak siadywała przy biurku, by przejrzeć księgi, rachunki i kwity.

Niegdyś był to ośrodek władzy Navarra, w którym przyjmował ważnych gości, obdarzał łaskami niczym król albo wymierzał kary jak despota; to tu dawał reprymendy swym dzieciom i karcił pracowników, podpisywał kontrakty i umowy opiewające na wielkie sumy oraz handlował zarówno legalnymi, jak nielegalnymi towarami. W tym pokoju udzielał pomocy przyjaciołom i niszczył swych wrogów. Kiedyś nawet gościł tu gubernatora Kalifornii i miał czelność nie wstać, gdy dygnitarz wszedł do gabinetu. Navarro siedział w swym wspaniałym, przypominającym tron krześle, decydował o tym, co dobre, a co złe i przez wszystkie lata swoich rządów ani razu nie pozwolił Angeli wejść do tego pokoju.

Teraz wspominała ową noc, kiedy odwiedziła Navarra, który leżał w łóżku i powoli powracał do zdrowia. Chociaż wyżył, stracił dużo krwi, a potem wdała się infekcja, przykuwając go do łóżka na wiele tygodni. W tamtym okresie Angela tymczasowo przejęła prowadzenie rancza, ponieważ miejscowy zwyczaj pozwalał żonom zostawać „ranczerkami" pod nieobecność męża. Podeszła wówczas do niego, spojrzała nań, gdy leżał tak, zupełnie bezradny, i oświadczyła: „Ta ziemia jest moja. Nie obchodzi mnie, co zrobisz, ale nigdy więcej nie będziesz zarządzał Ranczem Paloma. Jeśli kiedykolwiek znowu tkniesz mnie albo któreś z moich dzieci, tym razem zadźgam cię na śmierć". Gdy wreszcie wyzdrowiał i udał się do swego gabinetu, chcąc wrócić do pracy, zastał za biurkiem Angelę, przeglądającą księgi rachunkowe. Ich oczy spotkały się i starły w krótkiej, milczącej potyczce. Po czym Navarro odwrócił się i wyszedł bez słowa. Nigdy więcej nie przestąpił progu tego pokoju.

Angela otworzyła szufladę, wyjęła woreczek z impregnowanego płótna i wsunęła go pod pachę. Następnie wyszła i cichcem przemknęła się wzdłuż kolumnady, aż dotarła do sypialni Mariny i Daniela Goodside'ów.

Delikatnie zapukała do drzwi, wiedząc, że kobiety w średnim wieku mają lekki sen, podczas gdy mężczyźni w średnim wieku śpią jak zabici. Angela z zadziwieniem rozmyślała o historii córki.

Przez pierwsze dziesięć lat małżeństwa, spędzonych w domu w Bostonie, Marina urodziła czwórkę dzieci. Potem Daniel został pastorem i oboje wyjechali do misji w Chinach. Przenieśli się tam z małymi dziećmi i całym dobytkiem, by przez dwadzieścia pięć lat głosić słowo boże. A kiedy Marina doszła do wniosku, iż może bezpiecznie napisać do domu, bo Navarro był już tak stary, że nic jej nie mogło grozić z jego strony, próbowała wysłać list, lecz nie było to łatwe. Wielu Chińczyków nie ufało obcokrajowcom. Gdy wreszcie osobiście dopilnowała, żeby list wypłynął w morze, sztorm zabrał na dno statek wraz z listem.

A później, zaledwie przed rokiem, dobiegł końca okres służby Daniela, którego przeniesiono na emeryturę. Najpierw popłynęli na Hawaje, gdzie Marina znowu zabrała się do wysyłania listu, ale po pierwszej nieudanej próbie postanowiła, że najlepiej będzie po prostu przyjechać. Nie miała zbytniej nadziei, że jej matka jeszcze żyje, nie liczyła nawet, że rodzina Navarro wciąż tu mieszka. Ale któż mógł spodziewać się, że… przyjedzie w dniu urodzin matki!

Angela uznała to za znak. Tak właśnie miało być. A Marina miała teraz towarzyszyć jej w ostatniej podróży.

– Ubieraj się. Musisz pójść ze mną – szepnęła, gdy Marina otworzyła drzwi.

– Dokąd?

– Potrzebny nam powóz.

– Ależ mamo, jest bardzo późno.

– Noc jest ciepła.

– Czy to nie może poczekać do rana?

– Córko, przeszłość odzywa się dziś we mnie bardzo natarczywym głosem – rzekła, po czym dodała: – Musimy zabrać ze sobą Angelique.

☆

Czterdziestodwuletnia, pulchna po siedmiu ciążach Angelique potrzebowała nieco czasu na włożenie obszernej, ciężkiej krynoliny, która niemal całkowicie wypełniła wnętrze powozu, pozostawiając niewiele miejsca dla jeszcze dwóch pasażerek. Na szczęście jednak Marina w wieku pięćdziesięciu czterech lat wciąż była szczupła, po latach ciężkiej pracy i wyrzeczeń, a na sobie miała prostą suknię, która wyszła z mody przed ćwierćwieczem; Angela natomiast była mała i krucha. Miejsca zatem wystarczyło.

Córka i wnuczka protestowały trochę, wsiadając do powozu z pomocą zaufanego stangreta Angeli. Sługa woził ją po terenie rancza od piętnastu lat i teraz nie zadawał żadnych pytań, choć jego pani wyrwała go ze snu w środku nocy i kazała zawieźć się gdzieś w nie cierpiącej zwłoki sprawie. Marina i Angelique zgodziły się jednak pojechać, ponieważ obydwie wiedziały, że jeśli odmówią, Angela wybierze się w tę podróż sama.

– Niech przynajmniej towarzyszą nam Seth i Daniel.

Angela potrząsnęła głową. To kobieca wyprawa. Niech mężczyźni śpią.

Kiedy dotarli do Starego Szlaku, a woźnica skręcił na wschód, Marina zawołała zaniepokojona:

– Ależ mamo, niebezpiecznie jest jechać nocą do miasta!

– Nic nam się nie stanie.

– Skąd możesz wiedzieć?

Staruszka nie odpowiedziała, a Marina i jej siostrzenica wymieniły przerażone spojrzenia. Obydwie pocieszały się obecnością woźnicy – ten rosły, krzepki mężczyzna miał przy sobie szpadę oraz nóż i pistolet zatknięte za pasem.

Jechały w milczeniu, a gdy minęły zagajnik dębowy, Angelique wyjaśniła ciotce, że ranczo Quiñonesów już nie istnieje. Pablo, który miał poślubić Marinę trzydzieści sześć lat temu, niedawno sprzedał ziemię Amerykaninowi nazwiskiem Crenshaw.

Zbliżając się do miasta, poczuły odór bijący z rowów irygacyjnych, do których drewnianymi rurami spływały ścieki z domów i sklepów. Na ulicach paliły się latarnie – mieszkańcy i sklepikarze wywieszali je przed budynkami zgodnie z wymogiem prawa. Chodziły jednak słuchy, że do Los Angeles wkrótce zawitają lampy gazowe. Bary były wciąż jaskrawo oświetlone, a z ich wnętrz dobiegała hałaśliwa muzyka. W oddali rozbrzmiewały odgłosy strzałów. Dwóch mężczyzn biło się na drewnianym chodniku.

Widziały też Indian śpiących pod drzwiami domów lub zataczających się na ulicy, upojonych alkoholem białego człowieka.

Powóz minął Szkołę Publiczną nr 1 na rogu Spring Street. Na Main Street i Temple, gdzie do tej pory stały tylko budynki z suszonej cegły, widać już było efekty działalności jankesów, którzy wznosili tam drewniane i murowane domy. Miejsce hiszpańskich patio i fontann zajmowały nowe budowle i nowe style architektoniczne o wyszukanych nazwach, takich jak romański, styl królowej Anny czy neokolonialny; pojawiły się filary, dwuspadowe i mansardowe dachy. Zmieniono nazwy ulic: Loma nosiła teraz miano Hill Street, Accytuna – Olive, Esperanzas została Hope Street, a Flores – Flower. Wszystko to z powodu jankesów.

Kiedy objeżdżały główny rynek, cuchnący jeszcze po niedawnej walce byków, Angelique opowiedziała Marinie o planowanej tu budowie nowego hotelu z łazienkami na każdym piętrze, gazowym oświetleniem i francuską restauracją. Hotel miał mieć aż dwa piętra, przez co byłby najwyższym budynkiem w Los Angeles.

Marina nie wykazywała jednak zbytniego zainteresowania.

– Mamo, dlaczego tu jesteśmy?

Angela nie miała pojęcia. Wiedziała tylko, że muszą jechać dalej.

Opuściwszy centrum miasta, ruszyli drogą na północny wschód – trzy kobiety w powozie, z milczącym stangretem na koźle. Minęli wąwóz Chavez, gdzie miasto założyło cmentarz dla biedoty i obcych, aż wreszcie dotarli na teren misji – jej zabudowania o długich, wąskich oknach między wysokimi przyporami bardziej przypominały fortecę aniżeli klasztor. Gdy Alta California przeszła na własność Meksyku, nowy gubernator zniósł system misyjny, a ziemię sprzedał bądź rozdał swoim przyjaciołom i krewnym. Misja San Gabriel stała zaniedbana przez wiele lat, tamtejsi Indianie żyli w nędzy, ściany i dach zawalały się, a winnice niszczały, aż w 1859 roku rząd amerykański oddał ją Kościołowi. Nigdy już jednak nie powróciła do pierwotnego stanu. Piękny niegdyś kościół otaczały teraz budy i szałasy biedaków.

Gdy tak siedziały w powozie, pogrążone w milczeniu, a stangret czekał na dalsze rozkazy swej pani, Angelę nawiedziło mgliste wspomnienie ogrodu, który kiedyś tu istniał, Indianki doglądającej ziół i cicho nucącej coś w blasku słońca. Potem kobietę męczyła gorączka i dokuczliwy kaszel, a podczas ceremonii poświęcenia nowego placu była już słaba i chora. I jeszcze jazda na mule w góry, nad samo morze…

Angela westchnęła głęboko. Nagle doznała olśnienia. Wiedza, która spoczywała pogrzebana w jej sercu przez osiemdziesiąt pięć lat, uwolniła się z więzienia i wzleciała niczym ptak.

„Urodziłam się tutaj. Nie w Meksyku, jak mówiła mi matka. A raczej, jak mówiła Luisa. Bo Luisa nie była moją prawdziwą matką".

Teraz już rozumiała, dlaczego przez cały dzień jej myśli wypełniały wspomnienia z dzieciństwa. „Możliwe, że zbliżając się do końca, zbliżamy się także do początku".

Widziała teraz jasno także to, co nękało ją wczoraj od samego rana, przypominając, że musi spełnić jakiś ostatni obowiązek. Wiedziała już, co to oznacza, i dlaczego wybrała się na tę nocną przejażdżkę po Los Angeles.

Przyjechała się pożegnać.

☆

Zbliżając się do podnóża gór, poczuły zapach morza. Mijały właśnie posiadłość San Vicente y Santa Monica, należącą do rodziny Sepúlveda. Usłyszały dźwięk dzwoneczków owiec pasących się niedaleko.

Dotarłszy do kanionu, Angela ujrzała głazy pokryte petroglifami, nie pamiętała jednak znaczenia wyrytych rysunków. Jak przez mgłę przypominała sobie, że była tu kiedyś jako dziecko, a ktoś obiecywał, że pozna nowe opowieści. Lecz Angela nigdy nie usłyszała tych historii. Nie pojmowała znaczenia jaskini ani malowideł, nie rozumiała też, dlaczego miejsce to wydawało jej się kiedyś takie ważne. Pamiętała tylko, że to tutaj w noc poślubną obcięła swój warkocz.

Marina i Angelique towarzyszyły jej do jaskini. Odczepiły latarnię z powozu i oświetlały nią drogę, podtrzymując staruszkę z dwóch stron. Marina rozpoznała tę grotę. To tutaj znalazł ją Daniel owego wieczora, gdy rozpoczęło się ich wspólne życie.

Pomogły Angeli wejść do środka. Wewnątrz było zimno i wilgotno, a w powietrzu unosiła się woń stuleci. Światło latarni rzucało złoty blask na ściany pokryte dziwnymi malunkami i wyrytym w skale napisem: „La Primera Madre". Widok malowidła przedstawiającego dwa słońca zaparł im dech w piersiach – było niezwykle piękne.

Angela poprosiła córkę i wnuczkę, żeby usiadły i zachowały ciszę, po czym sama usadowiła się na ziemi. Latarnia stała pośrodku tego osobliwego małego kręgu, oblewając twarze trzech kobiet nierzeczywistą poświatą.

Przez kilka minut Angela siedziała w milczeniu, aż wreszcie w kościach i we krwi poczuła to, czego brakowało jej do tej pory. Zamknęła oczy. „Mamo, jesteś tutaj?". I natychmiast wyczuła czyjąś obecność, ciepłą, kochającą, opiekuńczą. Pojęła, że przez całe życie nosiła w sobie ową lukę, maleński obszar pustki, który sprawiał, że nigdy nie zaznała spełnienia i zawsze jej się zdawało, że powinna czegoś szukać. Teraz już wiedziała, co to było: własne pochodzenie.

Nagle stało się jasne, dlaczego przyszła właśnie tu i przyniosła woreczek z impregnowanego płótna – zawierał on pergamin przekazujący ziemię na własność ludziom, którzy nie mieli do niej prawa, ponieważ ich przodkowie mieszkali daleko stąd. Ku ogromnemu zdumieniu jej towarzyszek, Angela zaczęła kopać w ziemi, wbijając swe wiekowe palce w twardą glebę. Marina i Angelique próbowały ją powstrzymać, lecz uciszyła je, a w głosie i wyrazie twarzy staruszki było coś, co zmusiło je do posłuchu.

Na ich oczach dół pogłębiał się, aż w końcu Angela wydawała się zadowolona. Nie wiedziały, co zawiera woreczek ani dlaczego złożyła go do ziemi. Patrzyły zafascynowane, gdy powoli zasypywała to miejsce, zgarniając ziemię także na jadeitową aztecką figurkę, która wypadła z fałd jej szala. Angelique już otworzyła usta, lecz coś kazało jej zamilczeć. Aztecka bogini, która była przy niej w niezwykłych i pięknych chwilach jej życia, teraz miała na zawsze spocząć pod ziemią w tej dziwnej jaskini.

Kiedy Angela zakopała akt własności Rancza Paloma, ogarnął ją błogi spokój. Ziemia należała do Pierwszej Matki i jej potomków, nie do najeźdźców i intruzów, lecz do ludzi, którym ją wydarto. Przyklepując ziemię, pomyślała: „Muszę powiedzieć to innym. Marinie, Angelique. One mają indiańską krew. Danielowi, Sethowi... ich dzieci pochodzą od Pierwszej Matki".

Zaczęła więc mówić z pośpiechem, gdyż niewiele czasu już jej zostało:

– Jesteśmy Indiankami, należymy do plemienia Topaa i pochodzimy od Pierwszej Matki, która jest tutaj pogrzebana. Jesteśmy Strażniczkami Jaskini. Mamy obowiązek przekazywać naszym ludziom opowieści, tradycję i religię. Musimy utrzymać przy życiu wspomnienia.

Wpatrywały się w nią ze zdumieniem.

– Co mówi babcia, ciociu Marino?

– Nie mam pojęcia. To jakiś bełkot.

– Co to za język? Wcale nie przypomina hiszpańskiego.

– Musicie zapamiętać to miejsce – ciągnęła Angela, nie zdając sobie sprawy, że mówi w języku Topaa, którego używała, gdy była dzieckiem, a jej matka nazwała ją Marimi i zapowiedziała, że dziewczynka zostanie kiedyś szamanką klanu. – Musicie opowiedzieć innym o grocie.

Angela wzięła Marinę za rękę.

– Nazwałam cię Marina, bo źle zrozumiałam to, co słyszałam we śnie. Twoje imię miało brzmieć M a r i m i.

– Matko, nie rozumiemy, co mówisz. Pozwól się stąd zabrać. Zawieziemy cię do domu.

Ale Angela pomyślała: „Ja j e s t e m w domu".

– Mamo, proszę... przerażasz nas.

Angelique i Marina wyciągnęły do niej ręce.

Lecz Angela była myślami z Pierwszą Matką, która sama przewędrowała pustynię, wypędzona przez własne plemię, ciężarna. A jednak przetrwała. Angela spojrzała na Marinę, która w Chinach żyła w ciężkich warunkach i zniosła wiele przeciwności losu, a mimo to znalazła siłę, by pracować u boku męża. Potem popatrzyła na Angelique, która przeszła udrękę w obozie poszukiwaczy złota na północy. No i sama Angela, bez względu na to, jak krzywdził ją Navarro, zdołała zachować dumę, godność i szacunek do samej siebie. „Jesteśmy córkami Pierwszej Matki. To jest nasze dziedzictwo".

Dlatego musiała tu przyprowadzić Marinę i Angelique. W innym miejscu i czasie obydwie zostałyby szamankami swojego plemienia. Teraz jednak były żonami Amerykanów, a ich dzieci nosiły imiona Charles, Lucy i Winifred. Zamknęła oczy i na tle krwistoczerwonego zachodu słońca ujrzała sylwetkę kruka. Leciał do krainy umarłych, tam, dokąd odeszli przodkowie i czekali teraz, aż dołączy do nich ona... Marimi.

Rozdział siedemnasty

Nigdy nie stosowała sztuczek. Duchy, które się pojawiały, nie były ani złudzeniem, ani efektem podejrzanych matactw czy jakichś magicznych zabiegów – tak przynajmniej twierdziła siostra Sarah. Zawsze chętnie zapraszała do swego Kościoła Duchów w Topaangna demaskatorów zjawisk paranormalnych, aby do woli analizowali jej seanse. Przybywali więc obwieszeni aparatami fotograficznymi i sprzętem nagrywającym, czujnikami temperatury, detektorami ruchu, najnowocześniejszą aparaturą naukową, w nadziei przyłapania jej na oszustwie. I nigdy im się to nie udało. Psychiatrzy i przedstawiciele Kościoła doszli do wniosku, że zjawy są skutkiem zbiorowej histerii – ludzie po prostu widzieli to, co c h c i e l i widzieć. Siostra Sarah utrzymywała, że jej duchy są rzeczywiste i że ona sama jest ludzkim przekaźnikiem, poprzez który one przechodzą z tamtego na ten świat.

Erica siedziała w samochodzie Jareda, wlepiając wzrok w telewizor. Kiedy zdobyła kasetę wideo z dokumentalnym filmem o sławnej w latach dwudziestych spirytystce, nie miała pojęcia, jak bogate ma przed sobą źródło informacji: rzadki materiał filmowy z nabożeństw siostry Sarah, podczas których sześć tysięcy ludzi rzucanych jest na kolana w ekstazie na widok materializujących się ich drogich zmarłych, a charyzmatyczna siostra Sarah stoi na scenie w powiewnych szatach, z rozpostartymi ramionami, odchyloną głową, przymkniętymi oczami, wibrująca duchową energią.

Była oszałamiająco piękna. Fragmenty kilku filmów, w których wystąpiła przed odkryciem jej medialnych właściwości, pokazują zmysłową syrenę o ciemnych, migdałowych oczach – to w roli wampa, to bogini, uwodzicielki czy kobiety fatalnej. Materiał obejmował również filmy amatorskie nakręcone przez Edgara Rice'a Burroughsa na jego Tarzana Rancho, które Sarah często odwiedzała w towarzystwie Rudolfa Valentino, Douglasa Fairbanksa czy Mary Pickford. To właśnie w tym okresie ujawniły się jej zdolności, kiedy wróżyła przyjaciołom, udzielała im rad przy podejmowaniu życiowych decyzji, a nawet pomogła policji w znalezieniu dziecka, które zaginęło w Baldwin Hills. Przekazywane z ust do ust wieści sprawiły, że stawała się coraz bardziej pożądanym gościem prywatnych seansów spirytystycznych. Zaczęła gromadzić większą widownię, odkrywając, że nie tylko potrafi przywoływać pojedyncze duchy, ale równie łatwo radzi sobie z dużą ich liczbą. Ludzie oddawali jej cześć. Łączyła ich ponownie z bliskimi, którzy odeszli. Była uosobieniem nadziei na istnienie życia po śmierci.

Gdy Sarah uniosła ręce, skierowała wzrok ku niebiosom, a jej audytorium wstrzymało oddech w oczekiwaniu na pojawienie się duchów, Erica zerknęła na zegarek. Co też takiego może zatrzymywać Jareda?

Wyszedł przed kilkoma godzinami na pilne spotkanie z przedstawicielami Konfederacji Plemion Południowej Kalifornii, w nadziei, że zdoła ich odwieść od zamiaru powstrzymania badań nad DNA szkieletu z Emerald Hills. Ich zaskakujące posunięcie, w wyniku którego sąd zdecydował o zawieszeniu prac archeologicznych i ekspertyz medyczno-sądowych, mogło raz na zawsze zniweczyć wszelkie szanse na identyfikację szkieletu. Odsunięta chwilowo od prac w jaskini, Erica postanowiła wykorzystać czas na dotarcie do źródeł swych snów o malowidle.

Jeśli pani Dockstader nie była jej babką i jeśli Erica nigdy nie miała okazji widzieć obrazu znad kominka, to owe dziecięce sny musiały mieć inne źródło. Przed zasypaniem kanionu ktoś przecież mógł zrobić zdjęcie wnętrza jaskini i je opublikować, a ona gdzieś to zobaczyła.

Ale Erice niełatwo było się skupić.

Potrafiła myśleć tylko o tym, jak kochała się z Jaredem pod rozgwieżdżonym nieboskłonem. Czy tak właśnie wygląda stan zakochania? Nic dziwnego, że ludzie układają o tym poematy! Czuła zawrót głowy i odurzenie, szczęście i obłędną radość. Ale także lęk przed tym, że może to tylko sen, że może Jareda utracić, zanim zdąży go naprawdę mieć. Może to wszystko jest częścią...

Nagle utkwiła oczy w ekranie. Przywrócony do życia materiał filmowy z 1922 roku pokazywał siostrę Sarah wchodzącą do groty. Erica przesunęła się na skraj krzesła.

Umieszczona na południowej grani kamera skierowana była na znajdujące się poniżej wejście do jaskini. Sarah, w swej firmowej białej szacie z kapturem, zniknęła w czeluści groty, podczas gdy jej świta i tłumek dziennikarzy w dramatycznym napięciu oczekiwali na zewnątrz. Kiedy po kilku minutach pojawiła się z powrotem, na jej twarzy malowało się osłupienie. Głos spoza kadru powiedział: „Czy w tej jaskini siostra Sarah doznała duchowego objawienia, jak później twierdziła, czy też była to jedynie gra? Wkrótce po nabyciu posiadłości kazała zasypać kanion, grzebiąc jaskinię, tak więc się już nie dowiemy, co ujrzała w jej wnętrzu".

Końcowy fragment dokumentu, nakręcony w roku 1928, pokazywał zrozpaczoną siostrę Sarah przed mikrofonami i grupą dziennikarzy, wypowiadającą do swych zwolenników słowa pożegnania. Wieść o tym spadła nagle i niespodziewanie, w chwili gdy Kościół Duchów osiągnął szczyt popularności. Sarah nie wyjaśniła, dlaczego porzuca służbę publiczną, poprzestając jedynie na stwierdzeniu, że „taka jest wola Boga". Następnie usunęła się w cień i mimo wielu prób jej odnalezienia – gazety organizowały konkursy, dziennikarze walczyli o materiał do chwytliwych artykułów – po siostrze Sarah wszelki słuch zaginął.

Film się skończył. Wyłączając telewizor, Erica pomyślała: „Wszystko sprowadza się do jaskini. Mnie przywiodło tam przede wszystkim malowidło, lecz przez stulecia ciągnęło tam także innych ludzi, którzy zostawili w niej okulary, relikwiarz, krzyż, warkocz, amulet, aztecki fetysz, tytuł własności rancza. No i siostra Sarah. Co ich wszystkich łączy? Jaki mają związek z malowidłem w domu Kathleen Dockstader? I jaki związek ma to ze mną?".

Wraz z Jaredem zdołała ustalić, że Navarro, pierwsi właściciele Rancza Paloma, byli jedną z wybitnych rodzin – założycieli Los Angeles. A na kształt nowego miasta najwyraźniej wpłynęła matka rodu – kobieta o imieniu Angela. To ona dążyła do założenia parku miejskiego, w którym ludzie mogliby odpoczywać i gdzie, w przeciwieństwie do głównego rynku, nie odbywałyby się walki byków. Park ten, pierwotnie nazwany Parkiem Centralnym, powstał w roku 1866; jego obecna nazwa brzmiała: Pershing Square. Jedna ze szkół podstawowych w dolinie San Fernando nosiła imię Angeli Navarro, co było wyrazem hołdu złożonego przez miasto tej kobiecie. Erica i Jared ustalili również, że Angela Navarro mieszkała na Ranczu Paloma, gdzie zmarła w roku 1866, a po jej śmierci wyniknęły problemy prawne, kiedy się okazało, że rodzina nie jest w stanie okazać tytułu własności rancza.

„Ponieważ został pogrzebany w naszej jaskini. Ktokolwiek go tam ukrył, wiedział, że spoczywa w niej szkielet, a także do kogo on należy. A ludzie w ciągu stuleci odwiedzający tę jaskinię wiedzieli, kim była ta kobieta. Badanie DNA wskazałoby nam przynajmniej kierunek poszukiwań".

– Cześć.

Podniosła wzrok i ujrzała uśmiech Jareda. Serce zabiło jej jak szalone.

– Cześć – odpowiedziała.

Senase siostry Sarah nie były jedynymi cudami, jakie się tu zdarzyły. Jared w końcu zadzwonił do ojca. Rozmawiali przez godzinę. Nie poszło idealnie, ale na początek dobre i to. A Jared zamierzał zaprojektować dom specjalnie dla Eriki. A jej podobał się ten, w którym mieszkają maleńcy Arbogastowie.

– Niestety mam złe wiadomości. Nie potrafię ich skłonić do odstąpienia od blokady badań nad DNA.

– Musimy dalej próbować.

Zamilkł, chłonąc oczami jej postać. Erica była ciekawa, czy kiedykolwiek znuży ich to rozkoszne poruszenie, jakie oboje ciągle na nowo odczuwają na swój widok.

– Jest jeszcze coś gorszego – dodał po chwili. – Kości mają zostać usunięte i pogrzebane na miejscowym cmentarzu rdzennych Amerykanów.

– Nie! Kiedy?

– Kiedy tylko będzie to możliwe. Przykro mi, Erico. Nigdy nie przypuszczałem, że przyjmę twój sposób myślenia, ale teraz widzę, że nie należy usuwać szkieletu przed ustaleniem jego kulturowej przynależności. Nigdy nie byłem człowiekiem religijnym czy uduchowionym… Wiadomo jednak, że pochowana w jaskini kobieta była taką osobą, podobnie jak ludzie, którzy tam przychodzili, by składać jej hołd. Naszym obowiązkiem jest to uszanować, a także odnaleźć prawowitych stróżów miejsca jej wiecznego spoczynku.

Pochylił się i pocałował ją.

W drzwiach ukazała się głowa Luke'a.

– Masz gości, Erico. Podobno coś ważnego.

Wyszła z samochodu i osłoniła oczy od słońca.

– Ach, pani Dockstader!

Starsza kobieta miała na sobie białe luźne spodnie i jasnoróżową bluzkę, na nogach sandały z odkrytymi palcami, a z ramienia zwisała jej na długim złotym łańcuszku mała torebka. Oczy skryła za wielkimi okularami słonecznymi.

– Proszę mi opowiedzieć o tych bólach głowy – rzekła na powitanie.

☆

Jared zaproponował Kathleen Dockstader i jej adwokatowi, aby porozmawiali z Ericą w jego samochodzie, który zapewniał większą wygodę i prywatność niż namiot czy też laboratoryjna przyczepa.

– Doktor Tyler... – starsza pani zwróciła się do Eriki. – Po pani wyjściu poleciłam mojemu prawnikowi, aby zbadał pani wiarygodność. Ponieważ wydawała się pani godna zaufania, jako pracujący dla państwa antropolog, postanowiłam sprawdzić pani historię. Wynajęłam prywatnego detektywa. Zebrał on informacje o hipisowskich komunach i o wszystkich, którzy mogli w nich mieszkać i pamiętać tamte czasy. Trafił do pewnego właściciela tawerny w Seattle: należał do jednej z komun w latach, kiedy przebywała w niej moja córka. Powiedział, że pamięta dziewczynę o nazwisku Dockstader, spadkobierczynię ogromnego majątku, która nie chciała mieć nic wspólnego z milionami swej matki. Cieszyła się wówczas powszechnym uwielbieniem. Z perspektywy czasu ten człowiek uważa, że była szalona. Na pytanie detektywa o jej dalsze losy odparł, że komunę opuściła wraz z jakimś muzykiem na harleyu.

Kathleen umilkła, splatając i rozplatając dłonie. Było tak, jak domyślał się Jared: od czasu, gdy przed tygodniem oboje wyszli z jej domu, panią Dockstader nieustannie prześladowały myśli o Erice. Odwołała nawet swój udział w światowych rozgrywkach golfa.

– A potem doszło to – rzekła, dając znak adwokatowi; ten zaś wyciągnął z teczki jakąś książkę. Erica ze zdumieniem stwierdziła, że jest to wykaz absolwentów jej liceum z roku 1982: właśnie wtedy skończyła szkołę. Kathleen otworzyła książkę na stronie założonej niewielką czarno-białą fotografią, którą chyba wycięto z jakiejś wcześniejszej księgi pamiątkowej. Dziewczyna na tym zdjęciu miała tapirowaną fryzurę z wywiniętymi na zewnątrz końcami.

– Zdjęcie to zostało zrobione w 1965 roku – wyjaśniła Kathleen. – Monica miała wówczas siedemnaście lat.

Położyła fotografię obok zdjęcia Eriki.

– Jesteście tu rówieśnicami. Czyż podobieństwo nie jest uderzające?

– Wyglądamy jak bliźniaczki – wyszeptała Erica.

Kathleen zamknęła książkę i wręczyła ją adwokatowi.

– Jednak o tym, że jesteś moją wnuczką, przekonało mnie ostatecznie twoje pytanie o bóle głowy. Cierpiała na nie moja matka.

Nie były to tylko migreny, lecz także dziwne omdlenia, podczas których słyszała głosy i widziała obrazy. Miała wizje. Jest to najwyraźniej cecha dziedziczna. Matka mówiła mi, że na podobną przypadłość cierpiała jej cioteczna babka. Nikt o tym nie wiedział. Było to czymś w rodzaju naszego rodzinnego sekretu. Inne, które chciałyby się znaleźć na twoim miejscu w nadziei na zdobycie nagrody czy spadku, nie miały pojęcia o tych bólach głowy.

— Pani Dockstader...

— Mów mi Kathleen.

— Dlaczego moja matka uciekła?

— Ponieważ chcieliśmy, żeby zamieszkała w domu dla samotnych matek, utrzymując swą ciążę w tajemnicy. Później dziecko zostałoby umieszczone u jednej z sióstr Hermana, mojego męża, ojca Moniki. Wierzyliśmy, że posiadanie dziecka zrujnuje Monice przyszłość. Kiedy jednak uciekła, nasze życie legło w gruzach. Ona była dla Hermana królewną, światłem jego życia. Gdy odeszła, w nim też coś umarło. Daliśmy ogłoszenia do wszystkich większych dzienników w kraju, prosząc, żeby wróciła wraz z dzieckiem do domu. Ale... nigdy nie dała znaku życia.

— Czy wiesz, kim był mój ojciec?

— Monica nie chciała nam tego wyznać. — Kathleen dobyła z torebki ozdobioną monogramem chusteczkę. — Nie mam pojęcia, kto to taki. Ona nie była złą dziewczyną, tylko po prostu trochę narwaną. Nie wyobrażasz sobie, ile razy po jej odejściu żałowaliśmy z Hermanem naszych słów. Monica pragnęła zatrzymać dziecko. Zostałaby z nami... — Podniosła na Ericę błyszczący, pełen bólu wzrok. — Wychowałabyś się w naszym domu.

— Nie wiem, co powiedzieć.

Kathleen delikatnie otarła oczy chusteczką.

— Ja również. Musi minąć trochę czasu, zanim przywykniemy do tej sytuacji.

Przyglądały się sobie nawzajem. Młodsza z kobiet szukała na obliczu starszej podobieństwa — miały identycznie zarysowaną linię czoła; starsza widziała przed sobą twarz, która mogła być kiedyś twarzą jej córki.

– Czy mogłabym... – spytała po chwili pani Dockstader – czy mogłabym obejrzeć jaskinię?

– Jaskinię?

– Jeśli pozwolicie.

Jared pomógł starszej pani zejść na dół po rusztowaniu. Erica zapaliła jarzeniówki, które zalały jaskinię nierzeczywistym blaskiem, oświetlając drewniane szalunki i stemple, wgłębienia wyżłobione w podłodze, ścianę pokrytą szkarłatno-złotym malunkiem i tajemniczymi symbolami, a wreszcie Damę leżącą spokojnie na boku pod przezroczystą osłoną przypominającą szklany sarkofag.

Dało się słyszeć westchnienie Kathleen, podobne powiewowi bryzy. Patrzyła w niemym zachwycie.

– Wiem wszystko o tej grocie – oznajmiła cicho, jakby nie chciała zakłócić spokoju śpiącej Damy. – Malowidła na ścianie, napis „La Primera Madre". Wszystko wygląda dokładnie tak, jak sobie wyobrażałam.

Erica spojrzała na nią zaskoczona.

– Byłaś tu już wcześniej?

– Nie, nie. Ten kanion został zasypany, zanim się urodziłam. Ale o jaskini opowiadał mi ktoś, kto w niej b y ł.

– Kto?

Uśmiechnęła się.

– Kobieta, która namalowała obraz z dwoma słońcami wiszący w moim salonie. Kobieta, która stworzyła tu azyl zwany Kościołem Duchów. Siostra Sarah, moja matka. Twoja prababka. Jestem jej dzieckiem, owocem miłości. To z mojego powodu uciekła przed światem.

☆

– Matka zawsze wiedziała, że w jaskini jest ktoś pochowany – oświadczyła Kathleen.

Siedziały z Ericą w zalanym słońcem salonie domu pani Dockstader w Palm Springs, przeglądając albumy pełne zdjęć, wycinków prasowych i innych pamiątek.

– Wyczuwała to, ale nie mogła tego udowodnić. Twierdziła nawet, jakoby zamieszkujący jaskinię duch polecił jej wybudować w tym miejscu Kościół Duchów.

– Co się z nią działo? Dlaczego zniknęła?

– Zakochała się w żonatym mężczyźnie, któremu małżonka nie chciała dać rozwodu. Matka, mając świadomość, że ciąża może wywołać wstrząs wśród jej zwolenników, postanowiła usunąć się w cień. Przeniosła się do małego miasteczka, w którym nie było kina, dzięki czemu ludzie nie mogli jej rozpoznać. Urodziła mnie, a potem wychowywała zupełnie sama. Nigdy nie widziałam swego ojca. Nie wiem nawet, czy po moim przyjściu na świat rodzice kiedykolwiek się ze sobą kontaktowali. Jedno jest tylko pewne: wszystko to było głęboko tragiczne. Matka zmarła, kiedy miałam dwadzieścia dwa lata. Została pochowana na cmentarzu w owym miasteczku i do dziś nikt nie wie, że spoczywa tam słynna siostra Sarah.

– Czy to dlatego chciałaś, żeby twoja córka oddała swoje dziecko na wychowanie ciotce?

Kathleen uśmiechnęła się boleśnie.

– Dorastałam, patrząc na pogrążoną w bólu matkę. Usiłowała się z tym kryć, ale dziecko wyczuwa takie rzeczy. Wiedziałam, że jako niezamężna kobieta z dzieckiem matka była wyrzutkiem. I że pewne piętno ciąży również na mnie. Podawała się za wdowę, a zatem żyłyśmy w kłamstwie. Nie chcieliśmy, żeby naszą córkę spotkał podobny los.

Erica nie mogła w to wszystko uwierzyć. Czuła się jak głodująca długo osoba, którą zaproszono na ucztę. Te fotografie i opowieści, ludzie podobni do niej z twarzy, jej krewni – liczna, rozgałęziona daleko wstecz rodzina złożona z ciotek, wujów i kuzynów, dziadków i pradziadków.

– A to jest – rzekła Kathleen – Daniel Goodside, kapitan na bostońskim kliperze. Zdjęcie to znalazłam w starej skrzyni. Było jedną z dwóch fotografii wykonanych w 1875 roku. Druga, przedstawiająca kobietę, zupełnie zapleśniała. Zdołałam jednak odczytać napis na jej odwrocie: „Marina, żona Daniela". Nic o niej nie wiem, nie znam jej rodowego nazwiska. Przypuszczam, że też pochodziła z Bostonu. Jak widzisz, Goodside stracił rękę, być może podczas wojny domowej. Był on po trosze artystą.

Na sąsiedniej stronie widniała niewielka akwarela autorstwa Daniela Goodside'a, namalowana w 1830 roku: *Szamanka plemienia Topaa z misji Świętego Gabriela Archanioła*.

– Topaa – mruknęła pod nosem Erica. – Nigdy nie słyszałam o takim plemieniu.

Kathleen zamknęła album i wstała.

– Prawdopodobnie miał na myśli Tongwa. Wówczas często mylono nazwy i słowa. A teraz pozwól, że cię oprowadzę po posiadłości.

Ujęła Ericę pod ramię.

– Ojciec mego męża, czyli twój pradziadek, sprowadził tu z Arabii pierwsze palmy daktylowe i w 1890 roku zaczął uprawiać ziemię. Do rodziny Dockstader weszłam poprzez małżeństwo w roku 1946. Miałam wtedy osiemnaście lat. Twoją matkę urodziłam po dwóch latach, w 1948 roku.

Obchód przerwała im służąca, zawiadamiając o telefonie do Eriki. Dzwonił Jared.

– Radzę ci wracać. Mamy tu coś zdumiewającego.

☆

Z samochodu dobiegał hałaśliwy śmiech. Gościem Jareda była tęga kobieta o rumianych policzkach i krzepkim uścisku dłoni.

– Witam, doktor Tyler, nazywam się Irene Young i mam chyba coś, co panią zainteresuje. Jestem nauczycielką wychowania fizycznego w Bakersfield, a w wolnym czasie zajmuję się genealogią.

405

Badam właśnie rodowód mojej rodziny. Kiedy w wiadomościach obejrzałam reportaż o znalezieniu przez panią tytułu własności rancza, które należało do ludzi o nazwisku Navarro, zrozumiałam, że muszę tu przyjechać. – Sięgnęła do płóciennej torby na zakupy i wyjęła skórzaną teczkę. – Badając linię matki, doszłam do rodu Navarro, właścicieli Rancza Paloma. Oto ich zdjęcie. – Wydobyła starą fotografię w plastikowej osłonie. – Proszę zauważyć, że na odwrocie jest coś napisane. Zdjęcie zostało zrobione w roku 1866 z okazji urodzin tej kobiety – wskazała na pełną godności starszą niewiastę, siedzącą w samym środku grupy ludzi wyglądających na członków rodziny.

Irene wyjaśniła, że dotarła do wielu potomków osób widniejących na fotografii, ale nie udało jej się ustalić tożsamości jednej pary. Pokazała, o kogo chodzi.

Erica zerknęła na jednorękiego mężczyznę stojącego z tyłu.

– O Boże! To jest Daniel Goodside. Mój przodek.

– Jak to? – zdumiał się Jared, oglądając zdjęcie.

– Goodside? – zapytała Irene Young. – To jego nazwisko? Przypuszczam, że jest mężem kobiety, która siedzi obok niego.

– To może być Marina – powiedziała Erica, przypomniawszy sobie słowa Kathleen.

– Wykazuje silne podobieństwo do kobiety w środku, która, jak sądzę, jest matroną tej rodziny. Nazywa się Angela Navarro, a zatem żona Goodside'a byłaby z domu Navarro.

– Moja babka nigdy nie poznała nazwiska Mariny. Doszła do wniosku, że, tak jak Daniel, pochodziła ona z Bostonu. Mój Boże... Czyżbym była spokrewniona z rodziną Navarro?

Irene wskazała na parę ludzi stojącą w tyle grupy.

– To są moi prapradziadkowie, Seth i Angelique Hopkinsowie. Angelique była wnuczką matki rodu, Angeli.

Erica ponownie spojrzała na zdjęcie. Sięgnęła po lupę i w milczeniu przypatrzyła się fotografii.

– Ta kobieta jest Indianką.

– Niestety, nie zdołałam ustalić jej przynależności plemiennej. Wydaje mi się że była Indianką misyjną...

– Jared! – krzyknęła nagle Erica. – Kathleen ma akwarelę namalowaną przez Daniela Goodside'a, przedstawiającą kobietę z plemienia Topaa!

– Topaa! Myślisz, że ludzie ze zdjęcia należą do tego plemienia?

– Czy nie widzisz, że wszystko zaczyna się układać w całość? – Erica mówiła z ożywieniem. – Daniel Goodside lubił portretować członków plemienia Topaa. Jego żona była pół- lub ćwierćkrwi Indianką. O panieńskim nazwisku Navarro. Potem ktoś zagrzebał tytuł własności Rancza Paloma, czyli ziemi Navarrów, w jaskini w Topaangna... Topaangna! – powtórzyła. – Nikt nie wie, co to słowo właściwie oznacza. Istnieje kilka teorii na ten temat. Co do jednego wszakże wszyscy są zgodni – że „ngna" oznacza „miejsce". Jeśli plemię Topaa zamieszkiwało tę okolicę, to wszystko do siebie pasuje!

– Dlaczego nigdy o nim nie słyszeliśmy?

– Być może Topaa jako pierwsi zostali wchłonięci przez misję. I szybko się zasymilowali. Dlatego nic nie wiemy o ich istnieniu.

Po czym dodała:

– Dzięki tej nowej wiedzy możemy powstrzymać Konfederację Plemion przed zabraniem kości do powtórnego pochówku. Nasz szkielet może stanowić jedyny dowód na istnienie zaginionego plemienia. Znając już jego nazwę, mamy większe szanse na znalezienie prawdopodobnego potomka.

Jared posłał jej zagadkowy uśmiech.

– O co chodzi?

– Erico, na razie najbardziej prawdopodobnym potomkiem jesteś ty.

☆

Sam nadal był nieprzejednany, podobnie jak członkowie Konfederacji Plemion, którzy przyjechali z trumną i szamanem. Orzekli, że przedstawiony przez doktor Tyler materiał dowodowy, jeśli

407

w ogóle można go tak nazwać, jest zbyt wątły. Czas już, aby szamanka spoczęła na indiańskim cmentarzu.

Erica odmówiła otwarcia bramy zabezpieczającej jaskinię. Ku swej rozpaczy Sam nie mógł znaleźć własnego klucza, a trzeci znajdował się w posiadaniu Jareda. Stali na skale powyżej groty – Erica zagradzała im przejście, a Sam groził przecięciem kłódki nożycami do żelaza. Erica zerknęła na zegarek. Gdzie się podziewał Jared? Dzwonił do niej wcześniej i polecił, żeby zatrzymała członków Konfederacji Plemion do chwili jego powrotu. Był bardzo podekscytowany, lecz nie chciał zdradzić, co się stało. Ale ta rozmowa miała miejsce przed kilku godzinami.

– A cóż to takiego? – odezwał się nagle Luke, wskazując coś ręką.

Odwrócili głowy, by ujrzeć Jareda, który szedł z wolna przez obóz w towarzystwie dwojga drobnych, śniadych ludzi, sędziwych i przygarbionych. Było to rodzeństwo, brat i siostra, zamieszkali we wschodniej części Los Angeles. Jared odnalazł ich poprzez Wydział Studiów nad Indianami Uniwersytetu Los Angeles, gdzie zgromadzono potężną bazę danych dotyczących Indian kalifornijskich. Pracujący w terenie antropologowie zamierzali przetrząsać stare centra miast w poszukiwaniu „ukrytych" lub „zapomnianych" rdzennych Amerykanów.

Jared przedstawił ich jako Marię i Jose Delgado.

– Wiemy, że na pewno istnieli Indianie, którym udało się uniknąć wcielenia do misji i pozostać w swoich wioskach. Następnie powędrowali do Pueblo Los Angeles, gdzie ulegli asymilacji z ludnością meksykańską, choć małżeństwa zawierali tylko między sobą. Tych dwoje ludzi utrzymuje, że wychowano ich w przekonaniu, iż są Topaa, jednak nikt im nie wierzy. Nigdy bowiem nie słyszano o istnieniu takiego plemienia.

Stara kobieta wyjaśniła:

– Przed wielu laty poszliśmy do muzeum porozmawiać z pracującymi tam ludźmi. Byli to wielce wykształceni naukowcy. Powiedzieli nam, że się mylimy, że żadnego plemienia o nazwie Topaa nigdy nie było, no i że my nazywamy się Gabrielino. Kiedy do naszej okolicy przybył jakiś pisarz, aby napisać historię Indian kalifornijskich, a my powiedzieliśmy mu, że nazywamy się Topaa, zapisał to jako Tongwa, bo uważał, że to my jesteśmy w błędzie.

Brat i siostra urodzili się w 1915 roku, oboje owdowieli i teraz mieszkali razem. W dzieciństwie i wczesnej młodości nasłuchali się opowieści od pewnego blisko stuletniego starca. Twierdził on, że urodził się w misji około roku 1830. Aczkolwiek nigdy nie mieszkał w wiosce, to o wiejskim życiu dowiedział się od innych starców w misji, poznał też opowieści o Pierwszej Matce i o tym, jak jej duchowy przewodnik kruk poprowadził ją ze wschodu przez pustynię. Mężczyzna ów był jedyną osobą, która im przykazała, aby pamiętali, że nie są Gabrielino – tę nazwę nadał ich plemieniu biały człowiek. Są członkami plemienia Topaa.

Wzmianka o Pierwszej Matce zdumiała Ericę.

– Słyszeliście o tym w dzienniku telewizyjnym czy przeczytaliście w gazecie?

Stara kobieta roześmiała się, ukazując bezzębne dziąsła.

– Gazety! Ani ja, ani mój brat nie umiemy czytać. Nie oglądamy też wiadomości telewizyjnych. Tam są zawsze niedobre wieści, ciągle tylko strzelaniny i zabijanie. My z bratem lubimy teleturnieje.

Erica zwróciła się do Jareda:

– To dowód, że oni rzeczywiście są z plemienia Topaa. W żaden inny sposób nie mogli się dowiedzieć, że jest to jaskinia Pierwszej Matki.

– Ten człowiek opowiedział nam o jaskini – rzekła staruszka.

– Czy możemy wejść do środka i odwiedzić Pierwszą Matkę?

☆

Na pożegnanie wszyscy zebrali się w grocie. Pierwsi wyszli Sam i Luke, życząc powodzenia Erice i Jaredowi, których czekał nawał pracy. DNA szkieletu pasował do wyników analizy dwojga indiańskich staruszków, co pozwoliło zidentyfikować śpiącą Damę jako członkinię plemienia Topaa. Jose i Maria Delgado pragnęli, żeby powstało muzeum, którego celem będzie szerzenie wiedzy o tym plemieniu. Chcieli też, aby Pierwszą Matkę pozostawić w jaskini, a jej grób zabezpieczyć przed zadeptaniem. Grota wszakże miałaby być udostępniana zwiedzającym.

– Takie byłoby jej życzenie – oznajmił starzec. – Żeby przychodzili tu ludzie, aby z nią porozmawiać i dowiedzieć się o jej wędrówce.

Ostatnia wyszła Kathleen Dockstader. Odwołała swoje sześciomiesięczne wakacje, by wykorzystać ten czas na ponowne podjęcie poszukiwań córki.

– Jedno tylko mnie zastanawia – powiedziała do Eriki. – Obraz w moim salonie, ten z dwoma słońcami, jest dziełem mojej matki. Ty mówisz, że przez całe życie widywałaś je w swoich snach.

– Od dziecka. Najprawdopodobniej ktoś go sfotografował i zamieścił w biografii siostry Sarah, a ja to gdzieś zobaczyłam, w jakiejś książce czy czasopiśmie, i po prostu o tym zapomniałam.

– To mnie właśnie zdumiewa... Bo widzisz, ten obraz został skradziony, kiedy moja matka zniknęła, i chyba później, po odnalezieniu, złożony w policyjnym magazynie, gdzie czekał na zgłoszenie kradzieży przez właściciela. Przed pięciu laty obraz ostatecznie skojarzono ze mną. I dopiero wtedy objęłam go w posiadanie. Do tego dnia malowidło leżało gdzieś zagrzebane przez siedemdziesiąt lat. Widzisz więc, moja droga, że nie mogłaś go ujrzeć wcześniej niż dopiero przed dwoma tygodniami.

– No cóż... – westchnął Jared, gdy wszyscy opuścili już jaskinię, a oni zostali sam na sam z Pierwszą Matką pogrążoną we śnie w swym przezroczystym sarkofagu. – Dotknął mnie kaprys losu. Moim zadaniem było znalezienie najbardziej prawdopodobnego potomka, a on był przez cały czas obok, tuż pod moim nosem.

Popatrzył na promieniejące słońca na ścianie groty.

– Dlaczego przypuszczasz, że znasz je ze swych snów, choć nigdy wcześniej nie widziałaś obrazu?

Nie potrafiła mu odpowiedzieć. Podejrzewała, iż jest to coś w rodzaju wspomnienia zbiorowego.

410

– Słońca to przecież nic innego jak okręgi, a okrąg jest dla Topaa świętością, podobnie zresztą jak dla wielu indiańskich plemion. Może ja po prostu śniłam o świętości. A może to było proroctwo?

– Proroctwo?

Pomyślała o parze staruszków z plemienia Topaa.

– Zapowiadające, że kiedyś zamkniemy ten krąg.

Jared ujął jej dłoń i oglądając się na szkielet, powiedział:

– Kimkolwiek ona jest, jej wędrówka jeszcze nie dobiegła końca. To my musimy ją teraz podjąć.

Kiedy wyszli z jaskini i zwrócili twarze ku zachodzącemu słońcu, z nieba sfrunął kruk i poszybował przed nimi, jak gdyby chciał im wskazać drogę.

Podziękowania

Zdobywanie wiedzy w muzeach i czerpanie jej z książek jest rzeczą bardzo dobrą, ale nigdy nie będzie tak wzbogacającym i pouczającym doświadczeniem jak kontakt z żywym człowiekiem. Ci oto wyjątkowi ludzie zasłużyli na moje podziękowania:

Elmer De La Riva ze szczepu Agua Caliente plemienia Cahuilla za to, że zabrał mnie na wycieczkę do nawiedzonego kanionu Taquitz i opowiedział przerażającą legendę o szamanie; doktor Michelle Anderson z Instytutu Studiów nad Rdzennymi Amerykanami, dzięki której mogłam poznać wyniki badań prowadzonych w rezerwatach; doktor Raymond Wong, patolog sądowy, który zapoznał mnie z prawnymi regulacjami w zakresie badań nad szczątkami ludzkimi; Mike Smith za to, że udostępnił mi swą imponującą kolekcję bardzo starych i unikatowych dzieł sztuki rdzennych Amerykanów z południowej Kalifornii; Richard Martinez, który wprowadził mnie w prawne zawiłości indiańskich roszczeń ziemskich; Shana Domingue, która zabrała mnie na mój pierwszy *powwow*[1] i udzieliła lekcji tańca Koźlej Skóry; a także Indianie misyjni ze szczepów Pala, Peczanga, Morongo i Santa Ynez (Czumasz), którzy szczodrze dzielili się ze mną swymi opowieściami plemiennymi i tradycją oraz nadziejami na lepszą przyszłość dla rdzennych Amerykanów.

---

[1] *Powwow* – uroczystość, organizowana co roku w lecie, podczas której Indianie gromadzą się, by uczcić swe związki z tradycją, duchowością i wszystkim, co żyje na ziemi (przyp. tłum.).

Pragnę też wyrazić głęboką wdzięczność Jennifer Enderlin, mojemu mądremu i przewidującemu wydawcy, oraz Harveyowi Klingerowi, najwspanialszemu na świecie agentowi literackiemu. Pokój wam wszystkim!

Książka została wydrukowana
na papierze objętościowym Norbook Lux 70 g/m^2
vol. 2.0 dostarczonym przez
Sack Invent Trading Sp. z o.o.

Warszawskie Wydawnictwo Literackie
MUZA SA
ul. Marszałkowska 8, 00-590 Warszawa

tel. (0-22) 827 77 21, 629 65 24
e-mail: info@muza.com.pl

Dział zamówień: (0-22) 628 63 60, 629 32 01
Księgarnia internetowa: www.muza.com.pl

Warszawa 2003
Wydanie I

Skład i łamanie: MAGRAF s.c., Bydgoszcz
Druk i oprawa: Drukarnia Naukowo-Techniczna, Warszawa